GOLEM

UMA FÁBULA ETERNA

GÊNIO

HELENE WECKER

THE GOLEM AND THE JINNI.
Copyright © 2013 by Helene Wecker.
Todos os direitos reservados.

Tradução para a língua portuguesa
© Cláudia Guimarães, 2015

Imagens © New York Public Library Digital Gallery

Os personagens e as situações desta obra
são reais apenas no universo da ficção;
não se referem a pessoas e fatos concretos,
e não emitem opinião sobre eles.

Diretor Editorial
Christiano Menezes

Diretor Comercial
Chico de Assis

Editor Assistente
Bruno Dorigatti

Assistente de Marketing
Bruno Mendes

Design e Capa
Retina 78

Designer Assistente
Pauline Qui

Revisão
Cecília Floresta
Retina Conteúdo

Impressão e acabamento
Ipsis Gráfica

DADOS INTERNACIONAIS DE CATALOGAÇÃO NA PUBLICAÇÃO (CIP)
Angélica Ilacqua CRB-8/7057

Wecker, Helene
 Golem e o gênio / Helene Wecker ; tradução de Cláudia
Guimarães. – – Rio de Janeiro : DarkSide Books, 2015.
 520 p. : il.

 ISBN 978-85-66636-48-2
 Título original: *The Golem and the Jinni*

 1. Literatura norte-americana 2. Ficção 3. Fantasia
 I. Título II. Guimarães, Cláudia

15-0548   CDD 813

Índices para catálogo sistemático:
 1. Literatura norte-americana

DarkSide® *Entretenimento LTDA.*
Rua do Russel, 450/501 – 22210-010
Glória – Rio de Janeiro – RJ – Brasil
www.darksidebooks.com

HELENE WECKER

GOLEM & GÊNIO

UMA FÁBULA ETERNA

TRADUÇÃO
CLÁUDIA GUIMARÃES

DARKSIDE

NEW YORK—THE SYRIAN COLONY, WASHINGTON STREET

DRAWN BY W. BENGOUGH.

Para Kareem

GOLEM & O GÊNIO
UMA FÁBULA ETERNA

I

A vida da Golem começou no porão de um navio. O ano era 1899; o navio era o *Baltika*, que ia de Danzig[1] para Nova York. O mestre da Golem, um homem chamado Otto Rotfeld, a havia embarcado clandestinamente dentro de um caixote grande, escondendo-a no meio das bagagens.

Rotfeld era um judeu prussiano de Konin, uma cidade agitada localizada ao sul de Danzig. Filho único de um próspero fabricante de móveis, Rotfeld herdara os negócios da família mais cedo que o esperado em virtude da morte prematura de seus pais por escarlatina. Mas Rotfeld era um tipo arrogante e fútil, sem um pingo de bom senso; e, antes mesmo de se passarem cinco anos, a empresa estava em frangalhos.

Em meio às ruínas, Rotfeld fez as contas de sua vida. Ele estava com 33 anos, desejava ter uma esposa e gostaria de viajar para a América.

---

[1] Antes localizada na Alemanha, após a Segunda Guerra Mundial a cidade passou a fazer parte da Polônia, chamando-se Gdańsk. [Nota da Tradutora, de agora em diante NT]

O maior problema era a esposa. Além de possuir um caráter arrogante, Rotfeld era desengonçado e pouco atraente, e tinha o hábito de olhar as pessoas de soslaio. As mulheres relutavam em ficar sozinhas com ele. Alguns casamenteiros se acercaram dele quando herdara o negócio dos pais, mas suas clientes eram de famílias inferiores, e ele as dispensou. Quando se tornou claro para todos que tipo de homem de negócios ele realmente era, as propostas desapareceram de vez.

Rotfeld era arrogante, mas também solitário. Não vivenciara verdadeiramente nenhum caso de amor. Ele passava por muitas mulheres respeitáveis na rua e via a repugnância em seus olhos.

Não demorou muito para que decidisse visitar o velho Yehudah Schaalman.

Circulavam por aí muitas histórias sobre Schaalman, cada uma diferente da outra: que era um rabino caído em desgraça quando fora expulso de sua congregação; que fora possuído por um *dybbuk*[2] e agora tinha poderes sobrenaturais; e até que tinha mais de cem anos e dormira com mulheres-demônio. Mas todas as histórias tinham um ponto em comum: Schaalman gostava de se aventurar na mais perigosa das artes cabalísticas e estava disposto a oferecer seus serviços em troca de uma recompensa. Mulheres estéreis o haviam visitado de madrugada, engravidando pouco tempo depois. Camponesas desejosas de conquistar homens compravam de Schaalman saquinhos contendo um pó que misturavam à cerveja de seus amados.

Mas Rotfeld não queria feitiços ou poções de amor. Ele tinha outra coisa em mente.

Foi à choupana em ruínas do velho, no meio da floresta próxima a Konin. Para chegar lá, era preciso tomar uma trilha improvisada. Uma fumaça amarelada e gordurosa escapava pela chaminé — o único sinal de que alguém vivia ali. As paredes da choupana pendiam em direção a uma ravina, na qual havia um riachinho.

Rotfeld bateu à porta e aguardou. Depois de alguns minutos, ouviu passos vagarosos. A porta se abriu cerca de um palmo, revelando um homem de talvez setenta anos. Ele era quase totalmente careca. Embaixo de uma barba emaranhada, suas bochechas eram encovadas. O velho encarou Rotfeld como se o desafiasse a falar.

---

2   Espírito humano, no folclore judeu, que, devido aos seus pecados pregressos, vagueia incansavelmente até que encontre refúgio no corpo de uma pessoa viva [Nota do Editor, de agora em diante NE].

"Você é Schaalman?", perguntou Rotfeld.

Nenhuma resposta, apenas o olhar fixo.

Rotfeld, nervoso, limpou a garganta. "Eu quero que você me faça um golem que possa se passar por humano", disse. "E quero que seja uma fêmea."

O pedido quebrou o silêncio do velho. Ele riu, uma espécie de tosse barulhenta. "Rapaz", ele disse, "você sabe o que é um golem?"

"Uma pessoa feita de barro", disse Rotfeld, hesitante.

"Errado. É uma besta de carga. Um escravo corpulento e irracional. Golens são feitos para a proteção e a força bruta, não para os prazeres da cama."

Rotfeld corou. "Você está dizendo que não pode fazer isso?"

"Estou dizendo a você que essa ideia é ridícula. Fazer um golem que passe por humano é quase impossível. Em primeiro lugar, ele precisaria de um mínimo de consciência, pelo menos para conversar. Isso para não falar do corpo, com articulações e musculatura realistas..."

O velho se calou, fixando o olhar em um ponto além do visitante. Ele parecia estar ponderando sobre alguma coisa. Repentinamente, deu as costas para Rotfeld e sumiu na obscuridade da choupana. Pela porta aberta, Rotfeld podia vê-lo mexendo cuidadosamente em uma pilha de papéis. Então ele apanhou um velho livro com capa de couro e começou a folheá-lo. Seu dedo percorreu uma página, e ele examinou com atenção o que estava escrito ali. Voltou-se para Rotfeld.

"Volte amanhã", disse.

Assim, Rotfeld bateu à porta de novo no dia seguinte, e desta vez Schaalman abriu de imediato. "Quanto você pode pagar?", ele perguntou.

"Então pode ser feito?"

"Responda à minha pergunta. Uma resposta determinará a outra."

Rotfeld citou um número. O velho bufou. "O dobro, no mínimo."

"Mas não me sobrará quase nada!"

"Considere uma barganha", disse Schaalman. "Pois não está escrito que uma mulher casta é mais preciosa que rubis? E a virtude dela", ele sorriu ironicamente, "será garantida!"

Rotfeld levou o dinheiro três dias depois, em uma grande maleta de madeira. A borda da ravina fora recentemente alterada: um fragmento do tamanho de uma pessoa fora escavado dali. Uma pá suja de terra estava apoiada contra uma das paredes da casa.

Schaalman abriu a porta com um olhar distraído, como se tivesse sido interrompido em um momento crucial. Estava com a barba e a roupa sujas de lama. Ele viu a maleta e a tomou das mãos de Rotfeld. "Ótimo", disse. "Volte daqui a uma semana."

Ele bateu a porta, mas antes Rotfeld conseguiu dar uma espiada no interior da choupana e viu pedaços de uma figura escura que estava sobre uma mesa — um tronco delgado, membros toscos e uma mão crispada.

———— • ————

"O que você prefere em uma mulher?", perguntou Schaalman.

Uma semana se passara, e dessa vez Rotfeld foi convidado a entrar. A choupana estava quase toda ocupada pela mesa que Rotfeld vislumbrara na outra ocasião, e o jovem não conseguiu evitar dar uma olhada: uma forma humana, embrulhada em um lençol. Ele respondeu: "Como assim, o que eu *prefiro*?".

"Estou criando uma mulher para você. Suponho que deseja dar um palpite nesse assunto."

Rotfeld franziu o rosto. "Gostaria de uma figura atraente, imagino..."

"Não falo de seu aspecto físico, não agora. O temperamento, a personalidade."

"Você pode *fazer* isso?"

"Sim, creio que sim", disse o velho com orgulho. "Pelo menos, posso guiá-la na direção de algumas tendências."

Rotfeld se concentrou. "Quero que ela seja obediente."

"Isso ela será", disse Schaalman, impaciente. "É exatamente o que um golem é: um escravo da sua vontade. Ela fará tudo aquilo que você ordenar. Não desejará outra coisa."

"Isso é bom", disse Rotfeld. Mas estava perplexo. Além da aparência e obediência, ele não sabia muito bem o que desejava. Estava prestes a dizer a Schaalman que fizesse como achasse melhor — mas então, de repente, lembrou-se de sua irmã mais nova, a única menina que realmente conhecera. Ela era muito curiosa com relação às coisas da vida, tornando-se um fardo para a mãe, que não suportava a menina sempre a seus pés, fazendo perguntas. Em um dos poucos atos de generosidade de sua vida, o jovem Otto a tomou sob sua proteção.

Juntos, eles passavam tardes inteiras caminhando pelo bosque, e ele respondia a todas as perguntas que a irmã fazia, não importava sobre o quê. Quando ela morreu, aos doze anos de idade, afogada em um rio numa tarde de verão, ele perdeu a única pessoa na vida com quem realmente se importava.

"Dê-lhe curiosidade", disse a Schaalman. "E inteligência. Não suporto mulheres tolas. Ah", acrescentou, a inspiração despertando seu interesse para a tarefa, "e faça-a respeitável. Não... lasciva. Mas a esposa de um cavalheiro."

As sobrancelhas do velho se ergueram. Ele esperava que seu cliente pedisse bondade maternal, um ávido apetite sexual ou ambos; os vários anos nos quais prepara poções de amor lhe ensinaram o que homens como Rotfeld pensavam querer em uma mulher. Mas curiosidade? Inteligência? Ele se perguntava se o homem sabia o que estava pedindo.

No entanto, apenas sorriu e abriu os braços. "Vou tentar", disse. "Os resultados podem não ser tão precisos como você deseja. Há um limite para o que se pode fazer com o barro." Então seu semblante anuviou. "Mas lembre-se disso: uma criatura não pode ser totalmente afastada de sua natureza primordial. Ela sempre será um golem. Terá a força de uma dúzia de homens. Ela vai protegê-lo sem pensar e machucará outras pessoas para fazê-lo. Nunca houve um golem que, no fim, não acabasse tendo um ataque de fúria. Você precisa estar preparado para destruí-la."

——◆•◆——

A tarefa fora concluída uma noite antes de Rotfeld partir para o porto de Danzig. Ele fez sua última visita a Schaalman, levando em uma carroça um grande caixote de madeira, um vestido marrom simples e um par de sapatos femininos.

Schaalman estava com a aparência de quem não dormia há algum tempo. Seus olhos eram dois borrões escuros, e ele estava pálido, como se tivesse perdido parte de sua energia vital. Acendeu uma lâmpada em cima da mesa de trabalho, e Rotfeld teve a primeira visão de sua noiva.

Ela era alta, quase tão alta quanto o próprio Rotfeld, e tinha boas proporções: um tronco longo, seios pequenos mas firmes, uma bela cintura. Seus quadris talvez fossem um pouco retos, mas nela isso parecia cair bem, sendo quase atraentes. Na luz fraca, ele vislumbrou a sombra escura entre suas pernas; desviou o olhar como se não estivesse interessado, consciente da expressão totalmente debochada de Schaalman e de sua própria pulsação.

O rosto dela era amplo e em formato de coração, com os olhos afastados. Estes estavam fechados; ele não podia distinguir a cor deles. Seu nariz era pequeno, com uma leve curva na ponta, sobre lábios cheios. O cabelo era castanho e um pouco ondulado, cortado na altura dos ombros.

Hesitante, um pouco descrente, ele pousou a mão no ombro gelado dela. "Parece pele. O *toque* é de pele."

"É barro", disse o velho.

"Como você fez isso?"

O velho apenas sorriu sem dizer nada.

"E o cabelo, os olhos? As unhas? São de barro também?"

"Não, esses são bastante reais", disse Schaalman, inocente. Rotfeld lembrou-se de lhe ter entregado uma maleta de dinheiro e começou a pensar sobre o tipo de material que o velho precisou adquirir. Sentiu um calafrio e decidiu que não pensaria mais no assunto.

Eles vestiram a mulher de barro e cuidadosamente colocaram seu pesado corpo no caixote. Seu cabelo caiu sobre o rosto enquanto eles a arrumavam, e Rotfeld esperou o velho dar-lhe as costas para, gentilmente, arrumar as madeixas.

Schaalman pegou um pedacinho de papel e escreveu nele os dois comandos necessários — um para trazê-la à vida e o outro para destruí-la. Ele dobrou o papel em quatro e o colocou em um envelope de papel oleado. No envelope, escreveu COMANDOS PARA A GOLEM e entregou-o a Rotfeld. Seu cliente estava ansioso para despertá-la, mas o velho se opôs. "Ela pode ficar desorientada por algum tempo", disse. "E o navio estará muito cheio de gente. Se alguém perceber o que ela é, vocês dois serão jogados para fora do barco." Com relutância, Rotfeld concordou em esperar até que eles chegassem à América; e então pregaram a tampa do caixote, lacrando a golem.

O velho serviu-lhes dois dedos de *schnapps* de uma garrafa empoeirada. "À sua golem", disse levantando o cálice.

"À minha golem", respondeu Rotfeld e virou o *schnapps*. Foi um momento triunfante, comprometido apenas por uma persistente dor de estômago. Ele sempre fora de constituição delicada, e o estresse das últimas semanas arruinara sua digestão. Ignorando o estômago, ajudou o velho a colocar o caixote na carroça e então partiu com o cavalo. O velho acenou para Rotfeld como quem se despedia de recém--casados. "Espero que você desfrute dela!", gritou e seu cacarejo ecoou pelo bosque.

—•—

O navio partiu de Danzig e fez escala em Hamburgo sem qualquer incidente. Duas noites depois, Rotfeld estava deitado em seu beliche estreito, o envelope oleado em que se lia COMANDOS PARA A GOLEM escondido em um de seus bolsos. Sentia-se como uma criança que ganhara um presente com ordens para não abri-lo. Teria sido mais fácil se conseguisse dormir, mas a dor de estômago se transformara em uma massa de tormento ao lado direito de seu abdome. Ele se sentia ligeiramente febril. A cacofonia do alojamento da classe econômica o cercava: uma centena de roncos diversos, soluços entrecortados de bebês, um vômito ocasional enquanto o barco subia e descia as ondas.

Virou-se, contorcendo-se por causa da dor, e então pensou que o velho certamente exagerara na cautela. Se ela era tão obediente quanto o prometido, não haveria problema algum em acordá-la apenas para conferir. Ele poderia, então, ordenar que ficasse deitada no caixote até que eles chegassem à América.

Mas e se ela não funcionasse direito? E se simplesmente não acordasse, apenas ficasse deitada ali, um pedaço de barro em forma de mulher? Ocorreu-lhe, pela primeira vez, que ele não tivera nenhuma prova de que Schaalman era capaz de fazer o que prometera. Em pânico, examinou os bolsos em busca do envelope, retirando dali o pedacinho de papel. Uma algaravia, palavras sem sentido, uma mixórdia de letras em hebraico! Como ele fora tolo!

Jogou as pernas para fora de seu beliche e apanhou uma lâmpada de querosene que estava presa à parede. Apertando o abdome com uma das mãos, correu pelo labirinto de beliches até a escada e desceu para o compartimento de carga.

Levou quase duas horas para encontrar o caixote, duas horas vasculhando entre pilhas de malas e caixas amarradas com barbante. Seu estômago queimava, e um suor frio pingava em seus olhos. Finalmente afastou um tapete enrolado, e lá estava: seu caixote, e dentro dele sua noiva.

Encontrou um pé de cabra, arrancou os pregos do caixote e removeu a tampa. Com o coração aos pulos, puxou o papel de seu bolso e, cuidadosamente, pronunciou o comando chamado *Para Despertar a Golem*.

Prendeu a respiração e esperou.

—◆•◆—

Lentamente, a Golem despertou.

Seus sentidos foram os primeiros a se manifestar. Ela sentiu a aspereza da madeira na ponta dos dedos, o ar frio e úmido em sua pele. Percebeu o movimento do navio. Sentiu o cheiro de bolor e de água do mar.

Despertou mais um pouco e se deu conta de que tinha um corpo. As pontas dos dedos que tateavam a madeira eram dela realmente. A pele que o ar esfriara era a sua pele. Ela moveu um dedo, testando possibilidades de movimentos.

A Golem percebeu que havia um homem por perto, respirando. Ela sabia o seu nome e quem era. Ele era seu mestre, toda a sua finalidade; ela era sua golem, estava sujeita à sua vontade. E, neste momento, ele queria que ela abrisse os olhos.

A Golem abriu os olhos.

À luz fraca, seu mestre estava ajoelhado sobre ela. O rosto e o cabelo encharcados de suor. Com uma das mãos, ele procurava apoio na borda do caixote; a outra pressionava o estômago.

"Olá", murmurou Rotfeld. Uma timidez absurda tornara sua voz contida. "Você sabe quem eu sou?"

"Você é meu mestre. Seu nome é Otto Rotfeld." Sua voz era límpida e natural, ainda que um pouco grave.

"Certo", ele disse, como se falasse com uma criança. "E você sabe quem *você* é?"

"Um golem." Ela fez uma pausa refletindo. "Eu não tenho nome."

"Ainda não", disse Rotfeld, sorrindo. "Tenho de pensar em um para você."

Subitamente, ele fez uma careta. A Golem não precisava perguntar o motivo porque ela também conseguia sentir uma dor embotada que ecoava a dele. "Você está sentindo dor", ela disse preocupada.

"Não é nada", disse Rotfeld. "Sente-se."

Ela se sentou no caixote e olhou em volta. A lâmpada de querosene projetava uma luz débil que oscilava com o balanço do navio. Sombras compridas se agigantavam e se retraíam em meio a pilhas de bagagens e caixas. "Onde estamos?", ela perguntou.

"Em um navio, atravessando o oceano", respondeu Rotfeld. "Estamos a caminho da América. Mas você precisa ter muito cuidado. Há muitas pessoas neste navio, e elas ficariam assustadas se soubessem o que você é. Poderiam até tentar machucá-la. Você tem de permanecer aqui até chegarmos ao nosso destino."

O navio pronunciou uma forte inclinação, e a Golem agarrou as bordas do caixote.

"Está tudo bem", sussurrou Rotfeld. Ele ergueu uma mão trêmula para acariciar o cabelo dela. "Você está a salvo aqui comigo", ele disse. "Minha golem."

De repente ele arquejou, abaixou a cabeça e começou a vomitar. A Golem observava mortificada. "Sua dor está piorando", ela disse.

Rotfeld tossiu e limpou a boca com as costas da mão. "Eu já disse: não é nada." Ele tentou ficar em pé, mas cambaleou e caiu de joelhos. Então, foi tomado por uma onda de pânico ao se dar conta de que havia algo muito errado.

"Ajude-me", ele murmurou.

A ordem atingiu a Golem como uma flecha. Rapidamente ela se levantou do caixote, dobrou-se sobre Rotfeld e o ergueu como se ele não pesasse mais do que uma criança. Com o mestre nos braços, abriu caminho em meio às caixas, subiu a escada estreita e deixou o porão de carga.

—— • ——

Uma agitação se espalhou pela popa da terceira classe. Chegando no deque, acordou aqueles que dormiam, que apenas resmungaram e se viraram em seus beliches. Uma multidão começou a se formar em torno de uma cama estreita próxima à escotilha, onde havia um homem desmaiado, seu rosto cinza à luz das lanternas. Um apelo era transmitido entre as pessoas: "Há um médico por aqui?".

Logo apareceu um, de pijama e sobretudo. A multidão abriu caminho para que ele chegasse até a cama. Junto ao homem doente estava uma mulher alta, com um vestido marrom, que observava com os olhos arregalados enquanto o médico abria a camisa do jovem. Cuidadosamente, o médico pressionou o abdome de Rotfeld, arrancando-lhe um grito.

A Golem precipitou-se para a frente e agarrou a mão do homem. O médico recuou surpreso.

"Está tudo bem", murmurou o homem na cama. "Ele é médico. Está aqui para ajudar." E segurou a mão da Golem.

Cautelosamente, o médico voltou a apalpar o abdome de Rotfeld sem tirar os olhos da mulher. "É o apêndice", anunciou. "Precisamos levá-lo para o cirurgião do navio com urgência."

O médico segurou um dos braços de Rotfeld e o colocou de pé. Outros correram para ajudar, e o grupo de homens subiu pela escotilha, Rotfeld em semidelírio no centro deles. A mulher os seguia de perto.

—•—

O cirurgião do navio era o tipo de homem que não apreciava ser acordado no meio da noite, especialmente para abrir algum campônes sem nome da classe econômica. Ao olhar para o homem enfraquecido que se contorcia em sua mesa de operações, ele se perguntou se o trabalho valeria a pena. A julgar pelo estado avançado da apendicite e pela febre alta, o apêndice provavelmente já havia supurado, encharcando de veneno a barriga do homem. A cirurgia poderia matá-lo. Depois de despachar seu fardo, os estrangeiros que ajudaram a levar o homem ficaram pairando inseguros junto à escotilha e depois partiram sem dizer uma palavra em inglês.

Bem, não havia escolha. Ele teria de operar. Pediu que acordassem seu assistente e começou a organizar os instrumentos. Ele estava procurando o vidro de éter quando, de repente, a escotilha abriu atrás dele. Era uma mulher alta e de cabelos escuros que usava apenas uma veste fina contra o ar gelado do Atlântico. Ela correu para se posicionar ao lado do homem na mesa, parecendo muito assustada. Esposa ou namorada, supôs o cirurgião.

"Imagino que seria demais pedir que você falasse inglês", ele disse; e é claro que ela apenas ficou olhando, sem dar sinais de entendimento. "Sinto muito, mas você não pode ficar aqui. Mulheres não são permitidas na sala de cirurgia. Você tem de sair." Ele apontou a porta.

Isso, pelo menos, foi captado: ela sacudiu a cabeça com veemência e começou a protestar em iídiche. "Veja bem", começou o cirurgião, segurando seu cotovelo e encaminhando-a para fora. Mas foi como se ele segurasse um poste. A mulher não se movia, apenas assomava sobre ele, sólida e repentinamente gigante, uma verdadeira Valquíria.

Ele soltou o braço da Golem como se este o tivesse queimado. "Faça como quiser", resmungou desconcertado. Ocupou-se com o vidro de éter, tentando ignorar a estranha presença às suas costas.

A escotilha abriu novamente, e por ela entrou um jovem com ar de quem mal havia acordado. "Doutor, estou... céus!"

"Não ligue para ela", disse o cirurgião. "Recusa-se a sair. Se desmaiar, melhor. Agora apresse-se ou ele poderá morrer antes que o operemos." Assim, aplicaram éter no paciente e começaram a trabalhar.

Se aqueles homens tivessem conhecimento do poderoso conflito que corroía a mulher atrás deles, teriam abandonado a cirurgia, fugindo para se salvar. Qualquer criação inferior teria estrangulado os dois no momento em que os bisturis tocaram a pele de Rotfeld. Mas a Golem lembrou-se do doutor na classe econômica e da garantia de seu mestre de que ele estava ali para ajudar; e foi aquele doutor que o trouxera até aqui. Ainda assim, enquanto eles afastavam a pele de Rotfeld e vasculhavam suas entranhas, a Golem retorcia e apertava as mãos incontrolavelmente. Tentou, em sua mente, buscar o mestre, mas não encontrou nenhuma consciência, necessidade ou desejo. Pouco a pouco, ela o perdia.

O cirurgião removeu algo do corpo de Rotfeld, jogando-a em uma bandeja. "Bem, tirei a maldita coisa", disse. Ele olhou para trás. "Ainda de pé? Boa garota."

"Talvez ela seja apatetada", resmungou o assistente.

"Não necessariamente. Esses camponeses têm estômago de ferro. Simon, mantenha isso apertado!"

"Desculpe, senhor."

Mas a criatura na mesa estava lutando pela vida. Ele inspirou uma vez e mais outra; e então, com um longo e ruidoso suspiro, o último sopro de Otto Rotfeld deixou seu corpo.

A Golem cambaleou enquanto se rompiam e apagavam os últimos vestígios da conexão que existia entre os dois.

O cirurgião inclinou a cabeça sobre o peito de Rotfeld, tomou o pulso do homem por um momento, depois o colocou de volta na cama gentilmente. "Hora da morte, por favor", disse.

O assistente engoliu em seco e olhou para o relógio. "Oh, 2h48."

O cirurgião tomou nota, e seu rosto demonstrava um sincero remorso. "Nada podia ser feito", disse com amargura na voz. "Ele esperou demais. É possível que estivesse sofrendo há dias."

A Golem não conseguia tirar os olhos da forma imóvel que jazia sobre a mesa. Pouco antes, ele era seu mestre, sua razão de ser; agora parecia não ser nada. Ela se sentia atordoada, sem lastro. Deu um passo à frente e tocou o rosto do mestre, seu queixo fraco, suas pálpebras caídas. O calor desaparecia de sua pele.

Por favor, pare com isso.

A Golem afastou a mão e olhou para os dois homens, que a observavam com uma repugnância horrorizada. Ambos permaneciam em silêncio.

"Sinto muito", disse o cirurgião, finalmente, esperando que ela compreendesse o tom de sua voz. "Fizemos o melhor possível."

"Eu sei", disse a Golem — e só então percebeu que compreendia as palavras do homem e que era capaz de responder na mesma língua.

O cirurgião franziu as sobrancelhas e trocou um olhar com seu assistente. "Senhora... desculpe, qual era o nome dele?"

"Rotfeld", respondeu a Golem. "Otto Rotfeld."

"Senhora Rotfeld, nossos pêsames. Talvez..."

"Você quer que eu saia", ela disse. Não era uma suposição nem a súbita compreensão da inconveniência de estar ali. Ela simplesmente *sabia*, uma certeza tão óbvia quanto a imagem do corpo de seu mestre sobre a mesa e o cheiro dos vapores doentios do éter. O desejo do cirurgião de que ela não estivesse ali surgira em sua mente.

"Bem, sim, talvez fosse melhor", ele disse. "Simon, por favor, acompanhe a senhora Rotfeld de volta à classe econômica."

Permitiu que o jovem a conduzisse, com o braço ao redor dela, para fora da sala de operações. A Golem tremia. Parte dela ainda estava tentando entender a situação, procurando por Rotfeld. E, enquanto isso, o desconforto acabrunhado do jovem assistente e o desejo de se livrar da tarefa turvavam seus pensamentos. O que estava acontecendo com ela?

Na entrada do convés da terceira classe, o jovem, com alguma culpa, apertou a mão da Golem e desapareceu. O que ela deveria fazer? Entrar lá e encarar toda aquela gente? Segurou a tranca da porta, hesitou e abriu.

Os desejos e medos de quinhentos passageiros a atingiram como um turbilhão.

Queria conseguir dormir. Se pelo menos ela parasse de vomitar. Será que aquele sujeito nunca vai parar de roncar? Preciso de um copo de água. Quanto tempo falta para chegarmos a Nova York? E se o navio afundar? Se estivéssemos a sós, poderíamos fazer amor. Meu Deus, quero voltar para casa.

A Golem largou a tranca, virou-se e saiu correndo.

No convés principal, deserto, encontrou um banco e ficou sentada ali até o amanhecer. Uma chuva fria começou a cair, encharcando suas roupas, mas ela ignorou, incapaz de se concentrar em qualquer coisa que não fosse o tumulto que se instalara em sua cabeça. Era como se, sem as ordens de Rotfeld para guiá-la, sua mente estivesse em busca de um substituto, esbarrando, assim, em todos os passageiros daquele navio. Sem o benefício da ligação entre mestre e golem, os desejos e medos daquelas pessoas não tinham a força de ordens — mas, ainda assim, ela as escutava, sentindo suas diversas urgências, e seus membros se crispavam com a compulsão de agir. Cada um daqueles desejos comportava-se como uma mãozinha puxando a manga de seu vestido: *Por favor, faça algo.*

—•—

Na manhã seguinte, permaneceu em pé junto ao parapeito enquanto o corpo de Rotfeld era conduzido ao mar. Era um dia tempestuoso, com ondas agitadas, esbranquiçadas. O corpo de Rotfeld tocou a água suavemente; em instantes, o navio já o havia deixado para trás. Talvez, pensou a Golem, fosse melhor pular do convés e seguir Rotfeld no mar. Então, inclinou-se e olhou para baixo, tentando medir a profundidade da água; mas dois homens se precipitaram, e ela deixou-se puxar para trás.

O pequeno grupo de observadores começou a se dispersar. Um homem com o uniforme do navio entregou-lhe uma pequena bolsa de couro, explicando que continha tudo o que estava com Rotfeld no momento de sua morte. Em algum momento um marinheiro compassivo colocou um casaco de lã em suas costas, e ela enfiou a bolsinha em um de seus bolsos.

Alguns poucos passageiros da terceira classe ficaram circulando por ali, pensando no que fazer com ela. Deveriam conduzi-la ao convés inferior ou simplesmente deixá-la em paz? Entre os beliches, circularam rumores durante toda a noite. Um homem afirmava que ela mesma carregara o homem morto em seus braços. Uma mulher resmungava que vira Rotfeld em Danzig — ele se fizera notar ao repreender os marinheiros pelo descuido com um caixote grande e pesado — e que embarcara sozinho. Eles se lembravam de como a Golem agarrara a mão do médico como um animal selvagem. E ela era simplesmente *estranha*, de um modo que eles não conseguiam explicar nem a si mesmos. Ela permanecia firme no deque, como se tivesse criado raízes ali, enquanto os demais tremiam de frio e se inclinavam com o movimento do navio. A estranha presença mal piscava, nem quando os respingos do oceano atingiam seu rosto. E, pelo que puderam perceber, ainda não havia derramado uma única lágrima.

Decidiram abordá-la. Mas a Golem pressentiu os medos e as suspeitas e se afastou do parapeito, distanciando-se deles, as costas enrijecidas a pedir claramente que a deixassem sozinha. Eles sentiram a passagem da Golem como uma bofetada de ar frio com cheiro de túmulo. A decisão deles vacilou, e ela foi deixada em paz.

A Golem se dirigiu às escadas da popa. Passou pelo compartimento da terceira classe e continuou descendo até as profundezas do porão: o único lugar, em sua curta existência, em que não sentiu que corria perigo. Encontrou o caixote aberto e entrou nele, puxando a tampa sobre si. Protegida pela escuridão, ficou deitada ali, rememorando os poucos fatos sobre os quais tinha certeza. Ela era uma golem, e seu mestre estava morto. Estava em um navio no meio do oceano. Se os outros soubessem o que ela era, sentiriam medo. E ela precisava permanecer escondida.

Enquanto estava ali, os desejos mais fortes, oriundos dos compartimentos, desciam até ela. Uma menininha da terceira classe perdera seu cavalinho de pau e agora chorava inconsolável. Um homem da segunda classe estava há três dias sem beber, tentando começar uma nova vida; ele caminhava em círculos em sua minúscula cabine, tremendo, passando as mãos pelos cabelos, incapaz de pensar em qualquer coisa além de um copo de conhaque. Cada um desses desejos, e muitos outros, puxavam-na alternadamente com mais ou menos força. Eles a instigavam a deixar o porão para ajudá-los de alguma forma. Mas ela se lembrava das suspeitas dos passageiros na coberta da proa e permanecia deitada no caixote.

Passou o dia e a noite no porão ouvindo as caixas ao redor deslocando-se e pronunciando gemidos. Sentia-se inútil, sem qualquer finalidade. Ela não tinha ideia do que fazer. E a única pista que apontava o seu destino era uma palavra mencionada por Rotfeld. *América*. Mas ela poderia significar qualquer coisa.

— • —

Na manhã seguinte, o navio despertou para um clima mais ameno e com uma visão bem-vinda: uma fina linha cinza entre o oceano e o céu. Os passageiros se dirigiram para o convés principal e olhavam na direção oeste enquanto a linha se tornava mais grossa e mais longa. Aquilo significava que todos os desejos estavam atendidos, e esquecidos todos os medos, pelo menos por um instante; e, lá embaixo, no porão, a Golem sentiu um inesperado e feliz alívio.

O zumbido constante das hélices do navio se transformou em um manso ronronar. A embarcação desacelerou. E então ascendeu um som distante de vozes, com gritos e vivas. A curiosidade finalmente fez com que a Golem deixasse o caixote, subindo até o convés da proa ao sol do meio-dia.

O convés estava lotado de gente, e no início a Golem não conseguiu ver para o que eles estavam acenando. De repente, lá estava: uma mulher verde-acinzentada em pé no meio das águas, segurando uma tabuleta em uma das mãos e ostentando uma tocha na outra.

Seu olhar era impassível, e ela estava totalmente imóvel: seria também um golem? Então a distância ficou nítida, e ela compreendeu o quão longe estava a mulher, e o quanto ela era gigantesca. Não estava viva, afinal; mas os olhos inexpressivos e serenos traziam, contudo, um sinal de compreensão. E as pessoas no convés acenavam e gritavam para ela com júbilo, rindo e chorando ao mesmo tempo. Esta também é, pensou a Golem, uma mulher que fora construída. Seja lá o que signifique para os outros, era amada e respeitada por isso. Pela primeira vez desde a morte de Rotfeld, a Golem sentiu algo como esperança.

O navio apitou, fazendo o ar vibrar. Ao se virar em direção ao porão, a Golem percebeu a cidade que se erguia, colossal, na ponta de uma ilha. Os prédios altos e retos pareciam se mover, como se dançassem enfileirados, à medida que o navio se aproximava. Ela viu árvores, píeres, um porto vivo com embarcações menores, rebocadores e barcos a vela, que deslizavam na água como insetos. Havia uma comprida ponte cinza, sustentada por uma rede de linhas, alcançando a margem leste. Perguntou-se se eles passariam por baixo da ponte; mas, em vez disso, o grande navio tomou a direção contrária e se aproximou das docas. O mar transformou-se em um rio estreito.

Homens uniformizados andavam de um lado para o outro no convés da proa, aos gritos. *Apanhem seus pertences*, diziam. *Logo vamos atracar em Nova York, e vocês serão levados de barca para a ilha Ellis. As bagagens que estão no porão lhes serão entregues lá.* Só quando ouviu essas mensagens repetidas uma dúzia de vezes é que a Golem se deu conta de que os homens estavam falando em várias línguas e que ela compreendia cada uma delas.

Dentro de alguns minutos, o convés estava livre de passageiros. Ela se escondeu nas sombras da casa do leme e tentou raciocinar. Não possuía nenhum pertence, exceto pelo casaco que lhe haviam dado; sua lã escura estava ficando quente à luz do sol. Ela apalpou o bolso e encontrou a pequena bolsa de couro. Era o que tinha, afinal.

Alguns poucos passageiros começaram a subir a escada, e logo havia um mar de gente, todos vestidos com roupas de viagem e carregando sacolas e malas. Os homens uniformizados começaram a gritar de novo. *Façam fila direito. Estejam prontos para informar nome e nacionalidade. Nada de empurrar. Nada de aglomerações. Cuidem de suas crianças.* A Golem se afastou um pouco, sem saber o que fazer. Deveria juntar-se a eles? Buscar algum lugar para se esconder? As mentes das pessoas a aturdiam, todas expressando apenas o desejo de uma rápida passagem pela ilha Ellis e um certificado de saúde dos inspetores.

Um dos homens de uniforme viu a Golem sozinha, hesitante, e foi em sua direção. Um passageiro o interceptou, colocou uma mão em seu ombro e cochichou-lhe alguma coisa ao ouvido. Era o médico da terceira classe. O funcionário do navio carregava um amontoado de papéis e folheou-os, buscando alguma coisa. Então, franziu o rosto e se afastou do médico, que voltou para a fila.

"Dona", disse o funcionário encarando a Golem, "venha até aqui, por favor." Todos os que estavam por perto ficaram calados. "Você é aquela cujo marido morreu, é isso mesmo?"

"Sim."

"Meus pêsames, dona. Provavelmente é só um equívoco, mas parece que a senhora não está na lista de passageiros. Posso ver seu bilhete?"

O bilhete? Ela não tinha, claro. Poderia mentir dizendo que o perdera, mas nunca mentira antes e não acreditava ser capaz de fazer isso direito. Compreendeu que suas únicas opções eram ficar calada ou dizer a verdade.

"Eu não tenho um bilhete", ela disse, sorrindo, na esperança de que isso ajudasse.

O funcionário pronunciou um suspiro cansado e segurou o braço da Golem, como para evitar que ela saísse correndo. "A senhora terá de me acompanhar, dona."

"Para onde vamos?"

"A senhora vai ficar na prisão do navio até que os passageiros desembarquem, então lhe faremos algumas perguntas."

O que ela deveria fazer? Não havia maneira de responder às perguntas deles sem revelar quem era realmente. Todos já estavam prestando atenção na cena. Assustada, deixava-se levar pelo homem, ao mesmo tempo que buscava um meio de escapar. Eles ainda estavam no meio do caminho, vadeando pelo rio, embarcações menores passavam dos dois lados. Em meio aos movimentados píeres, a cidade brilhava convidativa.

O funcionário segurou o braço da Golem com mais firmeza. "Dona, não me obrigue a usar a força."

Mas ele não queria usar a força, ela percebeu. O homem não queria lidar com ela de jeito nenhum. Mais do que qualquer coisa, o funcionário queria que ela simplesmente desaparecesse.

O esboço de um sorriso surgiu nos lábios da Golem. Finalmente, um desejo que ela poderia satisfazer.

Com um movimento rápido do cotovelo, esquivou-se do espantado funcionário e correu para o parapeito. Antes mesmo que alguém gritasse, saltou sobre a borda e descreveu um arco no tremeluzente rio Hudson, onde afundou como uma pedra.

Algumas horas depois, um estivador que fumava um cigarro na esquina da West com a Gansevoort viu passar uma mulher que vinha da direção do rio. Ela estava encharcada, vestia um casaco de lã masculino e um vestido marrom impudicamente colado ao corpo. Seus cabelos estavam emplastrados no pescoço. O que mais espantava era a lama grossa e salobra que cobria a saia e os sapatos.

"Ei, moça!", o homem gritou. "Foi dar um mergulho?"

A mulher sorriu estranhamente ao passar por ele. "Não", respondeu. "Fui dar uma caminhada."

GOLEM & GÊNIO
UMA FÁBULA ETERNA

II

a área de Lower Manhattan conhecida como Pequena Síria, perto do local em que a Golem pisara em terra firme, vivia um funileiro chamado Boutros Arbeely. Arbeely era um católico maronita que crescera na movimentada cidade de Zahlé, localizada em um vale aos pés do monte Líbano. Tornara-se adulto em uma época na qual parecia que todos os homens com menos de trinta anos deixavam a Grande Síria para tentar a sorte na América. Alguns eram estimulados por histórias de missionários, ou por parentes que haviam feito a viagem e cujas cartas chegavam em casa recheadas de dinheiro. Outros viam uma chance de escapar do serviço militar obrigatório e dos impostos punitivos exigidos pelos governantes turcos. Tantos partiram que, em alguns vilarejos, os mercados silenciaram, e as uvas nas encostas foram deixadas para rebentar nas videiras.

O pai de Arbeely vinha de uma família de cinco irmãos. Através das gerações, a terra deles fora dividida e redividida até que a parte de cada um ficou tão pequena que nem valia a pena cultivá-la. O próprio Arbeely não ganhava praticamente nada como aprendiz de funileiro. Sua mãe e suas irmãs criavam bichos-da-seda para conseguir algum dinheiro extra, mas não era o bastante. Na grande corrida para a América, Arbeely via sua chance. Despediu-se da família e embarcou em um vapor para Nova York, onde rapidamente alugou uma pequena oficina de funilaria localizada na Washington Street, no coração da então crescente Pequena Síria.

Arbeely era um trabalhador bom e cuidadoso, e mesmo no superlotado mercado de Nova York sua mercadoria se destacava pela boa qualidade e preço justo. Ele fabricava copos e pratos, panelas e frigideiras, utensílios domésticos, dedais e castiçais. Às vezes algum vizinho levava algo para que consertasse — uma panela avariada ou uma dobradiça de porta empenada —, e ele devolvia o objeto em melhor estado do que quando era novo.

Naquele verão Arbeely recebera um pedido interessante. Uma mulher chamada Maryam Faddoul entrou na loja com uma velha e amassada — mas ainda bela — garrafa de cobre. A garrafa pertencia à família de Maryam desde sempre, tanto quanto ela era capaz de lembrar; sua mãe, que a havia usado para guardar azeite, entregou-a à Maryam quando esta partiu para a América. "Assim você sempre terá um pedacinho do seu lar com você", disse a mãe.

Com seu marido, Sayeed, Maryam abrira um café na Washington Street, que rapidamente se tornou um próspero comércio da vizinhança. Em uma tarde, enquanto supervisionava sua atarefada cozinha, Maryam concluiu que a garrafa, embora ainda muito adorada, estava um tanto quanto gasta e amassada. Seria possível, perguntou a Arbeely, reparar alguns dos amassados? E, quem sabe, deixá-la reluzente outra vez?

Sozinho na oficina, Arbeely examinou a garrafa. Tinha cerca de 23 centímetros de altura, um corpo bojudo que se afunilava em um gargalo fino. O responsável pela sua fabricação decorara o objeto com arabescos muito rigorosos e detalhados. Em vez do habitual padrão repetitivo, os laços e espirais se entremeavam com os vizinhos, aparentemente ao acaso, antes de encontrarem seus próprios traços novamente.

Fascinado, Arbeely manuseava a garrafa em suas mãos. A peça era visivelmente antiga; mais antiga, talvez, do que imaginavam Maryam e sua mãe. Em virtude de sua maciez, o cobre raramente era empregado sozinho; o latão e o estanho eram muito mais duráveis e fáceis de manejar. Na verdade, tendo em vista sua idade, a garrafa não parecia tão amassada como, em princípio, deveria estar. Não era possível determinar sua procedência, pois não havia qualquer marca de ferreiro no fundo da peça, nenhuma identificação de qualquer espécie.

Examinou os profundos entalhes dos arabescos da garrafa e se deu conta de que a correção deles deixaria marcas visíveis na junção do trabalho novo com o antigo. Era melhor, concluiu, aplainar o cobre, consertar a garrafa e, então, refazer todo o desenho.

Embrulhou a base com uma folha de velino e, cuidadosamente, passou um fino pedaço de carvão pelos arabescos, a fim de captar todos os desenhos feitos na peça pelo artesão. Depois, prendeu a garrafa em um torno e tirou do fogo o seu menor ferro de soldar.

Ali parado, o ferro de soldar pairando acima da garrafa, um pressentimento estranho, ruim, tomou conta dele. A pele de seus braços e de suas costas ficou arrepiada. Tremendo, pôs o ferro de soldar de lado e inspirou profundamente. O que poderia estar perturbando-o? Era um dia agradável, e ele havia tomado um bom café da manhã. Ele tinha saúde, os negócios iam bem. Então balançou a cabeça e agarrou o ferro de soldar, com o qual apagou uma das voltas do arabesco.

Um choque violento o jogou para longe, como se tivesse sido atingido por um raio. Ele voou pelos ares e aterrissou em uma pilha de objetos. Aturdido, os ouvidos zunindo, ergueu-se e olhou em torno.

Havia um homem nu deitado no chão de sua oficina.

Enquanto Arbeely olhava espantado, o homem se sentou e pressionou o rosto com as mãos. Depois ele as deixou cair e olhou à sua volta, com os olhos escancarados, ardentes. Era como se tivesse passado anos acorrentado na masmorra mais profunda e escura do mundo e, de repente, fosse arrastado bruscamente para a luz.

Vacilante, o homem se pôs de pé. Era alto, possuía um corpo benfeito e belos traços. Belos demais, na verdade — seu rosto apresentava uma perfeição misteriosa, parecia uma pintura que ganhara vida. Seus cabelos pretos eram bem curtos. Ele parecia não se dar conta de sua nudez.

Em seu pulso direito, havia um largo bracelete de metal. O homem pareceu perceber isso ao mesmo tempo que Arbeely. Ele ergueu o braço e olhou horrorizado. "Ferro", disse. "Mas isso é impossível."

Finalmente o olhar do homem alcançou Arbeely, que ainda estava agachado junto à mesa, mal ousando respirar.

Com graça, mas de maneira súbita e espantosa, o homem precipitou-se sobre Arbeely, agarrando-o pelo pescoço e erguendo-o do chão. Uma névoa de um tom vermelho-profundo obscureceu a vista de Arbeely. Ele sentiu sua cabeça roçar no teto.

"Onde ele está?", gritou o homem.

"Quem?", arquejou Arbeely.

"O feiticeiro!"

Arbeely tentou falar, mas só conseguia gorgolejar. Rosnando, o homem nu largou o funileiro no chão. Arbeely arquejou, tentando respirar. Olhou ao redor, em busca de uma arma, qualquer coisa, e viu o ferro de soldar em cima de uma pilha de trapos. Ele segurou o cabo e investiu contra o homem.

Um borrão em movimento — e de repente Arbeely estava novamente estirado no chão, só que dessa vez com o cabo encurvado do ferro de soldar pressionado contra sua garganta. O homem estava ajoelhado sobre ele, segurando o ferro por sua ponta incandescente. Não havia cheiro de carne queimada. Ele nem parecia sentir dor. E enquanto Arbeely olhava horrorizado para aquele rosto perfeito demais, conseguia sentir o metal frio do cabo em sua garganta ficar morno, e então quente, e mais quente ainda, como se o homem, de alguma maneira, estivesse aquecendo o ferro de soldar.

Isso, pensou Arbeely, *é totalmente impossível.*

"Diga onde está o feiticeiro", disse o homem, "para que eu possa matá-lo."

Arbeely olhava boquiaberto para o homem.

"Ele me prendeu dentro de um corpo humano! Diga onde ele está!"

A mente do funileiro disparou. Olhou para o ferro de soldar, lembrando-se de seu estranho pressentimento antes de tocar a garrafa. Recordou-se das histórias de sua avó sobre garrafas e lâmpadas, todas com criaturas presas dentro.

Não. Era ridículo. Essas coisas não passavam de historinhas. Mas, então, a única alternativa era concluir que estava louco.

"Senhor...", ele sussurrou, "o senhor é um djim?"

O homem apertou os lábios e lançou um olhar desconfiado. Mas não riu de Arbeely nem o chamou de maluco.

"Você é", disse Arbeely. "Meu Deus, você *é*." Ele engoliu em seco, retraindo-se contra a pressão do ferro de soldar. "Por favor. Eu não conheço esse feiticeiro, seja ele quem for. Na verdade, eu nem sei se ainda existem feiticeiros." Fez uma pausa. "Você talvez tenha ficado por muito tempo dentro daquele frasco."

O homem parecia absorver essa informação. Lentamente, o metal se afastou do pescoço do funileiro. O homem ficou de pé e olhou ao redor, como se visse a oficina pela primeira vez. Pela janela alta, entravam os ruídos da rua: carruagens puxadas por cavalos, os gritos dos jornaleiros. No Hudson, soou o apito de um barco a vapor, longo e melancólico.

"Onde estou?", perguntou o homem.

"Você está em minha oficina", respondeu Arbeely. "Na cidade de Nova York." Procurava parecer calmo. "Em um lugar chamado América."

O homem foi até a bancada de trabalho de Arbeely e escolheu um dos ferros longos e finos do funileiro. Segurou-o com firmeza, sustentando um olhar de horrorizado fascínio.

"É real", disse o homem. "Tudo isso é real."

"Sim", replicou Arbeely. "Temo que sim."

O homem largou o ferro. Os músculos de seu maxilar se contraíram. Ele parecia estar se preparando para o pior.

"Mostre-me", disse, por fim.

———— • ————

Descalço, vestindo apenas uma velha camisa de trabalho de Arbeely e um par de calças de brim, o Djim estava em pé no parapeito dos Castle Gardens, na ponta sul de Manhattan, olhando para o outro lado da baía. Arbeely estava perto, talvez com medo de se aproximar demais. A camisa e as calças foram encontradas em uma pilha de roupas velhas que estavam em um canto da oficina de Arbeely. As calças tinham manchas de solda, e havia buracos de queimaduras nas mangas da camisa. Arbeely teve de mostrar-lhe como abotoá-la.

O Djim se apoiava contra o parapeito, hipnotizado pela vista. Ele era uma criatura do deserto e jamais chegara tão perto de tamanha quantidade de água que lambia as pedras aos pés dele, indo e voltando. Cores esmaecidas flutuavam na superfície, o sol da tarde refletia na eterna inconstância das ondas. Mas ainda era difícil acreditar que aquilo não se tratava de alguma hábil ilusão cujo objetivo era embriagá-lo. Ele esperava que, a qualquer momento, a cidade e a água desaparecessem, dando lugar às estepes e planícies familiares do deserto sírio, que fora seu lar por cerca de duzentos anos. Mas os momentos passavam e o porto de Nova York permanecia teimosamente intacto.

Como, perguntava-se, fora parar naquele lugar?

O deserto sírio não é nem o mais inóspito nem o mais árido dos desertos da Arábia, mas é, todavia, um lugar sinistro para aqueles que não conhecem seus segredos. Foi lá onde o Djim nascera, em uma época que os homens depois chamariam de século VII.

Entre as diversas qualidades de djins — uma raça muito diversa, com formas e habilidades variadas —, ele fazia parte de uma das mais poderosas e inteligentes. Sua forma verdadeira era insubstancial como uma golfada de ar, invisível aos olhos humanos. Nesse formato, era capaz de conclamar os ventos e cavalgá-los pelo deserto. Mas também podia assumir a forma de qualquer animal, tornando-se tão sólido como se feito de músculos e ossos. Ele veria através dos olhos desse animal, sentiria através da pele desse animal — mas sua verdadeira natureza ainda seria a de um djim, criatura do fogo, da mesma maneira que os humanos são considerados criaturas da terra. E, como todos os seus irmãos djins, desde os repugnantes devoradores de carne *ghuls* aos trapaceiros *ifrits*, ele nunca permanecia muito tempo assumindo a mesma forma corporal.

Os djins tendem a ser criaturas solitárias, e este o era mais que a maioria. Em seus anos de juventude, participara dos rituais fortuitos e das escaramuças aéreas do que poderia ser imprecisamente chamado de comunidade djim. Qualquer desrespeito ou bate-boca, por menor que fosse, servia como desculpa, e centenas de djins conclamavam os ventos, cavalgando-os na batalha, clã contra clã. Os gigantescos redemoinhos que provocavam enchiam o ar de areia, e os outros habitantes do deserto buscavam abrigo nas cavernas e nas sombras das pedras à espera do fim da tempestade.

Mas, à medida que envelhecia, o Djim foi perdendo o gosto por tais brincadeiras e começou a vagar sozinho pelo deserto. Curioso por natureza — ainda que nada conseguisse prender sua atenção por muito tempo —, cavalgou os ventos a oeste, no deserto da Líbia, e a leste, até as planícies de Isfahan, arriscando-se muito mais do que seria aconselhável. Mesmo no mais seco deserto uma tempestade poderia iniciar sem aviso, e um djim surpreendido pela chuva corria um risco mortal:

ele continuaria a ser uma centelha de fogo viva, podendo facilmente ser apagado, não importando a forma que assumira — humana, animal ou sua própria forma de nenhum corpo.

Mas, com os passos guiados por sorte ou habilidade, Djim nunca fora pego de surpresa e vagava por onde bem entendesse. Usava essas viagens como oportunidades para buscar veios de ouro e prata porque os djins são naturalmente ourives, e ele era excepcionalmente hábil, sendo capaz de transformar os metais em fios finos como cabelos, em folhas ou cordas retorcidas. O único metal que não podia tocar era o ferro porque, como todos de sua espécie, sofria de um verdadeiro pavor do ferro, e afastava-se assustado de pedras que contivessem veios do minério como um homem que recua ao se deparar com uma cobra venenosa.

É possível percorrer quase todo o deserto sem encontrar qualquer outra criatura dotada de inteligência. Mas os djins estavam longe de ser solitários, pois viveram ao lado dos humanos por milhares de anos: os beduínos, que compunham tribos nômades de pastores que arrancavam sua arriscada subsistência daquilo que o deserto tinha a oferecer. E havia ainda as distantes cidades dos homens, a leste e a oeste, que ficavam maiores a cada ano e enviavam suas caravanas através do deserto que ficava entre elas. Mas, apesar de vizinhos, tanto humanos quanto djins alimentavam uma profunda desconfiança entre eles. O medo da humanidade talvez fosse mais vivo porque os djins tinham as vantagens da invisibilidade e do disfarce. Alguns poços, cavernas e desfiladeiros cheios de pedras eram considerados moradas dos djins, e atravessá-los sem autorização era um convite à calamidade. As beduínas pregavam amuletos feitos com contas de ferro nas roupas de seus bebês para repelir qualquer djim que tentasse possuí-los ou trocá-los por outras crianças. Entre os humanos contadores de histórias, dizia-se que existiram feiticeiros, homens de grande e perigosa sabedoria, que aprenderam a comandar e controlar os djins, além de prendê-los em lâmpadas ou garrafas. Esses feiticeiros, diziam os contadores de histórias, há muito haviam deixado de existir, e apenas sobraram pálidas sombras de seus poderes.

O tempo de vida dos djins, no entanto, era muito longo — viviam cerca de oito ou nove vezes mais que os humanos —, e suas lembranças dos feiticeiros ainda não haviam se transformado em lenda. Os djins mais velhos alertavam sobre encontros com humanos, que julgavam criaturas conspiradoras e traiçoeiras. O conhecimento perdido dos feiticeiros, alertavam, poderia ser recuperado. O mais indicado era ser cauteloso. Assim, as interações entre as duas raças ficaram praticamente restritas a encontros ocasionais, normalmente provocados pelos djins inferiores, os *ghuls* e *ifrits*, que não conseguiam ficar longe de traquinagens.

Quando jovem, o Djim escutava e seguia os conselhos dos mais velhos. Em seus deslocamentos, evitava os beduínos e se mantinha longe das caravanas que atravessavam lentamente a paisagem em direção aos mercados da Síria e de Jazira, Iraque e Isfahan. Mas era inevitável que um dia, espreitando no horizonte uma coluna de vinte ou trinta homens com camelos carregados de bens valiosos, se perguntasse: por que não investigar? Os djins dos velhos tempos foram descuidados e imprudentes ao se deixarem capturar, mas ele não era uma coisa nem outra. Não haveria nenhum mal em dar apenas uma olhada.

Aproximou-se vagarosamente da caravana, ficando atrás dela a uma distância segura, acompanhando seu ritmo. Os homens usavam vestes longas e folgadas, com muitas camadas, todas empoeiradas pela viagem, e protegiam suas cabeças do sol com panos axadrezados. Fragmentos de suas conversas eram levados pelo vento até o Djim: quanto faltava para a próxima parada ou a possibilidade de haver ladrões. Ele ouvia o cansaço em suas vozes, percebia a fadiga que curvava suas costas. Eles não eram feiticeiros! Se tivessem algum poder, atravessariam o deserto em um passe de mágica, poupando-se dessa interminável e penosa caminhada.

Depois de algumas horas o sol começou a baixar, e a caravana adentrou uma parte desconhecida do deserto. O Djim lembrou-se da necessidade de ser prudente e abandonou a caravana, voltando para um território seguro. Mas esse vislumbre da humanidade apenas inflamou sua curiosidade. Ele começou a esperar pelas caravanas, seguindo-as cada vez com mais frequência, ainda que sempre à distância: quando se aproximava muito, os animais ficavam apreensivos e inquietos, e até os homens o percebiam como uma corrente de vento às suas costas. À noite, quando eles descansavam em um oásis ou caravançará,[1] o Djim ficava ouvindo suas conversas. Às vezes conversavam sobre

---

1   Grande abrigo, no Oriente Médio, para hospedagem gratuita de caravanas, geralmente por quatro paredes em volta de um pátio. [NE]

as distâncias que tinham de percorrer, de suas dores, preocupações e penas. Em outras, falavam de sua infância e das histórias que ouviam, junto ao fogo, de suas mães, tias e avós. Eles trocavam histórias velhas, gabolices próprias ou de guerreiros de eras antigas, reis, califas e vizires. Todos sabiam as histórias de cor, mas nunca as contavam duas vezes do mesmo jeito e alegremente brincavam com os detalhes. O Djim estava particularmente fascinado por qualquer menção feita aos djins, como quando os homens contavam histórias de Sulayman, o soberano que, há setecentos anos, havia colocado os djins sob seu jugo, sendo o primeiro e último dos reis humanos a alcançar o feito.

O Djim observava e aprendia, chegando à conclusão de que eles eram um fascinante paradoxo. O que levava essas criaturas de vida curta a serem tão estranhamente autodestrutivas, com suas jornadas massacrantes e batalhas brutais? E como, com apenas dezoito ou vinte anos de idade, eles se tornavam tão inteligentes e hábeis? Falavam de façanhas assombrosas em cidades como ash-Sham e al-Quds:[2] mercados em eterna expansão e novas mesquitas, construções prodigiosas nunca vistas no mundo. A espécie dos djim, que não gostava de estar em ambientes fechados, nunca tentara fazer nada comparado àquilo; suas casas não passavam de um simples abrigo contra a chuva. Mas o Djim ficou fascinado pela ideia. Então, escolheu um lugar no vale e, quando não estava andando atrás de caravanas, decidiu construir um palácio ali. Ele aquecia e modelava as areias do deserto em folhas curvas de um opaco vidro esverdeado, que formavam paredes e escadas, pisos e balcões. Em torno das paredes externas, teceu uma filigrana de ouro e prata, de maneira que o palácio parecia aninhado em uma teia brilhante. Gastou meses fazendo e desfazendo as coisas segundo seus caprichos e por duas vezes, frustrado, destruiu tudo. Mesmo depois de acabado e habitável, o palácio nunca ficara realmente pronto. Alguns quartos eram cobertos pelas estrelas, pois seus tetos passaram a servir de piso para alguma outra parte da construção. A teia de filigrana crescia à medida que encontrava veios metálicos nas pedras do deserto, e quase desaparecia quando ele a despojava para adornar um salão. Assim como ele, o palácio era, normalmente, invisível para outros seres; mas os homens do deserto às vezes conseguiam vislumbrá-lo à distância, quando os últimos raios do entardecer o atingiam, deixando-o com a

---

2   Os nomes em árabe, respectivamente, das cidades de Damasco e Jerusalém. [NT]

aparência de um lugar em chamas. Eles então se voltavam, fustigavam seus cavalos e só depois de cavalgar muitas milhas, vendo-se seguros à vista de suas fogueiras, é que ousavam olhar novamente para trás.

As sombras se alongavam em Castle Gardens, mas ainda assim o Djim não conseguia tirar os olhos do porto. Uma vez, quando ele era muito jovem, deparou-se com uma pequena lagoa em um oásis. Determinado, como os jovens do mundo inteiro, a testar seus limites, assumiu a forma de um chacal, entrou na lagoa até o alto das coxas e lá ficou o máximo que pôde, o frio embrenhando-se em suas patas e membros. Quando sentiu que suas pernas poderiam desmoronar, finalmente pulou para fora da água. Era o mais perto que havia chegado da morte. E se tratava apenas de uma pequena lagoa.

Não era preciso praticamente nenhum esforço para pular o parapeito, para cair ou saltar. Um ou dois minutos submerso e seria seu fim.

Nauseado, arrastou os olhos para longe da água. Navios a vapor e rebocadores espocavam, espalhando ondas atrás de si. No horizonte, as luzes que desvaneciam destacavam uma ondulante linha de terra firme. Em uma ilha não muito distante, destacava-se uma enorme estátua de mulher, feita do que parecia um metal esverdeado. A escala da estátua era surpreendente. Quantas rochas não deveriam ter sido derretidas, quantos veios metálicos foram escalados para criá-la? E como era possível que não partisse aquele fino disco de terra, afundando nas águas?

Segundo Arbeely, essa baía era apenas uma pequena parte de um oceano cuja vastidão desafiava a lógica. Mesmo em sua forma natural, ele nunca teria esperado cruzá-lo — e agora aquela forma havia se perdido. Examinou cuidadosamente o bracelete de ferro, na esperança de não ter percebido alguma fraqueza, mas não encontrou nada. Largo mas fino, o objeto ficava justo em seu pulso e era preso por uma dobradiça em um dos lados. O pôr do sol emprestava um brilho sombrio ao fecho com a cavilha. Ele não conseguia fazer a cavilha se mexer, por mais forte que puxasse. E sabia, mesmo sem tentar, que as ferramentas de Arbeely não eram suficientes para libertá-lo.

Fechou os olhos e, pela centésima vez, tentou mudar de forma, esforçando-se contra o feitiço do bracelete. Mas era como se essa habilidade nunca houvesse existido. O mais surpreendente era o fato de não lhe restar qualquer lembrança de como aquilo fora parar em seu pulso.

Além da longevidade, os djins eram abençoados com uma memória prodigiosa, quase fotográfica, e o Djim não era exceção. Para ele, a capacidade humana de recordação não era mais que uma vaga miscelânea de imagens. Mas os dias — semanas ou mais? — que precederam sua captura, e até o próprio acontecimento em si, foram obscurecidos, em sua mente, por uma névoa espessa.

A última coisa da qual se lembrava com clareza era de voltar para seu palácio depois de rastrear uma caravana particularmente grande, com cerca de cem homens e trezentos camelos. Ele os seguira por dois dias na direção leste, ouvindo suas conversas, lentamente reconhecendo-os como indivíduos. Um condutor de camelos, um homem magro, de certa idade, gostava de cantar baixinho para si próprio. As canções falavam de beduínos corajosos em cavalos velozes e das mulheres puras que os amavam; mas a voz do homem transmitia tristeza, mesmo se não o fizessem as palavras. Dois guardas haviam conversado sobre uma nova mesquita na cidade de ash-Sham, chamada de Grande Mesquita, aparentemente uma enorme construção de beleza formidável. Outro guarda, um jovem, estava prestes a se casar, e os demais se revezavam fazendo brincadeiras com ele, dizendo que não se preocupasse porque em sua noite de núpcias eles ficariam do lado de fora de sua tenda, sussurrando o que ele deveria fazer. O jovem guarda retrucava perguntando por que deveria confiar nos conselhos *deles* sobre as mulheres, e aqueles que o perturbavam contavam, então, histórias fantásticas sobre suas façanhas sexuais que faziam a tropa inteira chorar de tanto rir.

O Djim os seguira até divisar, no horizonte, uma estreita faixa verde. Era o Ghouta, um oásis alimentado pelo rio que beirava ash-Sham. Com relutância, desacelerou o passo e ficou olhando enquanto a caravana se transformava em um traço no horizonte, uma ponta de lança perfurando o Ghouta. Apesar da aparência agradável daquele cinturão verde, nem mesmo o Djim era tão temerário a ponto de se aventurar ali. Ele era um djim do deserto e, nos campos exuberantes do Ghouta, estaria fora de seu terreno. Contavam-se histórias sobre criaturas que viviam ali e não eram gentis com djins teimosos: tinham o costume de atraí-los para o rio, segurando-os embaixo da água até que morressem. Então, ele optou por ser cauteloso dessa vez e voltou para casa.

A viagem de volta foi longa, e quando chegou ao palácio viu-se tomado por uma estranha solidão. Talvez o motivo fosse a caravana. Ele estava acostumado com as conversas, com as canções e histórias dos homens; mas não participara delas, ouvindo-as apenas de longe. Talvez muito tempo tenha passado desde a última vez que estivera com seus semelhantes. Então decidiu parar de seguir as caravanas e sair em busca das moradas de seu clã para passar algum tempo com eles. Quem sabe se não procuraria por uma companhia feminina, uma djim que desejasse sua atenção. Ele chegou ao palácio quando o sol estava se pondo, fazendo planos para partir pela manhã — e suas lembranças não passavam desse ponto.

Depois disso, apenas duas imagens atravessavam a névoa. A primeira mostrava um homem cujas mãos marrons, crispadas, fechavam o bracelete de ferro em seu pulso, e com essa imagem vinha a sensação de um frio lancinante e de um medo infinito, a reação normal de um djim ao ferro — mas por que, perguntava-se, não sentia isso agora? E então outra imagem: o rosto curtido de um homem, lábios fendidos em um riso de escárnio, o olhos amarelos saltados brilhando em triunfo. *Feiticeiro*, disse-lhe a memória. Mas isso era tudo; no instante seguinte, estava nu e esparramado no chão da oficina de Arbeely.

Exceto pelo fato de que se passara muito mais que um instante. Aparentemente, o Djim ficara preso naquela garrafa por mais de mil anos.

Fora Arbeely quem conseguira calcular esse número, enquanto buscava roupas para o hóspede nu. Pressionava o Djim perguntando--lhe sobre todas as suas lembranças do mundo dos homens, buscando alguma informação que pudesse ajudar a descobrir o ano aproximado de sua captura. Depois de algumas tentativas frustradas, Djim se lembrou dos guardas da caravana que conversavam sobre uma Grande Mesquita, a nova construção de ash-Sham. "Eles disseram que dentro da mesquita havia a cabeça de um homem, mas sem o corpo", ele contou. "Não fazia sentido para mim. Posso ter entendido mal."

Mas Arbeely garantiu que o Djim escutara muito bem. A cabeça pertencia a um homem chamado João Batista, e a mesquita era conhecida, agora, como a Mesquita dos Omíadas[3] — e ela estava na cidade de ash-Sham há mais de mil anos.

---

3   Também conhecida como Grande Mesquita de Damasco, foi erguida sobre
as ruínas de uma basílica cristã dedicada a São João Batista. A cabeça de
João Batista é considerada uma das principais relíquias da religião cristã e,
segundo a tradição, foi enterrada nessa mesquita, onde se encontra ainda hoje. [NT]

Não parecia possível. Como ele poderia ter ficado preso por tanto tempo? Um djim com mais de oitocentos anos era uma raridade, e ele estava com quase duzentos quando começou a seguir as caravanas. Mas não só ainda estava vivo como também não se sentia mais velho. Era como se a garrafa, além de aprisionar seu corpo, tivesse paralisado o tempo. Ele supôs que, dessa forma, um feiticeiro poderia estender a utilidade de seu prisioneiro por quanto tempo fosse necessário.

A garrafa estava agora em uma prateleira na oficina de Arbeely. E, assim como o bracelete de ferro, não revelava nada sobre seu fabricante. Arbeely mostrara ao Djim o arabesco parcialmente apagado em torno de sua base — aparentemente algum tipo de trava mágica que o manteve fechado lá dentro. *Mas como você cabia lá com o azeite?*, perguntara Arbeely. Porém esse era um enigma que não interessava tanto ao Djim. O que realmente o intrigava era descobrir como se deixara ser capturado e preso em forma humana. Provavelmente, o feiticeiro o seguiu até as habitações dos djins, ou talvez usou algum tipo de armadilha. Ele se perguntava se o feiticeiro o havia tratado como um dos escravos de Sulayman, obrigando-o a construir deleitosos palácios e a massacrar inimigos. Ou o teria simplesmente deixado de lado como uma bugiganga que, depois de adquirida, perde seu charme?

É claro que o homem já devia ter morrido. Os feiticeiros lendários foram realmente poderosos, porém, de qualquer forma, mortais. O homem de olhos amarelos há muito se tornara pó. E qualquer que fosse o feitiço que tivesse jogado sobre Djim, sua morte não o anulara. Foi tomado, então, por um pensamento, rasteiro e abominável: ele poderia ficar preso naquele corpo para sempre.

Não. Afastou essa ideia. Ele não aceitaria a derrota assim tão facilmente.

Olhou para a grade de ferro do parapeito e segurou-se com as duas mãos. Ele estava à beira da exaustão; ficar preso na garrafa aparentemente destruíra sua força — mas, ainda assim, depois de alguns instantes, o metal emitia um brilho vermelho e opaco. Agarrou a grade com mais força, soltando o ferro logo depois, o que deixou a marca de seus dedos no parapeito. Afinal, ele não estava totalmente indefeso. Ele ainda era um djim, um dos mais poderosos de sua raça. E sempre havia uma saída.

Começou a tremer de frio, mas ignorou. Preferiu se virar e encarar a cidade que crescia na beira da água, os enormes edifícios retangulares que se esticavam até o alto do céu, suas janelas com painéis perfeitos de vidro. Por mais fantásticas que parecessem cidades como ash-Sham e al-Quds, a contar pelas histórias dos homens das caravanas, o Djim duvidava que elas tivessem a metade do que essa tal Nova York tinha de maravilhoso e terrível. Se era obrigado a vagar em um território desconhecido, cercado por um oceano mortal e aprisionado em uma forma fraca e imperfeita, que pelo menos fosse um lugar que valesse a pena explorar.

Arbeely estava parado perto dali, observando o brilho do parapeito de ferro se apagar sob as mãos de Djim. Ainda lhe parecia impossível que tudo aquilo estivesse acontecendo enquanto o resto da cidade continuava em seu ritmo normal, sem qualquer alteração ou conhecimento do que se passava ali. Ele queria agarrar o transeunte mais próximo e gritar: *Veja esse homem! Ele não é um homem! Veja o que ele fez com a grade!* Mas achou que, se quisesse ser internado num hospício, havia maneiras piores de conseguir isso.

Ele mirou o outro lado da baía, tentando ver através dos olhos do Djim. Ficou pensando de que maneira poderia se sentir caso um dia acordasse e descobrisse que mil anos haviam se passado. Seria o bastante para deixar qualquer um louco. Mas o Djim apenas ficava parado, ereto e inflexível, com os olhos fixos na água. Ele não parecia um homem prestes a ter um ataque de fúria. As roupas sujas e pequenas demais que usava contrastavam absurdamente com sua aparência e seus traços, penduradas nele como um pedido de desculpas. Ele deu as costas à água e ficou olhando os edifícios aglomerados na beira do parque. Só então Arbeely percebeu que o Djim tremia da cabeça aos pés.

O Djim deu um passo à frente. Seus joelhos dobraram e ele caiu.

Arbeely correu e o segurou antes que se estatelasse no chão, erguendo-o. "Você está se sentido mal?"

"Não", murmurou o Djim. "Com frio."

Eles voltaram para a oficina, e Arbeely se dividia entre ajudar e carregar seu novo amigo. Assim que entrou, o Djim cambaleou até a fornalha e desabou, apoiando-se em sua lateral ardente. A parte da camisa que tocara no metal ficou chamuscada, mas ele não pareceu se dar conta disso. Fechou os olhos. Depois de algum tempo parou de tremer, e Arbeely concluiu que ele adormecera.

O homem suspirou e olhou à sua volta. Lá estava a garrafa de cobre, repousando em uma prateleira, mas ele não queria pensar nela no momento. Necessitava ocupar-se com uma tarefa fácil, algo que o acalmasse. Encontrou uma chaleira com um furo na base, que fora levada pelo dono de um restaurante da área. Perfeito: era capaz de remendar a chaleira com os olhos fechados. Ele cortou um pedaço de folha de flandres, aqueceu o remendo e a chaleira e pôs-se a trabalhar.

De tempos em tempos, observava o hóspede e pensava no que iria acontecer quando ele acordasse. Mesmo em silêncio e completamente imóvel, o Djim carregava um ar estranho — como se não fosse de verdade ou, então, a única coisa real naquele aposento. Arbeely supôs que as outras pessoas teriam a mesma sensação, mas duvidava que elas conseguissem entender o porquê. As jovens mães da Pequena Síria ainda amarravam contas de ferro nos pulsos de seus bebês e faziam gestos para afastar o Mau Olhado, porém mais por tradição e superstição carinhosa que por verdadeiro medo. O novo mundo estava muito distante das histórias contadas por suas avós — pelo menos era o que elas achavam.

Não era a primeira vez que ele desejava ter um confidente, alguém com quem pudesse compartilhar até o mais ultrajante segredo. Mas, em uma comunidade estreitamente entrelaçada, Boutros Arbeely era praticamente um estranho, um recluso até, que ficava mais feliz sozinho com sua forja. Ele era péssimo em manter uma conversa fiada, e em festas de casamento era sempre visto sozinho em uma mesa, examinando os talheres para checar a marca do fabricante. Seus vizinhos o cumprimentavam calorosamente na rua, mas nunca paravam para conversar. Ele tinha muitos conhecidos, mas poucos amigos.

Fora a mesma coisa em Zahlé. Criado em uma família de mulheres, fora um garotinho silencioso e sonhador. Ele descobrira o ofício de ferreiro por um feliz acaso. Ao sair para entregar um recado, parou em frente à forja local e ficou observando, fascinado, um homem coberto de suor que martelou uma folha de metal até que esta se transformou em um balde. Era a transformação que o encantava: de inútil para utilitário, de nada para alguma coisa. Ele sempre voltava ao local para ficar observando, até que o ferreiro, exasperado com o fato de estar sendo vigiado, ofereceu-se para admitir o garoto como aprendiz. Foi assim que o ofício de ferreiro tomou conta da vida de Arbeely, que praticamente deixou todo o resto de fora; e ainda que, vagamente, tivesse a ideia de um dia encontrar uma esposa e formar uma família, estava satisfeito com as coisas do jeito que eram.

Mas agora, olhando para a figura em repouso de seu hóspede, pressagiou uma mudança permanente. Como quando, aos sete anos, ouviu o grito de dor de sua mãe através da janela aberta, assim que ela foi informada da morte de seu marido, assassinado por ladrões na estrada para Beirute. Na ocasião, pôde sentir os fios de sua vida sendo espalhados e rearranjados diante daquele acontecimento novo e esmagador que se colocou entre eles.

"O que você está fazendo?"

Arbeely levou um susto. O Djim não se movera, mas seus olhos estavam abertos; Arbeely se perguntou há quanto tempo estava sendo observado. "Estou consertando uma chaleira", respondeu. "Seu dono deixou muito tempo no fogo."

O Djim se aproximou para observar a chaleira. "E que metal é esse?"

"São dois, na verdade", disse Arbeely. "Ferro banhado em estanho." Ele pegou um fragmento na mesa e entregou-o ao Djim, mostrando as camadas com a unha. "Estanho, ferro, estanho. Vê? O estanho é macio demais para ser usado sozinho, e com o ferro há o problema da ferrugem. Mas assim, juntos, são muito fortes e versáteis."

"Entendo. Engenhoso." Endireitou-se e estendeu a mão para a chaleira. "Posso?" Arbeely entrega-lhe a chaleira, e o Djim a examina cuidadosamente, agora com as mãos firmes. "Imagino que a dificuldade seja afinar as bordas do remendo sem expor o ferro."

"Exato", disse Arbeely, surpreso.

O Djim colocou uma das mãos sobre o remendo. Depois de alguns segundos, começou a esfregar cuidadosamente as bordas do remendo. Arbeely olhava, estupefato, enquanto a forma do remendo se apagava.

O Djim devolve a chaleira a Arbeely. Era como se nunca tivesse havido um furo.

"Tenho uma proposta para você", disse o Djim.

As chuvas de verão começavam repentinamente no deserto. Na manhã seguinte ao retorno do Djim, depois de ter seguido a caravana até o Ghouta, o céu ficara carregado de nuvens, deixando cair primeiro uma fina amostra de gotas de chuva e depois um respeitável aguaceiro. Os leitos secos dos rios e as ravinas se encheram de água. O Djim observava a chuva que lavava os muros e ameias de seu palácio, irritado com o transtorno. Ele pretendia partir para as moradas dos djins ao nascer do sol, mas agora teria de esperar.

Então vagou por seus salões de vidro, examinando as estruturas de metal e fazendo leves alterações, apenas para passar o tempo. Seus pensamentos se voltaram para os homens da caravana, suas conversas e piadas. Lembrou-se das canções do velho sobre os beduínos, e se perguntou se os homens citados nelas realmente foram tão corajosos, e as mulheres, tão belas. Ou seriam apenas lendas inventadas cujos detalhes foram modificados e exagerados no decorrer do tempo?

Por três dias, as chuvas iam e vinham; foram três dias de um confinamento enervante. Se o Djim tivesse sido capaz de sair, vagando até os confins da Terra, então sua crescente obsessão pelo mundo dos homens se dissiparia, e ele teria conseguido visitar as moradas dos djins de sua juventude como planejara. Mas quando as nuvens se esgotaram, e o Djim finalmente pôde sair para uma paisagem recém-lavada, ele descobriu que todos os planos de voltar para seu povo haviam se dissipado com a água das chuvas.

GOLEM & GÊNIO
UMA FÁBULA ETERNA

III

azia poucas horas que a Golem estava em Nova York e, no entanto, já começara a sentir falta daquela relativa calma do navio. O barulho das ruas era inacreditável; e o ruído dentro de sua cabeça era ainda pior. No início, quase a deixara paralisada, e ela buscou refúgio sob um toldo enquanto os pensamentos desesperados dos ambulantes e dos jornaleiros se sobrepunham aos seus gritos: *O aluguel está atrasado, meu pai vai me bater, por favor, comprem os repolhos antes que eles estraguem.* Isso lhe dava vontade de tapar as orelhas com as mãos. Se ela tivesse algum dinheiro, teria entregado tudo apenas para silenciar aquelas vozes.

Os transeuntes a olhavam dos pés à cabeça, dos olhos arregalados ao vestido sujo e desgrenhado, passando pelo ridículo casaco masculino. As mulheres fechavam a cara; alguns homens davam risadinhas irônicas. Um homem, trocando as pernas de tão bêbado, sorriu para ela e se aproximou com seus pensamentos turvos de luxúria. Para sua surpresa, percebeu que esse era um desejo que ela não tinha vontade de satisfazer. Enojada, atravessou a rua correndo. Um bonde virou a esquina chacoalhando e tirou um fino dela. As pragas do condutor a seguiram enquanto ela caminhava apressada.

Vagou sem rumo por horas, passando por ruas e vielas, virando esquinas ao acaso. Era um dia úmido de julho, e a cidade começava a cheirar mal, uma mistura azeda de repolho apodrecido e estrume. Seu vestido havia secado, mas o rio ainda estava grudado nele, em camadas que se soltavam. O casaco de lã a destacava ainda mais na multidão, já que o resto da cidade sufocava de calor. Ela também sentia calor, mas isso não a deixava desconfortável — em vez disso, sentia as pernas moles e lentas, como se estivesse caminhando novamente pelo rio.

Tudo o que via era novo e desconhecido, e essa sensação parecia não ter fim. Ela estava assustada e confusa, mas por trás do medo havia uma forte curiosidade, que lhe impulsionava. Espiou o interior de um açougue, tentando entender o que significavam as aves depenadas e as fileiras de salsichas, bem como as longas carcaças vermelhas que pendiam de ganchos. O açougueiro percebeu sua presença e começou a se aproximar do balcão; ela respondeu com um sorriso breve e apaziguador e se pôs a caminho. Os pensamentos dos transeuntes voavam em sua mente, mas não conduziam a nenhuma resposta, somente a novas perguntas. Por exemplo, por que todo mundo precisa de dinheiro? E *o que* vem a ser dinheiro? Ela considerou as moedas que via trocando de mãos; mas se tratava de algo tão onipresente nos medos e desejos que ela achou que haveria um mistério maior que ainda precisava decifrar.

Acabou chegando em um bairro elegante, onde as vitrines ostentavam vestidos e sapatos, chapéus e joias. Ao se deparar com uma chapelaria, parou para observar um chapéu enorme, fantástico, que estava em um pedestal, sua aba larga adornada de rendas e rosas de tecido, além de uma gigantesca e balouçante pena de avestruz. Fascinada, a Golem se aproximou e pousou a mão na vitrine — que se estilhaçou com o seu toque.

Deu um pulo para trás enquanto uma chuva de cacos caía da vitrine e se espalhava na calçada. Dentro da loja, duas mulheres bem-vestidas olhavam atônitas, as mãos cobrindo a boca.

"Desculpem", murmurou a Golem fugindo dali.

Com medo, correu por vielas e atravessou ruas de tráfego intenso, tentando não trombar nos pedestres. Os bairros se alternavam, cada quarteirão tinha uma aparência diferente. Homens imundos e vendedores coléricos gritavam uns com os outros, bradando queixumes em dezenas de línguas. Crianças corriam para casa, largando as cadeiras de engraxate ou suas brincadeiras, ansiando pelo jantar.

Uma espécie de exaustão mental começou a se abater sobre ela, nublando seus pensamentos. Seguiu na direção leste, acompanhando as sombras, e se viu em um bairro que respirava menos caos e mais determinação. Os lojistas recolhiam os toldos e trancavam as portas. Homens barbudos caminhavam devagar, acompanhados de outros, em uma conversa veemente. As mulheres conversavam nas esquinas, carregando pacotes amarrados com barbante, enquanto crianças puxavam suas saias. Falavam a mesma língua que ela havia usado para se comunicar com Rotfeld, aquela que reconheceu ao despertar. Depois da batalha de palavras daquele dia, ouvir aquela língua novamente era reconfortante.

Reduziu o passo e olhou em volta. Perto dali, o alpendre de um cortiço chamou sua atenção; vira homens e mulheres, velhos e jovens, sentados nesses alpendres o dia inteiro. Ajeitou a saia e sentou. Através do vestido, sentia o calor da pedra. Olhava os rostos das pessoas enquanto elas caminhavam. A maioria estava cansada e distraída, ocupada com seus próprios pensamentos. Os homens começavam a chegar do trabalho, a exaustão em seus rostos e a fome em seus estômagos. Era capaz de adivinhar em suas mentes as refeições que estavam prestes a engolir: o pão preto com *schmaltz*,[1] o arenque e as conservas de pepino, as canecas de cerveja. Percebia suas esperanças de uma brisa fresca, de uma boa noite de sono.

Uma fadiga com jeito de solidão caiu sobre a Golem. Ela não podia ficar sentada no alpendre para sempre, precisava seguir adiante; mas, naquele momento, era mais fácil permanecer onde estava. Encostou a cabeça nos tijolos da balaustrada. Dois passarinhos marrons bicavam a poeira aos pés do alpendre, sem ligar para os pés de quem passava por ali. Um dos pássaros voou sobre os degraus e pousou junto à Golem. Ele deu umas bicadas na pedra, depois virou de lado e pulou em sua coxa. Ela ficou surpresa, mas conseguiu se conservar imóvel enquanto o pássaro empoleirava em seu colo, cutucando e bicando os restos de lodo do leito do rio que ainda estavam grudados em sua saia. Os pezinhos finos e duros arranhavam sua pele sob o tecido. Lentamente,

---

1   Gordura de frango ou ganso, usada para preparar frituras ou passar no pão. [NT]

muito lentamente, estendeu a mão. O pássaro pulou em sua palma e lá ficou, tentando se equilibrar. Com a outra mão, ela acariciou as costas do pássaro. Ele ficou quietinho enquanto a Golem sentia suas macias penas lustrosas, o minúsculo coração a tremer. Ela sorriu fascinada. Ele inclinou a cabeça e olhou para ela com aqueles olhos redondos, sem piscar, bicando então os seus dedos como se não passassem de mais um pedaço de terra. Por um instante, os dois se entreolharam; então o pássaro se aprumou e saiu voando.

Assustada, a Golem se virou para seguir o voo do pássaro — e viu um homem idoso que a observava à sombra de um carrinho de merceeiro. Assim como ela, o homem vestia um casaco preto de lã apesar do calor. Uma franja branca despontava por baixo da bainha do casaco. Ele tinha uma barba branca, bem aparada, e seu rosto sob o chapéu era uma rede de linhas profundas. Olhava com tranquilidade para a Golem, mas o pensamento que ela captou pronunciava uma nota de medo: *Ela poderia ser o que eu estou pensando?*

A Golem apressadamente se pôs de pé e saiu caminhando, sem olhar para trás. À sua frente havia uma multidão de homens e mulheres, passageiros da Second Avenue Elevated.[2] Tentou se misturar entre as pessoas, seguindo a parte principal daquele amontoado de gente, enquanto grupos pequenos se espalhavam por esquinas e entradas de prédios. Ela finalmente se encolheu em um beco e só então teve coragem de espiar. Nenhum sinal do homem de casaco preto.

Aliviada, deixou o beco e prosseguiu na direção leste. Agora o ar cheirava novamente a mar e sal, fumaça de carvão e óleo de máquina. A maioria das lojas estava fechada, e os vendedores ambulantes guardavam seus suspensórios e calças baratas, panelas e frigideiras. O que ela faria ao cair da noite? Encontrar um lugar para se esconder, pensou, e aguardar a manhã.

Foi atingida por uma estocada de fome refletida. Um garoto esquelético e sujo de terra caminhava lentamente à sua frente na calçada, com os olhos fixos em um vendedor que suava em cima de um carrinho de comida. Enquanto a Golem observava, um homem em mangas de camisa abordou o ambulante e lhe deu uma moeda. O vendedor pegou um saquinho de papel pardo, mergulhou-o no carrinho e trouxe à tona um círculo de massa do tamanho de seu punho. O homem

---

2   Linha de trem suspensa que funcionou em Nova York de 1875 a 1942. [NT]

começou a comê-lo, andando na direção da Golem e soprando a fumaça que era expelida pela massa quente. A fome do garoto cresceu, desesperada e obsessiva.

Se o garoto não estivesse tão faminto, se o homem não tivesse passado assim tão perto — e se, principalmente, tudo pelo que passara aquele dia não a tivesse consumido tanto —, ela conseguiria ter tomado o controle, seguindo seu caminho. Mas a Golem não teve essa sorte. Ficara completamente petrificada com a situação terrivelmente difícil do menino. Afinal, ele não precisava daquela comida muito mais do que o homem?

No instante em que esse pensamento se formou em sua mente, ela esticou o braço, arrancou a comida das mãos do homem e entregou-a ao garoto. Um segundo depois ele estava correndo pela rua, tão rapidamente quanto suas pernas eram capazes.

O homem agarrou o braço da Golem. "Por que você fez isso?", ele rosnou.

"Desculpe", ela balbuciou tentando explicar, mas o homem já estava vermelho de cólera. "Sua ladra!", gritou. "Você vai pagar por isso!"

As pessoas começaram a se aproximar. Uma mulher idosa colocou-se ao lado do homem. "Eu vi tudo", disse, encarando a Golem. "Ela roubou seu *knish*[3] e entregou ao menino. E aí, garota? O que você tem a dizer em sua defesa?"

Ela olhou em volta aturdida. Homens e mulheres formaram um círculo ao redor da Golem, ansiosos para ver o que iria acontecer. "Pague!", alguém gritou.

"Eu não tenho dinheiro", ela replicou.

A multidão irrompeu em uma gargalhada áspera. Eles queriam que ela fosse punida. Exigiam que pagasse e atiravam seus desejos raivosos sobre ela, como se fossem pedras.

Ela foi tomada pelo pânico — que então, estranhamente, foi diminuindo. Sentia-se como se o tempo estivesse desacelerando, estendendo-se. As cores ficaram mais nítidas, ganharam maior foco. O sol poente parecia brilhar como se fosse meio-dia. *Tragam um policial!*, alguém gritou, e as palavras se prolongavam arrastadas. Ela fechou os olhos, sentindo-se à beira de um abismo, oscilando e prestes a cair.

---

3   Bolinho salgado recheado, frito ou assado,
    que faz parte da culinária judaica e do Leste Europeu. [NT]

"Isso não será necessário", disse uma voz.

Imediatamente a atenção da multidão encontrou outro alvo — e a Golem sentiu o abismo retroceder. Aliviada, abriu os olhos.

Era o velho de casaco preto, o homem que ficara lhe observando. Ele atravessava rapidamente a multidão e tinha um ar preocupado. "Isso paga o seu *knish*?", perguntou, entregando uma moeda ao homem. Então, lentamente, a fim de não assustá-la, agarrou o braço da Golem. "Venha comigo, minha querida", disse. Sua voz era tranquila, mas decidida.

Mas ela teria escolha? Era o homem ou a multidão. Lentamente, dirigiu-se ao velho, afastando-se de seu delator que olhava a moeda, carrancudo.

"Mas isso é muito", disse.

"Então faça uma boa ação com o que sobrar", retrucou o velho.

A multidão começou a dispersar, e algumas pessoas claramente se sentiam privadas de algum tipo de diversão. Logo ficaram apenas os dois na calçada.

O homem olhou novamente para a Golem, com aquela mesma expressão do primeiro encontro. Então se aproximou, e parecia farejar em torno dela. "Como pensei", ele disse com certo pesar. "Você é uma golem."

Em choque, ela deu um passo para trás, pronta para sair correndo. "Não, por favor", ele disse. "Você precisa vir comigo, não pode ficar vagando pelas ruas desse jeito. Vai acabar sendo descoberta."

Cogitou se deveria ou não tentar despistá-lo de novo. Mas o velho lhe prestara socorro e não parecia nem com raiva nem acusador, apenas preocupado. "Para onde você vai me levar?", ela perguntou.

"Minha casa. Não é longe daqui."

Ela não sabia se podia confiar nele — mas ele tinha razão: não deveria ficar vagando pelas ruas para sempre. Então, decidiu que precisava dar um voto de confiança para o velho. Ela precisava confiar *em alguém*.

"Está bem", ela respondeu.

Começaram a voltar pelo caminho de onde ela viera. "Conte-me", disse o velho, "onde está seu mestre?"

"Ele morreu no mar há dois dias. Vínhamos de Danzig."

O homem balançou a cabeça. "Que infelicidade", disse. Se ele se referia à morte de Rotfeld ou à situação como um todo, ela não sabia. "É onde você vivia antes?"

"Não, eu não estava viva", ela respondeu. "Meu mestre só me acordou durante a travessia, pouco antes de morrer."

Aquilo o surpreendeu. "Quer dizer que você só existe há dois dias? Fantástico." Ele virou uma esquina, a Golem o seguiu. "E como você passou sozinha pela ilha Ellis?"

"Nunca estive lá. No navio, um oficial tentou me interrogar porque eu não tinha passagem. Então, pulei no rio."

"Isso mostra que você pensa rápido."

"Eu só não queria ser descoberta", ela disse.

"Mesmo assim."

Eles caminharam, refazendo os passos da Golem. Há muito o sol se escondera por trás dos prédios, mas o céu ainda brilhava, vistoso e carregado com o calor do dia. As crianças novamente começavam a sair dos cortiços em busca de uma última aventura antes da hora de dormir.

Enquanto eles andavam, o homem permanecia em silêncio. A Golem se deu conta de que não sabia seu nome, mas não ousava perguntar — ele estava absorto em seus pensamentos. Ela era capaz de captar os pensamentos que rondavam a sua mente, e todos a tinham por objeto: *O que devo fazer com ela?* E em um breve lampejo, ela se viu caída no chão, transformada em uma pilha disforme de terra e barro no meio da rua.

Ela parou, completamente atônita. Mas, em vez de pânico, sentia apenas um profundo cansaço. Talvez fosse melhor. Ela não tinha lugar aqui, nenhum propósito.

O homem percebeu que a Golem não estava mais ao seu lado e virou-se, preocupado. "Tem alguma coisa errada?"

"Você sabe como me destruir", ela disse.

Uma pausa. "Sim", assentiu o velho, cautelosamente. "Possuo esse conhecimento. Poucos o detêm hoje em dia. Mas como você sabe disso?"

"Você pensou nessa hipótese", ela respondeu. "Por um momento, você quis fazê-lo."

Ele franziu a testa confuso — e então sorriu, mas sem alegria. "Quem a fez?", ele perguntou. "Foi o seu mestre?"

"Não", respondeu a Golem. "Não sei quem me criou."

"Quem quer que tenha sido", disse ele, "era brilhante, temerário e bastante amoral." Ele suspirou. "Você consegue captar os desejos alheios?"

"E os medos", ela respondeu. "Desde que o meu mestre morreu."

"Foi por isso que você roubou aquele *knish* para dar ao menino?"

"Eu não queria roubar", ela respondeu. "Mas ele estava... tão faminto."

"Isso dominou você por completo", ele disse, e a Golem assentiu. "Temos de resolver isso. Talvez com treino... bem, no momento, isso pode esperar. Primeiro precisamos lidar com questões mais práticas, como encontrar roupas para você."

"Então... você não vai me destruir?"

Ele balançou a cabeça. "Um homem pode desejar algo por alguns instantes, mas uma grande parte dele rejeita esse desejo. Você deve aprender a julgar as pessoas por seus atos, não por seus pensamentos."

Um instante de hesitação. Então, ela diz: "Você foi o único que me tratou de maneira gentil desde que o meu mestre morreu. Se achar melhor me destruir, devo me conformar com essa decisão".

Agora era ele quem estava chocado. "Seus poucos dias foram assim tão difíceis? Sim, percebo que devem ter sido." Pousou uma mão reconfortante no ombro da Golem; seus olhos eram melancólicos, mas gentis. "Sou o rabi Avram Meyer", ele disse. "Se você permitir, eu a tomarei sob minha proteção e serei seu guardião. Eu lhe darei um lar e qualquer orientação que puder, e juntos decidiremos qual o melhor rumo a tomar. Você está de acordo?"

"Sim", ela respondeu, aliviada.

"Ótimo." Ele sorriu. "Agora venha. Estamos quase lá."

O prédio do rabi Meyer era um cortiço como os outros, com uma fachada severa manchada de poeira e fumaça. A entrada era escura e estreita, mas estava limpa; os degraus da escada rangiam em protesto sob os passos deles. A Golem percebeu que, à medida que subiam, seu companheiro respirava cada vez com mais dificuldade.

Os aposentos do rabi ficavam no quarto andar. Um corredor estreito conduzia a uma cozinha minúscula, com uma pia bastante funda, um fogão e um compartimento de gelo. Meias e roupas de baixo secavam penduradas num tanque. Havia pilhas de roupa suja no chão, e pratos sujos se misturavam sobre o fogão.

"Não estava esperando visitas", disse o rabi, constrangido.

No quarto cabiam apenas uma cama e um guarda-roupa. Depois da cozinha havia uma pequena saleta, em que se encontrava um sofá gasto de veludo verde embaixo de uma larga janela. Junto a ele havia uma pequena mesa de madeira com duas cadeiras. Uma vasta coleção de livros ocupava uma das paredes, as lombadas marcadas e desbotadas. E havia pilhas de livros espalhadas pela sala.

"Não tenho muito, mas é o suficiente", disse o rabi. "Por ora, considere esta a sua casa."

A Golem ficou em pé no meio da saleta, evitando sujar o sofá com seu vestido. "Obrigada", respondeu.

Então ela olhou pela janela. O céu escurecia, e as luminárias a gás da saleta emitiam uma luz forte o suficiente para criar reflexos. Ela viu a imagem de uma mulher sobreposta ao prédio vizinho. Levantou ligeiramente uma das mãos e deixou-a cair novamente na lateral de seu corpo; a mulher na janela fez a mesma coisa. Ela se aproximou, fascinada.

"Ah", disse calmamente o rabi, "você ainda não tinha se visto."

Ela estudou seu rosto, depois passou a mão pelos cabelos, sentindo os fios finos endurecidos pela água do rio. Deu um puxão para testar. Cresceria ou ficaria para sempre do mesmo tamanho? Passou a língua pelos dentes, depois estendeu as mãos. Suas unhas eram curtas e quadradas. A unha do dedo indicador da mão esquerda era um pouco fora de lugar. Ela se perguntou se alguém mais perceberia aquele detalhe.

O rabi olhava enquanto ela se examinava. "Seu criador era bastante talentoso", ele disse. Mas não conseguiu disfarçar um quê de decepção no tom de sua voz. Ela olhou de novo para a ponta dos dedos. Unhas, dentes, cabelos: nada daquilo era feito de barro.

"Espero", ela disse, observando os movimentos de sua boca, "que ninguém tenha sido ferido na minha criação."

O rabi deu um sorriso triste. "Eu também. Mas o que está feito está feito, e você não tem culpa de ter sido criada, independente das circunstâncias. Agora, é preciso encontrar roupas limpas para você. Fique aqui, por favor. Logo estarei de volta."

Sozinha, a Golem permaneceu ali, mirando seu reflexo na janela por mais algum tempo e pensando. E se o rabi não a tivesse socorrido naquele momento? O que teria acontecido? Encontrara-se no meio daquela multidão enraivecida, sentindo o mundo desabar, como se estivesse prestes a atravessar uma porta para... onde? Ela não sabia.

Mas, naquele momento, sentia-se calma. Em paz. Como se todas as preocupações e decisões estivessem prestes a ser retiradas de seus ombros. Ao lembrar-se disso, sentiu-se estremecida por um medo que não compreendia.

Estava anoitecendo, e a maioria das lojas estava fechada; mas o rabi conhecia algumas perto de Bowery que ainda estariam abertas e dispostas a vender-lhe um vestido feminino e algumas calcinhas. Ele nem poderia se comprometer com esses gastos; além da pequena aposentadoria de sua antiga congregação, sua única fonte de renda vinha das aulas de hebraico para garotos que estudavam para o bar mitzvah. Mas aquilo precisava ser feito. Cautelosamente, atravessou as ruas barulhentas, evitando cruzar com bêbados e esbarrar no olhar das mulheres que ficavam paradas nas esquinas à espera de clientes. Na Mulberry Street, encontrou uma loja de roupas aberta e comprou uma blusa, uma saia, um vestido, calcinhas e ceroulas, além de meias com ligas. Hesitou um pouco, mas juntou uma camisola ao pacote. A Golem não precisava daquilo para dormir, é claro, mas a escolha dos artigos femininos o deixara um pouco confuso; além disso, ela não podia simplesmente colocar um vestido sem usar nada por baixo. O caixa da loja franziu a testa ao se deparar com aquele casaco e suas franjas, mas rapidamente pegou o dinheiro.

O velho levou o embrulho para casa, pensando enquanto caminhava. Seria difícil viver com alguém que pressentia os desejos alheios. Se ele não tomasse cuidado, acabaria em guerra com sua própria mente, preso no jogo enlouquecedor de *não pense nisso*. Deveria ser totalmente honesto e permanecer impassível, sem esconder nada. Isso não seria fácil. Mas elogios forçados só a prejudicariam ainda mais. O mundo lá fora não seria tão condescendente.

Ele sofreria as consequências pelos seus atos, pela decisão de lhe ter dado guarida: soube disso no instante em que identificou a natureza da Golem e decidiu não destruí-la. Sem filhos, aposentado, viúvo há quase dez anos, o rabi Avram Meyer planejara uma velhice tranquila e uma morte simples. Mas o Todo-Poderoso, pelo visto, tinha outros planos.

◄ • ►

Em um corredor de cortiço absolutamente banal, Boutros Arbeely abriu uma porta e deu passagem para seu hóspede. "Cá estamos. Meu palácio. Eu sei que não é grande coisa, mas você é bem-vindo aqui até encontrar um lugar só seu."

O Djim lançou um olhar assustado para dentro do cômodo. O "palácio" de Arbeely era um aposento minúsculo e sombrio, onde mal cabiam uma cama, um pequeno armário e uma mesa dobrável encostada em uma pia imunda. O papel de parede estava se descolando, formando grandes ondulações. O chão, pelo menos, estava limpo, mas isso era inédito. Em honra de seu hóspede, Arbeely entulhara a roupa suja no armário, forçando a porta até que fechasse.

Só de olhar para o aposento, o Djim se sentiu tão claustrofóbico que nem teve coragem de entrar. "Arbeely, esse lugar não foi feito para duas pessoas. Aqui mal cabe uma."

Eles se conheciam há pouco mais de uma semana, mas Arbeely já havia se dado conta de que precisava controlar a irritação causada pelas observações espontâneas e grosseiras do Djim. "E do que mais eu preciso?", ele retrucou. "Fico o dia inteiro na oficina. Quando estou aqui, estou dormindo." Apontando as paredes, disse: "Poderíamos pendurar um lençol e colocar uma cama dobrável. Assim você não precisaria mais dormir na oficina".

O Djim olhou para Arbeely como se ele tivesse proferido um insulto. "Mas eu não durmo na oficina."

"Então onde você tem dormido?"

"Arbeely, eu não *durmo*."

Arbeely ficou boquiaberto; ele não tinha percebido. Todas as noites, quando saía da oficina, o Djim estava lá, aprendendo a trabalhar o delicado estanho. E em todas as manhãs, ao retornar, ele encontrava o Djim firme no trabalho. Arbeely guardava um colchão nos fundos, para as noites em que se sentia cansado demais para se arrastar até em casa; ele partiu do princípio de que o Djim estava usando o colchão. "Você não dorme? Quer dizer... nem *um pouco*?"

"Não, e estou feliz por isso. Dormir me parece uma enorme perda de tempo."

"Eu gosto de dormir", protestou Arbeely.

"Isso é porque você se cansa."

"E você não?"

"Não da mesma maneira."

"Se eu não dormisse", meditou Arbeely, "acho que sentiria falta dos sonhos." Ele franziu o rosto. "Você sabe o que são sonhos, não sabe?"

"Sim, eu sei o que são sonhos", respondeu o Djim. "Eu posso entrar neles."

Arbeely empalideceu. "*Entrar* neles?"

"É uma habilidade rara. Apenas alguns poucos clãs de djins superiores a possuem." Mais uma vez Arbeely percebeu a arrogância trivial, indiferente. "Mas só posso fazê-lo na minha forma verdadeira. Então não precisa se preocupar: seus sonhos estão seguros."

"Bem, mesmo assim, você é mais que bem-vindo..."

Irritado, Djim interrompeu-o: "Arbeely, eu não quero viver aqui, acordado ou dormindo. Por enquanto, continuarei na oficina".

"Mas você disse..." Arbeely ficou em silêncio, sem vontade de prosseguir. *Se você me deixar preso aqui por mais tempo, vou acabar enlouquecendo*, disse o Djim, e isso doeu no homem. O plano deles exigia que o Djim ficasse fora da vista dos outros até que Arbeely lhe houvesse ensinado o suficiente para que ele pudesse se passar como um aprendiz; mas para isso o Djim era obrigado a ficar escondido nos fundos da oficina durante o dia — um espaço tão pequeno quanto o quarto de Arbeely. O ferreiro compreendeu que essa restrição irritava o Djim, mas ficou magoado por ser comparado a um carcereiro.

"Acho que eu me sentiria estranho se tivesse de passar toda a noite em um quarto vendo um homem dormir", admitiu Arbeely.

"Exatamente." O Djim sentou na beira da cama e olhou de novo à sua volta. "E francamente, Arbeely, este lugar é horrível!"

Em sua voz havia tanta lamúria que Arbeely começou a rir. "Eu não me importo, juro", disse. "Mas não é a isso que você está acostumado."

O Djim balançou a cabeça. "Nada disso é." Distraidamente, ele esfregou o bracelete em seu pulso. "Imagine", ele disse a Arbeely, "que você está dormindo, sonhando seus sonhos humanos. E então, quando acorda, você se vê em um lugar desconhecido. Suas mãos estão atadas, seus pés presos por grilhões, e você está preso a uma estaca no chão. Você ignora quem fez isso, ou como. Você não sabe se um dia vai escapar. Você está a uma distância inimaginável de casa. E então, encontra uma criatura estranha que diz: 'Um Arbeely! Mas eu pensava que Arbeelys eram apenas histórias para crianças! Rápido, você tem de se esconder e fingir ser um de nós porque as pessoas aqui teriam muito medo de você se soubessem'."

Arbeely franziu o rosto. "Você acha que eu sou uma criatura estranha?"

"Você não entendeu nada." Esticou-se na cama e olhou para o teto. "Mas, sim, eu acho que os humanos são criaturas estranhas."

"Você tem pena de nós. A seus olhos, estamos de mãos atadas e com grilhões nos pés."

O Djim refletiu um pouco. "Vocês se movem tão lentamente", ele disse.

Um silêncio recaiu entre eles, e então o Djim suspirou. "Arbeely, eu prometi que não sairia da oficina até que você achasse que havia chegado o momento e mantive a minha palavra. Mas eu mantenho o que disse antes. Se eu não encontrar uma maneira de recuperar minha liberdade, ao menos em parte, creio que vou enlouquecer."

"Por favor", disse Arbeely. "Apenas mais alguns dias. Se isso funcionar..."

"Sim", respondeu o Djim, "sim, eu sei." Levantou-se e foi até a janela. "Mas, de tudo isso, meu único consolo é ter aterrissado em uma cidade que não se parece com nada do que eu jamais imaginei. E pretendo aproveitá-la ao máximo."

A mente de Arbeely foi inundada por avisos sobre os riscos de andar por ruas estranhas à noite, as gangues e os assassinos, os prostíbulos e os antros de ópio. Mas o Djim olhava pela janela com uma ânsia profunda, para além dos telhados ao norte. Ele pensou mais uma vez no quadro que o Djim pintara de si próprio, de mãos atadas e grilhões nos pés.

"Por favor", suplicou. "Tenha cuidado."

Em comparação ao asfixiante quarto de Arbeely, a oficina do ferreiro parecia quase espaçosa. Sozinho, o Djim sentou-se à bancada de trabalho analisando a solda. Tinha de ser cuidadoso; suas mãos eram quentes o bastante para derreter o aparelho se ele o segurasse por muito tempo. Arbeely demonstrara pacientemente como espalhar a solda sobre uma junta, mas, quando o Djim fez uma tentativa, a solda escorreu da lâmina em um rio de pequenas gotas. Apresentou melhoras depois de algumas tentativas, mas aquilo esgotava sua paciência. Ele queria simplesmente derreter as bordas com os dedos, porém isso contrariava o objetivo do exercício.

Era atormentado pelo fato de ter que restringir a única habilidade que lhe restara. Nunca avaliara realmente quantos de seus poderes eram perdidos quando ele não estava em sua forma original. Se soubesse, teria passado mais tempo a explorá-los em vez de ficar seguindo caravanas. A habilidade de entrar nos sonhos, por exemplo, era algo que mal usara.

Como todos os outros atributos, essa habilidade variava muito entre os diversos tipos de djins. Nos *ghuls* e *ifrits*, que eram inferiores, ela se manifestava como uma possessão grosseira, realizada mais por diversão, velhacaria ou vingança fútil. O humano possuído se transformava em uma simples marionete mal manipulada, até que o djim se cansasse e abandonasse a brincadeira. Muitos dos possuídos tinham prejuízos permanentes; alguns até morriam em virtude do choque. Nos piores casos, o djim ficava preso na mente do humano. Quando isso acontecia, quase sempre tanto humano como djim enlouqueciam. Se o humano tivesse muita sorte, haveria algum xamã ou mágico de segunda categoria por perto para expulsar o possuidor de sua presa. Uma vez, o Djim encontrara um de seus irmãos inferiores logo depois de ter sido expulso de um humano dessa maneira. Ele era uma coisa queimada e torcida que estava dependurada em uma árvore mirrada, babando e uivando enquanto os galhos ardiam ao redor. O Djim observara a cena com uma mistura de piedade e repugnância e passou longe da árvore.

Já as habilidades do Djim não eram nem um pouco grosseiras como a possessão indiscriminada. Em sua forma original, era capaz de se insinuar na mente de alguém sem causar qualquer desconforto e observar tudo sem ser percebido. Mas ele só conseguia fazer isso quando seu alvo estava no reino dos sonhos, com a mente aberta e desprotegida. Testara essa habilidade algumas vezes, mas apenas em animais inferiores. As cobras, ele descobriu, sonhavam com cheiros e vibrações, suas línguas se agitavam no ar, os corpos longos eram pressionados contra a terra. Chacais sonhavam em amarelos, ocres e em vermelhos fragrantes, revivendo suas caçadas no sono, sacudindo membros e patas. Depois de algumas experiências do tipo, ele praticamente deixou de fazer isso. Era até divertido, mas costumava deixá-lo confuso e desorientado enquanto se reajustava à forma etérea e recuperava o sentido de si próprio.

Mas nunca ousara entrar na mente de um humano. Dizia-se que os sonhos dos homens eram traiçoeiros e perigosos, cheios de paisagens inconstantes, que poderiam capturar um djim e prendê-lo rapidamente. Um mago, alertavam os mais velhos, era capaz de atrair um djim para a sua mente, seduzi-lo nos labirintos dos sonhos e transformá-lo em um escravo. Os djins mais experientes conseguiram convencer os demais que fazer aquilo era uma loucura imprudente, mesmo que apenas em pensamento. Era possível que tivessem exagerado no teor do perigo, mas ainda assim o Djim abria mão de qualquer tentativa, mesmo quando os homens das caravanas caíam no sono depois de uma longa jornada.

Ele teria se arriscado se soubesse que essa habilidade seria tirada dele? Talvez, mas duvidava que pudesse ter lucrado com a experiência. De certa forma, pensava enquanto lutava com a solda, essa perda não tinha muita importância. Agora ele estava passando tempo mais do que suficiente com os humanos para compensá-la.

———•———

No deserto da Síria, a última das chuvas de primavera encharcava as colinas. Brotos delicados surgiam entre as pedras e cardos, pontilhando os vales de amarelo e branco.

O Djim flutuava sobre o vale, desfrutando da vista. A chuva limpara a poeira de seu palácio, e agora cada centímetro brilhava. Ele realmente pensara em deixar tudo aquilo para trás, a fim de voltar para as moradas dos djins? Para quê? Pertencia àquele lugar, com seu palácio e seu vale, o sol morno da primavera e as efêmeras flores selvagens.

Mas sua mente já maquinava seu próximo encontro com os humanos. Perto dali, ele sabia, havia um pequeno acampamento de beduínos. Espiara à distância seus rebanhos de ovelhas e fogueiras, os homens cavalgando, mas os evitara até o momento. Perguntava-se em que sentido a vida daqueles homens diferia da vida dos homens das caravanas. Talvez, em lugar de procurar outra caravana para seguir, ele devesse direcionar suas excursões para esse acampamento. Mas será que ficaria satisfeito em observá-los de longe, quando uma alternativa muito mais íntima estava disponível?

Um movimento chamou sua atenção. Como se atraída pelos pensamentos dele, uma jovem beduína surgira em um canteiro na borda do vale. Acompanhada apenas de umas poucas cabras, ela caminhava pelo canteiro com uma energia alegre, que combinava com o frescor do dia.

O Djim foi tomado por um impulso. Desceu até o parapeito de seu palácio, esticou a mão e tocou o vidro azul e branco.

A jovem ficou paralisada de espanto porque, por um instante, o palácio do Djim surgiu brilhando diante de seus olhos.

O Djim observou a garota que saiu em disparada seguindo o caminho de volta, conduzindo as cabras à frente. Ele sorriu e ficou pensando no que uma jovem como ela poderia sonhar.

GOLEM & GÊNIO
UMA FÁBULA ETERNA

IV

os poucos, a Golem e o rabi Meyer aprenderam a conviver.

Não foi fácil. Os aposentos do rabi eram pequenos e apertados, ele estava acostumado a ficar sozinho. Não que a proximidade fosse uma experiência inédita — ao chegar à América, hospedara-se com uma família de cinco pessoas. Mas era jovem na época, mais maleável. Nos últimos anos, a solidão se tornara o seu único prazer.

Como havia previsto, a Golem rapidamente percebeu seu desconforto. Ela logo desenvolveu o hábito de se manter o mais longe possível dele, como se tentasse sair dali sem de fato partir. Até que ele pediu que a Golem sentasse e explicou que ela não precisava ir a lugar algum simplesmente porque ele estava ali.

"Mas você quer que eu saia", ela disse.

"Sim, mas contra minha própria vontade. A melhor parte de mim sabe que você pode sentar ou ficar em pé onde quiser. É importante aprender a agir de acordo com o que as pessoas dizem e fazem, não com o que elas desejam ou temem. Você possui uma janela extraordinária para a alma das pessoas e, por isso, verá muitas coisas feias e incômodas, muito piores do que a minha vontade de não ter você por aqui. Você precisa se acostumar com isso e não fazer caso delas."

Ela ouviu e consentiu com a cabeça, mas era mais difícil do que poderia imaginar. Permanecer no mesmo aposento que o homem, sabendo que ele a queria longe dali era uma tortura. Seu instinto de ser útil a instigava a sair do caminho dele. Ignorar isso era como ficar parada nos trilhos de um bonde, tentando não se mexer. Ela começaria a ficar inquieta, ou quebraria algo sem querer — o puxador de uma gaveta saindo na sua mão quando ela o segurava, a bainha de sua saia rasgando quando ela puxava o tecido. Ela pediria mil desculpas, e ele diria que aquilo não tinha importância; mas ele não conseguia disfarçar sua aflição, o que só tornava as coisas piores.

"Seria melhor se eu tivesse *algo* para fazer", ela finalmente disse.

Imediatamente o rabi percebeu seu erro. Sem pensar, ele havia dado à Golem a pior vida possível: ociosidade. Então cedeu e permitiu que ela assumisse a limpeza dos cômodos, o que até então ele insistia em fazer.

A mudança — tanto na Golem como na casa do rabi — foi instantânea. Com uma tarefa a cumprir, a Golem poderia ficar absorta nela e ignorar as distrações. Toda manhã ela lavava a louça do café da manhã, depois pegava um pano e se dedicava ao fogão, removendo mais algumas camadas da persistente sujeira acumulada há anos, desde a morte da esposa do rabi. Depois fazia a cama dele, prendendo firmemente as pontas do lençol na estrutura frágil do móvel. Qualquer roupa suja no cesto — exceto pelas roupas de baixo, que ele se obstinava em não permitir que ela lavasse — era levada para a pia da cozinha, lavada e colocada para secar. As roupas lavadas na véspera eram passadas, dobradas e guardadas.

"Não consigo evitar o pensamento de que estou me aproveitando de você", disse o rabi, envergonhado, enquanto a observava guardando os pratos no armário. "E meus estudantes vão pensar que eu contratei uma empregada."

"Mas eu gosto de trabalhar. Faz com que eu me sinta melhor. E é uma forma de compensá-lo por sua generosidade."

"Eu não esperava uma compensação quando ofereci abrigo a você."

"Mas eu quero compensá-lo", ela respondeu, voltando a guardar os pratos. O rabi acabou decidindo aceitar a situação, derrotado pela necessidade e pela tentação de andar com calças recém-passadas.

Quando eles conversavam, faziam-no em voz baixa. O cortiço era barulhento, mesmo à noite, mas as paredes eram finas, e os vizinhos do rabi ficariam muito intrigados com o som da voz de uma jovem. Felizmente, ela não precisava usar o banheiro coletivo no corredor. Uma vez ao dia, lavava-se na pia da cozinha enquanto o rabi estava no quarto ou na sala com a cabeça ocupada por estudos e orações.

O mais complicado era quando um dos alunos do rabi chegava para a aula. Alguns minutos antes, a Golem entrava no quarto e se arrastava para debaixo da cama do homem. Logo depois, ela ouvia a batida na porta, as cadeiras sendo arrastadas no chão da sala e a voz do rabi: *Então, você estudou sua parte?*

Mal havia espaço embaixo da cama para a Golem. Ela era estreita e tão baixa que seu nariz ficava quase encostado no estrado. Ficar deitada, imóvel e silenciosa em um espaço tão pequeno não era fácil. Seus dedos e pernas começavam a se crispar, não importava o quanto tentasse relaxar. Enquanto isso, um pequeno exército de vontades e desejos entrava em sua mente: do garoto e do rabi, ambos querendo que o relógio andasse mais rapidamente; da mulher que habitava o cômodo de baixo, que sofria com uma dor constante no quadril; das três crianças do vizinho ao lado, forçadas a dividir seus parcos brinquedos e que sempre ansiavam por aquilo que não tinham — e, em um grau um pouco menor, do resto do cortiço, uma cidadezinha de disputas, luxúrias e mágoas. E bem no meio disso estava a Golem ouvindo tudo.

O rabi aconselhou que ela procurasse se concentrar em seus outros sentidos para abafar o barulho; então a Golem pressionava a orelha contra o chão e escutava a água gorgolejando nos canos, mães ralhando com seus filhos em um iídiche raivoso, panelas e frigideiras batendo, discussões, orações, o zumbido das máquinas de costura. Mas, acima de tudo, ela ouvia o rabi ensinando o garoto a recitar sua parte, a voz rouca do homem alternando com a voz estridente do menino. Às vezes, ela recitava junto, em silêncio, movendo os lábios sem emitir sons até que o garoto partisse e ela pudesse sair dali.

As noites também eram muito difíceis. O rabi se deitava às dez e só levantava às seis, então a Golem tinha oito horas sozinha com os pensamentos vagos e sonhadores das outras pessoas. O homem sugeriu que ela lesse para passar o tempo; e então uma noite ela pegou um livro na estante do rabi, abriu ao acaso e leu:

...Vitualhas cozidas podem ser colocadas em um forno pre-aquecido com palha ou restolho. As vitualhas não podem ser colocadas em um forno preaquecido com polpa de sementes de papoula ou com madeira, a não ser que o carvão tenha sido retirado ou coberto com cinzas. Os discípulos de Shammai[1] dizem: as vitualhas podem ser retiradas do forno, mas não colocadas de volta. Os discípulos de Hillel[2] permitem isso.

Os escolásticos propuseram uma pergunta: "Se a expressão 'não devem ser colocadas' significa 'não devem ser colocadas de volta', no caso de não terem sido retiradas, elas poderão ser deixadas ali?".

Nossa resposta tem duas partes...

Ela fechou o livro e fitou a encadernação de couro. Todos os livros seriam daquele jeito? Desanimada e um pouco irritada, passou o resto da noite olhando pela janela, observando os homens e mulheres que passavam.

De manhã, contou ao rabi sobre a tentativa de leitura. Mais tarde naquele dia, ele saiu para resolver alguns assuntos e trouxe para ela um pacote fino e plano. Dentro estava um livro delgado, com uma capa alegremente ilustrada: um grande navio, cheio de animais, na crista de uma onda gigante. Atrás do navio, uma faixa de cores em um semicírculo cujo cume afastava as nuvens acima.

"Este vai ser um começo melhor para você, penso eu", disse o rabi.

Naquela noite, a Golem foi apresentada a Adão e Eva, bem como a Caim e Abel. Aprendeu sobre Noé e sua arca, e sobre o arco-íris que era o sinal da aliança de Deus. Leu sobre Abraão e Isaac na montanha, o sacrifício que quase aconteceu e suas consequências. E achou tudo muito estranho. As histórias em si eram fáceis de acompanhar, mas ela não estava segura sobre o que devia *pensar* daquelas pessoas. Elas teriam realmente existido ou foram inventadas? As histórias de Adão e Noé contavam que eles viveram muitas centenas de anos — mas isso era impossível, não? O rabi era a pessoa mais velha que havia conhecido em sua curta existência, e ele tinha bem menos de um século. Isso queria dizer que o livro contava mentiras? Mas o rabi tinha sempre o

---

1 Estudioso judeu do século I, fundador da escola Beit Shammai. [NT]
2 Hillel, o Ancião, fundador da escola Beit Hillel e contemporâneo de Shammai. [NT]

cuidado de dizer apenas a verdade! Se aquelas eram mentiras, então por que o rabi pediu que ela lesse?

Leu o livro até o fim três vezes, tentando entender aquelas pessoas de outros tempos. Seus motivos, necessidades e medos estavam sempre na superfície, tão fáceis de captar quanto aqueles de quem passava por ela. *E Adão e Eva sentiram vergonha e se esconderam para cobrir sua nudez. E Caim teve ciúmes do irmão, levantou-se e o matou.* Quão diferentes das vidas das pessoas em torno dela, que mantinham seus desejos escondidos. Lembrou-se daquilo que o rabi dissera, aconselhando julgar um homem por suas ações, e não por seus pensamentos. E, a julgar pelas pessoas daquele livro, agir segundo suas vontades e desejos levava, no mais das vezes, a crimes e desgraças.

Mas será que todos os desejos eram errados? E o garoto faminto para quem ela havia roubado o *knish*? Poderia o desejo por comida ser errado quando se está passando fome? Uma mulher naquele andar tinha um filho que era mascate, em um lugar chamado Wyoming. Ela vivia à espera de uma carta dele, de algum sinal que a fizesse saber que seu filho estava vivo e a salvo. Isso também parecia correto e natural. Mas quem era ela para saber?

Pela manhã, quando o rabi perguntou o que ela havia achado do livro, a Golem hesitou, buscando as palavras certas. "Essas pessoas existiram mesmo?"

Ele franziu o rosto. "Minha resposta mudaria sua compreensão sobre eles?"

"Não tenho certeza. Mas eles parecem simples *demais* para serem reais. Assim que surgia um desejo, eles agiam. E não eram coisas pequenas, como 'preciso de um chapéu novo' ou 'quero comprar uma bisnaga'. Coisas grandes, como Adão e Eva com a maçã. Ou Caim, que matou Abel." Então, assumiu um ar muito sério: "Eu sei que não vivi muito, mas isso parece estranho".

"Você já viu crianças brincando na rua, não? Elas normalmente ignoram seus desejos?"

"Entendo o que você quer dizer", ela respondeu, "mas essas histórias não são sobre crianças."

"Eu acredito que, de certa maneira, são", disse o rabi. "Essas eram as primeiras pessoas do mundo. Tudo o que elas fizeram, cada ato e decisão, eram inteiramente novos, sem precedentes. Eles não tinham uma sociedade mais ampla para a qual se voltar, nenhum exemplo de como se comportar. Tinham apenas o Todo-Poderoso para lhes dizer o que era certo e o que era errado. E, como todas as crianças, se as ordens Dele contrariavam os desejos daquelas pessoas, às vezes elas preferiam não dar ouvidos. E então aprendiam quais eram as verdadeiras consequências de seus atos. E agora diga-me... não acho que você considerou a leitura uma forma agradável de passar o tempo."

"Eu tentei gostar disso!", ela protestou. "Mas é difícil ficar parada por tanto tempo!"

Em seu íntimo, o rabi suspirou. Ele esperava que a leitura fosse uma boa solução, talvez até permanente. Mas percebia agora que era pedir demais. A natureza da Golem não permitiria aquilo.

"Se ao menos eu pudesse sair à noite..." Sua voz era um apelo silencioso.

Ele balançou a cabeça. "Isso não é possível. Tenho medo. Mulheres sozinhas à noite são consideradas como de moral duvidosa. Você acabaria alvo de abordagens indesejadas, talvez até de atitudes violentas. Gostaria que não fosse assim. Mas talvez seja a hora", ele disse, "de nos aventurarmos lá fora durante o dia. Poderíamos caminhar juntos depois de receber meus alunos. Isso ajudaria?"

O rosto da Golem se iluminou com a expectativa, e ela passou a manhã limpando a já imaculada cozinha com foco e zelo renovados.

Depois que o último aluno partiu, o rabi delineou seu plano para a caminhada. Ele sairia sozinho do cortiço, e ela o seguiria cinco minutos depois. Eles se encontrariam a algumas quadras dali, em uma determinada esquina. O homem lhe entregou um velho xale que pertencera à sua esposa, um chapéu de palha e um pacote que continha alguns livros embrulhados em papel pardo, amarrado com um barbante. "Caminhe como se você tivesse uma incumbência e um objetivo", ele disse. "Mas não ande rápido demais. Observe as mulheres à sua volta para ter um exemplo, se for preciso. Estarei à sua espera." Ele deu um sorriso encorajador e partiu.

A Golem esperou, vigiando o relógio sobre a porta. Três minutos se passaram. Quatro. Cinco. Com os livros na mão, ela pisou no corredor, fechou a porta e foi para a rua, que estava brilhante ao sol da tarde. Era a primeira vez que deixava os aposentos do rabi desde que fora viver com ele.

Desta vez, estava mais preparada para o ataque de necessidades e desejos, mas, ainda assim, a intensidade deles a deixou abalada. Por um breve instante, teve vontade de voltar correndo para o prédio. Mas não: o rabi estava esperando por ela. Observou o tráfego incessante, as correntes de pedestres e vendedores ambulantes e cavalos que passavam rapidamente uns pelos outros. Agarrada ao pacote como se fosse um talismã, deu mais uma olhada rápida para os dois lados da rua e se pôs a caminho.

Enquanto isso, o rabi esperava, nervoso, na esquina. Ele também estava com dificuldades de controlar seus pensamentos. Pensara em seguir a Golem, para ter certeza de que ela não arrumaria problemas — mas seria fácil demais para ela descobrir o que se passava em sua mente, concentrada como estava nela, e ele não poderia arriscar (ou suportar) perder a confiança da Golem. Então cumpriu com o combinado: foi para a esquina e esperou. Decidiu que aquilo era um teste para ele também: assim, descobriria se era capaz de deixá-la partir e viver sabendo que a Golem estava lá fora no mundo, longe de seu controle.

Esperava ardentemente que ambos passassem no teste porque o acordo atual estava cada vez mais difícil de aguentar. Sua hóspede não era exigente, mas se tratava de uma presença constante e perturbadora. Ele ansiava pelo ousado luxo de sentar-se sozinho à mesa, de camiseta e calções, a tomar chá e ler o jornal.

E havia outras considerações mais urgentes. Na gaveta inferior de sua cômoda, escondida sob sua roupa de inverno, estava uma pequena bolsa que ele encontrara no bolso do casaco da Golem. Dentro da bolsa, encontrava-se uma carteira masculina com algumas notas, um elegante relógio de bolso em prata — seu mecanismo irremediavelmente estragado — e um pequeno envelope de papel oleado. As palavras CO-MANDOS PARA A GOLEM estavam escritas no envelope em um hebraico espichado e irregular. Ele continha um pedaço de papel dobrado que, felizmente ou não, havia sobrevivido à viagem até a costa. O rabi lera o papel; ele sabia o que estava escrito ali.

Na confusão de sua chegada a Nova York, a existência da bolsa evidentemente fugira da mente da Golem. Mas era sua propriedade e tudo o que restara daquele que outrora fora seu mestre; de uma maneira obscura, o rabi julgava errado esconder aqueles pertences de sua dona. Mas se uma criança chegasse à ilha Ellis com uma pistola no bolso, não seria correto confiscá-la? Por ora, pelo menos, ele estava decidido a manter o envelope seguro, longe da vista dela.

Enquanto isso, porém, sua mente trabalhava. Ele partia do princípio de que só havia duas soluções para a questão da Golem: destruí-la ou fazer o possível para educá-la e protegê-la. Mas e se houvesse uma terceira hipótese? E se ele conseguisse descobrir como ligar um golem vivente a um novo mestre?

Tanto quanto sabia, isso jamais havia sido feito. E a maior parte dos livros — e das mentes — que poderiam ajudá-lo já não existiam há tempos. Mas ele relutava em deixar de lado essa possibilidade. No momento, cuidaria o melhor que pudesse da educação da Golem, até que ela fosse capaz de viver por conta própria. Aí, então, ele colocaria mãos à obra.

O rabi logo deixou esses pensamentos de lado, pois percebeu uma figura familiar que vinha em sua direção, alta e ereta, andando cuidadosamente em meio à multidão. Ela também o vira e estava sorrindo, os olhos acesos. E ele sorria de volta, um pouco aturdido pela onda de orgulho que sentira ao vê-la, como um peso agridoce em seu coração.

➤ ● ◀

Do outro lado do Atlântico, a cidade de Konin, no Império Alemão, continuava em sua azáfama habitual, e mal se percebia a partida de Otto Rotfeld. A única verdadeira mudança ocorreu quando a velha loja de móveis fora alugada por um lituano e transformada em um café da moda; todos concordaram que a novidade trouxera uma grande melhora à vizinhança. Na verdade, o único morador de Konin que pensava em Rotfeld era Yehudah Schaalman, o vilipendiado eremita que criara uma golem para aquele homem. À medida que as semanas se tornavam meses e o corpo submerso de Rotfeld se entregava às correntes e aos animais marinhos, Schaalman passava as noites sentado à mesa, bebendo *schnapps* e se perguntando o que teria acontecido com o rapaz antipático. Conseguira sucesso na América? Teria despertado sua noiva de barro?

Yehudah Schaalman tinha 93 anos. Esse fato não era do conhecimento de todos porque ele tinha as feições e a postura de um homem de setenta anos e, se assim desejasse, poderia adquirir uma aparência ainda mais jovem. Alcançara essa idade avançada por meio de artes proibidas e perigosas, de sua considerável inteligência e de um horror à morte que superava tudo. Um dia, ele tinha certeza, o Anjo da Morte finalmente viria atrás dele para colocá-lo diante dos Livros da Vida e da Morte, quando então ouviria o relato de suas transgressões. Então o portão se abriria, e ele seria jogado no fogo de Geena[3] para ser punido de acordo com as suas iniquidades — que foram muitas e de vários tipos.

Quando ele não estava vendendo poções de amor para jovens tolas do vilarejo ou venenos inidentificáveis para esposas de olhos encovados, Schaalman empreendia toda a sua vontade na busca pela solução de seu dilema: como adiar indefinidamente o dia da chegada do Anjo. Então ele não era, por via de regra, um homem entregue a devaneios ociosos. Não desperdiçava seu tempo com especulações sobre cada cliente que buscava seus serviços. Por que, então, perguntava-se, esse infeliz fabricante de móveis prendera sua atenção?

A vida de Yehudah Schaalman nem sempre foi assim.

Quando garoto, Yehudah fora o estudante mais promissor que os rabis jamais haviam encontrado. Dedicava-se aos estudos como se houvesse nascido com esse objetivo. Quando estava com quinze anos, estava acostumado a imobilizar seus professores nos debates, tecendo redes de argumentos talmúdicos tão flexíveis que os mestres acabavam por defender posições completamente opostas àquelas em que acreditavam. Essa destreza de raciocínio só encontrava rival em uma piedade e devoção a Deus tão fortes que, comparados a ele, os outros estudantes pareciam heréticos despudorados. Algumas vezes, tarde da noite, aconteceu de os professores murmurarem entre si que, talvez, a espera pelo Messias não seria tão longa quanto achavam.

Foi treinado para se tornar um rabi, o mais rapidamente possível. Os pais de Yehudah estavam encantados: pobres, pouco mais que camponeses, eles não tinham como pagar por sua educação. O rabinato começou a debater sobre o destino do garoto. O melhor seria mantê-lo à frente de uma congregação? Ou deveriam mandá-lo para a universidade, onde seria responsável por ensinar a próxima geração?

---

3   Segundo Jesus retratado nos evangelhos sinópticos
     — os três primeiros do Novo Testamento (Mateus, Marcos e Lucas) —,
     local de suplício onde os pecadores são punidos. [NE]

A poucas semanas de sua ordenação, Yehudah Schaalman teve um sonho.

Caminhava por uma senda coberta de pedrinhas em meio a um deserto cinzento. Muito à frente, um muro inexpressivo se estendia pelo horizonte alcançando o céu. Ele estava exausto e seus pés doíam; mas, depois de muito andar, Yehudah percebeu uma pequena porta, quase um buraco de forma humana, onde a senda encontrava o muro. Subitamente, sentindo-se repleto de uma alegria estranha e destemida, correu o restante do caminho.

Alcançou a porta, parou e olhou para dentro. O que ali se encontrava estava envolto em névoa. Toca o muro: era dolorosamente frio. Olha à sua volta e percebe que a névoa engolira a senda, até mesmo onde estavam seus pés. Em toda a Criação, só havia ele, o muro e a porta.

Yehudah entrou.

A névoa e o muro desapareceram. Ele estava de pé em um prado. O sol brilhava, banhando-o com uma luz morna. O ar estava denso com os cheiros da terra e da vegetação. Então, foi preenchido por uma sensação de paz que nunca presenciara antes.

Havia um arvoredo para além do prado, que ganhava tons verdes e dourados com a luz do sol. Ele sabia que havia alguém naquele arvoredo, fora de sua vista, aguardando sua chegada. Ansiosamente, deu um passo adiante.

No mesmo instante o céu escureceu, como antes de uma tempestade. Yehudah se sentiu preso, imobilizado. Uma voz falou dentro dele: *Você não pertence a este lugar.*

Prado e arvoredo desapareceram. Ele fora libertado... e estava caindo...

E então viu-se novamente na senda, de quatro no chão, cercado por pedras partidas. Dessa vez, não havia muro, ou qualquer outro marco que pudesse servir de guia, apenas pedras espalhadas por toda a paisagem destruída, cobrindo todo o horizonte sem indícios de trégua.

Yehudah Schaalman acordou em meio à escuridão e com a certeza de que, de alguma maneira, estava amaldiçoado.

Quando informou aos professores que estava partindo e que não se tornaria um rabi, eles choraram como se alguém tivesse morrido. Protestaram e pediram que explicasse por que ele, um aluno tão brilhante, abandonaria seus objetivos. Mas ele não respondeu; e não contara a ninguém sobre o sonho, com medo de que tentassem argumentar, dar explicações, contar histórias de demônios que atormentavam os justos com visões falsas. Ele sabia qual era a verdade contida em seu sonho; o que ele não entendia era o *por quê*.

Então Yehudah Schaalman abandonou os estudos. Passou noites sem dormir revendo suas memórias, tentando descobrir qual de seus pecados poderia ter causado sua perdição. Não vivera até então uma vida imaculada — reconhecia que podia ser orgulhoso, impaciente demais, e quando criança tivera brigas feias com sua irmã e puxara muitas vezes seus cabelos —, mas seguira os Mandamentos o melhor que pôde. E seus pequenos erros não seriam mais do que compensados por suas boas ações? Ele era um filho devotado, um estudante zeloso! Os rabis mais sábios o consideravam um milagre de Deus! Se Yehudah Schaalman não era digno do amor de Deus, então quem no mundo poderia ser?

Atormentado por esses pensamentos, Yehudah reuniu alguns livros e provisões, despediu-se de seus pais chorosos e partiu sozinho. Ele tinha dezenove anos.

Era uma época ruim para viajar. Yehudah sabia vagamente que seu pequeno *shtetl*[4] ficava dentro do Grão-Ducado de Posen e que o ducado fazia parte do Reino da Prússia; isso porque, para seus professores, esses eram problemas mundanos, de pouca importância para um prodígio espiritual como Yehudah, então eles não os haviam mencionado. Agora ele descobria uma nova realidade: a de que era um judeu ingênuo e sem dinheiro que falava muito pouco de polonês e nada de alemão, e, assim, todos os seus estudos não serviam para nada. Viajando pelas estradas abertas, foi atacado por assaltantes que, notando suas costas estreitas e aparência delicada, o tomaram por um filho de comerciante. Quando descobriram que ele não possuía nada que pudessem roubar, bateram nele e o amaldiçoaram. Uma noite, Yehudah cometeu o equívoco de pedir para cear em um povoado alemão; os burgueses o esbofetearam e o jogaram na estrada. Passou então a rondar os arredores dos vilarejos de lavradores, onde pelo menos compreendia o que falavam. Ele ansiava por falar iídiche novamente, mas evitava os *shtetls* com medo de acabar voltando para o mundo do qual fugira.

4   Como eram chamados os vilarejos de população majoritariamente judaica no Leste Europeu até início do século xx. [NT]

Tornou-se um trabalhador braçal, arando campos e vigiando ovelhas, mas os serviços não combinavam com ele. Por ser um judeu magro e maltrapilho que falava polonês, não fez nenhum amigo entre seus novos colegas, como se falar aquela língua sujasse sua boca. Com frequência, podia ser visto apoiado em sua pá ou permitindo que o boi andasse por aí sozinho com o arado enquanto ele, mais uma vez, ruminava sobre seus antigos pecados. Quanto mais pensava, mais parecia que sua vida era um catálogo de iniquidades. Pecados de orgulho e preguiça, de raiva, de arrogância, de luxúria — ele era culpado de todos, e não havia nada que fizesse um contrapeso na balança. Sua alma era como uma pedra feita de minerais frágeis, de aparência sólida mas, no fundo, imprestável. Todos os rabis haviam sido enganados, apenas o Todo-Poderoso conhecia a verdade.

Num dia quente, enquanto ele pensava no assunto, outro trabalhador o repreendeu por ser preguiçoso; e Yehudah, nas profundezas de sua melancolia e esquecendo seu polonês, respondeu com um insulto muito maior do que havia pretendido. O homem se jogou sobre Yehudah. Os outros foram observar a briga, felizes porque o rapaz arrogante finalmente teria o que merece. No chão, com o nariz jorrando sangue, Yehudah viu seu adversário em cima dele, o punho recuado, pronto para bater novamente. Atrás dele, um círculo de cabeças zombeteiras, como um conselho de demônios reunidos para um estridente julgamento. Naquele momento, toda a mágoa, o ressentimento e a autodepreciação de seu exílio se contraíram num ápice de raiva. Em um salto, atirou-se contra o seu oponente, derrubando-o no chão. Enquanto os outros olhavam horrorizados, Yehudah começou a socar impiedosamente a cabeça do homem, e estava prestes a arrancar um de seus olhos quando, finalmente, alguém o prendeu em um abraço de urso e o puxou para trás. Desvairado, Yehudah se agitou e mordeu até que o homem o largou. Então Yehudah correu. Os policiais pararam de persegui-lo na saída da cidade, mas ele continuou a correr. Não possuía nada além da roupa do corpo. Era ainda menos do que quando iniciara sua viagem.

Parou de pensar sobre seu rol de pecados. Estava claro agora que a corrupção de sua alma era um fato elementar. Ter evitado a captura e a prisão não era um consolo; pois agora ele começara a viver à espera de um julgamento superior, aquele que estava além.

Abandonou os trabalhos do campo, vagando, em vez disso, de cidade em cidade, buscando serviços esporádicos. Ele arrumava prateleiras, varria o chão, cortava tecidos. O pagamento era sempre insuficiente. Então, começou a surrupiar coisas para sobreviver, depois a roubar descaradamente. Logo estava roubando mesmo quando não havia necessidade. Num vilarejo, trabalhou em um moinho enchendo sacos de farinha e levando-os à cidade para que fossem vendidos. O padeiro local tinha uma filha com brilhantes olhos verdes e um corpo bem torneado que gostava de ficar por perto quando ele descarregava os sacos de farinha no depósito de seu pai. Um dia, ousou roçar os dedos nos ombros dela. A jovem nada disse, apenas sorriu. Na vez seguinte, sentindo-se encorajado e excitado, ele a chamou para um canto e a agarrou desajeitadamente. Ela riu dele, e Yehudah saiu correndo do depósito. Mas, depois disso, ela não riu mais. Eles copularam em cima de uma pilha de sacos, as bocas cobertas de farinha. Quando acabaram, ele saiu de cima dela, limpou-se com as mãos trêmulas, chamou-a de prostituta e foi embora. Na entrega seguinte, ela não correspondeu aos seus avanços, e ele lhe deu um tapa na cara. Quando voltou para o moinho, o pai da moça estava à sua espera junto com a polícia.

Pelos crimes de estupro e molestamento, Yehudah Schaalman fora condenado a quinze anos de prisão. Dois anos haviam se passado desde aquele sonho; ele tinha agora vinte e um anos.

Assim começou a terceira fase de sua educação. Na prisão, Schaalman ficou calejado e ganhou habilidade. Aprendeu a se manter em constante estado de alerta e a considerar todos os homens no mesmo aposento como possíveis adversários. Desapareceram os últimos traços de sua antiga gentileza, mas ele não conseguia disfarçar a inteligência. Os outros presos o olhavam como um alvo de piadas — um judeu magricela e erudito trancado com assassinos! Chamavam-no de "rabi", inicialmente como forma de zombaria; mas em pouco tempo eles o estavam procurando para resolver brigas. Ele aceitava, fazendo declarações que misturavam a precisão talmúdica e o rígido código moral da prisão. Os presos respeitavam as sentenças que ele proferia, e logo até os carcereiros se submetiam à opinião dele.

Mesmo assim, Schaalman preferia ficar em seu canto, mantendo-se distante da hierarquia da prisão e das gangues. Ele não tinha bajuladores nem mantinha nenhum guarda sob seu domínio. Os outros o viam como um homem cheio de melindres, que não queria sujar as mãos, mas era claro para ele quem detinha o verdadeiro poder: ele mesmo. Era o árbitro final da justiça, mais justo que os tribunais. Os presos o odiavam por isso, mas o deixavam em paz. À sua maneira, Schaalman sobreviveu por quinze longos anos, incólume e intacto, acalentando a amargura e a raiva enquanto a prisão fervilhava ao seu redor.

Aos 35 anos finalmente foi liberto e descobriu que estava mais seguro atrás das grades. O país estava em chamas. Cansados de verem usurpadas suas terras e sua cultura, os poloneses do ducado haviam se rebelado contra os ocupantes prussianos, tão somente para serem atirados numa batalha militar em que não tinham qualquer chance de vitória. Soldados prussianos passavam de vilarejo em vilarejo esmagando os últimos sinais de resistência, pilhando as sinagogas e igrejas católicas. Era impossível viajar sem ser notado. Um grupo de soldados prussianos cruzou com Schaalman na estrada, e eles o espancaram por diversão; pouco depois, as feridas ainda abertas, uma gangue de recrutas poloneses fez a mesma coisa. Tentou encontrar trabalho nos vilarejos, mas ele agora trazia a marca invisível da prisão em suas feições endurecidas e num olhar astuto, e por isso ninguém o contratava. Roubava comida de depósitos e comedouros de estábulos, dormia nos campos e tentava ficar longe da vista dos outros.

E foi assim que, numa noite, em um imundo acampamento improvisado nos arredores de uma fazenda, faminto e quase louco com o medo da morte, Schaalman despertou de um cinzento sono sem sonhos para ver uma luz no horizonte, um brilho vermelho-alaranjado que pulsava e aumentava de tamanho à medida que ele observava. Ainda naquele território entre o sono e o despertar, Schaalman ficou de pé e, sem ligar para seus poucos pertences largados no chão, começou a andar na direção da luz.

Um sulco fora aberto no meio do terreno, formando uma espécie de estrada que levava diretamente à luz. Tropeçou em torrões de terra, quase inconsciente e estonteado pela fome. Era uma noite morna, e a plantação balançava com a brisa suave que soprava, um milhão de vozinhas sussurrando segredos.

O brilho ficou mais intenso e se estendeu pelo céu. Sobrepostas ao murmurar da plantação, ele ouviu vozes de homens berrando uns com os outros, mulheres gritando de angústia. O cheiro de madeira queimada atingiu seu nariz.

O campo ficara para trás, e o terreno começava a ficar íngreme. O brilho agora se estendia por todo o seu campo de vista. A fumaça se tornara acre, os gritos, mais agudos. O aclive se acentuara de tal forma que Schaalman tivera de ficar de quatro, arrastando-se para cima, no limite de suas forças e além das fronteiras da razão. Seus olhos estavam fechados em virtude do esforço, mas a luz vermelho-alaranjada ainda flutuava à sua frente, compelindo-o a continuar em movimento. Depois do que parecia uma distância imensurável, o morro começou a nivelar, até que Schaalman, soluçando de exaustão, percebeu que atingira o topo. Sem forças nem para levantar a cabeça, desabou em uma fuga mais profunda que o sono.

Quando acordou, o céu estava claro, uma leve brisa soprava e ele percebia seus pensamentos estranhamente lúcidos. A fome era extrema, mas ele a sentia de maneira distante, como se outra pessoa estivesse faminta e ele apenas observasse a distância. Sentou-se e olhou à sua volta. Encontrava-se no meio de uma clareira. Não havia qualquer sinal de um morro; para onde quer que se olhava, o chão era plano. Nada ali indicava a direção da qual tinha vindo tampouco o caminho de volta.

Mais à frente estavam as ruínas carbonizadas de uma sinagoga.

A grama ao redor da estrutura também fora queimada e formava um círculo preto no chão. O fogo queimara tudo, das paredes até a base, deixando o santuário exposto à fúria dos elementos. No interior, vigas caídas projetavam-se de duas colunas de bancos escuros.

Cuidadosamente, pôs-se de pé e entrou no círculo de grama queimada. Ele parou no lugar onde ficava a porta e então transpôs a soleira. Era a primeira vez em dezessete anos que entrava em um lugar de devoção.

Nenhum ser vivo se movia lá dentro. Um silêncio lúgubre pairava ali, como se os sons do mundo lá fora, o farfalhar de pássaros, grama e insetos, tivessem sido emudecidos. Na nave central, Schaalman apanhou um punhado de madeira carbonizada, deixando-a escorrer por entre os dedos — e deu-se conta de que a sinagoga não poderia ter queimado na noite anterior porque aquelas cinzas estavam frias como pedras. Teria sido um sonho? Mas o que o atraíra até aquele lugar?

Com muito cuidado, caminhou pelo resto da nave. Alguns pedaços de madeira que caíram do teto barravam sua passagem. Quando tentou pegá-los, eles se desmancharam em farpas.

O atril estava queimado, mas ainda inteiro. Não havia sinal da arca ou do rolo; presumia-se que estes haviam sido salvos ou destruídos. Resquícios de livros de orações estavam espalhados perto do tablado. Pegou um volume parcialmente carbonizado no chão e leu um trecho do kadish.[5]

Atrás do tablado havia um espaço que se parecia com uma pequena saleta, provavelmente o local onde o rabi estudava. Passou por cima de uma metade de parede que sobrara, encontrando papéis queimados que estavam no chão em pilhas desordenadas. A mesa do rabi era uma massa de madeira alongada e queimada que jazia no meio do aposento. Havia uma gaveta na parte da frente. Schaalman segurou o puxador, que saiu em sua mão com fechadura e tudo. Forçou a fenda entre a gaveta e a mesa com as unhas, transformando a parte da frente em pedaços. Meteu a mão na gaveta e retirou os resquícios de um livro.

Colocou-o cuidadosamente sobre a mesa. A lombada estava solta do miolo, de maneira que não era mais possível chamar aquele objeto de livro, mas antes considerá-lo apenas um maço de papéis chamuscados. Pedaços de couro pendiam da capa. Então, separou-a do restante do livro e deixou-a de lado.

O livro fora queimado de fora para dentro, deixando intacta apenas uma ilha de texto em cada página. O papel era grosso como tecido, e a escrita era comprida e fina, dando a impressão de pertencer a um rabino que pregava em um iídiche ultrapassado e declamatório. Cada vez mais assustado, virava as páginas com dedos frios e trêmulos. Fragmentos irregulares de texto passavam diante de seus olhos:

> ...um amuleto certeiro contra a febre é o pronunciamento da fórmula descoberta por Galeno e ampliada por...
> ...deve ser repetida quarenta e uma vezes para maior eficácia...
> ...para melhorar a saúde depois de um jejum, junte nove galhos de uma nogueira, cada galho com nove folhas...
> ...para tornar a voz de alguém doce para os outros, direcione essa exortação ao Anjo...
> ...aumento da virilidade, misture essas seis ervas e coma-as à meia-noite, enquanto recita o nome de Deus...

5   Oração proferida diariamente pelos judeus nas sinagogas e cerimônias religiosas em memória dos entes falecidos. [NE]

...recite este Salmo para afastar influências demoníacas...

...de um golem é permitido apenas em épocas de profundo perigo, e é preciso tomar cuidado para assegurar...

...repita o nome do demônio, removendo cada letra a cada iteração, até que o nome tenha sido reduzido a uma única letra, e o demônio desaparecerá...

...para neutralizar o mau efeito da passagem de uma mulher por entre dois homens...

...este Nome de Deus com sessenta letras é especialmente útil, mas não deve ser pronunciado no mês de Adar...

Página após página, os segredos de uma mística há muito desaparecida se apresentavam a ele. Muitos haviam se perdido irremediavelmente, salvo por algumas poucas palavras, mas alguns estavam completos e intactos, e outros estavam tentadoramente quase completos. Tratava-se de um conhecimento proibido a todos, exceto aos mais pios e eruditos. Em uma ocasião, seus professores deram a entender que maravilhas como aquelas pertenceriam a ele um dia; mas eles não lhe permitiram nem um mínimo vislumbre, afirmando que ainda era muito novo. Pronunciar um encantamento, um exorcismo ou o Nome de Deus sem pureza de coração e intenção, diziam eles, colocaria a alma sob o risco de arder nas chamas de Geena.

Mas, para Schaalman, as chamas de Geena há muito eram inevitáveis. Se era esse seu fim, então ele faria o melhor com o tempo que restava aqui. Alguma influência, divina ou demoníaca, o havia levado até aquele lugar e colocado mistérios indizíveis em suas mãos. Ele tomaria esse poder e o usaria para alcançar seus próprios fins.

Os papéis jaziam ali, ligeiramente queimados e estalando em seus dedos. Na distante tontura de sua fome, poderia jurar que os sentira vibrar como uma corda ao ser dedilhada.

GOLEM & O GÊNIO
UMA FÁBULA ETERNA

V

epois de mais alguns dias de um sôfrego treinamento, Arbeely concluiu que era chegada a hora de apresentar o Djim ao restante da Pequena Síria. O plano que havia elaborado para isso contava com a própria mulher que era, em certo sentido, responsável pela nova vida do Djim em Manhattan: Maryam Faddoul, a proprietária do café que entregara a Arbeely uma garrafa de cobre que precisava de conserto.

O café dos Faddoul era famoso por ter a melhor fofoca da vizinhança, uma distinção que se devia totalmente à porção feminina de sua gerência. Os melhores dons de Maryam Faddoul eram um par de francos olhos castanhos e um sincero desejo de felicidade e sucesso com relação a todos os seus conhecidos. Sua natureza compreensiva fazia dela uma plateia popular para a expressão de ressentimentos; ela sinceramente concordava com cada opinião e via sabedoria em cada argumento. "Pobre Salim", ela dizia, "é tão óbvio que ele está completamente apaixonado pela Nadia Haddad! Até uma cabra cega veria isso. É uma lástima que os pais dela não concordem."

Um cliente poderia então contestar: "Mas, Maryam, ontem mesmo o pai dela esteve aqui, e você concordou que Salim ainda era jovem demais e que não estava pronto para ser um bom provedor. Como ambos podem estar certos?".

"Se todos os nossos pais tivessem esperado até que estivessem prontos para casar", respondia ela, "quantos de nós estariam aqui?"

Maryam era mestre na utilização benéfica da fofoca. Se um homem de negócios estivesse tomando café e fumando um narguilé enquanto reclamava do diminuto tamanho de sua loja — as vendas cresciam, mas se ele tivesse espaço para mais mercadorias! —, ela se colocava ao seu lado, enchia sua xícara com um suave movimento de punho e dizia: "Você deveria perguntar a George Shalhoub se poderia assumir seu aluguel quando terminar a mudança".

"Mas George Shalhoub não vai se mudar."

"Não? Então eu devo ter conversado ontem com outra Sarah Shalhoub. Agora que o filho dela vai trabalhar em Albany, ela não consegue se imaginar longe dele e está tentando convencer George a irem também. Se alguém mostrasse interesse em assumir o contrato de aluguel, talvez George se mostrasse muito mais disposto a partir." E o homem rapidamente fechava a conta e ia bater à porta de George Shalhoub.

Enquanto isso, Sayeed Faddoul estaria observando da cozinha com um sorriso nos olhos. Qualquer outro homem poderia ter ciúmes da atenção que a esposa recebia, mas ele não. Sayeed era um homem calado — não desajeitado, como ocorria às vezes com Arbeely, mas de uma natureza calma e estável que complementava a vivacidade cordial de sua esposa. Ele sabia que era sua presença que deixava Maryam ser tão independente; uma mulher solteira, ou cujo marido não fosse tão presente, teria de conter sua exuberância, sob o risco de enfrentar insinuações que poderiam manchar seu nome. Mas todos percebiam que Sayeed tinha orgulho de sua mulher e estava mais do que satisfeito em continuar como o sócio discreto, permitindo que ela brilhasse.

Finalmente, Arbeely colocou seu plano em ação. Um rapaz fora despachado com uma mensagem até os Faddoul, para avisar Maryam que sua garrafa estava consertada. Ela apareceu naquela mesma tarde, ainda usando seu avental e trazendo consigo o cheiro escuro de café torrado. Como sempre, Arbeely sentiu seu coração apertado ao vê-la, mas não que fosse uma dor desagradável, suficiente para causar algum tipo de sofrimento. Como muitos homens do bairro, ele era um pouco apaixonado por Maryam Faddoul. "Que sorte tinha aquele Sayeed!", pensavam seus admiradores, que viviam sempre sob a luz daqueles olhos brilhantes e sorriso compreensivo! Mas ninguém nem pensaria em se aproximar dela, nem mesmo aqueles que consideravam as convenções da propriedade como obstáculos que deveriam ser superados. Estava claro que o sorriso de Maryam brilhava graças à sua compreensão da boa natureza de todos à sua volta. Pedir mais daquele sorriso para si próprio só serviria para apagá-lo.

"Meu caro Boutros!", ela disse. "Por que você quase não vai ao café? Por favor, diga que seu serviço dobrou e que você tem de trabalhar dia e noite porque essa é a única desculpa que eu vou aceitar."

Arbeely corou e sorriu, desejando não estar tão nervoso. "Os negócios realmente *têm ido* bem, e estou com mais serviço do que posso dar conta. Na verdade, preciso apresentar-lhe meu novo assistente. Ele chegou há uma semana. Ahmad!", gritou para a salinha dos fundos. "Venha conhecer Maryam Faddoul!"

O Djim saiu do depósito, abaixando a cabeça para passar pela porta. Ele trazia a garrafa nas mãos. Sorriu. "Bom dia, madame", disse, estendendo-lhe a garrafa. "Muito prazer em conhecê-la."

A mulher ficou simplesmente estarrecida. Ela encarou o Djim. Por um instante, seus olhos mirando ora um ora outro, os medos de Arbeely se perderam em uma repentina torrente de inveja. Era somente a beleza do Djim que fazia com que ela o encarasse daquele jeito? Não, havia algo mais, e Arbeely também sentira aquilo na calamitosa primeira vez que se encontraram: uma atração instantânea e irresistível, quase instintiva, o animal humano confrontando algo novo sem saber ainda se deveria tratá-lo como amigo ou inimigo.

Então Maryam voltou-se para Arbeely e deu-lhe um tapinha no ombro.

"Ai!"

"Boutros, você é terrível! Esconder seu ajudante de todos, sem dizer uma palavra! Sem um aviso, sem boas-vindas — ele deve achar que somos terrivelmente rudes! Ou você tem vergonha de nós?"

"Por favor, senhora Faddoul, foi um pedido meu", disse o Djim. "Adoeci na travessia e estava de cama até poucos dias atrás."

Imediatamente a indignação da mulher se transformou em preocupação. "Coitadinho", ela disse. "Você veio de Beirute?"

"Não, do Cairo", ele respondeu. "Em um cargueiro. Eu paguei um homem para me esconder, e foi onde adoeci. Atracamos em New Jersey, e eu consegui escapar." Ele contou a história ensaiada com facilidade.

"Mas poderíamos ter ajudado! Deve ter sido tão assustador estar doente em uma terra estranha, com apenas Boutros de enfermeiro!"

O Djim sorriu. "Ele foi um excelente enfermeiro. E eu não queria ser um fardo."

Maryam balançou a cabeça. "Você não deve deixar o orgulho levar a melhor. Todos nos apoiamos uns aos outros aqui, é assim que levamos a vida."

"Você está certa, claro", disse o Djim, lisonjeiro.

Ela ergueu as sobrancelhas. "E como você conheceu nosso reservado senhor Arbeely?"

"Estive ano passado em Zahlé e encontrei o ferreiro que o ensinou. Ele percebeu que eu estava interessado na profissão e me falou de seu aprendiz que havia partido para a América."

"E imagine minha surpresa", disse Arbeely, subitamente, "quando um homem meio-morto bateu à minha porta perguntando se eu sou o ferreiro de Zahlé!"

"Esse mundo é estranho", disse Maryam, balançando a cabeça.

Arbeely observou-a atentamente em busca de sinais de ceticismo. Ela realmente estava acreditando naquela história inventada? Muitos sírios outrora viajaram por caminhos estranhos e tortuosos para chegar a Nova York — a pé pelas florestas do Canadá, ou em balsas lotadas desde New Orleans. Mas ouvir a história que ele mesmo criara dita em voz alta... o próprio Arbeely a julgava extraordinária demais. E o Djim não mostrava a palidez e a fraqueza de quem havia estado seriamente doente. Na verdade, a aparência dele era a de alguém que poderia atravessar o East River a nado. *Tarde demais para alterações*, pensou. Arbeely sorriu para Maryam, na esperança de que o sorriso parecesse natural.

"E você vem de algum lugar perto de Zahlé?", perguntou Maryam.

"Não, sou beduíno", respondeu o Djim. "Estava em Zahlé para distribuir minhas peles de carneiro no mercado."

"Ah é?" Ela o examinou de novo. "Admirável! Um beduíno chega a Nova York como passageiro clandestino. Você tem de ir ao meu café, todos vão querer conhecer você."

"Seria uma honra", disse o Djim. Ele fez uma reverência a Maryam e voltou para o quarto dos fundos.

"Que história!", Maryam diz a Arbeely, em voz baixa, enquanto ele a acompanha até a porta. "Ele obviamente tem a resistência de seu povo para ter suportado a viagem até aqui. Mas estou surpresa com você, Boutros. Você deveria ter mais juízo. E se ele tivesse morrido sob seus cuidados?"

Arbeely sentiu-se realmente acabrunhado. "Ele foi inflexível", afirmou. "Eu não quis contrariar seus desejos."

"Então ele colocou você em uma posição muito séria. Mas os beduínos são realmente orgulhosos." Lançou-se um olhar desconfiado. "Ele é realmente um beduíno?"

"Creio que sim", disse Arbeely. "Ele sabe pouco sobre as cidades."

"Que estranho", ela disse, como se para si própria. "Ele não parece..." Maryam se calou, e sua expressão estava anuviando; mas então ela se recompôs. Sorrindo para Arbeely, agradeceu-o pelo serviço. Na verdade, a garrafa estava melhor do que antes; Arbeely eliminara os amassados, recuperara o polimento e refizera o desenho nos mínimos detalhes. Ela pagou e partiu dizendo: "Você tem de levar Ahmad ao café. As pessoas não vão falar de outra coisa durante semanas".

Mas, a julgar pela súbita onda de visitantes à oficina de Arbeely, ficou claro que Maryam não havia aguardado uma visita ao café; em vez disso, à sua maneira entusiasmada, espalhara aos quatro ventos a história do aprendiz beduíno. O pequeno bule de café de Arbeely estava em constante ebulição no fogareiro enquanto a vizinhança inteira entrava e saía, ansiosa para conhecer o recém-chegado.

Felizmente, o Djim desempenhou bem seu papel. Ele entretinha os visitantes com histórias sobre sua suposta travessia e posterior doença, mas nunca falava durante muito tempo para não se enrolar na própria história. Em vez disso, apresentava um quadro de vagas pinceladas de um andarilho que um dia decidira, em uma fração de segundo, escapar para a América. As visitas deixavam a oficina de Arbeely intrigadas com o novo vizinho, que parecia protegido pela ocasional boa sorte que Deus concede aos tolos e às crianças. Muitos estranhavam o fato de Arbeely aceitar um aprendiz com tão poucas credenciais. Mas o próprio Arbeely era considerado um pouco estranho, o que talvez atraísse seus semelhantes.

"Além disso", disse um homem no café enquanto brincava com uma peça de gamão entre os dedos, "parece que Arbeely salvou a vida dele, ou quase isso. Os beduínos têm regras sobre pagar esse tipo de dívida."

Seu adversário riu: "Vamos torcer, pelo bem de Arbeely, para que o homem possa realmente trabalhar com metais!".

Arbeely ficou imensamente feliz quando o fluxo de visitas se tornou insignificante. Além da pressão de sustentar a história que inventaram, ele passava tanto tempo recebendo seus vizinhos que estava atrasado com o serviço. E parecia que cada visita trazia consigo algo que precisava ser consertado, de maneira que a oficina ficou completamente atulhada de lâmpadas amassadas e panelas queimadas. Muitos dos reparos eram puramente artifícios, e era óbvio que os donos das peças haviam sido movidos mais por um sentimento de apoio à vizinhança que por verdadeira necessidade. Arbeely sentia-se grato e um pouco culpado. Quem olhasse para as pilhas de itens danificados pensaria que a Pequena Síria havia sido atingida por uma epidemia de falta de jeito.

O Djim achava divertida a atenção recebida. Não era difícil manter sua história consistente; a maior parte das visitas era educada demais para pressioná-lo em excesso com relação a detalhes. Segundo Arbeely, os beduínos tinham um certo glamour que trabalharia a seu favor. "Seja um pouco vago", aconselhara Arbeely enquanto eles preparavam o plano e ensaiavam a história. "Fale do deserto. Vai funcionar bem." De repente lhe ocorreu: "Você vai precisar de um nome".

"O que você sugere?"

"Alguma coisa comum seria melhor, creio. Vejamos... Bashir, Ibrahim, Ahmad, Haroun, Hussein..."

O Djim ficou sério. "Ahmad?"

"Você gosta? É um bom nome."

Não que ele gostasse, era mais por considerar aquele um nome com menos objeções. Na repetição dos "as", escutava o som do vento, o eco distante de sua antiga vida. "Se você acha que eu preciso de um nome, então creio que este é tão bom quanto qualquer um."

"Bem, você definitivamente vai precisar de um nome, então Ahmad será. Apenas uma coisa: por favor, lembre-se de atender a ele."

O Djim realmente se lembrou, mas era o único ponto do plano de Arbeely que o deixava desconfortável. Para ele, o novo nome dava a ideia de que as mudanças pelas quais passara eram tão drásticas, tão penetrantes, que ele não era mais o mesmo ser. Procurava não se demorar nesses pensamentos sombrios, concentrando-se, em vez disso, em falar educadamente e manter sua história — mas com frequência, enquanto escutava as conversas fiadas das novas visitas, dentro de sua cabeça ele pronunciava seu nome verdadeiro para si próprio, confortando-se com o som que produzia.

— • —

De todas as pessoas a quem Maryam Faddoul falou sobre o recém-chegado, apenas um se recusou a mostrar qualquer interesse: Mahmoud Saleh, o sorveteiro da Washington Street. "Você soube?", ela lhe perguntou. "Boutros Arbeely tem um novo aprendiz."

Saleh apenas resmungou e pegou uma bola de sorvete de sua bateideira, colocando-a numa tigela. Eles estavam na calçada em frente ao café de Maryam. As crianças se enfileiravam à sua frente, segurando moedas. Saleh esticou a mão, e uma criança depositou uma moeda na palma dele. Ele a colocou no bolso e entregou a tigela de sorvete, evitando olhar para o rosto da criança, para Maryam, ou, na verdade, para qualquer outra coisa que não fosse seu latão e a calçada. "Obrigado, senhor Mahmoud", disse a criança — uma cortesia que se devia, ele sabia disso, exclusivamente à presença de Maryam. Um chocalhar se fez ouvir quando a criança tirou uma colher da caneca que estava amarrada na lateral do carrinho de sorvete.

"Ele é um beduíno", disse Maryam. "E bem alto."

Saleh ficou calado. Não costumava falar muito. Mas Maryam era praticamente a única na vizinhança que não se incomodava com o seu silêncio. Ela parecia entender que ele estava ouvindo.

"Você conheceu algum beduí em Homs, Mahmoud?", ela perguntou.

"Alguns", ele respondeu, estendendo a mão. Outra moeda, outra tigela. Ele tentara evitar os beduís que viviam nos subúrbios de Homs, perto do deserto. Ele os considerava um povo soturno, pobre e supersticioso.

"Nunca conheci nenhum", refletiu Maryam. "É um homem interessante. Ele disse que viajou clandestinamente como se aquilo fosse uma brincadeira, mas eu acho que há algo por trás disso. Os beduís são um povo reservado, não são?"

Saleh resmungou. Ele gostava de Maryam Faddoul — podia-se mesmo dizer que ela era sua única amiga —, mas gostaria que ela parasse de falar sobre os beduís. Ao longo desse caminho, havia histórias que ele preferia esquecer. Conferiu a batedeira. Só sobravam três bolas de sorvete. "Quantos mais?", ele perguntou. "Contem, por favor."

As vozinhas soaram: *Um, dois, três, quatro, pare de empurrar, eu cheguei primeiro, cinco, seis.*

"Números de quatro a seis, por favor, voltem mais tarde."

Seus quase fregueses resmungaram, mas se afastaram com seus passinhos. "Lembrem-se de seus lugares na fila", alertou Maryam.

Saleh serviu as crianças restantes e ficou ouvindo enquanto elas devolviam as frágeis tigelas de latão ao carrinho, colocando-as em cima do saco de sal-gema.

"Preciso voltar", disse Maryam. "Sayeed deve estar precisando da minha ajuda. Tenha um bom dia, Mahmoud." Por um breve instante, a mão dela apertou de leve o braço do homem — ele teve um vislumbre da blusa de babados que ela usava, do tecido escuro de sua saia — e então ela se foi.

Ele contou as moedas em seu bolso: o bastante para comprar ingredientes para outra leva de sorvete. Mas a tarde estava chegando ao fim, e uma película de nuvens se formara contra o sol. Com o tempo que gastaria comprando leite e gelo para enfim preparar o sorvete, as crianças perderiam a vontade. Era melhor esperar até amanhã. Ele prendeu o conteúdo de seu carrinho e começou sua lenta caminhada rua acima, a cabeça baixa, olhando seus próprios pés em movimento, formas sombrias contra um campo cinzento.

Para os vizinhos, seria um enorme choque descobrir que aquele homem, que eles chamavam de Saleh Sorvete, Doido Mahmoud ou simplesmente *aquele muçulmano estranho que vende sorvete*, já fora conhecido como doutor Mahmoud Saleh, um dos médicos mais respeitados da cidade de Homs. Filho de um mercador bem-sucedido, Saleh crescera cercado de todo o conforto, livre para concluir os estudos e seguir sua profissão. Na escola, suas excelentes notas lhe garantiram o ingresso na universidade de medicina do Cairo, de onde podia ter a impressão de que o campo da medicina sofria grandes mudanças enquanto ele apenas observava. Um inglês descobrira que era possível evitar a gangrena pós-cirúrgica simplesmente mergulhando os instrumentos utilizados no procedimento em uma solução de ácido carbólico. Outro inglês logo estabeleceu uma relação irrefutável entre o cólera e o consumo de água não potável. O pai de Saleh, que apoiava com entusiasmo os estudos do filho, ficou furioso quando soube que, no Cairo, ele estava dissecando cadáveres: será que Mahmoud não entendia que, no Juízo Final, aqueles homens que haviam sido profanados ressuscitariam com seus corpos abertos e órgãos expostos? Seu filho respondeu secamente que se Deus fosse assim tão literal em suas ressurreições, a humanidade seria trazida de volta em um estado de decomposição tão avançado que as marcas da dissecção não teriam qualquer importância. Na verdade, ele tivera suas próprias apreensões, mas o orgulho o impedia de admitir isso.

Terminados os estudos, Saleh voltou a Homs e abriu um consultório. Mas as condições de vida de seus pacientes o deixavam cada vez mais desanimado. Mesmo as famílias mais ricas ignoravam a higiene moderna. Os quartos dos doentes ficavam fechados, o ar viciado e sufocante; ele escancarava as janelas, ignorando os protestos. Às vezes aparecia um paciente que fora queimado no braço ou no peito, uma prática totalmente duvidosa cujo objetivo era drenar os maus humores do corpo. Ele fazia um curativo e depois repreendia a família, explicando os riscos de infecção e septicemia.

Ainda que às vezes tivesse a impressão de estar lutando uma batalha impossível, a vida do doutor Saleh ainda tinha algumas alegrias. A meia-irmã de sua mãe o procurou para tratar a respeito de sua filha, que Mahmoud vira tornar-se uma jovem linda e gentil. Eles se casaram e logo tiveram sua própria filha, uma doce menina que ficava de pé sobre Saleh e o fazia andar pelo quintal rugindo como um leão. Mesmo após a morte do pai, que fora enterrado em uma sepultura ao lado de sua mãe, Saleh consolou-se sabendo que o homem tivera orgulho dele, apesar de ambos terem suas diferenças.

Assim eram as coisas, e os anos passavam rapidamente, até que uma noite um rico proprietário de terras bateu à sua porta. Ele disse a Saleh que a família de beduínos que cuidava de suas terras estava com uma menina doente. Em vez de um médico, eles procuraram uma velha curandeira, totalmente desdentada, que estava usando os mais bizarros remédios caseiros para tentar curá-la. O homem não aguentava mais presenciar o sofrimento da criança e garantiu que, se Saleh concordasse em examiná-la, ele mesmo pagaria os honorários.

A família de beduínos vivia em uma cabana nos arredores da cidade, onde as fazendas bem cuidadas davam lugar ao cerrado e à desolação. A mãe da menina recebeu Saleh na porta. Ela estava toda vestida de preto, as bochechas e o queixo tatuados à maneira de seu povo. "É um *ifrit*", ela disse. "Precisa ser expulso."

Saleh retrucou que a menina precisava, na realidade, de um exame médico adequado. Ele pediu que ela trouxesse um balde de água fervida e entrou na cabana.

A menina estava tendo convulsões. A curandeira espalhara punhados de ervas pelo aposento e agora estava sentada, de pernas cruzadas, junto à menina, murmurando palavras para si mesma. Ignorando-a, Saleh tentou imobilizar a garota por tempo suficiente para que pudesse levantar uma de suas pálpebras — o que conseguiu fazer no instante em que a velha terminava de recitar seu sortilégio, cuspindo três vezes no chão.

Por um instante, ele pensou ter visto alguma coisa saltando do olho da menina em sua direção...

E então a coisa estava dentro de sua cabeça, debatendo-se para sair...

Uma dor insuportável cauterizou sua mente. Tudo escureceu.

Quando Saleh voltou a si, havia espuma em seus lábios e uma correia de couro em sua boca. Engasgando, ele a cuspiu. "Foi para evitar que você mordesse sua língua", ele ouviu a curandeira dizer com uma voz que parecia oca e distante. Ele abriu os olhos e viu, ajoelhada sobre ele, uma mulher cujo rosto era fino e frágil como a pele de uma cebola, com enormes buracos onde deveriam estar os olhos. Ele gritou, virou a cabeça e vomitou.

O proprietário de terras mandou buscar um dos colegas de Saleh. Juntos, colocaram o homem semiconsciente em uma carroça e o levaram de volta para casa, onde o médico podia fazer um exame completo. O resultado, no entanto, não permitiu qualquer conclusão: talvez uma hemorragia no cérebro, ou uma doença preexistente que, por algum motivo, fora desencadeada. Não era possível dizer com certeza.

Daquele momento em diante, era como se Saleh houvesse se distanciado do mundo. Uma sensação de irrealidade permeava todos os seus sentidos. Ele não era mais capaz de medir as distâncias: tentava alcançar alguma coisa, mas não conseguia. Suas mãos tremiam, e era impossível segurar seus instrumentos. Às vezes, era tomado por uma convulsão e caía no chão babando. O pior de tudo era que ele não conseguia mais olhar para qualquer rosto humano, fosse de homem ou de mulher, um estranho ou um ser amado, sem ser tomado por um terror nauseante.

Passaram-se semanas e meses. Ele tentou retomar a medicina, ouvindo queixas e fazendo diagnósticos simples. Mas era incapaz de disfarçar sua doença, e os poucos pacientes que restaram foram desaparecendo. A família se adaptou a uma vida mais frugal, mas em alguns meses todas as suas economias acabaram. Suas roupas ficaram esfarrapadas, a casa em ruínas. Saleh passava os dias trancado em um quarto sombrio, tentando consultar textos médicos que mal conseguia ler, em busca de uma explicação.

Sua esposa adoeceu. No início, tentou esconder do marido, mas então ficou febril. Saleh ficava sentado, impotente, enquanto seus antigos colegas ofereciam ajuda. Mesmo assim, ela piorava. Uma noite, delirando com a febre alta, ela confundiu Saleh com seu pai, há muito falecido, e implorou por sorvete. O que ele poderia fazer? Havia uma batedeira dentro de um armário, comprada em dias mais extravagantes. Levou-a até a cozinha para eliminar a sujeira e o pó. As galinhas de sua filha haviam botado ovos naquela manhã. Eles ainda tinham açúcar, bem como sal e gelo, além de leite da cabra de um vizinho. Cuidadosamente, ele misturou os ingredientes, movendo-se devagar para não derramar nada. Triturou o gelo com um martelo, depois bateu os ovos, o açúcar e o leite de cabra. Misturou o gelo e o sal, espalhando a mistura no interior do latão. Então, perguntou-se quando aprendera a preparar aquela receita. Com certeza observara a mulher enquanto ela preparava sorvete para agradar a filha e seus amigos, mas nunca prestara uma atenção especial ao processo. Agora era como se tivesse feito aquilo uma vida inteira. Prendeu a tampa da batedeira e começou a girar a manivela. A sensação de trabalhar era boa. A mistura começou a endurecer. O suor brotou em seu rosto e em suas axilas. Ele parou quando achou que estava no ponto.

Voltou para o quarto com um pequeno prato de sorvete e encontrou sua esposa tomada por calafrios. Ele colocou o prato de lado e segurou sua mão trêmula. Ela não retomou a consciência e morreu ao romper da aurora. Saleh não reconheceu o princípio dos estertores e, por isso, não conseguiu acordar sua filha a tempo para uma despedida.

À tarde, Saleh estava sozinho na cozinha enquanto as irmãs de sua esposa preparavam o corpo. Alguém entrou e se ajoelhou junto a ele. Era sua filha. Ela o envolveu em seus braços. O homem cerrou os olhos para tentar lembrar a maneira como ele costumava vê-la antes, seus cabelos escuros, os olhos claros, as doces sardas no rosto. Ela então notou a batedeira.

"Pai", ela disse, "quem fez o sorvete?"

"Eu", respondeu ele. "Para sua mãe."

Ela não fez qualquer comentário sobre o inusitado da situação, apenas mergulhou dois dedos na batedeira, levando-os depois à boca. Seus olhos avermelhados piscaram, demonstrando surpresa.

"Está muito bom", ela disse.

Depois disso, não havia dúvidas sobre o caminho a tomar. Ele precisava sustentá-los de alguma maneira. A casa fora vendida, e a família de seu cunhado os acolheu; mas eles não eram ricos, e Saleh não queria abusar da caridade. Assim, com um pano branco enrolado na cabeça para se proteger do sol, o doutor Mahmoud se tornou Saleh Sorvete. Logo se tornou uma visão comum nas ruas de Homs, empurrando a batedeira em um carrinho enfeitado com uma fieira de sinos, gritando *Sorvete! Sorvete!* Portas se abriam e crianças vinham correndo com moedas nas mãos; e ele se mantinha cabisbaixo para evitar a visão da luz que atravessava os corpos das crianças e os buracos sem fim de seus olhos.

Logo Saleh era um dos vendedores de sorvete mais bem-sucedidos da vizinhança. Isso se devia, em parte, ao sorvete. Todos concordavam que seu sorvete era melhor que o dos outros em virtude de sua textura macia. Outros vendedores usavam gelo demais, e o creme congelava muito rápido, tornando-se arenoso e áspero. Ou eles não batiam o suficiente, e as crianças recebiam uma decepcionante sopa quase derretida. O sorvete de Saleh, no entanto, era sempre perfeito. Mas seu sucesso também se devia à sua história trágica — *Lá vai o Saleh Sorvete... você sabia que ele já foi um médico famoso?* —, e para as crianças era sempre uma expectativa. Será que hoje o Saleh Sorvete cairia na rua, babando? Eles ficavam desapontados quando isso não acontecia, mas pelo menos havia o sorvete. Quando sentia um ataque se aproximando, tentava alertar as crianças: "Não se assustem", dizia, as palavras se confundindo em seus ouvidos. Então sua visão se turvava, e ele entrava em outro mundo, permeado pelas alucinações, palavras sussurradas e sensações estranhas. Jamais conseguia se lembrar dessas visões ao acordar, de cara no chão, sem nenhuma criança por perto.

Vagou pelas ruas durante anos dessa maneira, pés doloridos e voz rouca, o cabelo ficando branco. Qualquer dinheiro que conseguia economizar era guardado para garantir o futuro de sua filha, já que eles não poderiam mais contar com um dote generoso. Quão surpresos eles ficaram, então, quando um lojista do bairro procurou Saleh com uma oferta muito acima do que eles haviam ousado esperar. A filha de Saleh, disse o homem, representava um exemplo raro de devoção filial, e era uma mulher assim que ele queria como esposa e mãe de seus filhos. Ninguém o tinha em alta consideração — ele era mais conhecido por seus palpites não solicitados sobre os erros de seus vizinhos —, mas possuía um bom padrão de vida e não parecia cruel.

"Se Deus me concedesse um desejo", disse Saleh à filha, "eu Lhe pediria que colocasse os príncipes do mundo à sua frente e diria: 'Escolha o que você quiser, porque nenhum deles é rico ou nobre demais'." Ele mantinha os olhos fechados enquanto falava; fazia oito anos desde que olhara para a filha.

A jovem beijou-o na testa e respondeu: "Então eu agradeço a Deus por seu desejo não ser realizado porque ouvi dizer que os príncipes são os piores maridos".

O contrato de casamento foi assinado naquele verão. Menos de um ano depois ela estava morta: uma hemorragia durante o parto, e o bebê fora estrangulado pelo cordão. A parteira não conseguiu salvar nenhum deles.

As tias dela prepararam o corpo para o funeral, assim como haviam feito com a mãe, lavando-o, perfumando-o e envolvendo-o em cinco lençóis brancos. No funeral, Saleh ficou de pé dentro da cova e recebeu sua filha em seus braços. A gravidez aumentara e amaciara seu corpo. A cabeça da jovem repousou no ombro do pai, e ele fitou para a paisagem coberta de seu rosto, seu nariz, o côncavo de seus olhos.

Deitou-a sobre o lado direito de seu corpo, com o rosto voltado para a Caaba.[1] O perfume da mortalha se misturava, estranhamente, ao cheiro límpido e forte da terra úmida. Ele sabia que os outros estavam esperando por ele, mas não fez menção de retornar. Permanecia ali, quieto e silencioso. Correu os dedos pela parede escavada, sentindo de forma distante as marcas deixadas pela pá do coveiro, a terra lisa e arenosa. Sentou-se ao lado do corpo de sua filha e teria deitado ali se não tivesse sido puxado para fora da cova pelas axilas, interrompido por seu genro e pelo imã,[2] que decidiram acabar com o espetáculo antes que as coisas piorassem.

Naquele verão, teve menos fregueses, apesar de fazer mais calor que nunca. Ele podia ouvir os pais murmurando para as crianças quando passavam: *Não querido, não do senhor Saleh*. Ele entendia: ele não era mais apenas um ser trágico, mas amaldiçoado.

Era impossível afirmar em que momento a ideia surgira — pegar o que restara de seu dinheiro e partir para a América —, mas quando ela apareceu, Saleh a agarrou imediatamente. A família de sua esposa achou que ele finalmente enlouquecera. Como sobreviveria na América se mal podia se manter em Homs? Seu genro lhe dissera que não existiam mesquitas na América e que ele não poderia rezar de maneira adequada. Saleh apenas retrucou que não precisava rezar, pois ele e Deus haviam cortado relações.

Nenhum deles entendia seu objetivo. A América não representaria um recomeço. Saleh não tinha vontade alguma de viver. Levaria sua batedeira de sorvete através do oceano e lá morreria de alguma doença, fome ou talvez vítima de um simples acidente. Ele terminaria sua vida longe da piedade, da caridade e de olhares cuidadosos, na companhia de estranhos que saberiam apenas o que ele era atualmente, e não o que ele um dia tivera sido.

Assim ele partiu, embarcando em Beirute. Durante toda a terrível viagem, ficou respirando o miasma do ar fechado do compartimento da terceira classe, ouvindo a contagem de passageiros e imaginando o

---

1   Santuário em forma de cubo, localizado no centro da grande mesquita de Meca — segundo os muçulmanos, a cidade mais sagrada do mundo. Dentro desse santuário, conserva-se uma pedra preta (também denominada caaba), considerada sagrada pela cultura islâmica, que teria sido enviada por Deus a Adão para redimi-lo por seus pecados. Aqui, a autora descreve um ritual fúnebre islâmico tradicional. [NE]

2   Sacerdote muçulmano. [NE]

que ele poderia contrair. Tifo? Cólera? Mas saiu incólume, apenas para enfrentar a humilhação da entrevista e do exame na ilha Ellis. Entregara a dois rapazes seus últimos tostões para que dissessem que ele era o tio deles, e eles mantiveram sua palavra, prometendo ao agente da imigração que sustentariam Saleh, mantendo-o longe da indigência. Ele só passou no exame médico porque o doutor não conseguiu encontrar nenhum problema físico. Os rapazes o levaram para a Pequena Síria e, antes que um desorientado Saleh conseguisse protestar, arrumaram um lugar onde ele pudesse viver. Custava uns poucos centavos por semana: um minúsculo quartinho em um porão úmido que cheirava a vegetais podres. A única luz vinha de uma pequena abertura, quase no teto. Os rapazes mostraram a vizinhança, indicando onde ele poderia comprar leite, gelo, açúcar e sal. Eles então compraram sacos de aviamentos ordinários e deixaram a cidade, partindo para um lugar chamado Grand Rapids. Naquela mesma noite, Saleh encontrou em seus bolsos dois dólares em moedas que não estavam ali antes. Depois de semanas de enjoos e cansaço, ele não tinha nem mesmo forças para se irritar.

Então voltou a ser Saleh Sorvete. As ruas de Nova York eram mais cheias e traiçoeiras que as de Homs, mas sua rota era menor e mais simples, um laço estreito: descendo a Washington Street até a Cedar, depois subindo a Greenwich até a Park, e daí de volta para a Washington Street. As crianças aprenderam, tão rapidamente como suas primas de Homs, a colocar as moedas em sua mão estendida e a nunca olhar em seus olhos.

Em uma tarde sufocante, ele estava servindo o sorvete em suas tigelinhas de latão quando uma mão suave tocou seu cotovelo. Assustado, virou-se e vislumbrou o rosto de uma mulher. Desviou o olhar rapidamente. "Senhor?", disse uma voz. "Eu tenho água, se você quiser. Está tão quente hoje."

Por um momento, ele pensou em recusar. Mas estava mesmo terrivelmente quente, uma opressão úmida como ele nunca presenciara antes. Sentia a garganta espessa e sua cabeça doía. Percebeu que não tinha forças para recusar. "Obrigado", ele finalmente respondeu, estendendo a mão na direção da voz.

Ela deve ter se mostrado confusa, pois o homem ouviu uma voz de criança dizendo: "Você tem de dar o copo a ele. Ele nunca olha para ninguém".

"Ah, entendo", respondeu a mulher. Ela cuidadosamente colocou o copo de água na mão dele. A água era fresca e límpida, e ele a bebeu. "Obrigado", repetiu, devolvendo o copo.

"De nada. Posso perguntar seu nome?"

"Mahmoud Saleh. De Homs."

"Mahmoud, sou Maryam Faddoul. Estamos em frente ao meu café. Eu vivo no andar de cima com meu marido. Se você precisar de alguma coisa — mais água, ou um lugar para se abrigar do sol —, por favor, entre."

"Obrigado, senhora", ele lhe disse.

"Por favor, chame-me de Maryam", ela disse, e sua voz deixava transparecer um sorriso amigável. "Todos me chamam assim."

Depois daquele dia, Maryam com frequência saía do café e conversava com ele e com as crianças sempre que o carrinho passasse por ali. Todas as crianças pareciam gostar de Maryam: ela as levava a sério, lembrava seus nomes e detalhes de suas vidas. Quando Maryam estava por perto, ele recebia uma chuva de clientes, não apenas as crianças mas também suas mães, e até mercadores e operários que voltavam para casa ao fim de um dia de trabalho. Sua rota atual representava uma fração do que era em Homs, mas ele vendia a mesma quantidade de sorvete, talvez mais. De certa forma, isso era exasperante: não partira para a América com o objetivo de vencer, mas parecia que a América não o deixaria perder.

Agora, empurrando sua batedeira, ele pensou no que Maryam contara sobre o aprendiz beduíno ao passar em frente à oficina de Arbeely. Ele nunca havia entrado ali, apenas sentira o calor pela porta aberta. Por um segundo, pensou em entrar. Mas então, irritado com suas lembranças, decidiu esquecer a novidade contada por Maryam e somente observar as formas escuras de seus pés enquanto marchava inexoravelmente para seu porão.

—•—

No deserto sírio, os três dias de chuva chegaram ao fim. A água encharcou a terra, e logo brotos verdes estavam cobrindo os vales, espalhando-se pelas colinas. Para as tribos beduínas, esses breves dias eram muito importantes: criavam a chance de levar os animais para pastar, deixando-os se fartarem antes que os dias ficassem quentes demais e as plantas secassem.

Então, numa manhã, uma garota beduína chamada Fadwa al-Hadid levou seu pequeno rebanho de cabras para o vale próximo ao acampamento da família. Cantando suavemente para si mesma e conduzindo as cabras com um galho fino, ela subiu uma pequena colina — e ali havia um palácio enorme, todo de vidro, brilhando no vale.

Permaneceu algum tempo por ali, os olhos arregalados, antes de concluir que, sim, a construção estava lá. Totalmente excitada, recolheu suas cabras e correu com elas de volta para o acampamento, irrompendo na tenda de seu pai para contar, aos berros, sobre um palácio cintilante que surgira repentinamente no vale.

"Deve ter sido uma miragem", disse seu pai, Jalal ibn Karim al-Hadid, conhecido em seu clã simplesmente como Abu Yusuf. A mãe, Fatim, apenas bufou e balançou a cabeça, voltando a amamentar seu bebê. Mas a garota, que tinha quinze anos, era teimosa e obstinada, arrastou seu pai para fora da tenda, implorando para que fosse olhar o palácio com ela.

"Filha, você simplesmente não pode ter visto o que acha que viu", disse Abu Yusuf.

"Você acha que eu sou criança? Eu sei reconhecer uma miragem", ela insistiu. "E estava na minha frente da mesma maneira que você está agora."

Abu Yusuf suspirou. Ele conhecia aquele olhar de sua filha, aquela indignação ardente que desafiava qualquer argumentação racional. Pior, ele sabia que era sua própria culpa. Seu clã tinha tido sorte nos últimos tempos, o que o tornara indulgente. O inverno fora ameno, e as chuvas chegaram na época prevista. As duas esposas de seus irmãos haviam dado à luz meninos saudáveis. Na virada do ano, enquanto Abu Yusuf estava sentado junto às fogueiras, observando as pessoas do clã que comiam e brincavam à sua volta, ele pensou que talvez a procura de um marido para Fadwa pudesse esperar, permitindo que a menina ficasse mais um ano com a família antes de mandá-la para longe. Mas agora Abu Yusuf questionava a si mesmo, considerando se sua esposa não teria razão: talvez ele tivesse mimado sua única filha mais do que deveria.

"Não tenho tempo para discutir bobagens", disse rispidamente. "Eu e seus tios estamos levando as ovelhas para pastar. Se houver um palácio mágico por lá, nós o veremos. Agora volte e vá ajudar sua mãe."

"Mas..."

"Menina, faça o que eu mando!"

Ele raramente gritava. A jovem, magoada, deu um passo para trás. Depois se virou e correu para a tenda das mulheres.

Fatim, que escutara tudo, foi atrás e estalou a língua para sua filha. Fadwa fungou e evitou o olhar da mãe. Ela se sentou em frente à mesa baixa onde a massa do dia fermentava e começou a rasgar alguns pedaços para achatá-los, usando mais força que o necessário. Sua mãe suspirou com o barulho, mas não disse nada. Era melhor deixar que a garota se cansasse que continuar fervilhando de irritação a manhã inteira.

As mulheres cozinharam, ordenharam e costuraram enquanto o sol traçava seu caminho habitual no céu. Fadwa deu banho em seus primos mais novos, suportando seus uivos e reclamações. O sol se pôs, e os homens ainda não haviam voltado. A expressão de Fatim começou a ficar sombria. Bandidos eram raros naquele vale, mas, ainda assim, três homens e um grande rebanho de ovelhas compunham um alvo fácil. "Chega!", ralhou com Fadwa, que lutava para vestir um garoto que não parava quieto. "Eu faço isso, já que você não consegue. Vá bordar seu vestido de casamento."

Fadwa obedeceu, apesar de preferir fazer qualquer coisa que não aquilo. Ela não era boa para bordar, não tinha paciência para isso; tecia razoavelmente bem e remendava uma tenda tão rapidamente quanto Fatim, mas bordado? Pequenos pontos alinhados? Era um serviço tedioso, que a deixava vesga. Mais de uma vez Fatim examinara o progresso da filha, ordenando que rasgasse tudo e começasse novamente. Nenhuma filha dela, afirmou, casaria com um vestido tão desleixado.

Se dependesse de Fadwa, ela jogaria o vestido na fogueira da cozinha, cantando alto enquanto ele se transformava em cinzas. A vida no acampamento de seu clã era cada dia mais sufocante, mas não se comparava ao terror que sentia com a ideia de se casar. Ela sabia que era uma criança mimada; sabia que seu pai a amava e não seria tão severo a ponto de escolher um marido que fosse cruel ou estúpido apenas para fazer uma boa aliança. Mas qualquer um poderia se enganar, até seu pai. E deixar todos aqueles que conhecia para viver com um homem estranho, ficar deitada debaixo dele, receber ordens da família dele — não significava, de certa forma, morrer? Ela certamente não seria mais Fadwa al-Hadid. Tornaria-se outra pessoa, uma mulher completamente diferente. Mas não havia nada a fazer quanto a isso: ela se casaria, e em breve. Era tão certo quanto o nascer do sol.

A menina ergueu os olhos quando sua mãe deu um grito de alegria. Os homens voltavam para o acampamento, com as ovelhas à frente. Estas tropeçavam umas nas outras, sonolentas por conta da barriga cheia e da longa caminhada. "Foi um bom dia", disse um dos tios de Fadwa. "Não poderíamos desejar um pasto melhor."

Logo os homens estavam sentados para jantar, partindo o pão e o queijo. As mulheres os serviram e depois se retiraram para a tenda delas, a fim de comer o que sobrara. Com seu marido a salvo em casa, o humor de Fatim melhorara; ela ria com as cunhadas e acarinhava o bebê em seu seio. Fadwa comeu em silêncio, enquanto olhava na direção da tenda dos homens, pensando em seu pai.

Mais tarde, naquela mesma noite, Abu Yusuf chamou a filha para um canto. "Fomos ao lugar do qual você falou", ele lhe disse. "Procuramos muito, mas não encontramos nada."

Desanimada, mas sem demonstrar surpresa, Fadwa assentiu com a cabeça. Ela já duvidava de si própria.

Abu Yusuf sorriu ao vê-la cabisbaixa. "Eu já lhe contei sobre a vez que vi uma caravana inteira que não existia? Eu tinha mais ou menos a sua idade. Em uma manhã, eu estava fora com as minhas ovelhas e vi uma enorme caravana que vinha por um desfiladeiro entre as montanhas. Pelo menos cem homens, cada vez mais perto. Eu podia ver os olhos dos homens, até mesmo sentir o bafo dos camelos. Voltei correndo para casa, a fim de chamar as pessoas. E deixei as ovelhas para trás."

Fadwa arregalou os olhos. Esse era um descuido que ela não esperava dele, mesmo quando criança.

"Quando voltei com meu pai, a caravana havia desaparecido sem deixar rastros. E a maior parte das ovelhas também não estava lá. Levei o dia inteiro para encontrá-las, e algumas ficaram mancas por causa das pedras."

"O que o seu pai disse?" Tinha quase medo de perguntar. Karim ibn Murhaf al-Hadid falecera muito anos antes de Fadwa nascer, mas as histórias sobre sua severidade eram lendárias na tribo.

"Inicialmente ele não falou nada, apenas me chicoteou. Depois, contou uma história. Ele disse que, uma vez, quando era um garotinho que ainda brincava na tenda das mulheres, ele olhou para fora e viu uma mulher desconhecida, toda de azul. Ela estava de pé junto ao acampamento, sorrindo para ele, estendendo as mãos. Ele podia ouvi-la chamar, pedindo que fosse brincar com ela. A garota que devia cuidar dele havia adormecido. Então ele seguiu a mulher até o deserto... sozinho, no meio de uma tarde de verão."

Fadwa estava abismada. "E ele sobreviveu!"

"Foi por pouco. Eles levaram horas para encontrá-lo e, quando isso aconteceu, seu sangue fervia. Demorou muito tempo até que ficasse bom de novo. Mas ele disse que teria jurado por seu pai que a mulher realmente existia. E agora", ele sorriu, "você terá uma história para contar aos *seus* filhos quando eles vierem correndo para contar que viram um lago de águas límpidas no meio de um vale seco, ou uma horda de djins voando pelos céus. Você pode contar sobre o maravilhoso palácio resplandecente que jurava existir e sobre seu pai cruel e terrível que se recusou a acreditar em sua história."

Ela sorriu. "Você sabe que eu não vou dizer isso."

"Talvez sim, talvez não. Agora", — disse, beijando a testa da menina — "termine suas tarefas, filha."

O pai ficou observando enquanto ela voltava para a tenda das mulheres. Seu sorriso vacilou e depois apagou-se. Ele não fora honesto com sua filha. As histórias da caravana e das desventuras de seu pai eram verdadeiras — mas, mais cedo naquele dia, ao conduzir as ovelhas ao longo da colina, por um breve momento, ele tivera a visão encoberta pela cintilante visão de um palácio no vale abaixo. Bastou piscar e ele desapareceu. Permaneceu observando o vale vazio por um longo tempo, dizendo a si próprio que a luz do sol devia bater nos olhos de uma maneira diferente naquele ponto, criando a ilusão. Mesmo assim, sentiu-se abalado. Como sua filha dissera, não era uma miragem difusa e trêmula — ele percebera detalhes impossíveis, como espirais, ameias e pátios cintilantes. E de pé, um pouco à frente do portão aberto, um homem olhava para ele.

GOLEM & GÊNIO
UMA FÁBULA ETERNA

VI

etembro estava quase acabando, mas o calor do verão insistia sem piedade. Ao meio-dia, as ruas ficavam vazias, e os pedestres se abrigavam sob os toldos. Os prédios de alvenaria do Lower East Side absorviam o calor do dia, liberando-o depois do pôr do sol. As frágeis escadas de incêndio ao fundo dos prédios se transformavam em dormitórios verticais: os moradores arrastavam seus colchões para os patamares ou acampavam nos telhados. O ar era um caldo malcheiroso, e todos penavam para respirá-lo.

Os dias das Grandes Festas eram quase insuportáveis. As sinagogas não enchiam porque muitos preferiam rezar em casa, onde pelo menos poderiam abrir uma janela. *Chazanim*[1] de rostos vermelhos cantavam para alguns poucos devotos infelizes. No Yom Kippur, o sabá dos sabás, muitos congregados desmaiavam em seus assentos porque o jejum exaurira a última gota de suas forças.

Foi o primeiro Yom Kippur desde seu bar mitzvah no qual o rabi Meyer não jejuou. Apesar de os idosos não serem obrigados a jejuar,

---

1   O *chazan* é o cantor que conduz as preces na sinagoga. [NT]

o rabi relutara em abandonar o hábito. O jejum era o ápice do trabalho espiritual das Grandes Festas, a limpeza e a purificação da alma. Naquele ano, no entanto, ele teve de admitir que seu corpo se tornara frágil demais. Jejuar seria um ponto contra ele, pecado de vaidade e recusa em aceitar a realidade da velhice. Não teria ele mesmo aconselhado seus congregados contra essa mesma má ação? Assim, não conseguiu desfrutar de seu almoço no Yom Kippur e não conseguia evitar a sensação de culpa.

Ele se sentia confortado pelo fato de que, pelo menos, havia o bastante para comer — pois, para passar o tempo, a Golem começara a cozinhar.

Fora sugestão do rabi, e ele se recriminou por não haver pensado nisso antes. A ideia surgiu quando, em uma manhã, entrara numa padaria e vira um jovem trabalhando nos fundos, enrolando e trançando a massa para as *chalot* do sabá. Os pães iam tomando forma em suas mãos. Seus movimentos rápidos, automáticos, mostravam que há anos trabalhava naquele mesmo lugar, exercendo aquela mesma função; assim, o rapaz parecia quase um golem aos olhos do rabi. Os golens não comiam, claro — mas por que isso impediria um golem de se tornar um padeiro?

Naquele mesmo dia, levou para casa um pesado livro inglês, de aparência séria, e deu-o à Golem.

O Livro de Cozinha da Escola de Culinária de Boston, ela leu o título perplexa. Abriu o volume com as mãos trêmulas — mas, para sua surpresa, o livro era simples, sóbrio e escrito com clareza. Nada ali a deixava confusa, constando apenas instruções pacientes e consistentes. Repetiu os nomes das receitas para um surpreso rabi, em inglês e depois em iídiche, e ficou surpresa quando o homem disse que, para ele, muitas delas eram totalmente desconhecidas. Nunca provara, por exemplo, *finnan haddie*[2] — aparentemente, um tipo de peixe —, nhoque à romana ou batatas Delmonico, além de uma série de pratos com ovos de nomes complicados. A Golem disse que prepararia uma refeição para o rabi. Talvez um peru assado com batata-doce e *succotash*?[3] Ou *bisque*[4] de lagosta seguido de filés Porterhouse e bolo de morango de sobremesa? O rabi logo explicou, com algum pesar, que esses

2   Hadoque defumado. [NT]
3   Prato típico da culinária norte-americana, à base de milho e feijão. [NT]
4   Sopa de crustáceos, típica da culinária francesa. [NT]

pratos eram extravagantes demais para aquela casa — além disso, lagostas eram *treyf*.[5] Talvez ela devesse começar com coisas simples, partindo então para pratos mais elaborados. Não havia nada de que ele gostasse mais, explicou, que bolo de café saído do forno. Isso servia para começar?

A Golem então se aventurou a sair sozinha do cortiço, para ir até o armazém da esquina. Com o dinheiro que o rabi lhe dera, comprou ovos, açúcar, sal, farinha, alguns temperos e um pequeno pacote de nozes. Era a primeira vez que caminhava realmente sozinha pela cidade desde sua chegada. Ela já estava mais habituada à vizinhança; ela e o rabi costumavam andar juntos à tarde, algumas vezes por semana, depois de o rabi concluir que a necessidade da Golem de viver o mundo ultrapassava, e muito, qualquer fofoca que pudesse surgir. Ainda assim, ele ficava de olho o tempo todo. O rabi começara a ter um pesadelo recorrente no qual a perdia na multidão e procurava por ela, cada vez mais assustado, até finalmente distinguir sua forma alongada no meio de um grupo que clamava por sua destruição.

A Golem percebia esses pesadelos, evidentemente, não como um pensamento consciente, mas de maneira clara o bastante para se dar conta de que o rabi, além de temer por sua segurança, também sentia medo dela. Isso a deixava muito triste, mas procurava não pensar nisso. Prender-se aos medos dele e à sua própria solidão não seria bom para ninguém.

Ela preparou o bolo de café, seguindo as instruções com uma precisão ardente, obtendo sucesso logo de primeira. Ficou agradavelmente surpresa com a facilidade da tarefa e pela maneira quase mágica com que o forno transformava a massa espessa em uma coisa completamente diferente, sólida, morna e cheirosa. O rabi comeu duas fatias pela manhã, com seu chá, e afirmou que era um dos melhores bolos que jamais provara.

Naquela tarde, ela saiu e comprou mais ingredientes. Na manhã seguinte, o rabi acordou e encontrou na mesa uma quantidade de doces digna de uma padaria. Havia muffins e cookies, um exército de biscoitos e uma torre de panquecas. E, ainda, um bolo de gengibre.

---

5   Que se encontra fora das leis alimentares judaicas. [NT]

"Não sabia que era possível assar tanta coisa em uma noite!", disse o rabi em tom de brincadeira, mas a Golem pôde sentir uma pontinha de preocupação.

"Você gostaria que eu não tivesse feito isso", ela disse.

"Bem" — ele sorriu — "talvez não nessa quantidade. Sou apenas um homem com um estômago. Seria uma pena deixar tudo isso estragar. E não podemos ser tão extravagantes. Isso é comida para uma semana."

"Mil perdões. Claro, eu não pensei..." Sentindo-se muito envergonhada, ela se afastou da mesa. E estava tão orgulhosa de tudo o que havia feito! Fora tão bom trabalhar, passar a noite inteira na cozinha medindo e misturando ingredientes, de pé em frente ao pequeno forno que derramava seu calor na sala já abafada. Agora ela nem podia olhar para sua obra. "Eu faço tanta coisa errada!", ela desabafou.

"Minha querida, não seja tão rígida consigo mesma", disse o rabi. "Todas essas preocupações são novas para você. Eu é que convivo com elas há décadas!" Ele teve uma ideia. "Além disso, essa comida não vai ser desperdiçada. Você não gostaria de distribuir parte dela? Eu tenho um sobrinho, Michael, o filho de minha irmã. Ele dirige um albergue para novos imigrantes e tem muitas bocas para alimentar."

Ela quis protestar: afinal, fizera tudo aquilo para o rabi, não para estranhos. Mas percebeu que ele lhe estava dando uma chance de remediar seu erro e que esperava que ela a aproveitasse.

"Claro", ela respondeu. "Ficarei feliz em fazê-lo."

Ele sorriu. "Que bom. Então vamos fazê-lo juntos. É hora de você falar com alguém que não seja um açougueiro ou merceeiro."

"Você acha que eu estou pronta para isso?"

"Sim, acho."

Animada e nervosa, ela lutava para ficar parada. "Seu sobrinho... que tipo de homem ele é? O que eu devo dizer a ele? O que ele vai pensar de mim?"

O rabi sorriu e ergueu as mãos, como para conter aquela avalanche de perguntas. "Em primeiro lugar, Michael é um bom rapaz... eu deveria dizer *um homem*. Ele tem quase trinta anos. Eu respeito e admiro o seu trabalho, apesar de termos nossas diferenças. Eu apenas gostaria..." Ele se calou, mas então lembrou que a Golem certamente veria parte da verdade. Era melhor explicar que deixá-la com um quadro vago e confuso. "Costumávamos ser próximos, eu e Michael. Minha irmã morreu quando ele era pequeno, e eu e minha esposa o criamos.

Por muitos anos, ele foi como um filho. Mas então... bem, trocamos algumas palavras ásperas. Uma discussão tipicamente triste entre um velho e um jovem. O estrago nunca foi totalmente reparado. Agora, nos encontramos cada vez menos."

Havia algo mais, percebeu a Golem — não se tratava de uma evasiva por parte do rabi, mas de uma falta de profundeza nos detalhes. Não era a primeira vez que ela sentia o vasto abismo da experiência entre eles: ele, que já vivia há sete décadas, e ela, com pouco mais de um mês de memórias.

"Com relação à conversa entre vocês dois", prosseguiu o rabi em tom mais alegre, "ela não precisa ser longa. Você pode pelo menos explicar os tipos de doce que preparou. É claro que ele vai perguntar de onde você veio e há quanto tempo está na cidade. Talvez seja melhor ensaiarmos uma história. Você pode dizer que é uma jovem viúva vinda de Danzig e que eu estou atuando como seu assistente social. É, de certa forma, algo bem próximo da verdade." Ele sorriu, mas com uma ponta de tristeza; e a Golem percebeu que o rabi dizia algo em que não acreditava.

"Sinto muito", ela disse. "Você não deveria ter de mentir para seu sobrinho. Não por minha causa."

O rabi ficou em silêncio por um instante. Então disse: "Minha cara, estou começando a perceber que há muitas coisas que eu preciso fazer... que eu *tenho* de fazer pelo seu bem. Mas são decisões minhas. Você tem de permitir que eu me arrependa de uma pequena mentira em prol de um bem maior. E você precisa aprender a se sentir confortável ao fazer o mesmo". Após uma pausa, ele prosseguiu: "Eu ainda não sei se você será capaz de viver uma vida normal entre as pessoas. Mas é preciso saber que, para fazer isso, terá de mentir para todos que conhece. Você não poderá jamais revelar a ninguém sua verdadeira natureza. É um fardo e uma responsabilidade que eu não desejo a ninguém".

Seguiu-se um pesado silêncio.

"Isso já me passou pela cabeça", disse finalmente a Golem. "Talvez não tão claramente. Eu acho que não queria acreditar nisso."

Os olhos do rabi estavam úmidos, mas, quando ele falou, sua voz soou firme. "Talvez, com o tempo e com a prática, isso seja mais fácil. E eu vou ajudá-la da melhor forma possível." Ele lhe deu as costas e passou a mão sobre seus olhos; ao se voltar, estava sorrindo. "Mas, agora, falaremos de algo mais agradável. Se eu vou apresentá-la ao meu sobrinho, preciso dizer a ele o seu nome."

Ela franziu a testa: "Eu não tenho um nome".

"Exato. Já passou da hora de lhe dar um. Você gostaria de escolher um nome para você?"

Ela refletiu por um instante: "Não".

O rabi ficou surpreso: "Mas você precisa de um nome!".

"Eu sei." Ela sorriu. "Mas prefiro que o senhor escolha um para mim."

O rabi quis argumentar: ele esperava que o ato de escolher um nome a ajudaria a conquistar sua independência. Mas então ele se censurou. Sob diversos aspectos, ela ainda era como uma criança, e ninguém espera que uma criança escolha o próprio nome. Essa honra cabia aos pais. Nesse caso, ela compreendera o espírito da coisa melhor que ele.

"Muito bem", ele disse. "Sempre gostei do nome Chava para uma menina. Era o nome da minha avó, e eu gostava muito dela."

"Chava", disse a Golem. O *ch* fazia um som suave e ondulante no fundo da garganta, o *ava* era como um suspiro falado. Ela o repetiu baixinho, experimentando-o, enquanto o rabi a observava, divertindo-se.

"Você gosta?", ele perguntou.

"Sim", ela respondeu, e era verdade.

"Então é seu." Ele pousou as mãos sobre ela e fechou os olhos. "Abençoado, que protegeu nossos antepassados e nos libertou da escravidão, proteja sua filha Chava. Que seus dias sejam marcados pela paz e pela prosperidade. Que ela seja um auxílio, um conforto e uma proteção para seu povo. Que ela tenha a sabedoria e a coragem para distinguir o caminho traçado para ela. Seja feita a vontade do Todo-Poderoso."

E a Golem murmurou: "Amém".

—◦—

Fazendo um balanço, aquele não era um dos melhores dias de Michael Levy.

Ele estava em sua mesa lotada de papéis, com o ar atormentado de um homem que reagia a várias crises simultâneas. Nas mãos, uma carta informando que, lamentavelmente, as voluntárias que faziam a limpeza aos domingos não poderiam mais aparecer; a Liga das Mulheres Trabalhadoras sofrera uma cisão e dissolvera-se, assim como o seu Comitê de Ação Caritativa. Dez minutos antes, a governanta-chefe lhe informara que vários residentes daquela semana chegaram com disenteria e estavam sujando os lençóis em uma velocidade alarmante. E, como sempre, havia a pressão quase física dos quase duzentos novos imigrantes alojados nos beliches dos dormitórios acima dele. Além disso, enquanto estivessem sob seu teto, Michael era responsável pelo bem-estar de todos.

A Casa Hebraica de Acolhida era uma estação de passagem onde homens recém-chegados do Velho Mundo podiam fazer uma pausa e recuperar as forças antes de se jogarem de cabeça no abismo do Novo. Todos tinham o direito de permanecer cinco dias na Casa de Acolhida, quando então eram alimentados, vestidos e tinham uma cama para dormir. Ao término desse período, eram obrigados a partir. Alguns se abrigavam na casa de parentes distantes ou tomavam o caminho dos mascates; outros eram recrutados pelas fábricas e dormiam em redes imundas, em pensões que cobravam cinco centavos a noite. Sempre que possível, Michael tentava manter os homens longe das piores fábricas.

Michael Levy contava, na época, com 27 anos. Ele tinha o tipo de rosto rosado e largo que estava condenado à juventude perpétua. Somente seus olhos mostravam o passar dos anos: eram muito enrugados, com olheiras decorrentes das leituras e do cansaço. Era mais alto que seu tio Avram e tinha uma aparência de espantalho, resultado de nunca desacelerar o ritmo ou fazer uma refeição decente. Seus amigos brincavam dizendo que os punhos da camisa sujos de tinta e os olhos cansados lembravam mais um acadêmico que um assistente social. Ele respondia que aquela afirmação era bastante adequada, pois seu trabalho proporcionava mais educação que qualquer sala de aula.

Havia orgulho, bem como uma postura defensiva, em sua resposta. Seus professores, sua tia e seu tio, seus amigos e até seu pai ausente: todos esperavam que ele entrasse na universidade. E ficaram surpresos e consternados quando o jovem Michael anunciou seus planos de se dedicar à assistência social e à melhoria das vidas dos próximos.

"É claro que é algo bom e nobre", disse um de seus amigos. "Quem de nós não está comprometido com isso? Mas você tem um cérebro de primeira categoria — use *isso* para ajudar as pessoas. Por que desperdiçá-lo?" O amigo em questão escrevia para um dos jornais do Partido Trabalhista Socialista. Toda semana seu nome aparecia assinando um comovente hino ao Trabalhador, sempre envolvendo uma cena de solidariedade fraternal que ele presenciara por acaso — normalmente, de maneira conveniente, na véspera do fim do prazo para entregar o texto.

Michael se mantinha firme, ainda que um pouco magoado. Seus amigos escreviam artigos, participavam de manifestações e escutavam discursos, debatiam o futuro do marxismo enquanto tomavam café e comiam strudels — mas Michael percebia um vazio afetado na retórica deles. Não os acusava, afirmando que seguiam pelo caminho mais fácil, mas também não podia acompanhá-los. Sua alma era muito honesta, e ele nunca aprendera a enganar a si próprio.

O único que o entendia era seu tio Avram. Era outra a mudança na vida de Michael que o rabi não podia apoiar.

"Onde está escrito que um homem precisa dar as costas à sua fé para fazer o bem neste mundo?", perguntara o rabi, olhando com horror para a cabeça nua de seu sobrinho, para as costeletas escanhoadas onde antes se viam *peiot*.[6] "Quem ensinou isso a você? Esses filósofos que você lê?"

"Sim, e eu concordo com eles. Não em tudo, claro, mas pelo menos quando dizem que, enquanto mantivermos nossas velhas crenças, nunca encontraremos nosso lugar no mundo moderno."

Seu tio riu. "Sim, este maravilhoso mundo moderno que se livrou de todos os males, da pobreza e da corrupção! Que tolos somos nós, que não nos desfazemos de nossos grilhões!"

"É claro que muita coisa ainda precisa mudar! Mas de nada adianta ficarmos acorrentados a uma fé retrógrada..." Ele se calou. As palavras lhe haviam escapado.

O rosto de seu tio ficou sombrio. Michael percebeu que tinha duas alternativas: retratar-se e pedir desculpas, ou assumir o que dissera.

"Perdoe-me, tio, mas é assim que eu me sinto", disse Michael. "Olho para o que chamamos fé e vejo apenas superstição e subjugação. Em *todas* as religiões, não apenas no judaísmo. Elas criam falsas divisões

---

6   Os cachos de cabelos laterais usados pelos judeus ortodoxos. [NT]

e nos acorrentam a fantasias, quando precisamos nos concentrar no aqui e agora."

A expressão de seu tio era dura como pedra. "Então, para você, eu sou um instrumento de subjugação."

O instinto de protestar lhe vinha aos lábios — *Claro que não! Não você, tio!* —, mas se conteve. Não desejava adicionar a hipocrisia à sua lista de ofensas.

"Sim", ele disse. "Gostaria que não fosse assim. Sei quantas coisas boas você fez — como esquecer todas aquelas visitas aos doentes? E quando a loja dos Rosen pegou fogo? Mas boas ações deveriam fazer parte de nosso instinto natural para a fraternidade, não do tribalismo! E os italianos que tinham o açougue ao lado da loja dos Rosen? O que nós fizemos por *eles*?"

"Eu não posso cuidar de todo mundo!", disse o rabi, rispidamente. "Então eu talvez seja culpado por cuidar apenas de meu próprio povo. Isso também é um instinto natural, não importa o que digam seus filósofos."

"Mas precisamos ser mais do que isso! Por que reforçar nossas diferenças, mantendo leis arcaicas e ignorando a alegria de repartir o pão com nossos vizinhos?"

"Porque somos judeus!", gritou seu tio. "E é assim que nós vivemos! Nossas leis nos recordam quem somos, e nós ganhamos força a partir delas! Você, tão ansioso para se desfazer de seu passado... vai substituí-lo pelo quê? O que você vai usar para evitar que o mal que existe no homem supere o bem?"

"Leis que se apliquem a todos", disse Michael. "Que coloquem todos os homens em pé de igualdade. Não sou anarquista, tio, se é isso o que preocupa!"

"Mas ateu? É *isso* que você é agora?"

Ele não via maneira de contornar aquilo. "Sim, acho que sou", disse, desviando o rosto para não ver a dor nos olhos de seu tio. Por um longo tempo, em que muito sofreu, Michael sentia-se como se tivesse dado um soco no rosto de seu tio.

Eles demoraram a se reconciliar. Mesmo agora, passados alguns anos, viam-se apenas uma vez por mês, ou nem isso. Mantinham conversas cordiais e evitavam dar opiniões sobre assuntos delicados. O rabi cumprimentava Michael por cada sucesso e oferecia palavras de conforto em suas derrotas — que eram muitas, porque o trabalho de

Michael não era nada fácil. Quando o antigo supervisor — que insistia em apenas aceitar dinheiro dos grupos judeus socialistas — abandonou o posto, a Casa de Acolhida esteve prestes a encerrar suas atividades por falta de recursos. Michael foi chamado para a vaga e viu com seus próprios olhos as muitas dezenas de homens nos dormitórios. A textura das roupas, o tamanho das barbas e o ar vagamente aturdido marcavam aquelas pessoas como se tivessem acabado de sair do navio. Estes eram os imigrantes mais vulneráveis, aqueles com maior probabilidade de serem passados para trás. Ele revisou os registros da Casa, um caos total. Aceitou a vaga, depois engoliu seu orgulho e se dirigiu às congregações e conselhos judaicos locais, implorando por um pouco mais de tempo. Em troca, o quadro de avisos no corredor anunciava os serviços do sabá, ao lado de anúncios de reuniões do partido.

Ele ainda acreditava no que dissera ao tio. Frequentava a sinagoga, mas não rezava, enquanto esperava que, um dia, nenhum homem tivesse a necessidade de ter uma religião. Mas ele sabia que essa mudança radical só poderia acontecer aos poucos, compreendendo o valor do pragmatismo.

O rabi via os anúncios religiosos quando visitava a Casa, mas não dizia nada. Também aparentava lamentar a briga entre eles. Praticamente não tinham outros parentes — o pai de Michael há muito fugira para Chicago, deixando para trás uma dezena de credores frustrados — e, em um bairro de famílias que se alastravam, Michael era internamente corroído por esse sentimento. Então, quando o rabi bateu à sua porta aquela tarde, Michael ficou realmente contente ao vê-lo.

"Tio! O que o traz aqui?" Os homens se abraçaram de maneira um pouco formal. Michael se acostumara a ter a cabeça descoberta e a não levar as franjas[7] por dentro das roupas; mas ele ainda se sentia nu na presença daquele homem. Então percebeu uma mulher na sombra da porta.

"Gostaria que você conhecesse uma nova amiga", disse o rabi. "Michael, esta é Chava. Ela chegou há pouco em Nova York."

"Prazer em conhecê-lo", disse a mulher. Ela era alta, mais alta que ele uns três ou cinco centímetros. Por um instante, a mulher o fez recordar uma estátua escura e gigantesca, mas, quando entrou no

---

7   Ou *tzitzit*, franjas que são amarradas às roupas e servem como lembrança das leis de Deus. [NT]

aposento, era apenas uma mulher que vestia uma blusa simples e carregava uma caixa de papelão.

Ao perceber que a estava encarando, Michael buscou se recompor. "O prazer é meu também, claro! Quando você chegou?"

"Há apenas um mês." Abriu um sorriso embaraçado, como se pedisse desculpas por ter chegado há tão pouco tempo.

"O marido de Chava faleceu na viagem", disse o tio do rapaz. "Ela não tem nenhum parente na América. Tornei-me seu assistente social, de certa forma."

Michael ficou completamente sem graça. "Que coisa terrível. Meus sentimentos."

"Obrigada." Foi um mero suspiro.

Por um instante, ficaram em silêncio, como se incomodados com o peso da revelação da viuvez. Então a mulher pareceu se dar conta da caixa que levava nas mãos. "Eu fiz isso", ela disse um pouco abruptamente. "Eram para o seu tio, mas eu fiz demais. Ele propôs que os trouxesse para que você os distribuísse aos homens que vivem aqui." Ela entregou a caixa a Michael.

Ele a abriu, liberando um perfume celestial de manteiga e especiarias. A caixa estava cheia de guloseimas dos mais diversos tipos: croissants, bolinhos de amêndoas, pães doces, biscoitos de gengibre. "Você fez *tudo isso*?", ele perguntou incrédulo. "Você é confeiteira?"

A mulher hesitou, depois sorriu. "Sim, suponho que sim."

"Bem, os rapazes certamente vão apreciar tudo isso. Todos ganharão um." Ele fechou a caixa, lutando contra a tentação. Os bolinhos de amêndoas, em particular, lhe deram água na boca; desde criança, eram seus prediletos. "Obrigado, Chava. Será um grande presente para eles. Vou levá-lós direto para a cozinha."

"Você deveria experimentar um bolinho de amêndoas", ela disse.

Ele sorriu. "E vou. São os meus prediletos, na verdade."

"Eu...", disse, aparentemente tentando se controlar, "fico muito contente."

"Chava", disse o rabi, "talvez fosse melhor você esperar por mim no vestíbulo."

A mulher assentiu com a cabeça. "Foi um prazer conhecê-lo", disse a Michael.

"Para mim, também", ele respondeu. "E muito obrigado, de verdade. Agradeço em nome de todos os homens daqui."

Ela sorriu e retirou-se para o vestíbulo. Para uma mulher tão alta, movia-se de maneira bastante silenciosa.

"Que tragédia!", disse Michael quando ela já não podia mais ouvi-los. "Fico surpreso com o fato de que ela ainda permaneça em Nova York em vez de voltar para casa."

"Não havia muito para ela lá", disse seu tio. "De certa forma, ela não tinha escolha."

Michael franziu as sobrancelhas. "Ela não está vivendo com *você*, está?"

"Não, não", retrucou rapidamente seu tio. "Por enquanto, está com uma antiga membra da congregação. Uma viúva. Mas preciso encontrar um lugar permanente para ela, além de um emprego."

"Não deve ser difícil. Ela parece competente, ainda que muito calada."

"Sim, ela é muito competente. Mas, ao mesmo tempo, é quase dolorosamente inocente. Por isso, temo por ela. Terá de aprender a se proteger para viver nesta cidade."

"Pelo menos ela tem você para olhar por ela."

Seu tio sorriu de maneira sombria. "Sim. Por enquanto."

Uma ideia começou a se formar na cabeça de Michael; até que ele lhe deu atenção. "Você disse que está buscando um emprego para ela?"

"Sim. Mas não numa fábrica clandestina, se eu puder evitar."

"Você ainda mantém contato com Moe Radzin?"

"Somos educados o bastante para nos cumprimentarmos na rua, acho. Você acredita que pode haver um lugar para Chava na Padaria Radzin?"

"Estive lá ontem. O lugar era um caos, e Moe estava tendo um ataque. Uma de suas auxiliares fugiu para Deus sabe onde, e outra está partindo para cuidar da irmã." Ele sorriu e apontou a caixa. "Se o gosto for tão bom quanto a aparência, então a confeitaria poderia aproveitá-la. Você deveria falar com ele."

"Sim", disse lentamente o rabi. "É uma possibilidade. Mas Moe Radzin..."

"Eu sei. Ele está amargo e infeliz como nunca. Mas, pelo menos, é justo e, quando quer, generoso. A Casa compra os pães em sua padaria com desconto. E os empregados parecem respeitá-lo. Bem, exceto por Thea."

O rabi abafou o riso. Thea Radzin possuía um dom excepcional para reclamações: era o tipo de mulher que começava uma conversa com uma lista das doenças que sofria. Entre as funcionárias da padaria do marido, ela agia como uma casamenteira às avessas, listando seus defeitos para qualquer homem que demonstrasse algum interesse.

Michael pressionou, sentindo estranhamente que, se ajudasse seu tio, parte de sua culpa seria reduzida. "Há patrões piores que Moe Radzin. E ele talvez se sinta na obrigação de tratar Chava bem, se souber que você está cuidando dela."

"Talvez. Vou falar com ele. Obrigado, Michael." Segurou o sobrinho pelos ombros; e Michael, com uma súbita preocupação, deu-se conta de que nunca vira o tio tão desgastado e cansado, nem mesmo quando ele ainda lidava com os problemas de uma congregação. Sempre trabalhara muito. E agora, em vez de descansar, tomara sob sua responsabilidade o bem-estar de uma jovem viúva. Michael queria lhe dizer que havia vários grupos femininos que poderiam cuidar dela. Mas as entidades filantrópicas de mulheres, ele sabia, tinham ainda mais problemas financeiros que as dos homens.

Despediu-se do tio e voltou a sentar-se à mesa. Mesmo com suas apreensões sobre a saúde do velho, a breve visão da mulher o deixara intrigado. Ela parecia calma e tímida, mas a maneira como olhara para ele era enervante. Olhara diretamente nos olhos dele, sem piscar, uma mirada profunda e franca. Entendia o que seu tio queria dizer com a necessidade de aprender a se proteger, mas ao mesmo tempo Michael sentia que fora ele — e não ela — quem ficara desprotegido.

O vestíbulo da Casa de Acolhida era surpreendentemente espaçoso, estendendo-se por todo o sombrio salão principal. A Golem ficou de pé em um canto, junto a uma poltrona dilapidada. A manhã já ia pela metade, e muitos dos homens já haviam deixado o dormitório em busca de emprego ou de um lugar para rezar. Mas cerca de sessenta ainda estavam lá, e o peso de suas mentes preocupadas pressionava a Golem. Isso a fizera relembrar de sua primeira noite no *Baltika*, de como os medos e desejos dos passageiros do navio foram amplificados pela estranheza do local. Eram as mesmas esperanças solitárias, as mesmas preocupações. Não fora tão ruim no escritório de Michael; concentrara-se no desafio de falar com um estranho, procurando não revelar sua natureza.

Ela estava começando a ficar impaciente. Quanto tempo mais o rabi demoraria? Contra sua vontade, olhou para o teto. Lá em cima havia fome, solidão, medo do fracasso e ruidosos desejos de sucesso, de um lar, de um enorme prato de rosbife — e um homem que estava na fila para usar o banheiro, desejando apenas ter um jornal para ler enquanto esperava...

Virou-se para a mesa do vestíbulo. Havia ali um exemplar do *Forverts*[8] esperando que o pegassem.

"*Não*", disse, para si mesma, mais alto do que desejava. Deixou o vestíbulo e começou a caminhar pelo corredor longo e escuro. Ela segurava os cotovelos com as mãos. Queria bater à porta de Michael, dizer ao rabi que eles precisavam partir, que ela não se sentia bem...

Para seu alívio, a porta do escritório se abriu, revelando o rabi e Michael que saíam trocando as últimas palavras. O rabi percebeu a expressão tensa da Golem e apressou sua despedida. Eles finalmente se colocaram a caminho seguindo pelo corredor de madeira escura, na direção da luz do sol.

"Você está bem?", perguntou o rabi quando chegaram à rua.

"Os homens", ela começou, mas descobriu que não poderia prosseguir: seus pensamentos eram muito velozes demais e agitados. Ela lutava para relaxar. "Todos eles querem coisas demais", disse afinal.

"Foi muito para você?"

"Não. Por pouco. Se demorássemos mais..."

O clamor silencioso da Casa de Acolhida dissipou-se atrás da Golem, sendo engolido pelo zunido difuso da cidade. Sua mente começou a desacelerar. Ela sacudiu os dedos, sentindo a tensão diminuir. "Havia um homem, lá em cima", disse. "Ele queria um jornal. Eu vi um no vestíbulo e quase levei para ele."

"Teria sido uma enorme surpresa para o homem." O rabi tentou usar um tom de brincadeira. "Mas você foi capaz de se conter."

"Sim. Mas foi difícil."

"Você está melhorando, creio. Apesar de quase ter se entregado com os bolinhos de amêndoas."

"Eu sei." Ela se encolheu ao lembrar da cena, e o rabi sorriu. "Chava", ele disse, "é uma ironia cruel que você tenha mais dificuldade exatamente quando as pessoas à sua volta estão se comportando melhor. Suspeito que você acharia mais fácil se todos nós deixássemos a educação de lado e fôssemos atrás dos nossos desejos."

---

8   Como é conhecido o *Jewish Daily Forward*, jornal da comunidade judaica de Nova York. É publicado, desde 1897, em inglês e iídiche. [NT]

Ela refletiu. "Seria mais fácil no início. Mas depois vocês feririam uns aos outros para realizar seus desejos e teriam medo uns dos outros, e ainda assim continuariam querendo coisas."

Ele ergueu as sobrancelhas em aprovação. "Você está se tornando uma ótima estudante da natureza humana. Acha que melhorou o suficiente para sair regularmente por conta própria... para, digamos, ter um emprego?"

A apreensão tomou conta da Golem, misturando-se ao entusiasmo. "Eu não sei. Não sei *como* poderia ter certeza disso, a não ser tentando."

"Michael comentou que a Padaria Radzin está procurando empregados. Conheço Moe Radzin há muitos anos e penso que poderia conseguir uma vaga para você lá. Devo, pelo menos, conseguir uma entrevista com ele."

"Uma padaria?"

"Seria um trabalho duro, e você ficaria cercada de estranhos durante horas. Será necessário ter cuidado o tempo todo."

Ela tentou imaginar a situação: trabalhando o dia todo com as mãos, de avental e chapéu engomado. Enfileirando os pães, o fundo dourado das massas ainda com farinha, sabendo que todos foram preparados por ela.

"Eu gostaria de tentar", ela disse.

GOLEM & GÊNIO
UMA FÁBULA ETERNA

VII

m um agradável sábado de setembro, o Djim estava de pé no fundo de um salão de festas, observando enquanto um homem e uma mulher se casavam de acordo com os ritos da Igreja Católica Maronita. Apesar da alegria palpável dos demais presentes, o humor dele não era dos melhores.

"Por que eu devo ir se nem conheço essas pessoas?", perguntara a Arbeely naquela manhã.

"Você faz parte da comunidade agora. Eles esperam que você participe desses eventos."

"Achei que você havia dito que eu deveria me manter um pouco distante enquanto ainda estou aprendendo."

"Distância é uma coisa. Grosseria é outra."

"Por que seria grosseria, se eu não os conheço? E eu ainda não entendo o propósito de um casamento. O que poderia levar duas pessoas livres a terem apenas uma à outra como parceiras pelo resto de suas vidas?"

Neste ponto a conversa azedou. Arbeely, perturbado e horrorizado, tentou defender a instituição do casamento, recorrendo a todos os argumentos dos quais conseguia se lembrar: paternidade e legitimidade, a influência civilizatória do casamento, a necessidade da castidade nas mulheres e da fidelidade nos homens. O Djim zombava de todos eles, afirmando que os djins não tinham esse tipo de preocupação e que ele não via razão para homens e mulheres se preocuparem com isso. E Arbeely retrucava afirmando que as coisas eram assim, independentemente do que o Djim pensasse, e que ele deveria ir ao casamento e guardar suas opiniões para si. E o Djim replicava dizendo que, entre todas as criaturas que conhecia, fossem feitas de carne ou de fogo, os mais exasperantes eram os humanos.

Lá na frente do salão, os noivos estavam ajoelhados enquanto o sacerdote balançava um incensório sobre eles. A noiva, de dezoito anos, se chamava Leila, mas todos a chamavam de Lulu, apelido que sugeria um atrevimento impossível de ser encontrado naquela sorridente menina, miúda e tímida. Seu noivo, Sam Hosseini, era um homem rotundo e amigável, muito conhecido na comunidade. Fora um dos primeiros mercadores sírios a se estabelecer na Washington Street, e sua loja de produtos importados era o esteio da vizinhança por atrair clientes de outros bairros. Com o passar dos anos, conquistou grande prosperidade e era generoso ao ajudar os vizinhos, portanto poucos invejavam seu sucesso. Enquanto o sacerdote entoava os cânticos, Sam irradiava felicidade e olhava a todo instante para Lulu, como se para confirmar sua grande sorte.

Finda a cerimônia, todos se dirigiram para o café dos Faddoul para o banquete de casamento. As mesas do café estavam cobertas de pratos com kebabs e tortas de carne com arroz e espinafre, além de saquinhos com amêndoas confeitadas. As mulheres lotavam um dos cantos do café, comendo e conversando. Do outro lado, os homens derramavam áraque nos copos uns dos outros e comentavam as notícias. Sam e Lulu estavam em uma mesa no meio de todos, com um ar aturdido e feliz. Em uma mesa de presentes perto da porta, havia uma crescente coleção de caixas e envelopes.

Mas o Djim não estava no meio da multidão. Mantinha-se no beco atrás do café, sentado, de pernas cruzadas, em um caixote abandonado. O ambiente do salão onde fora celebrado o casamento estava sufocante, úmido de suor, incenso e perfume, e ele ainda se sentia irritado com o que considerava uma cerimônia inútil. Não tinha a menor vontade de ficar confinado no café com dezenas de estranhos. Além disso, o dia finalmente estava lindo, o céu entre os edifícios era de um azul puro, e uma brisa levava para longe do beco o cheiro de lixo.

Tirou do bolso alguns colares de ouro que foram comprados de uma lojinha em ruínas no Bowery. Arbeely o levara até lá afirmando que aquele era o único lugar que conhecia onde era possível comprar ouro barato; mas, vendo os preços, ele pareceu incomodado e fechou a cara, dizendo depois que certamente eram coisas roubadas. Os colares não passavam de trabalhos medíocres — os elos não eram uniformes, e as correntes tinham um caimento estranho —, mas o ouro era de boa qualidade. O Djim juntou os colares em uma das mãos, colocando a outra por cima para derretê-los, e depois começou, desinteressado, a dar forma ao metal. Quando suas mãos pararam de trabalhar, ele estava segurando um pombo dourado em miniatura. Com um ferro fino e pontudo, adicionou alguns detalhes — uma insinuação de penas, pontinhos que representavam os olhos — e depois envolveu o pássaro em uma gaiola em filigrana. Era bom trabalhar com as mãos, em lugar das rudes ferramentas que Arbeely insistia que ele usasse para o caso de alguém estar observando.

A porta dos fundos do café se abriu. Era Arbeely. "Aí está você", disse o homem. Ele trazia nas mãos um pequeno prato com um garfo.

Irritado, o Djim disse: "Sim, estou aqui, desfrutando de um momento de solidão".

Um lampejo de mágoa passou pelo rosto do homem. "Trouxe um pedaço do *kanafeh*",[1] ele disse. "Está prestes a acabar. Tive receio de que você não provasse."

O Djim se sentiu alfinetado por uma pontada de culpa. Ele sabia que Arbeely estava fazendo um bocado para ajudá-lo, mas isso fazia com que ele se sentisse oprimido e em dívida para com o homem, por isso era difícil evitar ser agressivo. Colocou o pássaro engaiolado em seu bolso e aceitou o prato que lhe era oferecido, contendo um quadrado de alguma coisa com aspecto pesado, com camadas de cores marrom e creme. Ele franziu as sobrancelhas. "O que, exatamente, vem a ser isso?"

Arbeely sorriu. "O que há de mais próximo do paraíso na terra."

---

[1]   Sobremesa comum na região do Levante (Mediterrâneo Oriental, que inclui a Síria), feita de massa, queijo e xarope à base de açúcar. [NT]

Cautelosamente, o Djim deu uma mordida. O ato de comer ainda era difícil. Não o mecanismo em si — mastigar e engolir eram ações bem simples, e a comida se transformava em nada dentro dele. Mas nunca sentira, até então, o gosto de alguma coisa e fora tomado totalmente de surpresa por suas primeiras experiências com os sabores. As sensações de doce e picante, sal e especiarias, eram interessantes, irresistíveis até. Ele aprendeu a comer em pequenos bocados e a mastigar devagar. Ainda assim, o *kanafeh* foi um choque. A doçura explodiu em sua língua, e finos fios de massa foram esmagados entre seus dentes, o som ecoando fundo nos ouvidos. Uma acidez cremosa fez sua mandíbula se enrijecer.

"Você gosta?", perguntou Arbeely.

"Não sei. É... surpreendente." Ele colocou mais um pedaço na boca. "Acho que gosto."

Arbeely olhou ao redor. "Mas o que você está fazendo aqui?"

"Eu precisava de um momento de silêncio."

"Ahmad", disse Arbeely — e o Djim se encolheu ao ouvir aquele nome, que era mas não era seu — "eu entendo, sério. Deus sabe que eu também sou assim com essas coisas. Mas não queremos que as pessoas pensem que você é um recluso. Por favor, entre e diga olá. Sorria uma ou duas vezes. Se não por você, por mim."

Com relutância, o Djim voltou para a festa com Arbeely.

Lá dentro, as mesas haviam sido empurradas para junto das paredes, e um grupo de homens dançava em uma ciranda veloz, os braços nos ombros uns dos outros. As mulheres ficavam em torno deles, dando vivas e batendo palmas. O Djim ficou fora do caminho deles, no fundo da sala, observando a noiva entre os espaços da multidão. De todas as pessoas no casamento, ela era a única que chamara sua atenção. Era jovem e bonita, e estava visivelmente muito nervosa. Ela mal tocava a comida à sua frente, sorrindo e conversando com aqueles que se dirigiam até a mesa para cumprimentá-la. Ao lado dela, Sam Hosseini comia como um homem faminto e levantava para cumprimentar todo mundo com abraços e apertos de mão. Ela ouvia seu marido falar e o olhava com um carinho evidente; mas ocasionalmente espreitava à sua volta, como se em busca de reafirmação. O Djim se lembrou do que Arbeely lhe havia contado, que ela estava há poucas semanas na América e que Hosseini a pedira em casamento durante uma visita à terra natal. E agora, pensava o Djim, ela estava em um lugar novo, em uma posição incerta, cercada por estranhos. Como ele, de certa forma. Era uma ignomínia que, segundo Arbeely, ela agora pertencesse apenas àquele homem.

A noiva continuava a examinar o salão. Os homens que dançavam foram para um lado, e o olhar dela cruzou com o do Djim. Ele sustentou esse olhar por um longo tempo. Ela então desviou os olhos e, ao cumprimentar o próximo convidado, suas faces estavam ruborizadas.

"Ahmad, você aceita um café?"

Ele se virou assustado. Era Maryam. Ela levava uma bandeja com pequenos copos, todos preenchidos por um café espesso que cheirava a cardamomo. A mulher estava com seu sorriso habitual de anfitriã, mas seus olhos tinham um quê de alerta. Obviamente percebera o interesse do Djim. "Assim você pode beber à felicidade deles", disse.

Ele pegou um copinho da bandeja. "Obrigado."

"É claro", ela retrucou, seguindo em frente.

Ele observou o minúsculo copo de café. Tão pouco líquido não lhe faria mal, e o cheiro era muito interessante. Tomou tudo de uma vez, como vira os outros fazendo, e quase engasgou. Era inacreditavelmente amargo; bebê-lo era como uma agressão.

Ele estremeceu e colocou o copo em uma mesa. Já tivera o bastante da festança humana por um dia. Procurou Arbeely entre a multidão e, ao encontrá-lo, apontou a porta. Arbeely ergueu uma das mãos, como se dissesse *espere um pouco*, e indicou a mesa dos recém-casados.

Mas o Djim não queria cumprimentar o feliz casal. Ele não tinha vontade de dizer palavras que não sentia. Enquanto Arbeely ainda lhe fazia sinais, o Djim abriu caminho na multidão, deixou o ambiente sufocante do café e foi para a cidade.

O Djim subiu a Washington Street, imaginando se um dia conseguiria ficar realmente sozinho de novo. Às vezes o deserto lhe parecia vazio demais, mas esse extremo oposto era difícil de aguentar. A rua estava tão cheia quanto o café. As famílias se aglomeravam nas calçadas, aproveitando a agradável tarde de fim de semana. E onde não havia pessoas havia cavalos, um desfile imóvel deles, cada um preso a uma carreta, cada carreta levando um homem, cada homem gritando aos outros que o deixassem passar — tudo em uma miríade de línguas que o Djim nunca escutara antes mas que, mesmo assim, entendia e agora estava começando a lamentar seus próprios recursos de compreensão aparentemente inesgotáveis.

Ele não estava andando sem rumo: tinha um destino em mente. Há poucos dias, Arbeely lhe mostrara um mapa de Manhattan e, por acaso, apontou um longo buraco verde no meio da ilha. "Central Park", disse Arbeely. "É enorme, nada além de árvores, grama e água. Você tem de ir lá um dia." Depois o funileiro mudou de assunto, informando coisas como onde pegar o trem e que bairros evitar. Mas aquela comprida extensão verde chamara a atenção do Djim. Ele só precisava encontrar uma estação na Sixth Avenue;[2] a linha do trem o levaria até lá.

Na Fourteenth Street, virou à direita, e a multidão começou a mudar. Havia menos crianças e mais homens de terno e chapéu. Nas ruas, carruagens elegantes se misturavam a carretas e carros de entrega. Os prédios também mudavam, tornando-se mais altos e largos. Na Sixth Avenue, uma estreita faixa de metal se estendia por cima da rua. Ele observava enquanto uma fileira de caixas metálicas passava sobre essa faixa, jogando fagulhas na rua que ficava embaixo. Através das minúsculas janelas do trem, captava vislumbres de homens e mulheres, os rostos plácidos enquanto passavam velozmente.

Ele subiu uma escada até a plataforma e entregou ao bilheteiro algumas moedas. Logo um trem chegou, guinchando horrivelmente ao frear. Então, embarcou e encontrou um assento. Mais e mais passageiros entraram no vagão, até que todos os assentos estavam ocupados e os retardatários tiveram de se espremer nos corredores. O Djim estremeceu enquanto o vagão enchia além do que parecia possível.

As portas fecharam, e o trem seguiu adiante. Ele pensou que poderia ser como voar, mas logo se desiludiu. O trem vibrava como se quisesse tirar seus dentes fora. Os prédios passavam tão próximos à janela que ele se encolhia. Considerou descer na próxima estação e fazer o resto do caminho a pé, mas os outros passageiros pareciam censurá-lo com a sua indiferença. Ele cerrou o maxilar e ficou olhando tristemente as ruas enquanto elas passavam.

A Fifty-ninth Street era o fim da linha. Ele desceu as escadas sentindo-se um pouco enjoado. A tarde já avançava, e o céu estava ficando nublado, assumindo um tom branco-acinzentado.

---

2   A linha de trem que passava na Sixth Avenue foi demolida na década de 1960. [NT]

Do outro lado da estação, via-se uma parede verde. Uma cerca de ferro alta a rodeava, como se quisesse conter alguma coisa selvagem. Havia um largo vazio no meio da cerca, e a Sixth Avenue desaparecia lá dentro, fazendo uma curva e sumindo de vista. Um fluxo regular de pedestres e carruagens ia e vinha. Ele atravessou a rua e entrou.

Quase que imediatamente o ruído do tráfego sumiu, sendo substituído pelo silêncio. Dos dois lados do caminho havia uma fileira de árvores, que deixavam o ar fresco e pesado. Seus pés esmagavam o cascalho. Carruagens abertas passavam devagar, os cascos dos cavalos marcando um ritmo agradável. Trilhas menores partiam da alameda principal; algumas largas e pavimentadas, outras não passavam de atalhos de terra cobertos por uma vegetação exuberante.

Logo a alameda sombreada terminou, e a terra se abriu em um vasto gramado aparado. O Djim parou, aturdido pelo vívido mar verde. Árvores cercavam seus cantos distantes, escondendo a cidade. No meio do gramado, um rebanho de carneiros roliços, de um branco sujo, pastava em paz, abocanhando preguiçosamente bocados de erva. Bancos ladeavam o caminho, e havia pessoas sentadas aqui e acolá, em pares, grupos de três ou o ocasional cavalheiro solitário — mas mulheres nunca ficavam sozinhas em público, ele percebera isso —, observando as carruagens que passavam.

O Djim deixou a trilha e caminhou pela grama por alguns minutos, sentindo a terra ceder e pressionar de volta. Ele ficou na ponta dos calcanhares e se balançou, sem nem se dar conta do sorriso que surgiu em seus lábios. Por um momento, pensou em abandonar a trilha de vez e caminhar por toda a extensão do gramado, talvez descalço; mas então percebeu uma pequena placa enterrada no chão que dizia: POR FAVOR, MANTENHA-SE NA TRILHA. E, realmente, alguns passantes o olhavam com ar de reprovação. Ele achou a regra absurda, mas preferia passar despercebido. Então voltou para a estradinha, prometendo a si mesmo retornar à noite, na esperança de realizar seu desejo.

A estrada das carruagens tinha uma bifurcação à direita, e o Djim acompanhou a curva até uma simpática ponte de madeira. Através de um pequeno bosque de árvores altas, avistou uma trilha longa e estreita de um branco-acinzentado brilhante. Ele saiu do caminho para investigar, e a trilha branco-acinzentada revelou-se uma ampla esplanada pavimentada de lajes, cercada por árvores altas e arqueadas. Havia mais gente ali que na estradinha das carruagens, mas o local era tão amplo e esplêndido que ele mal prestou atenção na multidão. Crianças corriam, o aro de brinquedo de um menino saiu rolando e caiu na frente do Djim. Surpreso, ele pegou o aro do chão e o devolveu ao menino, que saiu correndo para alcançar seus amigos. O Djim prosseguiu, pensando em qual seria a função do aro.

No fim, a esplanada declinava para um túnel, que passava sob a estrada das carruagens. Do outro lado do túnel, uma ampla praça de tijolos vermelhos acompanhava a curva de um lago. No meio da praça, ele viu o que inicialmente tomou por uma enorme mulher alada, flutuando sobre uma cascata borbulhante. Não, não era uma mulher — tratava-se de uma escultura de mulher empoleirada no alto de um pedestal. A água fluía para uma bacia larga e rasa aos pés da figura feminina, depois para um tanque que tinha quase a mesma extensão da praça.

O Djim foi até a beirada do tanque e ficou olhando a fonte, fascinado. Ele nunca imaginara ver a água esculpida daquela maneira, em camadas e fluxos que mudavam constantemente. Não era apavorante como a gigantesca extensão do porto de Nova York, mas ainda assim teve uma sensação não muito agradável. Respingos de água atingiram seu rosto como leves agulhadas.

A mulher pairava serena sobre ele. Em uma das mãos, ela levava um delicado buquê de flores; a outra estava esticada, como se quisesse alcançar algo que ele ignorava. Suas asas estavam abertas, extensas e curvadas. Uma mulher humana com o poder sobre-humano de voar — mas, a julgar como verdadeiro o que Arbeely dizia, não deveriam eles ter medo de uma mulher assim? O artista, no entanto, a esculpira com reverência, e não medo.

Ele sentiu um movimento próximo: uma jovem, que estava de pé ali perto, olhava para ele. O Djim a encarou, e ela rapidamente virou o rosto, fingindo também estar analisando a fonte. Ela usava um vestido azul-escuro bem justo na cintura e um chapéu grande de aba curvada, enfeitado com uma pena de pavão. Seus cabelos castanhos estavam reunidos em anéis na nuca. O Djim já havia observado as roupas humanas o bastante para saber que tudo nela traduzia riqueza. Estranhamente, ela parecia estar sozinha.

A jovem devolveu o olhar do Djim como se não pudesse evitar, e seus olhos se encontraram. Os dela fugiram de novo. Mas ela então sorriu, como admitindo a derrota, e se virou para ele.

"Perdão", ela disse. "Você parecia tão fascinado pela fonte. Mas foi rude de minha parte ficar olhando."

"Nem um pouco", ele retrucou. "Estou realmente fascinado. Nunca tinha visto nada assim. Você pode me dizer quem é a mulher alada?"

"É chamada de Anjo das Águas. Ela abençoa a água, e todos que a bebem ficam curados."

"Curados? De quê?"

Ela deu de ombros, um gesto que a fez parecer mais jovem do que ele havia imaginado. "Do que quer que os aflija, acho."

"E o que", perguntou o Djim, "é um anjo?"

Ao ouvir a pergunta, ela parou. Olhou novamente para ele, como se o estivesse reavaliando. Ela provavelmente já havia percebido o talhe inferior de suas roupas, o seu inglês com sotaque — mas essa pergunta parecia ter implicado uma estranheza que não era evidente em sua aparência.

Então disse: "Bem, senhor, um anjo é um mensageiro de Deus. Um ser celestial, superior ao homem, mas ainda assim um servo".

"Entendo." Na verdade, as palavras dela não faziam muito sentido, mas ele achou que pressioná-la mais seria um erro. Teria de perguntar a Arbeely. "E é assim que são os anjos?"

"Acho que sim", ela respondeu. "Ou talvez essa seja uma maneira de retratá-los. Tudo depende daquilo em que você acredita."

Ambos ficaram, não exatamente juntos, olhando para a fonte.

"Nunca vi nada como ela", disse o Djim. Ele achava que precisava falar de novo, ou a jovem se afastaria dele.

"Você deve vir de realmente *muito* longe, se sua pátria não tem anjos", ela disse.

Ele sorriu. "Ah, mas há anjos na minha terra. Eu só não sabia o que a palavra queria dizer."

"Mas seus anjos não são como ela?", fez um gesto na direção da mulher que pairava sobre eles.

"Não, não são como ela. Na minha terra, os anjos são feitos de um fogo eterno. Eles podem assumir qualquer forma que desejarem, surgindo aos olhos dos homens naquela forma, como o redemoinho é visto pela poeira que carrega."

Ela escutava, os olhos pousados nele. Ele prosseguiu. "Os anjos da minha terra não são servidores de ninguém, nem acima nem abaixo deles. Eles vagam por onde quiserem, levados apenas por seus caprichos. Quando encontram outro anjo, às vezes reagem com violência, ou então com paixão, e quando encontram humanos", — ele sorri para dentro dos olhos dela — "os resultados são semelhantes."

A jovem imediatamente desviou o olhar. Por alguns instantes, era possível ouvir apenas os sons da água e das conversas alheias. "Sua terra", ela disse por fim, "parece um lugar selvagem."

"Às vezes, é."

"E na sua terra é considerado respeitável falar dessa maneira com uma mulher em um local público?"

"Acho que não", ele respondeu.

"Ou talvez as mulheres da sua terra sejam diferentes, já que age de maneira tão livre com elas."

"Não, elas não são assim tão diferentes", ele disse, achando graça. "Apesar de, até agora, eu afirmar que elas ultrapassam as mulheres daqui tanto em beleza como em altivez. Agora, vejo minhas convicções abaladas."

A jovem arregalou os olhos. Respirou fundo para responder — e ele ternamente queria ouvir qualquer coisa dela —, mas ela de repente olhou para a esquerda e se afastou dele. Uma mulher idosa em um vestido preto engomado e usando um chapéu com véu se aproximava. A jovem, com esforço, retomou a imparcialidade de suas feições.

"Obrigada por aguardar, querida", disse a mulher. "Havia uma fila terrível. Você deve ter achado que eu a abandonei."

"Nem pensei nisso. Estava apreciando a fonte."

Por cima da cabeça da jovem, a mulher olhou disfarçadamente para o Djim e então sussurrou algo em seu ouvido.

"Claro que não", replicou a jovem de maneira quase inaudível. "Titia, você sabe que eu jamais faria isso. Ele apenas tentou me perguntar algo, mas eu não consegui entender. Acho que não fala inglês."

Ela lhe lançou um olhar breve, suplicante: *Por favor, não me entregue*. Achando graça, ele moveu minimamente a cabeça, o fantasma de um aceno.

"Impertinência", resmungou a velha, olhando para o Djim com os olhos apertados. Depois ela falou mais alto, achando que ele não entenderia, apesar de seu tom de voz ser claro o bastante. "Perdão, Sophia, eu nunca deveria tê-la deixado sozinha."

"Sinceramente, titia, não há com o que se preocupar", disse a jovem com uma ponta de embaraço na voz.

"Prometa que não vai contar nada sobre isso aos seus pais, ou eu ouvirei reclamações para sempre."

"Prometo."

"Ótimo. Agora vou levá-la para casa. Sua mãe vai enlouquecer se você não estiver pronta a tempo."

"Não suporto essas festas, elas são tão cansativas."

"Não diga isso, minha querida, a estação mal começou."

A idosa tomou a jovem pelo braço — Sophia... era como ela a havia chamado. Sophia olhou para o Djim. Estava claro que ela queria dizer alguma coisa, mas não podia. Em vez disso, deixou que a idosa a conduzisse para longe da fonte, atravessando a vastidão das lajotas vermelhas. Elas subiram as escadas que levavam à estrada das carruagens e sumiram de vista.

Imediatamente ele saiu correndo pela esplanada, assustando as pessoas que estavam no caminho. Subiu as escadas, dois ou três degraus de cada vez. Quase no topo, ele parou. Sem se fazer notar, ficou observando enquanto as duas mulheres se acercavam de uma reluzente carruagem sem capota que esperava na estrada. Um homem de libré abriu a porta de trás para elas. "Madame. Senhorita Winston."

"Obrigada, Lucas", disse a jovem quando ele a ajudou a entrar na carruagem.

O homem subiu em seu assento elevado, estalou as rédeas e a carruagem avançou suavemente pela rua. O Djim ficou olhando a carruagem até que o veículo virou depois de um arvoredo e desapareceu.

Ele refletiu. O dia já estava avançado, e esfriava. O céu estava nublado de maneira quase ameaçadora. Era hora de tomar a direção sul e refazer os seus passos. Sem dúvida, Arbeely estaria se perguntando onde ele estaria.

Mas a jovem o fascinara. Além disso, os desejos erráticos e sombrios surgidos durante a festa de casamento haviam retornado, e ele não estava acostumado a negar seus próprios impulsos. Arbeely, ele decidiu, poderia esperar mais um pouco.

Ele não tinha muita coisa, apenas o nome dela, mas enfim foi absurdamente fácil descobrir onde Sophia Winston vivia. Conseguiu a informação seguindo na direção leste até o fim do parque, ao longo da rua em que a carruagem entrara, e então, assim que ele atravessou o portão e se viu de novo nas ruas da cidade, perguntou ao primeiro homem que passou.

"Winston? Você quer dizer Francis Winston? Você deve estar brincando." O homem que abordara era grande, bochechudo e estava vestido como um trabalhador braçal. "Ele vive naquela nova mansão na Sixty-second. Uma grande pilha de tijolos brancos, tão grande quanto o Teatro Astor. Não tem como não ver." Ele apontou para o norte com um dedo gorducho.

"Obrigado." O Djim partiu apressado.

"Ei!", gritou o homem. "Mas o que você quer com os Winston?"

"Vou seduzir a filha deles", respondeu o Djim, e a gargalhada do homem o seguiu pela Fifth Avenue.

Ele encontrou a residência dos Winston com facilidade, como afirmara o homem. Era um enorme palácio de pedra, com três andares, encimado por empenas escuras que formavam pontas elevadas. A casa era recuada em relação à rua, tendo à frente um gramado perfeitamente aparado e uma grade de ferro que terminava em lanças, correndo ao longo de toda a calçada. A grade ainda não havia adquirido a pátina de fuligem vista nas casas vizinhas e ostentava esse frescor com uma silenciosa autossatisfação.

Na frente da casa havia um pórtico iluminado. O Djim passou por ele e virou a esquina, ladeando a cerca de ferro. Luzes resplandeciam nas janelas altas por trás da cerca. Ele podia ver figuras que se moviam lá dentro, silhuetas atrás das cortinas. Na parte posterior da casa, uma espessa cerca-viva se estendia até a calçada, e a cerca de ferro se transformava em um imponente muro de tijolos, protegendo o terreno que ficava atrás da mansão dos olhares de quem passava.

O Djim examinou a cerca. As barras eram sólidas, mas não muito grossas. Mediu a distância entre elas. Duas, ele resolveu, seriam suficientes. Então, segurou uma em cada mão e se concentrou.

—▶ • ◀—

Sophia Winston estava triste em seu quarto, ainda de robe, o cabelo molhado do banho. Os convidados chegariam em menos de uma hora. Como sua tia havia previsto, a mãe de Sophia estava extremamente agitada, adejando por toda a casa como um periquito solto, dando ordens a todos os empregados que estivessem ao alcance de sua voz. Seu pai recolhera-se à biblioteca, sua toca costumeira. Sophia desejava juntar-se a ele, ou então colocar seu irmão George na cama. Mas a governanta de George não gostava da "interferência" de Sophia e dizia que isso minava sua autoridade. E se a mãe de Sophia a encontrasse se distraindo com diários de viagem na biblioteca, haveria um bate-boca.

Sophia tinha dezoito anos e se sentia só. Como filha de uma das famílias mais ricas e proeminentes de Nova York — a bem da verdade, do país —, lhe foi esclarecido, de maneiras tanto sutis como diretas, que ela devia se contentar em apenas existir, contando o tempo e prestando atenção às suas maneiras até conseguir um casamento adequado e prosseguir com a linhagem familiar. Seu futuro se descortinava como uma horrenda tapeçaria, com um padrão fixo e imutável. Haveria um casamento, depois uma casa perto dali com um quarto para os filhos, que eram, claro, obrigatórios. Ela passaria intermináveis verões no campo, viajando de uma propriedade para outra, jogando infindáveis partidas de tênis, irritando-se por causa da tensão de ser sempre uma convidada na casa de alguém. Então viria a meia-idade, quando se esperava que ela defendesse uma causa. Temperança, Pobreza ou Educação — não importava o quê, desde que fosse virtuosa e sem controvérsias, oferecendo oportunidades para almoços com palestrantes deselegantes em roupas sóbrias. Depois a velhice e a decrepitude, a lenta transformação em uma pilha de tafetá preto numa cadeira de rodas, sendo exibida rapidamente nas festas antes de ser levada para longe da vista de todos; ela passaria seus últimos dias sentada junto à lareira, confusa, tentando descobrir para onde fora a sua vida.

Ela sabia que não lutaria contra esse destino. Não tinha estômago para uma prolongada briga familiar, nem coragem para trilhar seu próprio caminho no mundo. Então, para escapar, voltava-se para fantasias de rebelião e aventura, alimentadas pelos volumes que encontrava na biblioteca de seu pai, jornais que acendiam sua imaginação com histórias sobre países exóticos e civilizações antigas. Ela sonhava em cavalgar com uma tribo mongol ou descer o Amazonas de barco até o coração da selva; ou em passear, vestida com uma túnica de linho e calças compridas, pelas coloridas ruas do mercado de Bombaim. As privações inevitáveis em tais viagens, como a falta de camas adequadas ou de água corrente, não importavam, pois nesses sonhos elas eram convenientemente esquecidas.

Recentemente, ela lera rapidamente uma reportagem sobre o falecido Heinrich Schliemann[3] e a descoberta da cidade perdida de Troia. Todos os colegas de Schliemann insistiam em afirmar que a cidade era apenas um mito homérico, que Schliemann corria atrás de uma fantasia. Mas Schliemann acabou por triunfar. A reportagem trazia a foto de uma bela mulher de olhos escuros, vestida como uma rainha guerreira, com as joias antigas encontradas no local. Ela era a esposa grega de Schliemann, que o ajudara nas escavações; e quando Sophia leu que o nome daquela mulher também era Sophia, ela sentiu uma dor lancinante, como se seu melhor destino a houvesse deixado para trás. Se apenas fosse Sophia Winston vestida com joias antigas, Sophia Winston nas escavações ao lado de seu intrépido marido, olhando para o rosto douto de Agamenon!

Era capaz de se perder nessas fantasias por horas. Deixara-se levar por uma delas naquela mesma tarde, durante a caminhada no parque, para se distrair da fofoca ácida de sua tia e do seu pavor da festa iminente. Naquele momento, o estranho da fonte lhe parecera uma materialização de suas fantasias: um estrangeiro alto e atraente, que lhe dirigiu a palavra em um inglês perfeito. Agora, à luz familiar de seu quarto, ela tentava se lembrar da conversa que tiveram. Ele a fizera sentir-se atrapalhada e muito jovem, muito distante de sua habitual intensidade.

Reconciliando-se com a noite que tinha pela frente, mirou-se no espelho e começou a escovar os cabelos. Sua aia deixara seu vestido pronto, um modelo novo de seda, na cor vinho. Tinha de admitir que estava ansiosa para vesti-lo; a nova moda da estação era bastante lisonjeira com seu corpo.

Com o canto do olho, ela percebeu alguma coisa se movendo. Virou-se assustada. Havia um homem na varanda de seu quarto, atrás da porta-balcão, espiando pelo vidro.

Ela deu um pulo e quase gritou, puxando seu robe até o pescoço. O homem ergueu as mãos e olhou para ela de maneira amigável, pedindo claramente que ela não fizesse alarde. A jovem olhou atentamente para o vidro, através de seu pálido reflexo, e percebeu: era ele, o homem do parque.

---

3   Empresário e arqueólogo alemão (1822-1890) que defendia
a ideia de que a obra de Homero refletia eventos históricos. [NT]

Sophia arregalou os olhos. Como ele havia entrado na propriedade? Seu quarto ficava no segundo andar — teria ele escalado o muro, subindo então pelas varandas? Ela hesitou por um instante, então apanhou a lamparina e caminhou em direção à porta-balcão para vê-lo melhor. Ele ficou observando enquanto ela se aproximava. Através das distorções do vidro, ele parecia estranhamente imóvel. Refletindo, ela parou a alguns passos da porta. Ainda dava tempo de gritar.

O homem sorriu e estendeu a mão. Um convite — para conversar?

O coração aos pulos, ela apanhou um xale e foi para a sacada. O ar da noite era frio e cheirava a chuva. Ela não fechou a porta atrás de si, mas envolveu-se firmemente no xale. "O que você está fazendo aqui?"

"Eu vim pedir desculpas", ele respondeu.

"*Desculpas?*"

"Temo tê-la ofendido mais cedo."

"Você invadiu nossa propriedade e está violando minha privacidade para pedir desculpas?"

"Sim."

"Eu poderia gritar. Eu poderia fazer com que você fosse preso."

Com seu silêncio, ele admitiu que ela estava certa. Eles se olharam nos olhos, a poucos passos um do outro.

Finalmente, ela cedeu. "Está bem. Acho que, se você se arrisca tanto para pedir desculpas, é mais do que justo que eu ofereça o perdão. Então aí está: você está perdoado. Pode ir embora agora."

Ele fez um aceno com a cabeça, inclinou-se para ela, e então, com o movimento mais gracioso que Sophia jamais vira, colocou uma mão sobre a balaustrada e subiu nela num salto. O homem olhou para a varanda mais próxima, e ela percebeu que ele estava se preparando para pular.

"Espere!", ela gritou.

Ele congelou, vacilando um pouco, e esticou uma das mãos para se equilibrar; e ela tremeu ao pensar que poderia tê-lo matado.

"Desculpe", ela disse, "mas... eu apenas queria saber... qual é o seu nome?"

Por um instante, parecia que ele estava refletindo sobre a pergunta, mas então disse: "Ahmad".

"Ahmad", ela repetiu. "De onde você é?"

"Você chamaria de Síria."

"*Eu* chamaria de Síria? E como *você* chama?"

"Lar", ele respondeu.

Despreocupado, ele estava de pé sobre a balaustrada, sem parecer notar o vazio da altura de dois andares atrás dele. Mais uma vez ela sentiu aquela sensação assustadora de irrealidade, como se ele tivesse saído de um conto. Como se nada daquilo estivesse acontecendo de verdade.

"Ahmad, você pode me dizer uma coisa? E, por favor, desça daí antes que você caia."

Ele sorriu e pulou de volta para a sacada. "O que devo lhe dizer?"

"Conte-me como é lá de onde você veio. Onde você vivia?"

Sophia esperava que o homem dissesse o nome de uma cidade, mas em vez disso ele respondeu: "No deserto".

"No deserto! Não é perigoso?"

"Apenas para quem não toma cuidado. O deserto é selvagem, não intransponível."

"Eu vi fotos", ela disse, "nos jornais do meu pai. Mas tenho certeza de que elas não fazem justiça ao deserto."

Ambos se sobressaltaram ao ouvir um barulho. Alguém batia à porta do quarto. O homem se agachou, como se estivesse prestes a pular novamente sobre a balaustrada.

"Espere", ela sussurrou.

Sem fazer barulho, ela voltou para o quarto. Deitou na cama, desarrumando os lençóis, de modo que parecesse que ela estivera dormindo. "Um momento", ela respondeu, colocando então a cabeça para baixo e sacudindo-a vigorosamente, despenteando os cabelos e esperando que suas faces ficassem avermelhadas. Então levantou da cama, assumiu um ar de lânguido mal-estar e abriu a porta.

Uma camareira estava parada ali, uma pilha de toalhas nos braços. Ela olhou para Sophia ainda de robe e xale, e arregalou os olhos alarmada. "Senhorita Sophia, sua mãe disse que os convidados chegarão em meia hora."

"Maria, temo não estar me sentindo muito bem", disse Sophia. "Estou com uma dor de cabeça terrível. Você poderia, por favor, dizer a minha mãe que eu preciso repousar um pouco primeiro, mas depois prometo que desço para a festa?"

"O quê?", alguém gritou. As duas mulheres recuaram quando Julia Hamilton Winston, uma das mais temíveis decanas da sociedade nova-iorquina, apareceu de supetão no corredor, com um vestido azul ondulante e os cabelos ainda em papelotes.

"Mãe", Sophia rogou enquanto a mulher avançava, "eu realmente não estou me sentindo bem. Desculpe."

"Tolice. Você estava muito bem no jantar."

"Apareceu de repente, minha cabeça está latejando."

"Então tome um analgésico", retrucou sua mãe. "Eu certamente já sofri um bocado durante festas, com dores de cabeça, enjoos matinais e diversas doenças. Você é fraca demais, Sophia. E ansiosa demais para esquivar-se de suas responsabilidades."

"Por favor", ela disse. "Ao menos meia hora, é tudo o que peço. Se puder dormir um pouco, eu me sentirei melhor. E temo que, se ficar muito tempo em pé, acabarei com enjoos."

"Hmm." A mãe colocou uma mão sobre a testa de Sophia. "Bem, você parece um pouco febril." Ela retirou a mão e suspirou, seu rosto ainda transparecendo desconfiança. "Somente meia hora. Entendeu? E depois vou mandar Maria arrancar você da cama."

"Sim, mãe. Obrigada."

Ela fechou a porta e ficou ouvindo os passos das duas mulheres se afastando pelo corredor, depois voltou para a sacada. Ele estava onde ela o havia deixado, e sua expressão era de quem estava achando graça.

"Muito hábil", ele disse. "Você faz isso com frequência?"

No escuro, ela corou. "Minha mãe e eu não costumamos estar de acordo", ela disse. "Somos pessoas muito diferentes. Queremos coisas diferentes da vida."

"E o que você quer da vida?", ele perguntou.

Sophia não se moveu, mas olhou-o nos olhos. Ela não coraria de novo, prometeu a si mesma, nem desviaria o olhar. "Por que você veio até aqui? Diga a verdade. Nada dessa bobagem de pedir desculpas."

"Porque você me intriga e porque você é linda", ele respondeu.

Desta vez ela corou. E se virou, afastando-se um pouco dele. "Você é mais franco que a maioria dos homens."

"E isso a desagrada?"

"Não. Mas eu não estou acostumada." Ela suspirou. "Para dizer a verdade, estou realmente muito enjoada de homens que não são francos. E, nesta noite, a casa estará cheia deles." Ela o fitou novamente. "Seu lar no deserto. Você pode me contar mais sobre ele?"

"Pode-se viajar pelo deserto por dias, meses, anos, sem nunca encontrar vivalma", ele disse, calmamente. "Ou, se preferir, você pode buscar a companhia dos povos do deserto, ou tentar traçar os caminhos dessas criaturas que não desejam ser vistas, como os djins... mas isso", ele disse com um sorriso misterioso, "é muito mais difícil. Se um dia você ganhasse o poder de voar, seria possível viajar com os passarinhos, os falcões e os gaviões. Como eles, você dormiria enquanto voa." Ele fez uma pausa. "Agora eu vou perguntar uma coisa a *você*. Por que a sua casa estará cheia de homens que não são francos?"

Ela suspirou. "Porque estou chegando à idade de casar. E porque meu pai é muito, muito rico. Todos estarão em busca de um casamento vantajoso. Eles vão elogiar minha boa aparência e minhas opiniões. Indagarão meus amigos sobre meus gostos e, então, vão fingir que têm os mesmos gostos. Estou prestes a me tornar a presa em uma caçada, e nem sou *eu* que eles realmente querem. Sou só um meio para alcançar um fim."

"Você tem tanta certeza disso? Se um homem lhe diz que você é linda, você duvida da sinceridade dele?"

Ela hesitou, depois respirou fundo e disse: "Acho que dependeria do homem".

Eles estavam cada vez mais próximos um do outro. Os ciprestes que beiravam o jardim eram altos o bastante para impedir a visão dos arredores; se ela não se mexesse e mantivesse a cabeça em um determinado ângulo, era como se eles não estivessem em Nova York, mas num jardim na costa do Mediterrâneo. Os débeis ruídos da rua atrás deles representavam o som das ondas batendo em uma praia distante. O homem que a acompanhava era um completo estranho. Ele poderia ser qualquer um.

Sophia era capaz de sentir os segundos que lhe cabiam se esvaindo. Ele esperava, paciente e cuidadoso, observando-a. Ela tremeu.

"Você está com frio?", ele perguntou.

"Você não?"

"Eu raramente tenho frio." Ele olhou para o quarto do outro lado da porta-balcão, mas não perguntou se ela não estaria mais confortável lá dentro. Em vez disso, apenas aproximou-se mais dela e lentamente — tão lentamente que ela teria tido tempo suficiente para protestar, para se afastar, se não desejasse aquela proximidade — colocou a mão em sua cintura.

O toque despertou um ardor que surgiu de suas entranhas e começou a se espalhar pelo corpo. Era possível sentir o calor da mão dele através das camadas do robe e do xale. Seus olhos fecharam. Ela acabou por chegar mais perto, elevando seu rosto em direção ao dele.

Mais tarde, Sophia se daria conta de que ele não fizera qualquer comentário sobre a reação dela, nem perguntara se ela realmente queria aquilo, tampouco pronunciara uma daquelas declarações convenientes que um homem faria para se eximir de qualquer responsabilidade. Por um instante, pareceu que ele estava prestes a levantá-la para conduzi-la até a cama, mas ela balançou a cabeça em negativa, não querendo deixar a noite e o jardim sombreado, com medo de perder a coragem em um lugar que lhe parecesse familiar demais. Então aconteceu em um canto escuro da sacada, com uma fria parede de granito às suas costas. Ela envolveu a ambos em seu xale, puxando-o para si. As mãos dele pareciam estar em todos os lugares ao mesmo tempo, seus lábios quentes em sua pele, uma chuva de beijos em seu pescoço, em seu colo. À medida que sua excitação aumentava, também crescia o pavor de perder aquele momento, de retornar à sua vida normal e ter de enfrentar as consequências; de modo que, quando finalmente as estrelas pareceram explodir por trás de suas pálpebras fechadas e o seu corpo inteiro se transformou em fogo, num misto de alegria e tristeza feroz, ela escondeu seu rosto no ombro dele e abafou um grito.

Ela demorou alguns instantes para conseguir se firmar novamente sobre seus pés. Sentia dedos suaves em seus cabelos, os lábios dele repousando em sua testa. Era impossível erguer os olhos em direção a ele. Seus olhos estavam cheios d'água. Se ela não se movesse, se ficasse perfeitamente imóvel, seria capaz de impedir que o tempo corresse...

Novamente, uma batida na porta do quarto.

"Tenho de ir", ela disse. E saiu correndo.

No dia seguinte, as colunas de fofocas dos jornais locais proclamavam o magnífico triunfo da festa dos Winston. E, realmente, aquela fora uma dessas raras noites em que, por uma combinação fortuita de convidados, vinho e conversas, é possível testemunhar uma animação verdadeira, dando a impressão de que nenhuma outra casa na cidade poderia estar tão repleta de alegria vivaz e boas sensações. Mas a verdadeira surpresa da noite foi a impressionante mudança da filha da casa. Até então, a opinião geral sobre Sophia Winston era a de que ela era bastante adorável, mas que ela não se *esforçava*. Seu ar sonhador e desembaraçado, além da ausência de um círculo íntimo de amizades, constituíam indícios de arrogância. Entre as moças de sua idade, era possível encontrar muitas que possuíam fortuna, mas que, por questões de herança ou em virtude do ramo de negócios, não tinham tanta certeza de seu futuro como Sophia. Elas, então, se ressentiam do que consideravam um desinteresse ostentatório no jogo do cálculo romântico do qual eram obrigadas a participar.

Mas naquela noite, à vista dos mais elegantes da cidade, Sophia Winston surgiu transformada. Chegara atrasada, descendo a grande escadaria diante de centenas de convidados. Havia uma cor intensa em suas faces, que complementava maravilhosamente seu vestido justo cor de vinho. E, ainda que seu ar de indiferença não tivesse desaparecido de todo, este se transformara em um alheamento que lhe caía muito bem, como se ela estivesse esperando por alguém que apareceria a qualquer momento. Vários homens ali presentes a notaram de verdade pela primeira vez, e eles começaram a pensar que não seria assim tão desagradável casar por dinheiro. A mãe de Sophia percebeu a nova deferência nos olhos dos rapazes e ficou extremamente satisfeita.

Quanto à própria Sophia, ela passou a noite em um torpor que mesclava excitação, culpa e crescente incredulidade naquilo que ela permitira acontecer. Seria como um sonho, não fosse pela lembrança insistente de seu corpo. Pensar sobre aquilo a deixava atordoada e em pânico, e ela jogou essa lembrança para o canto mais distante de sua mente; mas, no meio de uma conversa, as recordações voltavam correndo, fazendo-a corar, gaguejar e, por fim, abordar o jovem mais próximo perguntando se ele não poderia buscar gelo para ela.

No fim da noite, ela estava exausta. Permaneceu fielmente ao lado de seus pais até que os últimos convidados desaparecessem na noite, e só então voltou para o quarto. Ela não esperava que ele ainda estivesse lá, mas foi tomada mais uma vez pelo nervosismo quando entrou.

A sacada estava escura e vazia. A chuva que ameaçara o dia inteiro finalmente caía em um tamborilar insistente no jardim.

Alguma coisa emitia um brilho na balaustrada. Sobre o granito polido, estava um pombo em miniatura, adormecido em sua gaiola de filigrana dourada.

A chuva transformava a cidade. Ela lavava a sujeira das calçadas e refletia os lampiões de rua em poças de água clara. Tamborilava nos toldos abertos e caía em cascatas de calhas e beirais nas ruas quase vazias. Já passava muito da meia-noite, e até mesmo aqueles que não tinham para onde ir buscaram abrigo em inferninhos sórdidos ou em cantos escuros nos saguões dos cortiços.

O Djim corria sozinho pelas ruas de Nova York.

Ela não precisava se arriscar. A qualquer momento, poderia simplesmente se abrigar em um portal para esperar o fim da tormenta. Mas ele queria, mais do que qualquer coisa, continuar correndo. Decidiu correr até alcançar a Washington Street, ou até ficar sem forças, o que viesse primeiro.

Depois que Sophia o deixara, ele passou algum tempo de pé na sacada, olhando para o jardim embaixo e sentindo uma paz tênue o suficiente para que ele não se desse ao trabalho de examiná-la com atenção. Rumores da festa chegavam até ele, vindos do salão. Em qualquer outra noite, ele se sentiria tentado a investigar a opulenta mansão enquanto seus moradores estavam ocupados em outros aposentos, mas ele tinha a sensação de já ter abusado demais da sorte. Num impulso, tirou do bolso a gaiola dourada, colocando-a sobre a balaustrada, onde Sophia certamente a encontraria. Por que não? Ele não tinha qualquer afeição especial pelo objeto, e era um presente respeitável, mesmo para a filha de um lar tão rico. Então, retomando o caminho pelo qual viera, alcançou a rua e rumou na direção sul. Ao chegar à estação de trem, descobriu que as operações já haviam encerrado. Ele teria de refazer seu caminho a pé.

Não importava. Ele estava de bom humor e não se cansaria com uma mera caminhada.

Então começou a chover. De início, a chuva pareceu-lhe levemente revigorante, completamente diferente da assustadora perspectiva de uma imersão total. Mas depois começou a chover mais forte, cada pingo atingindo-o como um pequeno golpe, e ele percebeu que subestimara a distância até a Washington Street. Ele começou a andar mais rápido, e então a correr; logo estava em disparada sob a chuva, no rosto uma expressão que poderia significar tanto prazer como dor. A água atingia sua pele nua com um leve chiado. Se os poucos infelizes indigentes e os policiais que ainda estavam na rua tivessem se dado ao trabalho de olhar, teriam visto um homem correndo rápida e silenciosamente com filetes de vapor atrás dele.

Ele corria cada vez mais rápido, em direção ao oeste e depois, novamente, ao sul. Então começou a sentir uma prostração que se insinuava lentamente, uma deliciosa indolência que sussurrava para ele, dizendo-lhe para apenas se deitar e deixar que a chuva o levasse sem dor. Mas ele lutou contra esse impulso e continuou a correr, pensando na oficina de Arbeely e na fornalha sempre quente.

Por fim, encontrou a Washington Street e passou correndo pelo mercado deserto da Fulton. A chuva não diminuía. Sua marcha regular se tornou um cambaleio, e em um dado momento ele quase caiu no chão, mas prosseguiu. Com as forças que lhe restavam, percorreu os quarteirões que faltavam para chegar até a oficina de Arbeely.

A festa do casamento de Sam e Lulu há muito havia terminado. Com os pratos recolhidos e o café dos Faddoul tendo retomado sua alegre ordem habitual, Arbeely voltou para a fornalha para trabalhar, a fim de se distrair de sua preocupação com o desaparecimento do Djim. Ele se sentia um tanto ridículo, aflito como uma mãe extremamente zelosa. À medida que a tarde se tornava noite, sua preocupação se transformou em irritação, depois em raiva, e então, quando a chuva começou, em pânico absoluto. O homem tentava se convencer de que, onde quer que o Djim estivesse, ele não seria tão tolo a ponto de ficar exposto à tempestade.

A porta da oficina abriu de supetão. O Djim tombou para dentro, caindo pela escadinha e aterrissando de cara no chão.

"Meu Deus!", Arbeely correu em direção ao Djim. Ele não se movia. Um vapor subia de suas roupas. Em pânico, Arbeely o agarrou pelos ombros e o virou.

Os olhos do Djim se abriram e ele sorriu debilmente para o patrão. "Olá, Arbeely", ele disse com uma voz rouca. "Tive uma noite maravilhosa."

GOLEM & GÊNIO
UMA FÁBULA ETERNA

VIII

om a chegada do mês de outubro, a temperatura agradável do verão acabara de vez. As folhas do Central Park mal tiveram chance de amarelar antes de cair, para então serem recolhidas pelos jardineiros e levadas embora. Um céu cinza encheu as calhas de uma garoa fria e ininterrupta.

A movimentada esquina da Allen com a Delancey Street, onde ficava a Padaria Radzin, era um mosaico de cinzas e marrons em movimento. Pedestres em xales e sobretudos passavam por cima de pilhas de lixo, de costas para o vento. Uma fumaça gordurosa se elevava de barris no fim da rua, onde trapeiros e garotos de recado aqueciam as mãos antes de retomar suas tarefas. Mas dentro da Radzin a atmosfera era completamente diferente. O vento frio cessava na porta, barrado pelo calor constante que emanava dos dois enormes fornos que ficavam nos fundos da padaria. Enquanto os clientes chegavam batendo os pés e tremendo, Moe Radzin trabalhava nos fornos em mangas de camisa e usando um avental, o suor escurecendo suas costas largas. No meio da padaria havia duas grandes mesas de madeira perpetuamente cobertas de farinha, onde Thea Radzin e suas auxiliares enrolavam, trançavam, amassavam e misturavam. A vitrine se estendia por quase toda a largura da padaria e estava lotada de pães de trigo e centeio, baguetes, doces folhados e bolinhos, além de tortas de mel e passas. As pessoas diziam que os pães da Radzin eram bons o bastante para o preço, mas que seus doces eram os melhores do bairro.

A padaria tinha um ritmo. Às cinco da manhã, Moe Radzin abria as portas e varria as cinzas dos fornos, colocava carvão novo e reacendia o fogo. Thea chegava às cinco e meia com os filhos do casal, Selma e o pequeno Abie, que tropeçavam, ainda quase adormecidos. Eles descobriam a massa que passara a noite fermentando, sovavam-na e começavam a moldar os primeiros pães do dia. Às seis chegavam as auxiliares: a jovem Anna Blumberg e Chava, a garota nova.

Anna Blumberg era fonte de alguma consternação para seus patrões. Filha de um alfaiate, deixara Cincinnati aos dezesseis anos, viajando sozinha para Nova York. Ela sonhava em entrar para o teatro iídiche e se tornar a nova Sara Adler,[1] mas a cidade acabou se tornando a verdadeira atração; depois de dois testes malsucedidos, ela deu de ombros, desistiu e procurou um emprego. Os Radzin a acolheram, e ela fez amizade com as outras duas auxiliares. Foi um grande baque para Anna quando as jovens deixaram o local, uma após a outra.

Mas, do ponto de vista de Moe Radzin, essas partidas eram uma espécie de bênção: apesar da falta de braços, ele não precisava mais aturar as constantes fofocas e os flertes das garotas. Então, quando o antigo rabi de Radzin foi procurá-lo na companhia de uma garota alta, de ar solene e simplório, que carregava uma bandeja de doces feitos por ela, Radzin não sabia se deveria levar aquela visita como bênção ou maldição.

Radzin não era um homem afeito ao benefício da dúvida. Seu olhar passou da garota para o rabi, e ele concluiu que a história de Meyer era, ao menos em parte, uma mentira. A garota realmente parecia estar passando por dificuldades financeiras — suas roupas eram ordinárias e mal-ajambradas, e ela não usava nenhuma joia ou bijuteria —, mas o caso do falecido marido, ele pensou, era mentira ou estava fora de questão. O mais provável era que ela fosse uma amante pobre do rabi. Mas isso tinha alguma importância? Os homens tinham suas

---

1   Sara Adler (1858-1953), nascida na Rússia, fez carreira como atriz do teatro iídiche nos Estados Unidos. [NT]

necessidades, até mesmo os homens santos. Além disso, se ele a contratasse, o rabi lhe deveria um favor. E seus doces eram deliciosos.

Logo ficou claro que a garota era um achado. Ela era uma trabalhadora dedicada e parecia nunca se cansar. A princípio, o patrão precisava lembrá-la de fazer uma pausa. "Não somos feitores de escravos, querida", disse-lhe Thea Radzin no primeiro dia, depois de a garota ter trabalhado durante seis horas sem interrupção. A jovem sorriu envergonhada e disse: "Desculpe. É que eu gosto tanto de trabalhar que não tenho vontade de parar".

A sra. Radzin, que normalmente logo encontrava defeitos nas funcionárias que seu marido contratava, gostou dela desde o início. Thea era uma mulher durona por fora, mas tinha um coração mole, e a história da jovem viúva a tocou fundo. Em uma noite, Moe Radzin cometera o erro de verbalizar suas suspeitas sobre a relação da garota com o rabi, e em resposta a esposa encheu-lhe os ouvidos com sua opinião sobre o cinismo, a desconfiança e, inclusive, sobre seu caráter. Depois desse dia, Radzin decidiu guardar suas teorias para si. Mas até ele tinha de admirar a energia inquebrantável da garota. Às vezes suas mãos pareciam se mover de maneira incrivelmente rápida, dando forma a pães e trançando rosquinhas com uma inquietante precisão, criando unidades admiravelmente iguais. Ele pretendia preencher a outra vaga, mas, alguns dias após a chegada da nova garota, a produção já estava normalizada. Uma funcionária a menos significava mais espaço na padaria, e eles economizavam quase sete dólares por semana de salário. Radzin concluiu que suas antigas auxiliares desperdiçavam ainda mais tempo do que ele imaginara.

Apenas Anna se recusava a ser conquistada. Ela ficara deprimida quando suas confidentes partiram, e agora essa nova garota parecia pensar que era boa o bastante para substituí-las. Claro que a história da garota era espantosamente trágica, mas até isso se apagava frente ao seu estranho silêncio e à diligência que ela ostentava. Anna a observava enquanto trabalhava e percebia que agora era ela quem não estava à altura.

Anna teria ficado feliz em saber que a Golem não era nem um pouco segura de si como aparentava. Passar-se por humana era uma tensão constante. Depois de algumas semanas, ela pensou naquele primeiro dia em que trabalhara seis horas sem parar e perguntou-se como pôde ter sido tão descuidada, tão ingênua. Era fácil demais se deixar levar pelo ritmo da padaria, com os sons das pancadas na massa e da sineta na porta. Deixava-se embalar muito facilmente. Então aprendera a cometer um erro de vez em quando e a dispor os doces nos tabuleiros mais descuidadamente.

E havia os fregueses, que tinham um ritmo próprio e suas complicações específicas. Todas as manhãs, às seis e meia, uma pequena multidão esperava que a padaria abrisse. Seus pensamentos alcançavam a Golem enquanto ela trabalhava: o desejo de estar na cama que eles mal haviam deixado ou a vontade de retornar aos braços de amantes adormecidos; o medo do dia que tinham pela frente, das ordens dos patrões e do trabalho exaustivo. E, implicitamente, a simples ambição de comer um pãozinho quente ou, mais tarde, um docinho. Na hora do almoço, apareciam os fregueses habituais em busca de *bialys*[2] ou de pão fatiado. Mulheres de lenço com bebês em carrinhos paravam em frente à vitrine, pensando no que comprariam para o jantar. Mensageiros entravam segurando moedinhas conseguidas a duras penas, partindo com bolinhos de amêndoas e fatias de bolo de mel. Homens e mulheres jovens flertavam furtivamente na fila, mencionando um baile que algum sindicato ou *landsmannschaft*[3] estava organizando: *Se você não estiver fazendo nada, pode dar uma passada lá; bem, estarei terrivelmente ocupada esta noite, Frankie, mas talvez eu vá.*

A Golem ouvia tudo, as palavras, necessidades, desejos e temores, simples e complexos, impossíveis ou fáceis de resolver. Os fregueses impacientes eram os piores, as mães aflitas que queriam apenas comprar um pão e sair correndo antes que seus filhos começassem a berrar por biscoitos. Às vezes a Golem até se afastava de sua mesa e fazia menção de ir em direção a essas mulheres, a fim de pegar o que elas queriam para que saíssem logo. Mas então ela conseguia se controlar, abrindo e fechando as mãos — assim como outras mulheres respiravam fundo —, dizendo a si mesma para ter mais cuidado.

Anna e a sra. Radzin se revezavam para atender os fregueses. A sra. Radzin, especialmente, era um modelo de eficiência no balcão, mantendo conversas rápidas com os clientes: *Olá, senhora Leib, então hoje é dia de chalá...*[4] *E sua mãe? Melhorou? Ah, pobrezinha! Você quer com*

2   Pãezinhos da cozinha asquenazi polonesa. [NT]
3   Sociedade beneficente organizada por imigrantes judeus nos EUA. [NT]
4   Pão tradicional, em formato de trança ou redondo,
      servido no Shabat ou no ano-novo judaico. [NE]

ou sem sementes de papoula? Ela apanhava os pedidos praticamente de olhos fechados e monitorava o balcão de vidro enquanto seu conteúdo diminuía, já antevendo o que teria de ser reposto à tarde. Trabalhando já há dez anos na padaria, ela tinha uma percepção praticamente exata do que seria popular ou venderia pouco em um determinado dia.

Anna, por sua vez, mal conseguia lembrar que produtos estavam à disposição, quanto mais o que estava prestes a acabar. Seus talentos se concentravam em outra área. A moça percebera que ficar atrás de um balcão era, de certa forma, tão prazeroso como estar em um palco. Ela sorria para todos, elogiava as mulheres, exprimia admiração pelos homens e brincava com as crianças. A Golem notava como o humor dos fregueses melhorava quando Anna estava no caixa e sentia uma ponta de inveja. Como ela fazia aquilo? Seria uma habilidade adquirida ou natural? Ela tentava se imaginar conversando e rindo com um grupo de estranhos totalmente à vontade. Parecia uma fantasia impossível, como o sonho de uma criança que desejava criar asas.

Thea Radzin determinara que, antes que a Golem pudesse atender no balcão, ela teria de aprender a preparar os pães, então nas primeiras semanas ela fora poupada de seu turno no caixa. Mas inevitavelmente chegou o dia em que a sra. Radzin teve de sair para um compromisso, e Anna precisou ir ao banheiro; então o sr. Radzin, que estava próximo aos fornos, virou-se e apontou o balcão com o queixo: *Vá.*

A Golem se aproximou cautelosamente do caixa. Em teoria, ela sabia o que fazer. Todos os preços estavam claramente afixados, e não havia dúvidas em relação à sua capacidade de lidar com as contas: ela descobrira que, com apenas uma mirada, era possível saber quantos biscoitos continham em um tabuleiro, bem como o valor de um punhado de moedas. O que a deixava apavorada era ter de falar com as pessoas. Imaginava-se cometendo algum erro terrível, imperdoável, e correndo para se esconder debaixo da cama do rabi.

A primeira da fila era uma mulher corpulenta, que usava um xale de tricô e examinava os pães. Havia umas dez pessoas atrás dela, todas com os olhos voltados para a Golem. Por um instante, ela titubeou, mas, com algum esforço, conseguiu desviar a atenção deles e se concentrar na mulher de xale. Imediatamente soube qual era o pedido, como se a mulher o houvesse enunciado em voz alta: *um pão de centeio e uma fatia de strudel.*

"O que a senhora deseja?", ela perguntou à mulher, sentindo-se um tanto ridícula, já que a resposta era óbvia.

"Um pão de centeio", respondeu a mulher.

A Golem hesitou, esperando pela segunda parte do pedido. Mas a mulher nada disse. "E quem sabe um strudel?", ela perguntou por fim.

A mulher riu. "Você me pegou olhando, não foi? Não, eu preciso cuidar da minha silhueta. Não sou mais tão magrinha quanto costumava ser."

Alguns outros fregueses também sorriam. Envergonhada, a Golem embrulhou o pedido. Pelo visto, ela não podia assumir nada — nem mesmo algo tão simples como um pedido na padaria.

Ela entregou à mulher o pão e o troco. "Você é nova aqui, não? Eu vi você trabalhando lá atrás. Qual é o seu nome?"

"Chava", disse a Golem.

"Completamente verde, hein? Não se preocupe, logo você será uma americana. Não seja duro demais com ela, Moe", disse a mulher ao sr. Radzin. "Não parece, mas ela é delicada. Eu percebo essas coisas."

Radzin bufou. "Delicada uma ova. Ela consegue trançar uma dúzia de *chalot*[5] em cinco minutos."

"Jura?", a mulher ergueu as sobrancelhas. "Então é melhor você cuidar bem dela, não?"

Ele bufou de novo, mas não respondeu.

A mulher sorriu amavelmente. "Cuide-se, Chavaleh." E partiu levando seu pão de centeio.

◆ • ◆

Carregando nas costas uma pesada bolsa, o rabi Meyer subia devagar a Hester Street até sua casa, ignorando as poças sujas que ameaçavam afogar seus sapatos. Era fim de tarde, e o frio e a umidade tinham um quê de inverno. Ele estava com uma tosse desde que o tempo mudara, e tinha um acesso sempre que subia as escadas. O mais preocupante era que ele começara a ter estranhos momentos de vertigem, quando lhe parecia que o chão sumira debaixo dele, fazendo-o descer em espiral pelo ar. Durava apenas alguns segundos, mas o deixava trêmulo

---

5   Forma plural de *chalá*. [NE]

e exausto. Suas forças o abandonavam exatamente quando ele mais precisava delas.

Seus aposentos estavam vazios e frios, a pia entupida de louça suja. Agora que a Golem se mudara para uma pensão, a poucas quadras dali, tudo havia retomado o descaso habitual. Acostumara-se muito rapidamente à presença de uma mulher. Agora se sentia estranhamente abandonado, indo se deitar todas as noites sem vê-la em seu solitário posto no sofá, observando os transeuntes pela janela.

E mais. Ele continuamente se perguntava se não cometera um terrível erro de julgamento. Ultimamente, passava noites em claro pensando no que poderia acontecer se, por causa de seu descuido, a Golem ferisse alguém ou fosse descoberta. Ele imaginava uma multidão descendo pelo Lower East Side, despejando famílias judias, saqueando sinagogas e puxando velhos pelas barbas. Seria um pogrom como aqueles que eles acreditavam ter deixado para trás.

Em tais ocasiões, afogado nesses terríveis pensamentos, ele se sentia tentado a ir até a pensão onde ela vivia para destruí-la.

Seria fácil: uma simples frase dita em voz alta. Poucos ainda tinham esse conhecimento, e ele o aprendera apenas por um simples acaso. Sua ieshiva[6] fora o lar de um antigo cabalista um tanto louco, mas impregnado de erudição. O velho mostrara predileção por Avram, então com dezesseis anos, e o adotou como um aluno secreto, mostrando-lhe mistérios aos quais os outros rabis às vezes aludiam, mas que não ousavam abordar. O jovem Avram ficara excitado demais por esse status especial para ponderar se esse conhecimento poderia ser um fardo em vez de um dom.

Em uma das últimas lições, o idoso deu a Avram um pouco de argila vermelha e o mandou fazer um golem. Avram modelou a massa como algo que se assemelhava a um homem, com quinze centímetros de altura, braços e pernas semelhantes a salsichas e uma cabeça arredondada com dois pontinhos representando os olhos, além de um corte à guisa de boca. O velho rabi entregara a Avram um pedaço de papel em que estava escrita uma frase curta. Avram pronunciou as palavras, o coração aos pulos. Imediatamente a coisinha se sentou, olhou ao redor, ficou de pé e começou a andar pela mesa. Seus membros se mexiam estranhamente, pois não possuíam juntas. Avram fizera uma

---

6   Instituição para o ensino do Talmude e da Torá. [NT]

perna maior que a outra, então o pequeno golem tinha um andar balouçante, como um marinheiro que acabara de chegar em terra firme. Ele ainda tinha um cheiro, não totalmente desagradável, de terra recém-mexida.

"Dê-lhe uma ordem", disse o velho rabi.

"Golem!", disse Avram, e a coisa imediatamente parou. "Dê três pulos", ordenou Avram. Assim fez o golem, saltando cerca de três centímetros. Avram sorriu animado. "Coloque a mão esquerda na cabeça", ele disse, e assim fez o golem, um soldadinho de brinquedo saudando seu comandante.

Avram procurou com os olhos algo que o golem pudesse fazer. Em um canto perto da mesa, uma aranha marrom preguiçosamente tecia uma teia entre duas garrafas. "Mate aquela aranha", ele disse, apontando.

O golem pulou da mesa, caindo no chão. Então ergueu-se e correu para o canto. Avram o seguiu, levando uma vela. A aranha, percebendo que o golem se aproximava, tentou escapar; mas, em uma fração de segundo, o golem estava em cima dela, derrubando as garrafas e esmagando a aranha com seu punho tosco. Avram observava sua criação atacar a aranha repetidas vezes, até que ela não passasse de uma marca escura no chão da ieshiva. E o golem continuava a golpear o inseto.

"Golem, pare", disse Avram em voz baixa. O golem olhou rapidamente para ele, mas então voltou a esmagar o que restava da aranha no chão. "*Pare*", ordenou com mais força, mas o golem nem olhou desta vez. Avram começou a sentir pânico.

Em silêncio, o rabi lhe entregou mais um pedaço de papel, que continha outra frase. Com gratidão, ele tomou o papel e leu a frase em voz alta.

O pequeno golem explodiu em pleno movimento. Uma pequena nuvem de poeira se espalhou sobre as garrafas e a aranha morta. Depois, um silêncio abençoado.

"Depois que um golem adquire o gosto pela destruição", disse o velho rabi, "nada pode detê-lo, a não ser as palavras capazes de destruí-lo. Nem todos os golens são brutos e estúpidos como este, mas basicamente todos compartilham da mesma natureza. Eles são uma ferramenta dos homens, e são perigosos. Uma vez que tenham acabado com seus inimigos, eles se voltarão contra seus mestres. São criaturas às quais só se deve recorrer em última instância. Lembre-se disso."

Depois disso, durante muito tempo ele pensou naquele golem tosco, assombrado pela imagem da criaturinha em um frenesi de violência. Para começar, teria sido um equívoco trazê-lo à vida? Quanto contava a vida de uma aranha aos olhos de Deus? Já havia esmagado muitas aranhas, então por que aquela morte parecia tão diferente? Expiara-se tanto pelo golem como pela aranha no Yom Kippur daquele ano, e por muitos anos depois. Aos poucos, suas descortesias cotidianas com familiares e colegas afastaram aquele incidente de suas preces, mas nunca conseguira tirá-lo totalmente do pensamento. Naquele aposento, ele dominara a vida e a morte, e mais tarde perguntou-se por que o Todo-Poderoso teria permitido que ele fizesse aquilo. Mas o objetivo da lição tornou-se claro no dia em que o rabi viu, caminhando em meio à multidão barulhenta da Orchard Street, uma mulher alta vestindo um casaco de lã e um vestido sujo, que deixava atrás de si o cheiro de terra recém-mexida.

Não importava o quanto se sentisse tentado, ele sabia que não conseguiria destruí-la. Ela era inocente, não poderia assumir a culpa de sua existência. O rabi ainda acreditava nisso, independente de quanto o seu medo tentasse convencê-lo do contrário. Esse era o verdadeiro motivo de ter escolhido para ela o nome Chava: de *chai*, que significa vida. Para lembrá-lo disso.

Não, ele não conseguiria destruí-la. Mas talvez houvesse outra saída.

Ele se sentou à mesa da sala, abriu a bolsa de couro e tirou uma pilha de livros e papéis. Os livros eram velhos, detonados pelo tempo, as lombadas caindo aos pedaços. Os papéis estavam cobertos de notas com a caligrafia do rabi, copiadas de livros que eram frágeis demais para serem tirados do lugar. Passara a manhã — a rotina já se repetia há semanas — indo de sinagoga em sinagoga, inventando desculpas para procurar velhos amigos, colegas rabis que ele não via há anos. Tomava chá, perguntava sobre suas famílias, ouvia histórias de saúde em decadência e escândalos da congregação. Depois, pedia um pequeno favor. Poderia ele passar alguns minutos na biblioteca particular do amigo? Não, ele não estava procurando um livro específico — apenas uma questão de interpretação, um assunto particularmente espinhoso que desejava resolver para um antigo congregado. Uma questão um pouco delicada.

Levantou algumas suspeitas, é claro. Como rabis, eles já haviam visto todo tipo de enigma que poderia surgir em uma congregação, e eram poucos os problemas que não podiam ser discutidos em segredo, na pior das hipóteses, como um caso hipotético. O pedido do rabi Meyer dava a ideia de algo diferente, perturbador.

Mas eles concordavam e deixavam seus escritórios para que seu amigo tivesse algum tempo sozinho; quando voltavam, ele já havia partido. Um bilhete dobrado, deixado em uma mesa ou cadeira, informava que ele se lembrara de um compromisso e pedia desculpas por sair tão de repente. Além disso, dizia que havia encontrado um livro interessante, que jogava alguma luz sobre o problema, e ele tivera a ousadia de tomá-lo emprestado. Devolveria-o, assegurava a nota, em algumas semanas. E quando os rabis examinavam as estantes para saber que livro faltava, invariavelmente — o que não os surpreendia —, descobriam que ele levara o exemplar mais perigoso que possuíam, aquele que eles sempre acharam que deveria ser destruído, mas que nunca tiveram coragem para fazê-lo. Normalmente o volume estava escondido, mas o rabi conseguia encontrá-lo mesmo assim.

Isso os deixava profundamente apreensivos. O que Meyer poderia querer com aquele tipo de conhecimento? Mas eles não diziam nada. Havia algum desespero nas evasões e quase roubos de Meyer, e eles começaram a sentir um alívio culpado de que ele não lhes tivesse confidenciado nada. Se o livro poderia ajudá-lo, então paciência. Eles só poderiam orar para que, independente do problema que Meyer estivesse enfrentando, este fosse resolvido o mais rapidamente possível.

O rabi colocou água para ferver, para fazer seu chá, e preparou uma ceia frugal: *chalá* e *schmaltz*, um pouco de arenque, alguns picles, um gole de *schnapps* para depois. Ele não estava com muita fome, mas precisava de forças. Comeu devagar, tentando clarear os pensamentos a fim de se preparar. Depois, largou os pratos na pia, abriu o primeiro livro e começou a trabalhar.

———— • ————

Às seis da tarde, Thea Radzin virou a placa que ficava na porta da padaria — de ABERTO para FECHADO. A massa para os pães da manhã seguinte foi colocada para fermentar, as mesas foram limpas, o chão foi varrido. Os produtos que sobraram foram colocados à parte para serem vendidos com desconto no dia seguinte. Finalmente, os Radzin, Anna e a Golem saíram pela porta dos fundos, cada um seguindo seu caminho.

A pensão da Golem era uma construção de madeira que, não se sabe como, escapara da demolição. Ficava incongruentemente localizada entre os modernos edifícios da Broome Street, uma velha senhora comprimida entre grandalhões. A Golem abriu a porta de entrada silenciosamente, atravessou o vestíbulo úmido e descolorido e subiu. Seu quarto ficava no segundo andar, de frente para a rua. Não era maior que a saleta do rabi, mas era só dela, o que a deixava animada, orgulhosa e solitária, tudo ao mesmo tempo. Havia uma cama estreita, uma mesinha, uma cadeira com assento de palha e um minúsculo armário. Preferia não ter uma cama, já que ela não precisava de uma, mas um quarto sem cama poderia suscitar questionamentos.

Pagava sete dólares por semana pelo quarto. Para qualquer outra garota que trabalhasse em troca do salário que ela ganhava, isso seria praticamente impossível. Mas a Golem não tinha outras despesas. Ela não comprava comida e nunca saía, exceto para ir à padaria e para visitar o rabi uma vez por semana. Seu único gasto adicional fora com o guarda-roupa. Ela agora tinha algumas mudas de roupa, além de um vestido simples de lã cinza. Comprara também uma muda completa de roupas de baixo e, quando o tempo esfriou, um capote de lã. Por causa dessas despesas — bem como pela tarefa de lavá-las, que cabia à sua senhoria —, a Golem, no fundo, se sentia culpada. Ela realmente não *precisava* daquilo. O capote, especialmente, fora comprado para os outros verem. Percebia o frio e a umidade de outubro, mas isso não a incomodava; era apenas uma sensação a mais. O capote arranhava seu pescoço e aprisionava seus braços. Ela se sentiria mais feliz em andar pelas ruas apenas de saia e blusa.

Os hóspedes da pensão recebiam, todas as manhãs, um pequeno desjejum, que era deixado na frente da porta: uma xícara de chá, duas fatias de torrada e um ovo cozido. O chá, ela despejava na pia do banheiro quando não havia ninguém por perto. As torradas e o ovo cozido eram embrulhados em um pedaço de papel oleado e entregues à primeira criança faminta que fosse encontrada no caminho até a padaria. Ela não precisava fazer aquilo; descobrira que, na verdade, podia comer. Em uma das últimas noites que passou na casa do rabi, a curiosidade e o tédio superaram seu persistente receio, e ela decidiu ingerir um pedacinho de pão. Sentou-se à mesa olhando para ele, tomando coragem, e então, cuidadosamente, colocou-o em sua boca. O pão ficou imóvel em sua língua, estranhamente pesado. Brotava umidade em torno dele. O sabor era semelhante ao cheiro, porém mais intenso. A Golem abriu e fechou a boca, então o pão ficou molhado e começou a se partir em pequenos pedaços. Parecia estar funcionando, mas como ela poderia ter certeza? Mastigou até não restar nada além de uma pasta, que mandou para o fundo da boca e se forçou a engolir. O pão deslizou garganta abaixo, sem encontrar resistência. Ela ficou horas à mesa, ligeiramente nervosa com a expectativa de que *algo* acontecesse. Mas — e ela se sentiu um pouco decepcionada — a noite passou sem qualquer incidente. Na tarde seguinte, porém, ela sentiu uma estranha cólica na parte inferior de seu abdome. Com receio de sair — os corredores estavam lotados de vizinhos, e o rabi saíra para um compromisso —, ela pegou uma bacia grande na cozinha, arregaçou a saia, puxou a roupa de baixo e expeliu no recipiente uma pequena quantidade de pão amassado, que parecia não ter sofrido alterações durante sua jornada. Quando a Golem, mais tarde, contou ao rabi o que acontecera, ele ficou um pouco vermelho e a cumprimentou por sua jornada, mas pediu para que ela não fizesse aquilo novamente.

A experiência de comer mostrou-se útil na padaria, pois ela aprendera a fazer ajustes com base no sabor, bem como a comer um doce ocasionalmente, quando os outros o faziam. Mas era difícil não sentir cada detalhe — o capote, as torradas e os doces rapidamente engolidos — como uma fonte de angústia, um lembrete constante de sua alteridade.

A tarde mal havia acabado. Ela ainda tinha a noite toda pela frente. Abriu o armário e retirou o vestido cinza. De debaixo da cama, ela pegou sua caixa de costura e uma tesoura. Sentando-se na cadeira, começou a desfazer as costuras do vestido. Dentro de alguns minutos, este se transformara em apenas uma pilha de pedaços de tecido. Os botões foram cuidadosamente colocados sobre a mesa, deixados para o fim. Inventara essa atividade logo depois de chegar à pensão, quando enfrentou uma noite tão tediosa que ela se dedicou a contar coisas só para passar o tempo. Contara as borlas de sua luminária (dezoito) e o número de tábuas no chão (247), e abrira o armário em busca de mais coisas para contar, quando deu de cara com o vestido. Tirou-o do guarda-roupa para examinar como era feito. Parecia bastante simples:

as tiras largas que se uniam nas costuras, os alinhavos que modelavam o busto. Seus olhos aguçados analisaram cada elemento, e então ela pôs mãos à obra, desfazendo e fazendo novamente.

Costurar era uma atividade agradável. Ela refazia o vestido aos poucos, tomando seu tempo, os pontos quase tão miúdos e uniformes como os de uma máquina de costura. Quando terminou, eram quase quatro da manhã. Ela ficou só de roupa de baixo e colocou o vestido, abotoando-o com dedos ágeis. Alisou a frente da roupa e mirou seu reflexo no espelho. Não era um vestido que a deixasse mais bonita — na verdade, ele sobrava nos ombros, como se feito para uma mulher maior —, mas custara pouco e a cobria de maneira adequada. Ela o tirou e colocou de volta no armário, vestindo uma saia e uma blusa limpas. Então apagou a luminária, deitou na cama e esperou que o dia começasse.

UMA FÁBULA ETERNA

Djim levou quase uma semana para se recuperar de sua corrida sob a chuva. Ele passou esse tempo trabalhando na oficina como se nada tivesse acontecido, mas estava mais pálido que de costume, movia-se devagar e ficava sempre próximo ao calor da fornalha. Afirmava que a aventura valera a provação. Arbeely, porém, estava furioso.

"Você poderia ter sido pego!", gritou o latoeiro. "Os empregados da garota poderiam tê-lo encontrado ou, pior ainda, a família dela! E se eles o prendessem lá e chamassem a polícia?"

"Eu teria escapado", disse o Djim.

"Sim, suponho que você não tenha problemas para se livrar de algemas, e até da prisão. Mas pense em mim, não em você. E se a polícia tivesse seguido você até aqui, até minha oficina? Eu também teria sido arrastado para a prisão. E eu não posso derreter barras de ferro, meu amigo."

O Djim fechou a cara. "E por que *você* seria preso?"

"Você não entende? A polícia prenderia todo mundo na Pequena Síria se os Winston pedissem." Ele cobriu o rosto com as mãos. "Meu Deus, Sophia Winston! Você vai atrair a ira de toda a cidade sobre nós." De repente lhe ocorreu um pensamento. "Você não pretende *voltar* lá, pretende?"

O Djim sorriu. "Talvez. Ainda não decidi." Arbeely apenas suspirou. Mas não havia como negar que o humor do Djim melhorara muito. Ele começou a trabalhar mais rápido e com mais entusiasmo. O encontro — e talvez o perigo — lhe haviam devolvido uma parte de si mesmo. Logo as prateleiras do quarto dos fundos estavam livres de jarros amassados e panelas queimadas. Com seu aprendiz tomando conta dos consertos, Arbeely ficava livre para assumir grandes encomendas de panelas novas. O tempo esfriara, as noites eram mais longas; e um dia, enquanto anotava as encomendas e os gastos de outubro, Arbeely percebeu, para sua grande surpresa, que não mais era pobre.

"Aqui", disse, entregando ao Djim algumas notas. "Isso é seu."

O Djim ficou olhando para aquele punhado de papéis. "Mas isso está além do nosso acordo."

"Pegue. Esse sucesso também se deve a você."

"O que eu devo fazer com isso?", perguntou o Djim, embaraçado.

"Já é mais do que tempo de você encontrar um lugar só seu. Nada com muita ostentação — sem palácios de vidro, por favor."

O Djim seguiu o conselho de Arbeely e alugou um quarto em um cortiço ali perto. Era maior do que o cômodo que ocupava na casa de Arbeely — mas não muito — e ficava no último andar, então ele poderia ao menos ver os telhados. Decorou o quarto com vários almofadões, que ficaram espalhados pelo chão. Nas paredes, pendurou diversos espelhos e candeeiros, de modo que, à noite, a luz das velas refletia por todas as paredes, fazendo o quarto parecer maior do que era. Mas ele não poderia enganar a si próprio; mesmo que seus olhos fossem iludidos, ele sentia a estreiteza do espaço como uma coceira na pele.

Ele começou a passar mais noites explorando as ruas. Quando estas lhe pareciam muito restritas, viajava pelos telhados, que eram como uma cidade, povoados por grupos de homens que se amontoavam ao redor de barris em que queimavam lixo, compartilhando cigarros e uísque. Ele evitava conversar, respondendo aos cumprimentos deles apenas com um aceno de cabeça; mas uma noite a curiosidade superou seu retraimento, e ele pediu para experimentar o cigarro de um operário irlandês. O homem deu de ombros e repassou o cigarro. O Djim o colocou na boca e puxou o ar. O cigarro se desmanchou em cinzas. Os homens em torno arregalaram os olhos, depois caíram na gargalhada. O irlandês preparou outro cigarro e pediu que o Djim mostrasse como fizera o truque; mas o Djim apenas deu de ombros e então inalou mais suavemente, e o novo cigarro queimou da mesma maneira que os dos outros homens. Todos concordaram que aquele primeiro cigarro devia estar com algum defeito.

Depois disso, raramente o Djim ficava sem tabaco e papel para cigarro. Ele apreciava o sabor do tabaco e o calor da fumaça em seu corpo. Mas, para a perplexidade de quem o parava na rua para pedir fogo, ele nunca levava fósforos.

Certa noite, voltou ao parque de Castle Garden, em cuja balaustrada ele ficara naquela primeira tarde com Arbeely, e descobriu o aquário. Era um lugar fora deste mundo, ao mesmo tempo fascinante e enervante. Depois de derreter o cadeado que trancava a porta da frente, permaneceu durante horas à frente dos enormes tanques de água, observando as formas longas e escuras que deslizavam lá dentro. Ele, que nunca vira peixes antes, andava de um tanque para outro, encantado pela variedade — este grande, cinza e com barbatanas lustrosas, aquele chato como uma moeda e com listras coloridas. Analisou as guelras ondulantes, imaginando para que serviriam. Ele colocou as mãos no vidro e sentiu o peso da água que estava por trás. Se aquecesse o vidro o suficiente para quebrá-lo, a água poderia matá-lo em um segundo; então o Djim estremeceu, experimentando a mesma sensação que um homem sente ao se ver à beira de um precipício com o pensamento de pular. Ele voltou noite após noite durante quase uma semana, até que o aquário contratou um vigia. Aparentemente, o estranho ladrão não levava nada, mas eles não aguentavam mais substituir cadeados.

Ele estava se tornando uma figura familiar entre a população noturna do sul de Manhattan: um homem alto e belo, que nunca usava chapéu ou casaco, e que inspecionava os arredores com um ar despaixonado e confuso, como um dignitário de passagem. Já os policiais ficavam bastante intrigados. Na experiência deles, um homem que vagava pelas ruas à noite estava à procura de bebidas, brigas ou mulheres, mas ele não parecia interessado em nada disso. Eles chegaram a pensar que pudesse ser um cavalheiro do bairro chique disfarçado que visitava a área pobre, o que às vezes acontecia; mas, quando ele lhes dirigiu a palavra, perceberam um inglês com sotaque bem diferente da fala dos grã-finos de Nova York. Um deles aventou a hipótese de que ele fosse um gigolô da classe alta; mas então, por que estaria vasculhando as ruas como uma garota de programa barata? Por fim, esgotados os palpites, eles o categorizaram como uma esquisitice heterogênea. Um deles começou a chamá-lo de Sultão, e o apelido pegou.

Nas noites de chuva, o Djim ficava em seu quarto e praticava seu trabalho com metais. Ele regularmente ia às lojas do Bowery para comprar ouro e prata, que transformava em pequenas aves de todos os tipos. Fez um gavião, de asas abertas, modelando a escultura a partir da base, a fim de distribuir o peso de maneira uniforme. Esculpiu um pavão em prata e decorou as penas da cauda com ouro, usando uma palha da vassoura de Arbeely para fazer a pintura. Logo ele tinha uma meia dúzia dessas esculturas, em diversos estágios de trabalho.

O mês se alongava, e começou a chover todas as noites. Enjoado de suas esculturas, o Djim passou a trabalhar a noite toda na fornalha, ou então ficava dando voltas em seu quarto, esperando pelo nascer do sol. De que adiantava, pensava ele, ter sido libertado daquela garrafa, se acabara aprisionado de novo?

Finalmente, certa noite no início de novembro, a chuva parou e o céu ficou limpo, revelando algumas estrelas cansadas que brilhavam acima dos lampiões a gás. Aliviado, o Djim rapidamente se pôs a caminhar pelas ruas. Seguiu as direções norte e leste, escolhendo os caminhos ao acaso e desfrutando do ar frio em seu rosto. A impaciência das noites que passara confinado aumentou seu sentimento de solidão; e então, inconscientemente, deu-se conta de que estava indo na direção da mansão Winston.

Ainda era cedo, e o trem estava operando. O Djim comprou sua passagem e aguardou na plataforma com a multidão, mas, quando o trem chegou, em vez de embarcar, enfiou-se entre dois carros na plataforma de metal acima do engate. Segurou firme enquanto o trem partia. Foi uma viagem selvagem e vertiginosa. O barulho era ensurdecedor, um chacoalhar e guinchar que penetravam em seu corpo. As fagulhas que saíam dos trilhos eram espalhadas pelo vento forte. Janelas iluminadas passavam em quadrados brilhantes e alongados. Na Fifty-ninth Street, saltou do meio dos vagões com o corpo ainda tremendo.

Já passava da meia-noite agora, e a elegante artéria da Fifth Avenue estava praticamente deserta. Ele chegou à mansão dos Winston e descobriu que o vão que abrira na grade fora consertado. Imaginou a que eles teriam atribuído aquilo e riu do susto que deveriam ter levado.

Então removeu as mesmas duas barras e entrou. O jardim estava escuro e silencioso, as janelas do andar de cima, apagadas. Subir até o quarto de Sophia foi ainda mais fácil agora que ele conhecia o caminho. Em poucos minutos, estava de pé na sacada, observando através do vidro chanfrado.

Sophia estava adormecida na cama. Ele via seu colo subir e descer sob as cobertas amontoadas contra o frio da noite. Segurou a maçaneta da porta-balcão. Para sua surpresa, esta se moveu. Ela deixara a porta aberta — apenas uma fresta, mas aberta.

As dobradiças estavam bem lubrificadas e não fizeram ruído. Ele abriu a porta devagar, apenas o suficiente para passar seu corpo, fechando-a novamente. Seus olhos se adaptaram à escuridão do quarto. O rosto de Sophia estava voltado para ele, seus cabelos emaranhados sobre o travesseiro. O Djim sentiu uma inesperada pontada de culpa ao pensar em acordá-la.

Depois de passar tanto tempo em seu quarto apertado, o espaço ali parecia surpreendentemente amplo e opulento. As paredes eram forradas com um tecido cinza-claro delicado. Um guarda-roupa gigantesco ocupava quase toda uma parede. Uma bacia e um jarro de porcelana repousavam sobre uma mesa com tampo de mármore junto à cama. Sob seus pés havia um tapete branco, feito da pele de um animal grande e peludo. Percebeu um movimento que o sobressaltou — mas era apenas seu próprio reflexo multiplicado por um espelho de três folhas. Este ficava sobre uma penteadeira estreita coberta de garrafinhas, escovas de cabo dourado, caixinhas delicadas e outras quinquilharias — inclusive o pássaro na gaiola, que parecia um pouco perdido em meio àquela desordem.

Ele foi até a penteadeira e examinou o espelho. Era de excepcional qualidade, sem falhas ou distorções. Maravilhou-se com a técnica; ainda que tivesse todos os seus poderes restaurados, ele nunca teria alcançado tal perfeição. Sua atenção, então, voltou-se para seu próprio rosto refletido no espelho. Ele já o havia visto, claro, mas não com tanta exatidão. Uma testa ampla. Olhos escuros, embaixo de sobrancelhas escuras. Um queixo que terminava em uma ponta arredondada. Um nariz solidamente reto. Estranho que este fosse realmente ele. Em sua antiga vida, nunca se preocupava com sua própria aparência física; apenas pensava *chacal* e se transformava em um, sem dar atenção aos detalhes. Ele não tinha nada contra o rosto no espelho; supunha que seus traços eram muito agradáveis e estava ciente do efeito que exerciam sobre as outras pessoas. Então, por que ele se sentia como se lhe tivessem roubado alguma escolha essencial?

Percebeu um movimento atrás dele e um ruído abafado: Sophia estava sentada na cama, olhando para ele, pálida. "Sou eu", o Djim sussurrou depressa.

"Ahmad." Sophia ergue uma das mãos como reflexo do susto que levara. Então suspira, deixando a mão cair sobre as cobertas. "O que você está fazendo aqui?"

"Sua porta estava aberta." A frase saiu desajeitada, soando como uma desculpa.

Ela olhou para a porta, parecendo perplexa com sua traição. Mas então disse: "Comecei a deixá-la aberta. Depois...". Ela esfregou os olhos, respirou fundo e recomeçou. "Durante uma semana eu mal dormi. Deixava a porta aberta todas as noites. Depois concluí que você não voltaria. Houve dias em que eu tentei me convencer de que tinha imaginado tudo." Ela pronunciou as palavras calmamente, sem emoção. "Mas nunca consegui."

"Devo partir?"

"Sim", ela disse. "Não. Não sei." Ela esfregou os olhos de novo, mas desta vez o gesto traduzia algum conflito interior. Levantou-se da cama e vestiu um robe, mantendo distância entre eles. Ela o olhou. "Por que você voltou *agora*, depois de tanto tempo?"

"Para ver você de novo." Pareceu insuficiente até para ele mesmo.

Ela riu de imediato, baixinho. "Para me *ver*. Achei que era para outra coisa."

Ele franziu a testa. Aquilo estava ficando ridículo. "Se você quiser que eu vá embora, é só dizer..."

Mas, no mesmo instante, Sophia eliminou a distância entre eles. Os braços dela o envolveram e seus lábios cobriram os dele, silenciando primeiro suas palavras e depois os pensamentos.

Desta vez ela permitiu que ele a levasse para a cama.

Depois ficaram deitados juntos, embaixo das cobertas amarfanhadas, unidos em um abraço. O suor do corpo dela alfinetava a pele dele. Lentamente seus pensamentos voltaram. Era estranho: este segundo embate fora mais satisfatório fisicamente — eles tiveram mais tempo para explorar e responder um ao outro, permitindo que o prazer crescesse —, mas o Djim, então, percebia que a primeira vez lhe agradara mais. O perigo e a transgressão impregnaram aquele primeiro encontro. Agora, deitado naquela cama enorme, com lençóis, cobertas e a amante semiadormecida em seus braços, ele apenas se sentia deslocado.

"Você é tão quente", ela murmurou. Indiferente, o Djim passou a mão pelo quadril da jovem e permaneceu calado. Conseguia captar discretos movimentos pela casa — uma empregada caminhando no andar de cima, o ruído dos canos. Para além do jardim, um cavalo passeava em trote lento, os cascos batendo ao longe contra as pedras. O Djim sentia que, contra a sua vontade, aquela típica inquietude começava a voltar à tona.

Ela se virou nos braços dele, aninhando-se em seu peito. O cabelo da jovem fez cócegas no ombro do Djim, e ele afastou alguns cachos. Ela entrelaçou a mão na dele e, então, notou o bracelete de ferro. Ele ficou tenso.

"Não tinha notado isso", ela disse. E tirou a cabeça do peito dele para examinar o bracelete. Sentiu quando ela puxou a fina corrente que segurava o pino. "Está preso", ela disse.

"Não abre."

"Então você sempre usa isso?"

"Sim."

"Mas parece alguma coisa que um escravo usaria."

Ele não respondeu. Não queria falar sobre o assunto, não naquele quarto; não com ela.

A jovem se ergueu sobre um cotovelo, com uma expressão preocupada e abertamente curiosa. "Ahmad, você era um escravo? É o que isso significa?"

"Não é da sua conta!"

As palavras soaram ásperas. Ela hesitou e se afastou.

"Desculpe", ela disse com uma voz magoada. "Eu não pretendia me intrometer na sua vida."

O Djim suspirou intimamente. Ela era apenas uma criança, e não tinha culpa. "Venha aqui", ele disse, puxando-a para si. De início a jovem resistiu, depois se aproximou, colocando de novo a cabeça sobre o peito dele.

Ele perguntou: "Você já ouviu falar em djins?".

"Você usou essa palavra antes", ela respondeu. "É a mesma coisa que *gênio*? Quando eu era criança, tinha um livro ilustrado sobre um gênio que estava preso em uma garrafa. Um homem o libertava, e o gênio lhe concedia três desejos."

Preso. Liberto. Se ele estremeceu a essas palavras, ela não percebeu. Então respondeu: "Sim, os djins podem ser aprisionados. E às vezes eles têm o poder de conceder desejos, ainda que isso seja muito raro. Mas cada um deles é feito de uma centelha de fogo, da mesma maneira que os homens são feitos de carne e osso. Eles podem assumir a forma de qualquer animal. E alguns deles, os mais fortes, têm o poder de entrar nos sonhos de um homem". Ele a olhou. "Devo prosseguir?"

"Sim", disse, seu hálito morno no peito dele. "Conte-me a história."

"Há muitos, muitos anos atrás, havia um homem, um rei humano chamado Sulayman. Ele era muito poderoso e muito astuto. Reuniu a sabedoria dos magos humanos e multiplicou-a por dez, e logo havia aprendido o bastante para ter o controle de todos os djins, do maior e mais poderoso até o menor e mais malvado *ghul*. Ele era capaz de convocar qualquer um deles sempre que lhe desse na telha e dar-lhe tarefas a cumprir. O rei ordenava que um djim lhe conseguisse as mais belas joias do país e mandava outro buscar incontáveis bacias de água para regar os jardins de seus palácios. Se desejava viajar, sentava-se em um tapete ricamente bordado e quatro dos djins mais velozes o levariam voando com eles."

"O tapete voador", murmurou Sophia. "Isso estava na história."

Ele prosseguiu com uma voz que não passava de um sussurro, as palavras abafadas pelo silêncio do quarto. "Os humanos veneravam Sulayman e, muito tempo depois de sua morte, ainda falavam dele como o maior dos reis. Mas os djins se ressentiam do poder que Sulayman tinha sobre eles. Quando ele morreu e seu conhecimento se perdeu no vento, eles se regozijaram por sua liberdade. Mas entre os djins mais velhos corria a história de que um dia esse conhecimento perdido seria recuperado. A humanidade, diziam, seria novamente capaz de submeter até o djim mais forte à sua vontade. Era apenas uma questão de tempo."

Ele se calou. A história simplesmente brotou dele, que não se lembrava de já ter falado tanto de uma vez só.

Sophia se mexeu. "E então?", sussurrou. "Ahmad, o que aconteceu?"

Encarou o teto branco. *Sim*, pensou, *o que aconteceu?* Como poderia explicar a maneira como fora vencido, quando ele mesmo não sabia? Construíra a cena várias vezes: uma batalha espetacular, o vale estremecendo e os muros de seu palácio rachando enquanto ele trocava golpes com seu inimigo. Imaginava — ao menos *esperava* — que tivesse sido uma batalha muito disputada, que talvez o mago tivesse ficado gravemente ferido. Como não lhe restava qualquer memória? Teria ele vencido no fim da disputa, embora tarde demais? A frustração de *não saber* serpenteava dentro dele como uma víbora. E como Sophia poderia compreender sua situação? Para ela, não passava de uma história inventada. Uma lenda morta, de muito tempo atrás.

"É tudo", disse, por fim. "Eu não sei como isso termina."

Silêncio. Ele sentia o desapontamento da jovem na tensão de seu corpo, pela mudança de sua respiração. Como se ela se importasse com aquilo, de alguma forma.

Depois de um minuto, Sophia se afastou dele para deitar de costas. "Desculpe, mas você não pode estar aqui pela manhã", ela disse.

"Eu sei. Vou embora daqui a pouco."

"Fiquei noiva", disse, de repente.

"Noiva?"

"Vou casar."

Ele assimilou a informação. "Você gosta dele?"

"Acho que sim. Todos dizem que é um bom partido. Vamos nos casar no ano que vem."

Ele esperou para saber se sentiria ciúmes. Nada apareceu.

Os dois ainda ficaram deitados juntos por alguns minutos, os corpos separados, apenas as mãos se tocavam. A respiração dela foi ficando mais uniforme; ele supôs que adormecera. Cuidadosamente, levantou-se e começou a se vestir. A madrugada ainda demoraria algumas horas para chegar, mas ele queria partir. Não era capaz de suportar a ideia de ficar ali deitado, imóvel, ao lado dela durante horas. O botão do punho de sua camisa prendera na corrente do bracelete, e ele praguejou baixinho.

Quando terminou de se vestir, percebeu que ela o observava. "Você volta?", ela perguntou.

"Você quer que eu volte?"

"Sim", ela respondeu.

"Então eu voltarei", disse, dando-lhe as costas; e ele não sabia se algum deles, ou ambos, estava mentindo.

◄─•─►

A escuridão caíra sobre o deserto sírio, uma fria noite de primavera. Mais cedo, naquele dia, uma solitária garota beduína e seu amoroso pai vislumbraram, no vale abaixo, um palácio brilhante que não poderia estar realmente ali. E agora, deitada na tenda de sua família, sob uma pilha de peles e cobertores, Fadwa adentrava um estranho sonho.

Tudo começou com uma mistura de imagens e emoções, ao mesmo tempo maravilhosas e insignificantes. Ela vislumbrou rostos familiares: sua mãe, seu pai, seus primos. Em um dado momento, teve a impressão de estar voando sobre o deserto, no encalço de alguém. Ou ela estaria sendo perseguida? Então tudo mudou: de repente, viu-se no meio de uma enorme caravana, centenas de homens marchando pelo deserto, a pé ou a cavalo, com olhos escuros e severos. Ela caminhava entre eles, pulando e gritando, mas ninguém lhe dava atenção, e sua voz não passava de um eco fraco. Então, deu-se conta de que aquela era a caravana que seu pai vira quando garoto. Estivera ali aquele tempo todo, viajando por uma trilha infinita. Mas agora o fantasma era ela, e não a caravana.

Um medo indizível tomou conta da garota. Tinha de parar a caravana. Atirou-se na frente de um dos homens, preparando-se, de punhos cerrados. O impacto a derrubou como se fosse feita de vento.

Ela girou e caiu. Foi dominada por uma vertigem. Então, finalmente aterrissou com um ruído áspero e ficou caída no chão, agarrando com os dedos o solo frio e arenoso. Esperou o aturdimento passar e abriu os olhos.

Um homem estava de pé, sozinho, junto dela.

Cambaleando, pôs-se de pé e deu alguns passos para trás, limpando a terra das mãos. Ele não era um dos homens da caravana. Não portava roupas de viagem, apenas uma veste imaculadamente branca. Era ainda mais alto que o pai de Fadwa. Ela observou seus traços, mas não o reconheceu. Seu rosto era completamente liso, sem o menor vestígio de barba; e, aos olhos da garota, aquilo emprestava ao homem uma aparência andrógina, apesar de sua masculinidade óbvia. Seria ele capaz de vê-la, ao contrário dos homens da caravana? Então sorriu para ela — um sorriso astuto —, deu-lhe as costas e saiu andando.

Estava claro que o homem desejava que a garota o seguisse, e ela assim fez, sem se preocupar em disfarçar os passos. A lua cheia subia sobre o vale, apesar de algo nela dizer que aquilo não era possível, pois no mundo real a lua era minguante, já quase nova.

Ela o seguiu até a beirada de uma pequena colina, onde ele parou, aguardando-a. A garota se posicionou ao lado do homem e percebeu que eles estavam no local onde ela avistara a miragem. E de fato lá, naquele mesmo vale, estava o palácio, inteiro, sólido e maravilhoso, suas curvas e espirais brilhando à luz da lua.

"Isso é um sonho", ela disse.

"É verdade", disse o homem. "Mas o palácio lá está, apesar disso. Você o viu esta manhã. Assim como seu pai."

"Mas ele me disse que não viu nada."

O homem ergueu a cabeça, como se estivesse pensando. O mundo girou de novo — e a garota viu-se no vale, olhando para o lugar onde estava um segundo antes. Era dia. Seu pai estava de pé no cume do morro. Ela sabia que era ele, mesmo à distância; e era capaz de perceber, com olhos estranhamente mais eficientes que os seus, a comoção e o medo no rosto do pai. Ele piscou e, então, se afastou do local; e Fadwa sentiu uma pontada de dor ao se dar conta de que ele mentira para ela.

Voltou-se, então, para o homem alto, e o dia mais uma vez se dissolveu na noite. No impossível luar, ela o examinou com uma franqueza que jamais demonstrara quando acordada. Distantes pontos de um vermelho-dourado tremularam nos olhos escuros do homem.

"O que você é?", ela perguntou.

"Um djim", ele respondeu.

Ela assentiu. Era a única resposta que poderia fazer algum sentido.

"Você está com medo?", ele perguntou.

"Não", respondeu a garota, embora soubesse que deveria estar. Aquilo era e não era um sonho. Ela olhou para baixo e viu suas próprias mãos, sentiu a terra fresca embaixo dos pés descalços; mas também era capaz de sentir seu outro corpo, seu corpo adormecido, abrigado no calor dos cobertores e peles. Ela existia nos dois lugares ao mesmo tempo, e nenhum deles parecia mais real que o outro.

"Qual é o seu nome?", ele perguntou.

Ela endireitou o corpo. "Sou Fadwa, filha de Jalal ibn Karim, do clã Hadid."

Ele fez uma mesura, correspondendo à solenidade da jovem, embora deixasse transparecer uma sombra de sorriso no rosto.

"O que você quer de mim?", ela perguntou.

"Apenas conversar. Não quero lhe fazer mal. Você e seu povo me interessam."

Ele se recostou em uma enorme almofada, seus olhos fixos nos dela. Fadwa olhou surpresa à sua volta. Eles estavam em um amplo aposento de vidro. O luar atravessava as paredes curvas, banhando o chão com uma brilhante luz azulada. Tapetes e peles de ovelha encontravam-se espalhados pelo chão. Ela e o homem estavam de frente um para o outro, sentados em almofadas forradas por uma rica tapeçaria.

"Este é o seu palácio", ela disse, compreendendo tudo. "É maravilhoso."

"Obrigado."

"Mas por que você me trouxe aqui? Pensei que os djins temiam os humanos."

Ele sorriu. "Sim, mas apenas porque nos ensinam isso."

"Também somos ensinados a temer vocês", disse Fadwa. "Não devemos assoviar depois que escurece porque isso pode atraí-los. Usamos amuletos de ferro presos em nossas roupas e amarramos contas de ferro pintadas de azul em volta dos pescoços dos bebês para protegê-los."

"Por que azul?", perguntou, surpreso.

A jovem refletiu. "Não tenho certeza. Você tem medo do azul?"

Ele riu. "Não. É uma cor muito boa. Já o ferro..." — e ele inclinou a cabeça na direção dela — "isso, sim, eu temo."

Ela sorriu, divertindo-se com o duplo sentido, porque *hadid* significa justamente "ferro".

Seu anfitrião — seu hóspede? — olhava fixamente para ela. "Fale-me sobre você", ele disse. "Como é a sua vida? Como você passa seus dias?"

A intensidade do olhar dele a perturbou. "Você deveria perguntar a meu pai, ou a um de meus tios", ela respondeu. "A vida deles é muito mais interessante."

"Talvez um dia eu o faça", ele retrucou. "Mas, agora, tudo é interessante para mim. Tudo é novo. Então, por favor. Conte-me."

Ele parecia sincero. O brilho tranquilizador do luar, o calor delicioso de seu outro eu adormecido, a prazerosa atenção de um homem atraente — tudo conspirava para deixá-la à vontade. Ela relaxou em sua almofada e disse: "Eu acordo muito cedo, antes do nascer do sol. Os homens partem para cuidar das ovelhas, então eu e minhas tias ordenhamos as cabras. Com o leite, nós fazemos queijo e iogurte. Eu passo o dia tecendo, consertando roupas e fazendo pão. Busco água e lenha. Cuido de meus irmãos e primos, vestindo-os e dando-lhes banho, além de tomar cuidado para que eles não se metam em encrenca. Ajudo minha mãe a preparar e servir a janta quando os homens voltam".

"Quantas atividades! E com que frequência você faz essas coisas?"

"Todos os dias", ela respondeu.

"*Todos* os dias? Então você nunca sai apenas para caminhar e observar o deserto?"

"Claro que não!", ela respondeu surpreendida com a ignorância dele. "As mulheres precisam tomar conta do lar enquanto os homens estão ocupados com as ovelhas e as cabras. Mas mesmo assim", disse com uma ponta de orgulho, "meu pai me deixa cuidar de algumas cabras, de vez em quando, quando o tempo está bom. E às vezes as mulheres têm de fazer tanto o trabalho dos homens quanto o delas. Se uma tenda desaba com o vento, os braços de uma mulher a levantam, como se fossem os de um homem. E quando mudamos o local do acampamento, todos precisam colaborar."

Ela fez uma pausa. Longe, aquele outro corpo, seu eu adormecido, se movia. Ao longe ela ouvia os ruídos da manhã: o bocejo de uma criança, passos, um bebê choramingando de fome. As paredes de vidro do palácio começavam a se esvanecer e a se distanciar.

"Acho que preciso partir", disse o homem. "Mas você vai conversar comigo de novo?"

"Sim", respondeu ela, sem hesitar. "Quando?"

"Logo", respondeu ele. "Agora, acorde."

Ele se inclinou sobre a garota, e os lábios dele tocaram sua testa. Fadwa, de alguma maneira, sentiu o toque tanto em seu eu acordado como em seu eu adormecido; e um arrepio a percorreu até os ossos.

E então ela acordou, olhando para as paredes familiares de sua tenda, que ondulavam com uma brisa estranhamente morna para uma manhã de primavera.

Os detalhes de seu sonho logo se apagaram, como ocorre com todos os sonhos. Mas algumas coisas permaneceram claras. O rosto de seu pai quando avistara o impossível palácio. A maneira como o luar ressaltou os ângulos do rosto daquele homem. O toque lancinante dos lábios dele em sua pele. E a promessa de que retornaria.

Se naquele dia Fadwa sorrira intimamente mais do que o habitual — da maneira que uma garota pode sorrir se está pensando em algum segredo —, sua mãe não percebera.

GOLEM & GÊNIO
UMA FÁBULA ETERNA

X

m vento úmido soprava na floresta dos arredores da cidade de Konin. Em sua cabana em ruínas, Yehudah Schaalman estava sentado em uma poltrona meio podre, com um cobertor velho nos ombros. Folhas mortas e pedaços de papel deslizavam pelo chão sujo. O fogo na lareira tremeluzia e crepitava, e Schaalman se viu pensando: Como estaria o tempo em Nova York? Estariam Otto Rotfeld e sua golem sentados junto ao fogo, observando alegremente o tempo passar? Ou o moveleiro teria se cansado de sua mulher de argila e já a teria destruído?

Ele se interrompeu com uma careta. Por que essa preocupação ininterrupta com Rotfeld? Normalmente, não perdia um segundo sequer com os clientes e suas ações ilícitas. Ele pegava o dinheiro, dava-lhes o que pediam e batia a porta em suas caras. O que tornava esse homem tão diferente?

Talvez fosse a golem. Trabalhara muito naquela criatura, muito mais do que costumava fazer para ajudar alguém. Fora um desafio agradável juntar todos os pedidos disparatados de Rotfeld em uma só criatura, e ele lamentava não tê-la presenciado sendo trazida à vida.

Apesar de provavelmente ter sido melhor assim, em virtude da natureza imprevisível dos golens. Era mais seguro estar do outro lado do oceano, e não ao lado de Rotfeld, quando este chegasse à Nova York e despertasse sua noiva.

Novamente amuado, ele teve vontade de sacudir a cabeça como um cachorro. Mas não tinha tempo para isso. O dinheiro de Rotfeld estava quase acabando, e, apesar de todos os seus estudos, ele não conseguira chegar nem perto de seu objetivo: o segredo da vida eterna.

Debaixo da cama com colchão de palha, em um canto da cabana, havia um baú trancado a chave, e dentro dele estavam os papéis que ele tirara da sinagoga incendiada há muitos anos. Os frágeis fragmentos estavam agora intercalados com folhas novas, nas quais Schaalman escrevera fórmulas, diagramas, anotações, tentando preencher as lacunas de seu conhecimento. Era tanto uma crônica de seus estudos como um diário de suas viagens. Depois daquele dia na sinagoga, ele vagou de cidade em cidade, de *shtetl* em *shtetl*, atravessando o Reino da Prússia até o Império Austríaco e a Rússia, e retornou, buscando as peças que faltavam. Na Cracóvia, procurou uma mulher que diziam ser bruxa, roubou seus segredos e depois a deixou muda para impedir que ela o amaldiçoasse. Durante uma primavera, fora expulso de um vilarejo russo depois que todas as ovelhas grávidas num raio de três léguas deram à luz um cordeiro de duas cabeças. Alguém decidiu acusar o estranho judeu de feitiçaria — e corretamente, como foi provado, embora os moradores, por excesso de zelo, tenham expulsado também uma inofensiva parteira e o idiota da aldeia. Em Lvov, visitou um velho rabi em seu leito de morte e assumiu o disfarce de um dos *shedim*, os demônios filhos de Lilith, que fugira de Geena para torturá-lo. Dessa forma, forçou o rabi a revelar que certa vez vira uma fórmula de algo chamado Água da Vida. Mas quando Schaalman o pressionou para que revelasse mais detalhes, o coração do velho rabi não aguentou. Schaalman testemunhou a alma do rabi ser transportada para além do seu alcance e uivou de raiva e frustração, parecendo ainda mais um demônio de Geena que antes.

Desde então, parou de vagar, estabelecendo-se perto de Konin. Estava ficando muito velho, as estradas eram cheias de perigos, e ele não poderia escapar de todos. Mas sempre e sempre, a cada dia, ele se aproximava da morte que tentava desesperadamente evitar.

Observando o fogo, conseguiu tomar uma decisão. Ele não podia se dar ao luxo de passar o inverno cismado com um moveleiro de maus modos. Era melhor coçar onde estava coçando e acabar logo com aquilo.

Ele se pôs de pé e colocou um velho sobretudo, sentindo os ossos rangendo. De sua mesa de trabalho, apanhou uma bacia larga e saiu da cabana. Uma neve fora de época caíra durante a noite. Ajoelhado, reuniu punhados de neve na bacia. Voltando para a cabana, Schaalman colocou o recipiente junto à lareira e ficou observando a neve derreter. Ele desejava não ter chegado àquele ponto. Quando os últimos cristais se desmancharam, Schaalman retirou a bacia cheia de água da lareira. Buscou um livro semidestruído do baú e o folheou, a fim de verificar se ele se lembrava corretamente da fórmula. De uma bolsa de couro, tirou uma das moedas com que Rotfeld lhe pagara. Depois sentou-se no chão sujo, de pernas cruzadas, em frente à bacia com água. Segurando a moeda firmemente na mão esquerda, murmurou um longo feitiço. Com a mão direita, segurou cuidadosamente a bacia. Enunciou outro feitiço, respirou fundo — e então inclinou-se para trás e virou a bacia sobre sua cabeça.

O choque da água gelada em seu rosto...

E então ele partira, já se encontrava em outro lugar.

Havia um peso enorme sobre seu peito. Uma eternidade de água acima dele, empurrando, partindo seu corpo e triturando seus ossos. Nunca sentira tanto frio. Ele sentia as mordidas de milhares de dentes minúsculos. Uma profunda escuridão se estendia em todas as direções.

A parte ainda consciente de sua mente entendeu que Rotfeld nunca chegara à América. Todo aquele trabalho para nada. Sem ter sido despertada, a Golem já deveria estar em pedaços agora, um caixote de madeira não reclamado cheio de terra apodrecida e um vestido encardido. Uma pena.

Mas então, inesperadamente, a cena mudou.

O peso desaparecera. Ele não mais estava preso no fundo do oceano, mas voando acima de suas águas, num voo baixo e rápido, mais veloz que qualquer pássaro. As águas inconstantes desapareciam atrás dele, milha após milha. O vento rugia em seus ouvidos.

Ao longe, crescia uma cidade.

Ergueu-se no ar à medida que se aproximava da cidade, até estar flutuando bem acima dela. A cidade se espalhava por uma ilha. Torres e campanários de igrejas apontavam para ele como lanças.

Olhou para baixo, observando as ruas estreitas, e se deu conta de que a cidade também era um labirinto. E, como todos os labirintos, escondia algo precioso em seu coração. O que seria?

Uma voz silenciosa sussurrou a resposta.

Vida eterna.

Tossindo, Schaalman voltou a si. A bacia estava virada no chão. Água gelada pingava de seu rosto e de suas roupas. Sua mão esquerda queimava: a moeda estava mais fria que gelo.

Permaneceu, pelo resto do dia, encolhido e tremendo em sua cama, embrulhado em todos os cobertores e tapetes que possuía. Suas articulações doíam e a palma queimada pelo frio provocava espasmos de fogo em seu braço. Mas ele estava calmo, e sua mente estava limpa.

Na manhã seguinte, levantou-se da cama, passou os dedos pela barba e foi até a cidade a fim de comprar uma passagem de navio para Nova York.

→•←

Em uma manhã fria e úmida de outono, Michael Levy chegou à Casa de Acolhida e encontrou a varanda da frente cheia de folhetos em iídiche, de um grupo que se denominava "Membros Judeus do Comitê Estatal Republicano". Os folhetos conclamavam todos os judeus dignos a depositarem sua confiança no coronel Roosevelt para governador. Afinal, Roosevelt, há pouco tempo, derrotara os espanhóis na Colina San Juan[1] — e os judeus não haviam um dia sido espoliados e expulsos da Espanha, sendo perseguidos pela Inquisição? *Vote para expressar seu apoio à derrota dos espanhóis!*, apregoava o folheto. Michael arrancou os folhetos da parede de pedra, jogando-os no lixo. Poderia, ainda, suportar anúncios de sinagogas, mas não uma descarada propaganda política das elites republicanas.

---

[1] Em 1898, os Estados Unidos ajudaram Cuba a se tornar independente, declarando guerra aos espanhóis. [NT]

Aquele estava sendo um outono difícil para Michael. Esticara o orçamento da Casa de Acolhida até o limite, mas ainda não sabia como fazer para chegar ao fim do ano. O preço do carvão subira ainda mais; havia vazamentos no telhado, e o teto do último andar estava úmido e mofado. E o pior: recentemente, um jovem russo chamado Gribov adormecera em uma cama no segundo andar e nunca mais acordou. Michael chamou o Departamento de Saúde, e a Casa de Acolhida foi ameaçada com uma quarentena de duas semanas. No fim, o inspetor, que olhou para corpo do imigrante com uma aversão clínica, concluiu que não era necessário — não havia sinais de tifo ou cólera, e ninguém se lembrava de ter visto o homem queixando-se de algo. Mas durante uma semana o clima na casa ficou tenso e pesado, e Michael mal dormiu por causa da preocupação. Parecia-lhe que todo o empreendimento estava por um fio.

Seus amigos perceberam as novas olheiras e lhe disseram que ele estava trabalhando para cavar sua sepultura. Seu tio provavelmente teria dito a mesma coisa, mas havia algum tempo que eles não tinham contato, desde que ele o visitara com aquela mulher, Chava. Ele pensou se deveria ficar preocupado. Seu tio estaria doente? Ou seria alguma outra coisa? Michael voltou a pensar na mulher alta com sua caixa de doces e na maneira carinhosa e protetora com que seu tio olhava para ela. Será que ela...? E ele...? Não, isso seria ridículo demais. Ele sacudiu a cabeça e decidiu ver logo como estava seu tio.

Mas uma coisa levava a outra, e o teto do último andar ameaçava desabar, desviando a atenção de Michael para outro lugar. Então, certa manhã, a cozinheira da Casa de Acolhida entrou no escritório de Michael e pôs sobre sua mesa uma caixa de bolinhos de amêndoas.

"A moça nova que trabalha na padaria pediu que eu entregasse a você", disse, divertindo-se. "De graça, acredite se quiser. Ela soube que eu era da Casa de Acolhida e insistiu."

A nova moça? Depois de um instante, ele compreendeu e sorriu. A cozinheira ergueu uma sobrancelha.

"Uma mulher alta?", ele perguntou, e a cozinheira assentiu. "É amiga do meu tio. Fui eu quem sugeriu que ela procurasse trabalho na Radzin. Ela provavelmente mandou esses bolinhos como agradecimento."

"Sim, é provável", ela replicou, alegremente.

"Dora, eu só a vi uma vez. E ela é uma viúva. Recente."

A cozinheira balançou a cabeça em resposta à ingenuidade de Michael e pegou um bolinho da caixa antes de sair.

Ele colocou um doce na palma da mão. Era sólido e levemente arredondado na parte de cima, mas leve como o ar. Estava enfeitado com pedacinhos de amêndoas, dispostos em círculo como pétalas de flores. Ele o mordeu, sentindo-se feliz pela primeira vez em semanas.

→ • ←

Lentamente, a Golem habituara-se à padaria e ao ritmo do estabelecimento. Seus turnos na caixa registradora não eram mais tão assustadores. Estava começando a reconhecer os clientes que compravam a mesma coisa todos os dias, e quais entre estes apreciavam a sua atenção quando ela preparava o pedido com antecedência. Ela sorria para todos, mesmo quando não tinha vontade. Orientada por centenas de pequenos alertas, procurava cuidadosamente dar a cada um deles exatamente aquilo que esperavam dela. E quando era bem-sucedida, eles deixavam o caixa com o coração mais leve, satisfeitos de que pelo menos uma coisa, uma simples tarefa cotidiana, dera certo naquele dia.

Mas ainda havia alguns problemas para resolver. Tinha a tendência de trabalhar rápido demais, e os fregueses ficavam ansiosos ou irritados, achando que ela os apressava: então aprendeu a diminuir o ritmo, perguntando como estava a família e sobre seu estado de saúde, mesmo quando a fila estava grande. Ela até aprendeu a lidar com os clientes que estavam sempre indecisos, que ficavam no balcão discutindo as vantagens disso ou daquilo. A maior vitória foi quando uma senhora idosa pediu que decidisse por ela, escolhendo o que achasse melhor. Mas a Golem não tinha nenhum favorito: experimentara todos os produtos e sabia distinguir um do outro, mas para ela não existia aquilo de gostar ou não gostar. Cada um significava apenas uma experiência. Ela pensou em escolher ao acaso — até que, em um momento de inspiração, fez o que raramente se permitia. Concentrou-se na mulher e examinou com atenção o emaranhado de seus desejos conflituosos. *Seria melhor algo mais econômico, mas ela também queria um doce... estava se sentindo tão para baixo esta semana, o proprietário querendo aumentar o aluguel e aquela discussão horrível com Sammy,* então será que ela não merecia uma coisa boa? Mas logo acabaria, e ela não se sentiria melhor, apenas mais pobre...

"Eu prefiro a *chalá* de passas em dias como este", disse a Golem. "É doce e satisfaz. E uma *chalá* dura bastante tempo."

No mesmo instante a mulher se alegrou. "É isso", ela disse. "É exatamente o que eu quero." Ela pagou a *chalá* e partiu com o ânimo renovado.

Feliz com seu sucesso, a Golem testou essa técnica com outros clientes indecisos. Acertava mais que errava, procurando não se culpar por seus fracassos. Ela estava começando a perceber que algumas pessoas, por algum motivo, nunca ficam satisfeitas.

Às vezes ela ainda cometia erros, especialmente no fim do dia, quando era acometida por uma fadiga mental e começava a divagar. Nessas ocasiões, pegaria o item errado, ou chamaria alguém por outro nome, ou algum outro engano tolo. De vez em quando, um freguês saía com o pedido trocado, voltando depois para reclamar. Ela pedia milhões de desculpas, horrorizada com seu fraco desempenho — mas era melhor assim, senão seus patrões achariam que ela era boa demais para ser verdade. O sr. Radzin era um contador meticuloso e examinara os números à exaustão. Não havia dúvidas: as vendas aumentaram, e sem motivo aparente, enquanto, do outro lado, seus custos haviam diminuído. A intuição lhe dizia que aquilo tinha alguma coisa a ver com a nova garota. Ela podia cometer um erro ou outro no caixa, mas nunca se confundia com uma receita ou colocava o dobro do sal, nem deixava uma fornada de biscoitos passar do tempo no forno. Nunca ficava doente, não diminuía o ritmo nem se atrasava. Ela era um milagre de produtividade.

Mas também havia ocasiões em que ela se comportava como se tivesse vindo de outro planeta. Certa manhã, a sra. Radzin surpreendeu a Golem olhando de forma estranha para um ovo. "O que está errado com ele, Chavaleh? Está podre?"

Ainda observando o ovo, a garota respondeu distraidamente: "Nada... mas como é possível que façam isso sempre do mesmo tamanho e formato todas as vezes?".

A sra. Radzin franziu a testa. "*Quem* fazem, querida? As galinhas?"

À mesa, Anna reprimiu uma risada.

A garota cuidadosamente pôs o ovo no lugar e disse: "Desculpe". Depois, sumiu pelos fundos.

"Não zombe dela, Anna", repreendeu a sra. Radzin.

"Mas foi uma pergunta muito esquisita!"

"Tenha alguma compaixão, afinal ela é uma viúva de luto. Essa situação pode fazer coisas estranhas com a cabeça."

Sem dar atenção às mulheres, Radzin fora até a parte dos fundos para buscar farinha. A porta do banheiro estava fechada. Ele prestou atenção para ver se escutava algum som de choro — mas, em vez disso, ouviu a voz da Golem, que sussurrava: "Você precisa ter mais cuidado. *Você precisa ter mais cuidado*". Ele pegou a farinha e saiu. Depois de alguns minutos, ela voltou como se nada tivesse acontecido, retomando o trabalho em silêncio e procurando ignorar as ocasionais risadinhas de Anna.

"O que você acha que ela tem?", perguntou Radzin à sua esposa aquela noite.

"Não há nada de errado com Chava", ela retrucou, asperamente.

"Eu tenho olhos, Thea, e você também. Ela, de alguma forma, é diferente."

Eles estavam juntos na cama. Junto à parede, Abie e Selma dormiam enroscados em seus catres, envolvidos pelo típico sono profundo das crianças.

"Quando era menina, eu conheci um garoto", disse Thea. "Ele não conseguia parar de contar coisas. Folhas de grama, tijolos numa parede. Os outros garotos o rodeavam e ficavam gritando números, de modo que ele perdesse a contagem e tivesse de começar tudo de novo. Ele apenas ficava lá contando, as lágrimas descendo pelo rosto. Eu ficava com tanta raiva! Então perguntei ao meu pai por que ele não podia parar, e ele respondeu que havia um demônio na cabeça do menino. Ele disse que eu devia ficar longe porque ele poderia fazer algo perigoso."

"E ele fez?"

"Claro que não. Mas ele morreu um ano antes de partirmos. Levou um coice de mula na cabeça." Ela fez uma pausa e depois disse: "Sempre me perguntei se ele não fez aquilo de propósito".

Radzin bufou. "Suicídio por mula?"

"Todos sabiam que aquele animal tinha mau gênio."

"Ele tinha uma dezena de maneiras melhores de fazer isso."

Sua mulher deu-lhe as costas. "Ah, não sei por que eu falo com você. Se eu disse que é preto, deve ser branco."

"Se eu vir Chava perto de alguma mula, aviso você."

"Você é um homem horrível. Vá enfiar a cabeça no forno." Eles ficaram em silêncio por algum tempo, e ela então disse: "Gostaria de ver uma mula tentando dar um coice em Chava. Ela trançaria as pernas do animal como uma *chalá*".

Radzin deu uma gargalhada que se fez ouvir em alto e bom som no quartinho. O menino murmurou alguma coisa. Sua irmã se remexeu no catre. Tensos, os pais ficaram na expectativa — mas as crianças permaneceram em silêncio.

"Vá dormir", sussurrou Thea. "E me deixe algumas cobertas desta vez."

Radzin ficou ainda um bom tempo acordado, ouvindo o ressonar das crianças e de sua esposa. Na manhã seguinte, chamou sua nova funcionária num canto e avisou que ela receberia um aumento de dez centavos por semana. "Você merece", disse ele, rispidamente. "Mas se disser uma palavra a Anna, terá que dividir o dinheiro com ela. Não quero ouvi-la reclamar por um dinheiro que ela não merece." Ele esperou por um agradecimento, mas, em vez disso, ela apenas ficou ali parada, com um ar aflito. "E então? Eu acabo de lhe dar um aumento, garota. Não está contente?"

"Sim", respondeu rapidamente. "Sim, claro. Obrigada. E eu não direi nada a Anna." Mas, naquele dia, ela pareceu mais pensativa que o habitual; e algumas vezes Radzin a surpreendeu olhando para Anna, sem conseguir disfarçar um sentimento de culpa.

—◆•—

"Mas não é justo que Anna ganhe menos que eu", queixou-se ao rabi Meyer. "Ela não consegue trabalhar tanto quanto eu! Não é culpa dela!"

A Golem andava de um lado para o outro na sala do rabi. Era sexta-feira à noite, e os pratos da pequena ceia ainda estavam sobre a mesa. A Golem aguardava com ansiedade suas noites de sabá com o rabi — era o único momento na semana em que ela poderia fazer perguntas e falar à vontade. Mas, naquela noite, seu dilema eclipsou os demais pensamentos. O rabi, preocupado, observava suas idas e vindas.

"Eu nem *preciso* do dinheiro", ela resmungou. "Não tenho com o que gastá-lo."

"Por que não compra alguma coisa bonita para você, como uma recompensa por seu trabalho? Quem sabe um chapéu novo?"

Ela franziu o rosto. "Eu já tenho um chapéu. Há algo errado com ele?"

"Claro que não", ele disse, pensando que seu criador não lhe dera a frivolidade das jovens. "Chava, eu entendo que você esteja aborrecida, e isso mostra o seu bom caráter. Mas, do ponto de vista de Radzin, você vale mais que Anna. Pagar a mesma coisa a vocês duas não seria honesto. Digamos que você precisa comprar uma chaleira nova, podendo escolher entre uma grande e uma pequena. Você espera que a chaleira grande custe mais, certo?"

A Golem respondeu: "Mas e se o homem que fez a chaleira menor for mais pobre, com uma família maior para sustentar? Isso não pesaria na sua decisão?".

O rabi suspirou. "Sim, suponho que sim. Mas se eu não tiver conhecimento disso, que é o que costuma acontecer, então eu só saberia que há duas chaleiras à disposição: uma grande e uma pequena. É tudo o que Radzin sabe. E, por favor, Chava, pare de andar de um lado para o outro. Você está me deixando tonto."

Imediatamente ela parou e sentou-se em uma cadeira, olhando para as mãos que se retorciam em seu colo. "Talvez eu devesse doar o dinheiro de que não preciso", ela disse. "Ou então" — e o rosto da Golem se iluminou com a ideia — "eu poderia dá-lo a você!"

No mesmo instante, ela viu o rabi se encolher com a proposta. "Não, Chava. O dinheiro é seu, não meu."

"Mas eu não preciso dele!"

"Talvez não agora. Mas é sempre importante planejar o futuro. Vivi tempo o bastante para saber que chegará um momento em que você precisará dele, e isso deve acontecer quando você menos esperar. O dinheiro é uma ferramenta, e é possível fazer um grande bem com ele, tanto para os outros como para si próprio."

Parecia um bom conselho, mas a Golem não se sentia aliviada. Ultimamente, todas as respostas do rabi tomavam a mesma direção, referindo-se tanto ao problema em discussão como a alguma coisa maior, ainda por vir. Isso a deixava apreensiva. A Golem sentia que o homem estava tentando lhe ensinar o máximo possível em um curto espaço de tempo. Sua tosse não piorara, mas também não melhorava, e ela reparou que suas roupas estavam largas, como se ele tivesse encolhido. O rabi insistia em dizer que estava tudo bem. "Sou um homem idoso, Chava", dizia. "O corpo humano é como um pedaço de tecido. Não importa o quão bem cuidem dele, ele acaba se desgastando com o passar do tempo."

E o corpo de um golem?, ela queria perguntar. *Você diz que eu não vou envelhecer — mas vou me desgastar?* Ela, porém, se conteve. Começava a temer que esse tipo de pergunta fosse um fardo pesado demais para os dois.

"Além disso", prosseguiu o rabi, "pelo que você me conta dessa Anna, ela não parece uma mulher muito séria. Talvez ela aprenda com o seu exemplo, mesmo que não seja algo natural dela."

"Talvez", concordou a Golem. "Ela não parece ter raiva de mim como no início. Mas tem se demonstrado mais preocupada com seu novo namorado. Ela pensa muito nele, e espera sempre que ele a acompanhe da padaria até em casa para que possam..." Vendo-se em meio a uma indiscrição, ela se calou bem a tempo.

"Sim, certo." O rabi enrubesceu ligeiramente. "Ela é uma moça tola, caso tenha se entregado antes do casamento. Ou, no mínimo, antes da promessa de um."

"Por quê?", perguntou a Golem.

"Porque ela tem tudo a perder. O casamento tem muitos benefícios, e um deles é a proteção de uma criança, o provável resultado do... comportamento deles. Um homem solteiro está livre para abandonar uma mulher, seja em que condição ela estiver, sem sofrer nenhuma consequência. E a mulher? Ela agora teria um fardo e poderia não ser capaz de sustentar a criança, talvez nem a si própria. Mulheres nessa situação apelam para os piores crimes por desespero, depois perdem o que lhes resta de virtude. Desse ponto, é uma curta jornada para a doença, a pobreza e a morte. Não é exagero dizer que uma noite de prazer pode custar a vida a uma jovem. Presenciei muitas histórias desse tipo quando era um rabino, mesmo entre as melhores famílias."

Mas ela parece tão feliz, pensou a Golem.

O rabi se levantou e começou a tirar os pratos da mesa, tossindo um pouco. A Golem rapidamente foi ajudá-lo, e os dois lavaram os pratos em silêncio. "Rabi, posso perguntar uma coisa?", disse depois de algum tempo. "Pode ser um pouco embaraçoso para o senhor."

O rabi sorriu. "Farei o melhor possível, mas não espere milagres."

"Se o ato do amor é tão perigoso, por que as pessoas se arriscam tanto por ele?"

O rabi ficou em silêncio por um tempo. Então perguntou: "Se você tivesse que dar um palpite, qual seria?".

A Golem se recordou do que sabia sobre aquele tipo de desejo, a sensualidade noturna de quem caminhava pelas ruas. "É excitante para eles que seja perigoso, bem como o fato de guardar um segredo do resto do mundo."

"Esse é um aspecto, mas não é tudo", disse o rabi. "Você não está considerando a solidão. Todos nós nos sentimos solitários de vez em quando, e não importa quantas pessoas tenhamos a nossa volta. De repente, encontramos alguém que parece nos compreender. Ela sorri, e por um instante a solidão desaparece. Some a isso os efeitos do desejo físico — e a excitação que você mencionou —, e todo o bom senso e o juízo caem por terra." O rabi fez uma pausa antes de prosseguir. "Mas amor baseado apenas em solidão e desejo não dura muito. Uma história compartilhada, tradição e valores unem duas pessoas de uma maneira muito mais completa que qualquer ato físico."

Eles ficaram um tempo em silêncio, e a Golem refletiu sobre o assunto. "Então o que significa amor verdadeiro?", ela perguntou. "Tradição e valores?"

O rabi deu uma risadinha. "Talvez isso seja simplista demais. Sou um homem velho, Chava, e viúvo. Deixei tudo isso para trás há muitos anos. Mas eu me lembro do que é ser jovem, de sentir que não há ninguém mais no mundo senão o ser amado. Apenas olhando para trás é que sou capaz de perceber o que realmente perdura entre um homem e uma mulher."

Ele se deixou levar pelas lembranças, olhando fixamente para o pano de prato em suas mãos. À luz da lâmpada da cozinha, sua pele parecia descolorida e manchada, e fina como a casca de um ovo. O rabi sempre parecera tão frágil? Rotfeld tivera essa aparência, ela pensou, pálido e suando sob a lâmpada de querosene. Ela sempre soube que viveria mais que o rabi, mas agora a verdade nua e crua a atingia como um soco. Uma onda de tristeza a percorreu — e o copo que ela estava enxugando se despedaçou em suas mãos.

Ambos se sobressaltaram com o ruído. Cacos transparentes caíram brilhando no chão.

"Ah, não", disse a Golem.

"Está tudo bem", disse o rabi. Ele se agachou para pegar os cacos com um trapo, mas a Golem o tomou dizendo: "Fui eu quem quebrou o copo. E você pode se cortar".

O rabi ficou olhando enquanto ela varria os cacos e enxaguava os pratos que estavam próximos. "Alguma coisa perturbou você?", ele perguntou em voz baixa.

Ela balançou a cabeça em negativa. "Não, apenas me descuidei. Foi um longo dia."

Ele suspirou. "Está *tarde*. Vamos terminar a louça, e eu a conduzo até em casa."

Eram quase onze da noite quando eles chegaram à pensão onde a Golem morava. O ar era frio, e o vento cortante. A Golem caminhava de cabeça erguida, como se não passasse de uma brisa. O rabi andava encurvado a seu lado, tossindo de vez em quando, abafando os acessos com o cachecol.

"Ao menos entre um pouco no vestíbulo para se aquecer", ela disse quando chegaram aos degraus da entrada.

Sorrindo, ele fez que não com a cabeça. "Preciso voltar. Boa noite, Chava."

"Boa noite, rabi." E ficou observando enquanto ele se afastava, um pequeno velho em uma rua cheia de vento.

— • —

Para o rabi, a caminhada da pensão da Golem até sua casa era tortuosa. O vento batia em seu rosto e atravessava seu sobretudo e as calças finas. Ele tremia como um animal quase congelado. Mas, pelo menos, ele havia conseguido. Não pensara uma única vez, durante aquela noite, na pasta de livros e papéis escondida embaixo de sua cama. O que teria acontecido se ela captasse uma ponta de medo ou algum desejo? *Espero que ela vá embora logo para que eu volte aos meus textos, a fim de encontrar uma maneira de controlá-la!* Ela seria capaz de atacá-lo, conduzida por um instinto de autopreservação? Ou teria concordado de boa vontade, talvez até encorajando sua pesquisa? Ele nunca a questionara sobre sua vontade de ter novamente um mestre, e agora a ideia de uma conversa desse tipo fazia sua garganta apertar. De certo modo, seria como perguntar a alguém se gostaria de fugir de seus problemas usando o artifício do suicídio.

Ele tinha de ficar se recordando o tempo inteiro do fato de que ela não era humana. Ela era uma golem e estava sem mestre. O rabi esforçou-se para se lembrar de seu pequeno golem na ieshiva, de como ele impiedosamente destruíra a aranha. Eles não eram a mesma criatura; mas, no âmago, tinham a mesma natureza. Aquela fria falta de remorsos também existia em alguma parte dela.

Mas será que ela também tinha uma *alma*?

Superficialmente, a resposta era um simples não. Apenas o Todo--Poderoso poderia conceder uma alma, como fizera ao soprar Seu hálito divino em Adão. E a Golem era uma criatura feita pelo homem, não por Deus. Qualquer alma que ela tivesse teria de ser, no máximo, parcial, um fragmento. Se ele a transformasse em pó, seria um ato de destruição injustificável; mas não contaria como assassinato.

Mas essas afirmações tranquilizadoras das escrituras empalideciam quando confrontadas com o comportamento da Golem: suas decepções e triunfos, sua clara preocupação com a saúde do rabi. Utilizava um tom enérgico para falar sobre seu trabalho na padaria e sua crescente confiança em lidar com os clientes; e ele via não um monte de argila, mas uma jovem aprendendo a viver neste mundo. Se ele fosse bem-sucedido em conectá-la a um novo mestre, estaria roubando dela todas as suas conquistas. Seu livre-arbítrio desapareceria, sendo substituído pelas ordens de seu mestre. Não seria uma espécie de assassinato? E se ele tivesse de chegar a esse ponto, teria força suficiente para fazê-lo?

Quando chegou ao cortiço, seus pés, em vez de caminhar, apenas se arrastavam. Lá dentro, a escada se projetava na escuridão. Ele começou a subir os degraus um de cada vez, sua mão fria segurando o corrimão de madeira. Então foi tomado por um acesso de tosse na metade do caminho. Ao chegar à sua porta, não conseguia parar.

Atrapalhou-se com a chave na fechadura; mãos trêmulas acenderam a luz. Ele foi até a cozinha pegar água, mas a tosse aumentou, tomando conta de todo o seu corpo. Ele se dobrou, batendo com a cabeça na pia. Finalmente os espasmos foram perdendo força até cessar de vez. O rabi deslizou até o chão e respirou profundamente, sentindo um gosto de sangue na boca.

Solicitara uma visita do médico há apenas uma semana. *Um pouco de tosse*, disse o rabi. *Só queria checar.* O doutor passou longos minutos com seu estetoscópio frio no peito e nas costas do rabi, a expressão de seu rosto cada vez mais inescrutável. Ao término da consulta, guardou seu equipamento em uma velha maleta de couro sem dizer nada. *Quanto tempo?*, perguntou o rabi. *Seis meses no máximo*, respondeu o doutor, dando-lhe as costas, as lágrimas correndo em seu rosto. Outro medo que deveria ser omitido da Golem.

Ele tomou um gole de *schnapps* para se acalmar e colocou água no fogo para preparar o chá. Suas mãos não tremiam tanto agora. Isso era bom. Havia trabalho a fazer.

GOLEM & O GÊNIO
UMA FÁBULA ETERNA

XI

longo período de noites chuvosas tornara-se quase insuportável, e então o Djim sucumbiu e fez algo que jurara não fazer: comprou um guarda-chuva.

Arbeely sugerira a aquisição, a fim de preservar sua sanidade mais que qualquer outro motivo. Depois de três semanas de tempo úmido, o Djim se transformara em um terrível companheiro de trabalho, rabugento e distraído, deixando ferros em brasa por toda parte. "Você está prestes a explodir", disse Arbeely. "Por que simplesmente não compra um guarda-chuva em vez de passar a noite toda sentado em seu quarto?"

"Achei que você não gostasse que eu saísse à noite", disse o Djim.

"E não gosto. Mas é melhor do que você queimar a oficina ou nos matarmos um ao outro. Arrume um guarda-chuva."

"Não preciso de um", disse o Djim.

Arbeely riu. "Acho que é óbvio que *precisa*."

Mesmo assim, ele ficou muito chocado alguns dias depois, quando o Djim surgiu de uma caminhada pela garoa matinal sacudindo um enorme guarda-chuva preto de seda, mais adequado a um dândi do West Side que a um imigrante sírio.

"Onde", perguntou Arbeely, "você arrumou *isso*?"

"Em uma casa de penhores no Bowery", respondeu o Djim.

Arbeely suspirou. "Eu devia ter adivinhado. Eles limparam o sangue do guarda-chuva?"

O Djim ignorou o comentário e estendeu-lhe o guarda-chuva. "Dê uma olhada", disse. "O que você acha?"

O cabo era feito de uma madeira de lei escura e compacta. Os últimos quinze centímetros estavam envolvidos em uma filigrana de prata, uma renda de folhas de parreira.

"É lindo", disse Arbeely, examinando-o na luz. "Você fez isso? Quanto tempo levou?"

O Djim sorriu. "Duas noites. Eu vi um parecido em uma vitrine. Era mais simples que este, mas me deu a ideia."

Arbeely balançou a cabeça. "É muito elegante. As pessoas vão pensar que você está se dando ares de grandeza."

O Djim deu de ombros. "Que pensem", respondeu. Ele pegou o guarda-chuva das mãos de Arbeely, apoiando-o em um canto — cuidadosamente, percebeu Arbeely, para não amarrotar a seda.

Naquela noite, o Djim fora de novo ao Bowery. Era um lugar fascinante, ao mesmo tempo intrigante e repulsivo: um vasto e cacofônico labirinto que serpenteava na ponta sul da cidade. Ele tinha a sensação de que logo se cansaria de lá; mas, enquanto isso não acontecia, algumas noites de diversão estavam garantidas.

Ainda estava se acostumando com o guarda-chuva. Sob ele, o Djim se sentia enclausurado, cercado. A chuva tamborilava na seda esticada, produzindo um ruído que lembrava um enxame de moscas.

A chuva amainou, transformando-se em uma leve garoa. Cuidadosamente, ele fechou o guarda-chuva — o mecanismo às vezes emperrava —, dobrando o tecido para proteger a seda de eventuais faíscas expelidas pelo trem. Ele tinha uma tarefa a cumprir.

A loja onde costumava comprar ouro e prata ficava na parte central do Bowery, perto da Bond Street. Para todos os efeitos, tinha a aparência de uma tabacaria qualquer, localizada acima de um bar e abaixo de um bordel. Um barulho distante de móveis batendo era o pano de fundo da maior parte das transações realizadas ali. O local era dirigido por um receptador chamado Conroy, um irlandês pequeno e elegante. Os olhos de Conroy se mostravam astutos e inteligentes atrás de óculos redondos, e ele tinha um ar de precisão silenciosa. Ele aparentemente comandava um grupo de homens muito musculosos. Às vezes um deles se colocava ao lado de Conroy e sussurrava algo em seu ouvido. Conroy pensava por um instante e depois fazia que sim ou que não com a cabeça, sempre com a mesma expressão de leve pesar. Depois o valentão desaparecia para cumprir alguma tarefa sinistra.

Dois bêbados estavam comprando tabaco e papel para cigarros quando o Djim entrou na loja. Conroy sorriu ao vê-lo. Os dois homens saíram, e Conroy fechou a loja, virando o aviso na porta. Depois, tirou da parte de trás do balcão uma seleção de objetos finos de prata: faqueiros, brincos, colares, até mesmo um pequeno castiçal.

O Djim pegou o castiçal, examinando-o. "Prata maciça?"

"Completamente."

Não havia no objeto qualquer incisão ou arranhão comprovando que checara essa informação, mas até hoje ele não havia se enganado. "Quanto?"

Conroy deu um preço. O Djim ofereceu a metade, e eles barganharam até chegar a um valor que o Djim desconfiava ser apenas levemente extorsivo. Ele pagou, e Conroy embrulhou o castiçal com papel e barbante, como se fosse um pedaço de carne. "Se você quiser ir lá em cima", disse ele em tom neutro, "nada será cobrado."

"Obrigado, mas não", disse o Djim. Acenou com a cabeça, despedindo-se, e partiu.

Lá fora, o castiçal enfiado no bolso do casaco, o Djim preparou um cigarro enquanto olhava para as janelas do bordel. *Aquilo*, decidira, era algo pelo qual não pagaria. O único prazer no encontro seria físico, e para que serviria?

Tarefa cumprida, ele decidiu caminhar pelo Bowery. Passou por estúdios de tatuagem, funerárias, teatros fechados, cafés nojentos. Pela porta de uma casa de jogatina, ouvia-se uma música desagradável e metálica. Ratos saíam em disparada das sarjetas em direção à parte de baixo da linha do trem, para dentro da escuridão. Mulheres com rostos pintados demais vasculhavam as ruas em busca de alvos e se deparavam com ele, um homem sozinho, belo, de aparência limpa. Das portas, elas acenavam para ele e faziam cara feia quando o Djim passava sem se deter.

De repente, a tolerância do Djim com relação ao Bowery simplesmente evaporou. Era como se eles tirassem tudo de bom que havia no desejo, transformando-o em algo muito feio.

Ele viu uma escada de incêndio e subiu por ela, segurando desajeitadamente o guarda-chuva embaixo de um dos braços. O cabo de prata bateu em um degrau e quase caiu. Amaldiçoou o degrau, amaldiçoou o guarda-chuva, amaldiçoou as circunstâncias que o levaram a precisar das duas coisas.

No telhado do prédio, enrolou e fumou mais um cigarro enquanto observava a rua. Ele estava irritado por ter se cansado tão rapidamente do Bowery. O sol logo nasceria; então ele voltaria para a Washington Street.

Ouviu o ruído de passos batendo no revestimento do telhado, e por um momento, sem refletir, sentiu-se feliz por ter companhia.

"É um belo guarda-chuva, senhor."

Era uma jovem — pouco mais que uma menina. Usava um vestido velho e manchado que um dia fora de boa qualidade. Ela mantinha sua cabeça em um ângulo estranho, como se fosse pesada demais para o pescoço. Tinha cabelos escuros e longos que caíam como uma cortina sobre seus olhos, mas sob essa barreira ela o observava.

Ergueu uma mão lânguida, tirando os cabelos dos olhos; esse gesto surtiu efeito na memória do Djim. Por um longo instante, teve certeza de que a conhecia e, assim que visse seu rosto, se lembraria dela.

Mas ela era apenas uma garota qualquer, uma estranha. A jovem lhe sorriu com um ar sonhador. "Procurando companhia, senhor?", perguntou.

"Na verdade, não", ele respondeu.

"Um homem atraente como o senhor não deveria estar sozinho." Ela pronunciou as palavras como por hábito. Seus olhos estavam quase fechados. Havia algo de errado com ela? E por que ele achara que a conhecia? Concentrou-se em seu rosto. Ela tomou isso como um encorajamento e pressionou seu corpo contra o dele. Seus braços envolveram a cintura do Djim. Ele podia sentir o coração da jovem batendo contra ele, um ciclone veloz palpitando em seu peito. Ela suspirou como se estivesse se aninhando para a noite. Estranhamente inseguro, ele olhou para baixo, encontrando o topo de sua cabeça. Erguendo a mão, observou seus próprios dedos correrem pelos cabelos da garota.

Ela sussurrou: "Vinte centavos lhe dão o que você quiser".

Não. Ele a empurrou, fazendo-a tropeçar. Um pequeno frasco caiu entre eles. Ele se esticou para pegá-lo. Era um vidro fechado com uma rolha, cheio até a metade de um líquido oleoso. *TINTURA DE ÓPIO*, dizia o rótulo.

Um súbito grasnido da garota. Ela pulou e arrancou o frasco das mãos dele. "Isso é meu", vociferou. E, dando-lhe as costas, saiu caminhando tropegamente.

O Djim a observou enquanto se afastava, depois desceu do telhado e foi para casa. Não havia motivo para a garota tê-lo abalado daquela maneira. Mas algo no movimento de sua mão, quando ela afastou o escuro véu de seus cabelos, lhe parecera muito familiar.

◄—•—►

No cercado das cabras de seu pai, Fadwa al-Hadid se endireitou no banquinho usado para a ordenha e afastou a cortina de cabelos pretos dos olhos. Ela os havia prendido na nuca, mas eles sempre se soltavam quando ordenhava as cabras. Alguma coisa a ver com o ritmo.

A cabra baliu e se voltou para olhá-la, revirando as pupilas. Ela acariciou seu lombo e murmurou palavras tranquilizadoras no couro macio de seu ouvido. As cabras estiveram assustadiças durante toda a manhã, recusando-se a ficar quietas, jogando o peso de uma pata para outra e ameaçando derrubar o balde. Talvez elas sentissem a chegada do verão. A manhã estava apenas na metade, mas o sol já as castigava, deixando o ar pesado e o céu brônzeo. Ela tomou um pouco de leite do balde, depois soltou completamente os cabelos.

Do lugar onde estava, não muito longe dali, o Djim a observou prender novamente os cabelos na nuca. Era um gesto que lhe caía bem, descontraído e íntimo.

Há dias ele vinha observando a garota e sua família, buscando estudar seus costumes. Eles pareciam viver em um zumbido incessante de idas e vindas, todos dentro de um mundo cuidadosamente circunscrito, que tinha o acampamento como centro. Os homens se aventuravam mais que as mulheres, mas também tinham seus limites. Eles nem haviam chegado novamente perto de seu palácio, e ele imaginava se aquele dia teria sido algum tipo de ocasião especial.

Observava Fadwa enquanto ela soltava a cabra e pegava a seguinte. Sua vida era exatamente como descrevera: uma repetição infinita de tarefas. Os homens da caravana tinham, ao menos, um destino diante deles, um propósito além do horizonte. A existência de Fadwa, tanto quanto ele podia apreender, não passava de ordenhar, limpar, cozinhar e tecer. Ele se perguntava como ela conseguia aguentar aquilo.

Terminada a ordenha, Fadwa soltou a última cabra e conferiu a água no cocho. Depois ela cuidadosamente pegou o balde de leite e o levou até a fogueira.

"Você está deixando derramar", reclamou sua mãe, ocupada na mó, seu braço girando sem parar. Pó de trigo escapava do meio das pedras da mó. Fadwa não respondeu, apenas despejou o leite em um recipiente amassado, que colocou sobre as brasas. O suor escorria para seus olhos, e ela o limpou com uma irritação distante.

"Você mal abriu a boca durante toda a manhã", disse a mãe. "Suas regras chegaram?"

"Estou bem, mamãe", ela respondeu distraidamente. "Não dormi bem, só isso."

O leite começou a ferver, e ela tirou o recipiente do fogo, acrescentando algumas colheres de iogurte guardado da refeição matinal. Depois ela o cobriu com um pano para deixar fermentar.

"Leve as meninas até a caverna para buscar mais água", disse a mãe. "Vamos precisar hoje."

A caminhada até a caverna parecia interminável. O jarro de água pesava em sua cabeça. Suas primas riam e corriam à sua frente, brincando de um jogo em que tentavam pisar nas sombras umas das outras sem deixar cair seus jarros. Era verdade o que ela havia dito a mãe: não dormira bem. Seu estranho visitante não voltara na noite seguinte, nem na próxima; e agora, quase uma semana depois, ela começava a pensar se não havia imaginado tudo. Parecia tão vívido, tão real; mas dentro de alguns dias tudo começou a ficar embaçado, como em um sonho qualquer.

Será que esta noite ele cumpriria sua promessa e voltaria para vê--la? Ou não havia *ele* ou qualquer promessa a ser cumprida? Como saber se o homem realmente a visitara ou se ela apenas sonhara? Sua mente girava. Ela adormecia apenas para despertar de um sobressalto, excitada, ralhando consigo mesma por ter acordado. E quando ela finalmente conseguia dormir, seus sonhos não faziam nenhum sentido.

A fonte de onde o clã Hadid retirava sua água fluía para uma caverna que um povo antigo transformara em templo. A entrada era um portal quadrado recortado em uma encosta inclinada. Para Fadwa, parecia que um gigante havia cortado um pedaço da encosta com uma faca. Palavras em um alfabeto desconhecido e anguloso foram gravadas no lintel sobre a entrada da caverna. A areia e o vento haviam agido sobre essas palavras, deixando-as quase invisíveis. Seu pai lhe dissera que o templo fora construído por um povo que vivia muito além do deserto. *Eles passam por aqui a cada era*, afirmara. *Tentam conquistar o deserto. Então deixam suas marcas nele, como que reivindicando-o, mas depois somem. E enquanto isso nós, beduínos, permanecemos imutáveis.*

Lá dentro, o ar era fresco e úmido. Um tanque inclinado fora escavado na base da pedra; uma fenda no fundo o conectava à fonte subterrânea. No auge da época das chuvas, a água do tanque transbordara, saindo pela entrada da caverna e descendo pela trilha. Agora ele mal estava pela metade. Em breve, sabia Fadwa, o fluxo estaria reduzido a um fio de água, para então secar completamente. Eles viveriam do leite de seus animais até que a água voltasse.

Suas primas estavam em volta do tanque enchendo seus jarros. Ela entrou e observou a água escura entrando pela borda do jarro. Em um nicho sobre o tanque, o rosto e o corpo de uma mulher foram gravados na pedra. Uma deusa das águas, dissera seu pai, uma mulher com uma centena de nomes. Aqueles que haviam construído o templo pensavam que a haviam levado ao deserto, quando na verdade ela estivera lá desde o princípio. Seus cabelos ondulavam ao seu redor. Ela olhava para frente com límpidos olhos sem expressão, como se esta houvesse sido roubada pelos anos.

Você acha que ela realmente existe?, Fadwa perguntara a seu pai. E ele sorriu, dizendo: *Se tantos outros acreditam nela, quem sou eu para dizer o contrário?*

Suas primas começaram a jogar água umas nas outras. Fadwa ficou irritada e afastou seu jarro.

À noite, prometeu a si mesma que, se ele não aparecesse, então ela se resignaria à verdade: imaginara tudo.

Por favor, permita que ele venha, orou em silêncio à mulher de pedra. *Ou vou começar a achar que estou ficando louca.*

O Djim viu Fadwa deixar o templo, o jarro de água habilmente equilibrado sobre sua cabeça. Para compensar o peso, ela caminhava a passos lentos, os quadris balançando de um lado para outro. Uma mão repousava de leve sobre o jarro para firmá-lo. Era um quadro atraente; a água dava um toque de perigo.

Ele sorriu. Não esquecera sua promessa. Talvez, pensou, seria possível visitá-la aquela noite.

—▶•◀—

Bem cedo, em uma manhã de sexta-feira, o rabi encontrou a fórmula para vincular um golem a um novo mestre.

Aquela fora uma semana longa e terrível. Ele tinha uma sensação crescente e inabalável de que era hora de terminar com aquilo, pois as circunstâncias e sua saúde não aguentariam por muito tempo. Então enviou mensagens às famílias de todos os seus alunos, avisando que tiraria uma semana sabática para orar e jejuar. (Ele não podia simplesmente dizer que estava doente; as mães viriam bater à sua porta armadas com tigelas de sopa.) E a mentira acabou por se tornar verdade: a busca pelo encantamento se transformara em uma longa prece, e por volta da quarta-feira ele se esqueceu de continuar comendo.

Livros e papéis cobriam o chão da saleta, formando um padrão mais intuitivo que racional. De vez em quando, ele cochilava por uma hora, aninhado no sofá. Seus sonhos eram uma penumbra de orações, diagramas e nomes de Deus. Entre estes, flutuavam rostos conhecidos e desconhecidos: sua esposa pronunciando palavras sem sentido; um ancião retorcido; seu sobrinho Michael, assustado com algo que não podia ser visto; e a Golem sorrindo, seus olhos cheios de um fogo terrível. Sufocado e tossindo, despertava desses sonhos e retomava tropegamente o trabalho, que ainda estava pela metade.

Ele desconfiava estar fazendo mal à sua alma. Mas colocou esse pensamento de lado. Iniciara aquele processo; então teria de ir até o fim.

Esse fim, quando chegou, não decorreu de uma explosão de inspiração febril, mas de uma soma calma e minuciosa, como a de um contador que conclui um balanço anual. Ele olhou para as breves linhas que escrevera no pé da página, observando a tinta ser absorvida pelo papel. Uma parte dele desejava orgulhar-se daquele feito para o seu próprio bem. Pois, apesar da brevidade da fórmula, era uma elegante e complexa obra-prima. Simplesmente vincular um golem a um novo mestre sem destruí-lo — só isso era um feito sem precedentes. Mas o rabi dera um passo adiante. Para que a fórmula funcionasse, a Golem teria de concordar espontaneamente com a remoção de sua vontade. Este era seu compromisso consigo mesmo, o acordo que estabelecera com sua consciência. Ele não roubaria a vida da Golem como um assassino em um beco. Deixaria a decisão final para ela.

Ela poderia recusar, é claro. Ou a própria questão poderia ter um peso grande demais para que ela suportasse. Seria possível subjugá-la se necessário? Sua mente exausta se afastou da ideia de chegar a esse ponto apenas para terminar sendo obrigado a destruí-la.

Ele olhou à sua volta, piscando, e estremeceu: a saleta parecia a gruta de um místico enlouquecido. Ficou de pé, as pernas bambas, e recolheu os livros e papéis espalhados pelo chão. Guardou os livros em sua bolsa para devolvê-los a seus donos depois do sabá, junto com suas desculpas. Os papéis foram organizados em uma pilha, exceto pela última página, que ficou de lado. Ele precisava de um banho; sentia-se imundo. Lá fora, uma rara manhã sem nuvens. Para além dos vidros cheios de fuligem das janelas, o céu adquiria uma cor de safira.

Acendeu o fogo e colocou uma panela com água para esquentar, vendo a si mesmo como se à distância, quase divertido. Recordou-se do distanciamento tênue e oscilante dos seus dias de ieshiva, as noites em claro estudando nas quais tinha a impressão de mergulhar no Talmude, tornando-se parte dele. Observou as bolhas se formando no fundo da panela, a visão borrada pela exaustão e, agora percebia, por uma fome insistente. Ele procurou nos armários, mas só encontrou pedaços de pão fossilizados e um duvidoso pote de *schmaltz*. Seria obrigado a sair, depois de se lavar e rezar, para comprar comida para o jantar do sabá. E, claro, arrumar os aposentos antes da chegada da Golem.

Finalmente a água ferveu. Ele se despiu na cozinha fria e começou a se lavar com um pano, tremendo e tentando não tossir. Pela primeira vez, permitiu-se analisar a questão de potenciais mestres. Meltzer? Um bom rabi, mas velho demais agora, acomodado demais em sua vida confortável. O mesmo para Teitelbaum, o que era uma vergonha. Kaplan era uma possibilidade: mais jovem, mas ainda um filho da velha terra, que possivelmente não zombaria da ideia. Mas talvez Kaplan tivesse sabedoria demais e compaixão de menos.

Com qualquer um deles, a abordagem teria de ser cuidadosa. Primeiro, teria de convencê-los de que a idade e a solidão não o haviam deixado louco. Mesmo assim, ainda haveria resistência. *Por que simplesmente não destruí-la?*, perguntariam. *Por que arruinar sua vida e, ainda, me pedir que arruine a minha, permitindo que esse perigo continue a existir?*

Responderia, então, que afeiçoara-se muito a ela? Que, na ânsia que a Golem demonstrava por aprender com uma paciência determinada, ela o fizera tão orgulhoso como um pai? Ele estaria preparando seu futuro ou seu funeral?

Lágrimas brotaram de seus olhos e obstruíram sua garganta, fazendo-o tossir.

Foi até o quarto para buscar roupas limpas. Na gaveta de baixo da cômoda, outra coisa chamou sua atenção: uma pequena bolsa de couro. Com mãos trêmulas — ele *precisava* comer alguma coisa —, abriu a bolsinha e retirou dela o pequeno envelope oleado em que se podia ler os dizeres: COMANDOS PARA A GOLEM. Deveria ficar com os outros papéis, pensou. Entregaria à Golem o relógio e a carteira, desculpando-se por tê-los guardado durante tanto tempo. Mas ele passaria adiante o envelope, ou então queimaria. Assim que decidisse o que fazer.

Ele levava o envelope para a mesa da saleta quando teve o ataque. Dobrou-se, tossindo; e então seu fôlego sumiu por completo. Era como se alguém tivesse enrolado um garrote de aço em seu peito, apertando-o sem parar. Ele arquejou em busca de ar; um chiado tênue chegou a seus ouvidos. Seu braço ficou dormente.

A saleta se alongou, ficando cinza nos cantos, inclinou-se e girou. Ele sentiu o velho tapete de lã sob seu rosto. Tentou se levantar, mas apenas conseguiu virar de costas. Uma longínqua sensação crepitante: o envelope oleado ainda estava em sua mão.

Nos últimos instantes que lhe restavam, o rabi Meyer se deu conta de que nunca poderia fazer aquilo. O assassinato menor de sua fórmula, ou a completa destruição do encantamento contido no envelope: ambos estariam além de suas forças enquanto ela ainda fosse sua Chava, ainda inocente, ainda a mulher recém-nascida que ele vira pela primeira vez segurando um pardal na palma da mão.

Ele tentou jogar o envelope para longe de si, para baixo da mesa. Teria conseguido? Ele não sabia dizer. A Golem teria de seguir seu caminho sozinha, ele fizera todo o possível. As sensações estavam deixando seu corpo, escoando de seus membros até o centro. Ocorreu-lhe recitar o *vidui*, a oração que precede a morte. Ele lutou para recordá-la. *Abençoado seja Vós, que me concedestes muitas bênçãos. Possa minha morte expiar tudo o que fiz... e possa eu abrigar-me na sombra de Vossas asas no Mundo Vindouro.*

Ele fixou o olhar no céu, além da janela da saleta. O azul vívido era tão extenso que parecia puxá-lo para dentro dele, puro, amplo e totalmente abrangente.

———— • ————

A Golem fora até a casa do rabi aquela noite levando um strudel de maçã cuidadosamente embrulhado. Ela andava a passos largos, esticando as pernas, sentindo o ar frio da noite acomodando-se em seu corpo. Lâmpadas brilhavam nas janelas enquanto ela passava.

Não houve resposta quando bateu à porta do rabi.

Ela bateu de novo e esperou. Provavelmente ele havia adormecido. Ela o imaginou do outro lado da porta, ressonando na poltrona. E sorriu. Ele se repreenderia por ter adormecido, fazendo-a esperar.

Então bateu de novo, com mais força. Nada. Ela ficou de pé ali por alguns apreensivos minutos, sem saber o que fazer. Imaginou qual seria o conselho do rabi, e a resposta veio nítida, como se ele mesmo falasse em seu ouvido: *Você sabe que eu não tranco minha porta durante o dia. Esta casa é tão sua quanto minha. Entre!*

Ela abriu a porta.

Os aposentos do rabi estavam às escuras, as lâmpadas apagadas. Ela espiou o quarto. A luz do crepúsculo projetava sombras em uma cama arrumada. Foi até a cozinha e acendeu uma lâmpada, sua ansiedade crescia. O fogo do aquecedor se apagara. O ar estava frio e tinha um cheiro rançoso de roupas sujas.

Ela foi até a saleta e o encontrou. Suas pernas estavam viradas para um lado. Seus olhos estavam fixos na janela atrás dele.

De início, não houve horror ou choque, apenas incredulidade pura e simples. Aquilo não parecia real. Era um quadro, uma ilusão. Ela estenderia a mão e apagaria tudo com os dedos.

Tremendo, agachou-se e tocou o rosto dele. Estava gelado e rígido.

Distante — quase desinteressada —, a Golem sentia alguma coisa crescendo dentro dela e soube que, quando aquilo atingisse a superfície e se libertasse, teria uma força suficiente para derrubar edifícios.

O rabi ficara despenteado com a queda, e seu solidéu estava fora do lugar. Ele não gostaria disso. Ela arrumou tudo com muita delicadeza. Um de seus braços estava dobrado em um ângulo estranho, afastado do corpo. Um envelope escapara de sua mão, e uma de suas pontas ainda encostava nos dedos do homem. A Golem percebeu algo escrito nele. Aproximou-se e leu:

Comandos para a golem

Ela estendeu o braço e pegou o envelope. O papel oleado fez barulho ao ser agarrado; no silêncio da saleta, foi como uma explosão de fogos de artifício. Ela o enfiou no bolso da capa.

Mesmo assim, ele não se moveu. Mas agora ela podia ouvir algo, um lamentoso som áspero, ainda tênue e cujo volume crescia. Cada vez mais alto. Bateram à porta, e ela percebeu que o som vinha dela e que ela estava se balançando para frente e para trás, as mãos no rosto, gritando, e então era possível ouvir palavras. *Rabi, rabi!*

Alguém colocou as mãos em seus ombros, dizendo algo em seu ouvido. Outros gritos agora, além dos seus.

Passos no corredor e escada abaixo. Ela permitiu que a tirassem do lado do corpo e a conduzissem para uma cadeira. Alguém colocou um copo de água em sua mão. E agora as mulheres do prédio entravam e saíam com uma determinação silenciosa, enxugando as lágrimas e falando baixo, fazendo acenos de cabeça e depois saindo novamente. Um homem entrou apressado, segurando uma maleta de médico; o guardanapo do jantar ainda estava preso em seu cinto. Ajoelhou-se junto ao rabi, puxou uma pálpebra para trás, colocou o ouvido em seu peito. Depois balançou a cabeça. Ele se sentou sobre os calcanhares, e então não tinha mais pressa.

Uma mulher cobriu o rabi com um lençol. Este se ergueu no ar para depois se acomodar sobre o corpo. Com outro lençol, ela cobriu o espelho da saleta.

Mais murmúrios. E agora as mulheres lançavam olhares sobre a Golem, com visível curiosidade. Quem seria ela? O que estaria fazendo na casa de um velho rabi viúvo? A Golem sabia que logo tomariam coragem para perguntar quem ela era. E não seria capaz de mentir. Não com o rabi deitado ali sob um lençol. Tinha de partir. Ela sentiu os olhares enquanto passava, imaginava os sussurros que a seguiriam. Mas não se importou. Aquela sensação sombria ainda estava crescendo dentro dela; ela precisava ir para casa.

Lá fora estava escuro como breu, e o vento soprava mais forte. As rajadas lutavam com suas roupas e ameaçavam lhe arrancar o chapéu da cabeça. Ela o tirou e passou a levá-lo na mão. Algumas pessoas paravam para olhar quando ela passava, uma mulher alta e pálida, com vestido e capa escuros, que se movia como se conduzida por alguma força terrível. Um homem embriagado viu uma mulher sozinha em um passeio noturno e decidiu perguntar se ela queria companhia. A Golem percebeu que ele se aproximava, notou a intenção em seu olhar e pensou em como seria fácil derrubá-lo no chão. Ela nem precisaria interromper o passo. Mas quando chegou mais perto, o homem olhou bem para o rosto dela e se afastou fazendo o sinal da cruz. Depois ele diria aos amigos que vira o Anjo da Morte na Orchard Street, que então passava para recolher almas.

Seu quarto na pensão parecia ainda menor que o habitual. Ela sentou na beira da cama. Ao olhar para baixo, viu que suas mãos estavam cheias de retalhos escuros de feltro e fita. O que seria aquilo? Então se deu conta: seu chapéu. Ela o havia destruído sem perceber.

Jogou os pedaços do chapéu no chão e tirou a capa. Se agisse como se aquela fosse uma noite comum, talvez conseguisse se acalmar.

Ela pegou o vestido no armário, levou a cadeira para junto da janela e começou a desfazer as costuras. Mas os transeuntes a distraíam. Era a habitual seleção variada de bêbados, garotas dando risadinhas e trabalhadores, além de jovens casais em passeios secretos, os medos e desejos de sempre; mas tudo agora lhe parecia obsceno. Eles não sabiam que o rabi morrera? Ninguém lhes havia informado?

Suas mãos se moviam muito rapidamente, e as tesouras escaparam. Uma das lâminas rasgou o tecido, fazendo um talho do comprimento de seu dedo.

A Golem gritou e atirou o vestido no chão. Suas mãos voaram para seu rosto. Gemendo, ela começou a se balançar para frente e para trás. As paredes pareciam cada vez mais próximas. Ela não podia mais ficar lá. Precisava sair. Precisava se mexer. Senão, perderia o controle.

Sem chapéu, capa ou destino, a Golem fugiu da pensão. Ela caminhava sem propósito, sem dar atenção ao que estava em torno. A noite estava fria agora, com geada no ar. Uma lua quase cheia brilhava acima das lâmpadas de gás, deixando suas luzes amarelas e doentias.

Ela ia de uma rua para outra. Os bairros se dissolviam um no outro, as línguas mudavam nas fachadas das lojas. Distraída, atravessou Chinatown, mal notando as bandeiras vermelhas que balançavam ao vento acima de sua cabeça. O idioma dos letreiros mudou novamente, e ela prosseguiu andando para domar sua mágoa.

Demorou até que começasse a se sentir mais calma, com os pensamentos mais tranquilos, menos fragmentados. Ela reduziu a marcha até parar e observou o que havia à sua volta. À frente havia uma rua cheia de cortiços, com paredes de prédios nos dois lados. As fachadas de tijolos eram dilapidadas e imundas, e o ar cheirava mal. Ela olhou em torno: não havia qualquer ponto de referência familiar, nenhum rio ou ponte que pudesse usar para se orientar. Deu-se conta de que estava completamente perdida.

Com cautela, ela seguiu em frente. A próxima rua parecia ainda menos promissora e terminava em um pequeno parque, pouco mais que um trecho de grama seca. Andou até o centro dele, tentando se orientar. Nada menos que seis ruas diferentes desembocavam naquele parque. Ela deveria voltar por onde viera? Como conseguiria chegar em casa?

De repente, em uma daquelas ruas, surgiu uma estranha luz que parecia flutuar em pleno ar. Ela parou alarmada. A luz vinha em sua direção. Ao chegar mais perto, percebeu que não era uma luz, mas um rosto; e este rosto pertencia a um homem. Ele era alto, mais alto que ela, e tinha a cabeça descoberta. Seu cabelo escuro era cortado rente ao crânio. Seu rosto — bem como suas mãos, ela podia ver agora — brilhava com aquela luz morna, como uma lâmpada envolta em gaze.

Ficou olhando enquanto ele se aproximava, incapaz de desviar os olhos. Ela percebeu que ele a fitou, depois olhou novamente. De repente, ele também parou. Àquela distância, ela não podia perceber sua curiosidade, mas a expressão dele a tornava clara. O que, pensava ele, seria *ela*?

O choque a deixou imóvel. Apenas o rabi fora capaz de vê-la como algo diferente.

Ela sabia que deveria dar as costas e sair correndo. Fugir daquele homem que, ao vê-la, enxergando-a *realmente*, já sabia demais. Mas não conseguia. O resto do mundo não importava. Ela precisava saber quem ele era. *O que* ele era.

Assim, quando o homem começou sua cautelosa aproximação, a Golem ficou parada e esperou.

—➤•◄—

Até aquele momento, a noite do Djim fora bastante decepcionante.

Aproveitara que o céu estava limpo para sair, mas sem muito entusiasmo. Sentindo-se sem inspiração, planejava visitar o aquário novamente, mas em vez disso acabou parando no City Hall Park, um trecho de grama banal, partido em pedaços por largas trilhas de concreto que se cruzavam. Dali, dirigiu-se até o depósito do terminal de Park Row, um prédio longo e baixo, suportado por vigas grossas. Ele passou por debaixo da construção e olhou para cima, onde os trens dormiam nos trilhos esperando para transportar os passageiros matinais pela ponte do Brooklyn.

Ainda não visitara o Brooklyn, nem queria, não naquele momento. Ele sentia que precisava distribuir essas novas experiências com cuidado, para não esgotá-las. Tinha uma imagem fugaz de si mesmo, daqui a dez, vinte, trinta anos, vagueando por círculos cada vez maiores, exaurindo cada fonte de distração. Esfregou o ferro em seu pulso, mas, ao notar o que estava fazendo, deteu-se. Ele não iria, de *maneira alguma*, sucumbir à autopiedade.

Caminhou na direção norte, ao longo da Park Row, e percebeu que estava indo para os lados do Bowery. Ele não tinha intenção de voltar lá tão cedo, então escolheu um retorno ao acaso, caindo em uma rua com esquálidos cortiços de ambos os lados. Aquilo, ele pensou, não parecia melhor.

Dos dois lados, os edifícios se estreitavam até formar uma ponta à frente de um grande cruzamento, um terreno baldio com uma calçada cheia de rachaduras. Depois havia um parque estreito e cercado. Avistara uma mulher de pé no centro dele.

A princípio, percebera apenas que se tratava de uma mulher de aspecto respeitável, que saíra sozinha na calada da noite. Era uma situação estranha, ainda que pudesse haver uma explicação. Mas ela não usava chapéu ou capa, apenas saia e blusa. E por que o observava, acompanhando cada movimento seu? Teria algum tipo de problema psicológico, ou estaria apenas perdida?

Ele chegou ao centro do cruzamento e olhou novamente para a Golem, indeciso, até perceber que ela não era humana, mas um pedaço de terra animado.

Ele ficou paralisado. O que ela *seria*?

Agora, ele também a olhava fixamente. Com hesitação, começou a caminhar sobre o gramado. Quando estava a poucos metros dela, a Golem enrijeceu e fez menção de se retirar. Imediatamente, ele parou. O ar em torno dela tinha um hálito de bruma e o odor de algo triste e fértil.

"O que você é?", ele perguntou.

Ela não disse nada, nem deu qualquer indício de compreensão. Ele tentou novamente. "Você não é humana. Você é feita de terra."

Ela, por fim, disse: "E você é feito de fogo".

Isso o atingiu como um golpe no meio do peito, e ele sentiu um medo profundo. Deu um passo para trás. "Como", perguntou, "você sabe disso?"

"Seu rosto brilha. Como se iluminado por dentro. Ninguém mais vê isso?"

"Não", ele respondeu. "Ninguém mais."

"Mas você também consegue me ver", ela disse.

"Sim." Ele inclinou a cabeça, tentando decifrar o enigma. Por um lado, ela parecia apenas uma mulher alta e de cabelos escuros. E então sua visão, de alguma forma, mudava, e ele via seus traços esculpidos no barro. Ele disse: "Minha espécie é capaz de enxergar a verdadeira natureza de todas as criaturas; é assim que nos reconhecemos quando nos encontramos, seja qual for a forma que tivermos adotado. Mas eu nunca vi...".

Então, sem pensar, estendeu a mão para tocar o rosto dela. A Golem quase pulou para trás.

"Eu não deveria estar aqui", disse a Golem em um sobressalto. Ela olhou desesperada ao redor, como se percebendo pela primeira vez onde estava.

"Espere! Qual é o seu nome?", ele perguntou, mas ela fez que não com a cabeça e começou a andar para trás como um animal assustado.

"Se você não vai me dizer seu nome, então eu vou lhe contar o meu!" Bom: conseguiu detê-la, ao menos por um instante. "Chamam-me Ahmad, ainda que não seja meu nome verdadeiro. Sou um djim. Nasci há mil anos, em um deserto no meio do mundo. Cheguei aqui por acidente, aprisionado em um frasco de óleo. Vivo na Washington Street, a oeste daqui, perto da oficina de um latoeiro. Até o momento, apenas uma pessoa em Nova York conhecia minha verdadeira natureza."

Era como se ele tivesse aberto uma comporta. Não notara, até aquele momento, o quanto desejava contar aquilo a alguém, para qualquer pessoa.

O rosto dela era o retrato de um conflito, alguma guerra interna. Finalmente, ela disse: "Meu nome é Chava".

"Chava", ele repetiu. "Chava, *o que* você é?"

"Uma golem", ela sussurrou. E então seus olhos se arregalaram, e sua mão voou para sua boca, como se ela houvesse pronunciado o segredo mais perigoso do mundo. Andou para trás, tropeçando, e voltou-se para correr; o Djim percebeu em seus movimentos um enorme poder físico, percebendo que ela poderia facilmente dobrar ao meio qualquer uma das melhores travessas de Arbeely.

"Espere!" Mas ela já estava correndo, sem olhar para trás. Dobrou uma esquina e desapareceu.

O Djim ficou sozinho na grama, por um minuto ou dois, esperando. Depois saiu atrás dela.

Não era difícil segui-la. Como percebera, ela estava perdida. Hesitava nas esquinas, olhando para os prédios e placas da rua. O bairro era um labirinto de barracos, e mais de uma vez ela atravessou a rua para evitar um homem que vinha trôpego em sua direção. O Djim manteve uma boa distância entre os dois, mas com frequência tinha de se esconder rapidamente atrás de um prédio quando, confusa, a Golem tentava refazer seu caminho errático.

Finalmente, ela conseguiu se orientar e começou a caminhar com mais segurança. Atravessou o Bowery, e ele a seguiu até um bairro um pouco mais limpo e respeitável. De uma esquina, o Djim a viu desaparecer em uma pequena casa espremida entre dois prédios enormes. Uma luz se acendeu em uma das janelas.

Antes que ela pudesse vê-lo pela janela, o Djim saiu caminhando na direção oeste, memorizando as ruas pelas quais passava, os cruzamentos e pontos de referência. Sentia-se estranhamente vivo e mais animado do que em semanas. Essa mulher — essa... *golem?* — era um quebra-cabeça esperando para ser resolvido, um mistério melhor que qualquer simples distração. Ele não entregaria o próximo encontro deles ao acaso.

—◆•◆—

Em seu porão frio e úmido, Mahmoud Saleh tossia e se revirava. Essa insônia era um acontecimento recente. No verão, Saleh ficara tão exausto no fim de cada dia que ele mal tinha forças para cambalear de volta para casa. Mas agora era o fim do outono, e há muito as crianças haviam parado de comprar sorvete. Durante semanas após a mudança do tempo, preparava o sorvete todas as manhãs e se arrastava pelas ruas chuvosas, independentemente da falta de fregueses. Ele não elaborara qualquer plano de sobrevivência porque não planejava estar vivo durante o inverno.

Mas então o universo interveio novamente, dessa vez na forma de Maryam Faddoul. A mulher abordou-o um dia, em frente ao café, para lhe dizer que todos os proprietários de cafés e restaurantes sírios, tanto maronitas quanto ortodoxos, decidiram comprar sorvete com Saleh nos meses de inverno para revender a seus fregueses.

"Vai ser uma inovação", ela disse. "Um gosto de verão para nos lembrar de que ele voltará."

Claro, ele pensou, *por que eles comeriam algo quente quando faz frio?* Mas ele sabia que a lógica seria inútil porque estava claro que Maryam organizara todo o esquema. A maior parte dos idealistas vivia em seus próprios mundos impossíveis, separados da realidade; Maryam, pelo visto, conseguia atrair facilmente os outros para o seu próprio mundo. Sua bondade espontânea afetava tanto o juízo alheio que os demais aceitavam até comprar grandes quantidades de sorvete no inverno.

Deixe-me em paz, ele tinha vontade de dizer. *Deixe-me morrer em paz*. Mas não havia nada a fazer. Ela simplesmente concluíra que um indigente, um mascate meio louco, sobreviveria a um inverno mortal se ela assim o quisesse. Ele queria sentir raiva dela, mas tudo o que conseguiu experimentar foi um aturdimento irritadiço.

Nesse novo esquema, Saleh passava muito menos tempo de pé. Passava de restaurante em restaurante entregando sorvetes em troca de um punhado de moedas. E havia mais caridade: seus vizinhos começaram a deixar para ele as roupas que não usavam mais, dobradas em pilhas arrumadas nas escadas do porão. Ele aceitava as doações com o mesmo espírito meio ressentido com que admitia a generosidade de Maryam. Vestia algumas peças, camada sobre camada; outras eram costuradas atropeladamente com uma agulha grossa e um barbante, formando uma espécie de cobertor com muitas mangas.

Mas seu corpo, acostumado ao castigo do trabalho, rebelou-se contra essa nova fase calorosa e tranquila. Recolhia-se no horário de sempre para simplesmente acordar no meio da noite, vendo sombras de vermes pelos cantos. Para mantê-los longe de seu catre, ele o cercou de círculos concêntricos de ratoeiras e linhas de ácido fênico. O minúsculo aposento parecia um altar pagão em que ele representava o objeto de sacrifício.

Ele se mexia sobre o cobertor, tentando encontrar uma posição mais confortável. Era uma noite particularmente ruim. Ficara deitado por horas, contando cada batida de seu coração teimoso. Por fim, não pôde aguentar mais. Levantou-se, vestiu um sobretudo gasto, enrolou um cachecol no pescoço e saiu para a rua.

A noite era tonificante e límpida, e havia uma leve geada nas janelas. Até mesmo para seus olhos alquebrados, a atmosfera estava estranhamente bonita. Ele inalou o ar estimulante e expirou grandes nuvens de vapor. Talvez devesse andar um pouco até ficar cansado.

Uma luz brilhante surgiu no canto dos olhos de Saleh. Ele apertou os olhos tentando ver o que era. Um homem descia a rua em sua direção. Seu rosto era feito de fogo.

Saleh ficou embasbacado. Era impossível! Por que o homem não queimava? Não sentia dor? Ele não parecia sentir nada: tinha um ar indiferente em seu olhar brilhante, um meio sorriso nos lábios.

Seus *olhos*. Seus *lábios*.

Os joelhos de Mahmoud Saleh quase dobraram quando ele se deu conta de que estava olhando para o rosto daquele homem.

O homem passou a poucos metros dele, lançando-lhe um olhar desagradável. Cerca de meio quarteirão adiante, o homem transpôs os degraus de um edifício banal — um prédio pelo qual Saleh passava todos os dias! — e sumiu.

Trêmulo, Saleh rastejou de volta para o seu porão. O sono não viria mais para ele naquela noite. Olhara para o rosto de um homem sem sofrer por isso. Um homem alto, com traços árabes que resplandeciam como se iluminados por dentro. Ele fora a única coisa verdadeira em uma rua cheia de sombras, e agora que não estava mais lá o mundo parecia ainda mais espectral.

—•—

Era quase madrugada quando a Golem voltou para a pensão. Seu vestido ainda estava no chão, o tecido rasgado escancarado como uma boca que a censurava.

Como, *como* ela pôde ter sido tão descuidada? Ela não deveria ter ficado sozinha na rua! Não poderia ter caminhado até tão longe de casa! E quando viu o homem resplandecente, deveria ter fugido! Ela *certamente* não deveria ter falado com ele, quanto mais ter lhe contado sobre a sua natureza!

Fora a morte do rabi; isso a deixara fragilizada. O homem resplandecente a encontrara no pior momento possível. E a força de sua curiosidade, seu desejo de saber mais sobre ela acabaram com o que lhe restava de autocontrole.

Ela agora teria de ser mais forte que isso. Era capaz de arcar com alguns erros. O rabi partira. Não havia mais ninguém que cuidasse dela.

O impacto da perda a atingiu novamente. O que ela faria? Não tinha ninguém com quem conversar, ninguém a quem recorrer! O que as pessoas faziam quando aqueles de quem elas precisavam partiam? Deitou-se na cama, encolhida, sentindo como se parte de seu peito houvesse sido bruscamente escavada, deixando-o aberto e exposto.

Finalmente, conseguiu se recompor e se levantou. Era hora de ir para a padaria. O mundo não havia parado, por mais que desejasse, e ela não podia se esconder em seu quarto. Sentindo-se inerte, vestiu sua capa e ouviu algo estalando no bolso.

Era o envelope. *COMANDOS PARA A GOLEM.* Ela esquecera completamente.

Abriu-o e tirou dele um quadrado de papel grosso, rasgado de maneira grosseira nos cantos e dobrado em quatro. Ela abriu a primeira dobra. Ali uma mão trêmula escrevera:

O primeiro Comando traz à Vida. O segundo Destrói.

A segunda dobra se abriu ligeiramente, como se não pudesse esperar para revelar seus segredos. Pela abertura, ela percebeu a sombra de caracteres hebraicos.

A tentação turvava sua mente como um nevoeiro.

Rapidamente ela dobrou de novo o papel, colocando-o de volta no envelope. Então guardou-o na gaveta de sua minúscula mesa. Ela andou em círculos por alguns instantes, depois tirou o envelope da mesa, enfiou-o entre o colchão e o estrado e sentou em cima.

Por que o rabi lhe dera aquilo? E *o que* ela deveria fazer com ele?

—▸•◂—

As docas de Danzig estavam lotadas de viajantes e seus entes queridos. O *Baltika* estava na ponta do cais, uma solidez imensa e altaneira pronta para desaparecer na névoa matinal.

Para Yehudah Schaalman, depois de permanecer tanto tempo em sua cabana de ermitão, o ruído das docas era insuportável. Agarrado à sua maleta pequena e gasta, ele tentou abrir caminho no meio da multidão. Um alerta da sirene do navio quase matou Schaalman de susto. Era a maior coisa que já vira na vida; ele se deu conta de que a olhava boquiaberto como um idiota.

A multidão foi reduzindo, e ele se arrastou pela prancha de embarque junto com os outros passageiros. Do deque, ficou olhando a terra se afastar. Os parentes que acenavam adeus no cais diminuíram e desapareceram de vista. A névoa se intensificou, e a costa da Europa se tornou uma fina mancha marrom. Logo até essa mancha sumiu, engolida pela bruma e pelo oceano. E Schaalman descobriu que não poderia explicar as lágrimas que rolavam abundantes em seu rosto.

GOLEM & O GÊNIO
UMA FÁBULA ETERNA

XII

a manhã do dia posterior à morte do rabi Meyer, um dos colegas de quarto de Michael Levy o acordou balançando gentilmente seu ombro. Havia um homem de aparência rabínica na porta que perguntava por ele. Michael foi até a porta e reconheceu um dos antigos colegas de seu tio. Ele viu o pesar no rosto do homem, percebeu o mal-estar no cumprimento daquela tarefa e começou a chorar sem que precisassem lhe dizer qualquer coisa.

Não temos certeza de como aconteceu, disse o rabi. *Uma mulher o encontrou. Não sabemos quem era ela. Os vizinhos não a reconheceram.* Uma pausa, e a mensagem no silêncio do homem: seu tio não deveria estar sozinho com uma mulher estranha, mas isso ficaria entre eles. Michael pensou na amiga de seu tio, Chava, mas não disse nada.

Michael passou a manhã se lamentando, inundado de culpa. Deveria tê-lo visitado como prometera a si mesmo que faria. Poderia ter se esforçado, pedido desculpas, apaziguado as diferenças entre eles. Deveria tê-lo *ajudado*. Ele não tivera a sensação de que algo estava errado?

Naquela tarde, foi até o cortiço onde seu tio vivia. Alguém já havia pendurado crepe preto sobre a porta de entrada. No quarto, um rapaz com *peiot* e chapéu escuro estava sentado em uma cadeira ao lado da cama na qual jazia seu tio. Michael dirigiu o olhar para a figura imóvel para logo desviá-lo. Seu tio parecia rígido, encolhido. Não era assim que Michael gostaria de lembrar dele.

Indiferente, o rapaz acenou com a cabeça para Michael e depois retomou sua vigília silenciosa: a *shemirá*, a vigilância do corpo. Fosse qualquer outro dia da semana, haveria um turbilhão de atividades, de homens orando juntos e limpando o corpo de seu tio. Mas era o sabá, o dia do descanso. Arranjos para um funeral eram proibidos.

Desejava perguntar como poderia ajudar, mas isso estava fora de questão. Ele era um apóstata. Não lhe seria permitido. Talvez se fosse um filho, não um mero sobrinho, os colegas de seu tio teriam piedade dele, deixando que fizesse alguma coisa. Na atual situação, ele ficou surpreso só de ter conseguido entrar.

Uma batida suave na porta. O rapaz foi abri-la. Uma voz de mulher no corredor: o jovem deu um passo para trás, balançando a cabeça com veemência. Finalmente, algo que Michael poderia fazer. "Deixe comigo", ele disse, e foi até o corredor. A amiga de seu tio estava ali, o retrato da desolação.

"Michael", ela disse. "Estou tão feliz por você estar aqui. Eu deveria saber que não me deixariam entrar, eu deveria ter imaginado..."

"Está tudo bem", ele disse.

Mas ela sacudia a cabeça, os braços em torno de si mesma. "Eu gostaria de poder vê-lo", ela disse.

"Eu sei", ele retrucou. Por trás do pesar, Michael sentia crescer a raiva familiar contra as restrições religiosas. O quanto o homem no quarto conhecia seu tio, afinal? O que o fazia mais digno da vigília que Michael? "Foi você quem o encontrou", disse Michael, e ela confirmou com um aceno de cabeça. "Desculpe", ele disse odiando-se, mas ao mesmo tempo precisando de uma resposta, "não é da minha conta, mas você e ele..."

"Não, não, nada disso", ela respondeu rapidamente. "Apenas... bons amigos. Ele era muito bom para mim. Jantávamos juntos às sextas-feiras."

"Eu não deveria ter perguntado."

"Está tudo bem", ela disse calmamente. "Todo mundo pensa isso."

Os dois ficaram de pé ali na entrada, sob o crepe, uma dupla de párias.

"Nunca a agradeci", ele disse. "Pelos bolinhos de amêndoas."

Um vestígio de sorriso. "Estou feliz que você tenha gostado deles."

"Então você está indo bem na padaria?"

"Sim. Muito bem."

Silêncio.

"Quando é o funeral?", ela perguntou.

"Amanhã."

"Não permitirão a minha presença", ela disse, como se para confirmar.

"Não." Ele suspirou. "Nada de mulheres. Gostaria que não fosse assim."

"Então, por favor, diga adeus por mim", ela murmurou e virou-se para sair.

"Chava", ele disse. Ela parou, um pé no degrau, e Michael se deu conta de que estava prestes a convidá-la para tomar um café. Uma onda ardente de vergonha o inundou: seu tio jazia morto a alguns metros dali. Ambos estavam de luto. Seria indecente de qualquer ponto de vista.

"Possa Deus confortá-la entre as pessoas de luto de Sião e Jerusalém", ele disse, a velha fórmula surgindo espontaneamente de seus lábios.

"Você também", ela respondeu, deixando-o sozinho com seus pensamentos na escuridão do corredor.

— • —

"Conheci uma mulher interessante na noite passada", contou o Djim a Arbeely.

"Não quero saber", disse Arbeely. Juntos, eles fabricavam um conjunto de frigideiras. Arbeely moldava cada uma delas, depois o Djim aplainava e fazia o acabamento. Era um trabalho repetitivo e fácil, mas eles estavam desenvolvendo um ritmo.

"Não se trata disso", disse o Djim. Após uma pausa, ele perguntou: "O que é um golem?".

"Um o quê?"

"Um golem. Foi o que ela afirmou que era. Ela disse: 'Eu sou um golem'."

"Não faço ideia", respondeu Arbeely. "Tem certeza de que ela não disse *goense*?"

"Tenho. Ela disse 'golem'."

"Não posso ajudá-lo."

Eles trabalharam em silêncio por algum tempo. Então o Djim disse: "Ela era feita de barro".

"Desculpe, não entendi."

"Eu disse que ela era feita de barro."

"Então eu ouvi direito."

"Isso é estranho? Você nunca ouviu falar disso?"

Arbeely bufou: "Estranho? É impossível!".

Erguendo uma sobrancelha, o Djim pegou a ponta incandescente do ferro de soldar de Arbeely com a mão desprotegida.

Arbeely suspirou, entendendo o que ele queria dizer com o gesto. "Mas você tem certeza? Qual era a aparência dela?"

"Pele clara. Cabelo escuro. Da sua altura, usava roupas simples."

"Então ela não tinha a aparência de uma mulher de barro?"

"Não. Você não teria notado nada de extraordinário."

Arbeely respirou fundo para discordar, mas o Djim interveio: "Basta, Arbeely! Ela era feita de barro. Eu tenho tanta certeza disso como de que você é feito de carne e osso".

"Tudo bem, mas não é fácil acreditar nisso. O que mais ela lhe disse, essa mulher de barro?"

"Ela disse que seu nome era Chava."

Arbeely franziu a testa. "Bem, não é um nome sírio. Onde você a encontrou?"

"Perto de um cortiço junto ao Bowery. Nossos caminhos se cruzaram."

"O que você estava fazendo...? Deixa para lá, não quero saber. Ela estava sozinha?"

"Sim."

"Então ela não é uma mulher muito cuidadosa. Talvez não tenha motivo para sê-lo."

"Ela não era uma prostituta, se é o que você quer dizer."

"Talvez você devesse me contar a história toda."

Assim, o Djim relatou todo o encontro com a estranha mulher feita de barro. Arbeely ouvia com uma crescente inquietude. "E ela percebeu que você era... bem, diferente?"

"Sim, mas ela não sabia o que era um djim."

"E você *contou* a ela? Por quê?"

"Para evitar que fugisse. Mas ela acabou indo embora de qualquer jeito."

"E quando você a seguiu até em casa... onde ela vive?"

"A leste do Bowery."

"Sim, mas em qual *bairro*? Qual era a nacionalidade dela?"

"Não tenho ideia. Na maior parte dos letreiros, a língua era assim..." O Djim pegou um lápis, encontrou um pedaço de papel e então desenhou alguns dos caracteres que lembrava de ter visto nos toldos e vitrines.

"São letras hebraicas", disse Arbeely. "Você estava em um bairro judeu."

"Creio que sim."

"Não gosto disso", resmungou Arbeely. Ele não era um homem preocupado com política, e os preconceitos que abrigava eram, em sua maioria, moderados e abstratos; mas a ideia do Djim criando problemas em um bairro judeu o assustava. Os suseranos turcos do monte Líbano há muito zombavam das populações cristãs e judaicas, jogando-as umas contra as outras para disputar os favores dos muçulmanos. As discórdias algumas vezes se tornaram sangrentas e terminaram em revoltas, inflamadas por acusações da presença de sangue cristão no pão dos judeus — uma alegação que sempre parecera ridícula a Arbeely, embora soubesse que muitos estavam dispostos a acreditar nela. É claro que os judeus do Lower East Side eram europeus, não sírios; mas eles representavam, de longe, a maior comunidade, e parecia mais do que plausível que sentissem rancor em nome de seus irmãos.

"Você contou demais a ela", disse Arbeely.

"E se ela repetir, ninguém vai acreditar."

"Isso não significa que ela não possa causar problemas. E se ela vier aqui e começar a espalhar boatos? Ou pior: e se ela disser aos judeus do Lower East Side que encontrou uma perigosa e terrível criatura vivendo com os sírios na Washington Street?"

"Aí vamos rir dela e chamá-la de louca."

"Você vai rir de toda uma multidão? Você vai rir quando eles saquearem a loja de Sam, ou queimarem o café dos Faddoul?"

"Mas por que eles..."

"Eles não precisam de um motivo!", gritou Arbeely. "Por que você não entende? Os homens não precisam de uma razão para causar danos; basta uma desculpa! Você vive entre pessoas boas e trabalhadoras, e sua falta de cuidado coloca todos em perigo. Pelo amor de Deus, não destrua a vida delas para satisfazer seus caprichos!"

O Djim ficou assustado com a veemência do homem. Jamais presenciara Arbeely tão irritado. "Tudo bem", ele disse. "Eu peço desculpas. Não voltarei lá."

"Bom", disse Arbeely surpreso, esperando uma briga. "Isso é bom. Obrigado." E, juntos, retomaram o trabalho.

Algumas noites depois, a cidade foi atingida pela primeira verdadeira nevasca da estação. O Djim ficou à janela, olhando a cidade desaparecer silenciosamente. Ele já havia visto neve espalhando-se seca e branca pelo deserto, brilhando nos picos das montanhas. Mas essa neve suavizava tudo o que tocava, arredondando as quinas de edifícios e telhados. Ele ficou olhando até que ela parou de cair, e então saiu para a rua.

O Djim caminhou até as docas através daquele branco ininterrupto, sentindo os flocos amassados sob seus pés. Barcos amarrados ao cais se chocavam na água escura, seus deques e cordames cobertos de neve. Em algum lugar ali perto havia um bar; as vozes e risadas dos homens eram transportadas pelo ar.

Havia uma tranquilidade que jamais experimentara na cidade, mas ele a sentia frágil, como um momento que tivesse conseguido roubar. Pela manhã, voltaria a fabricar frigideiras, bancando o aprendiz de beduíno. Vivendo em segredo. Lembrou-se do ímpeto de felicidade que sentiu quando contou àquela mulher o que ele era. Como se, por um momento, ele tivesse sido libertado.

Ocasionalmente uma voz discreta falava dentro dele, dizendo: *Você é um tolo por não voltar para casa.* Mas ele mal podia considerar esse pensamento antes de esmagá-lo com milhares de medos e objeções. Mesmo que sobrevivesse à travessia do oceano, ele não poderia retornar ao palácio de vidro, à sua vida anterior, preso em um corpo humano como estava. Seria obrigado a buscar refúgio nas habitações dos djins, entre os seus, mas para sempre à parte, apontado como um exemplo a ser evitado pelos mais novos. *Fuja dos humanos, meu pequeno, ou este será seu fim.*

Não, já que era obrigado a viver distante de sua própria espécie, então que fosse em Nova York. Ele encontraria uma maneira de se libertar. E se não conseguisse? Então, teria de morrer aqui.

—•—

A Golem sentou junto à janela e observou a neve caindo. O frio passava através da esquadria, e ela fechava sua capa para se proteger. A Golem percebeu que, apesar de não se sentir perturbada pelo frio em si, ele fazia o barro do seu corpo enrijecer, deixando-a agitada e irritada. Ela passou a usar a capa até mesmo em seu quarto, mas não ajudava muito. Suas pernas doíam, e não passava de duas da manhã.

Apesar disso, a neve era linda. Ela desejava poder andar nela e sentir como era enquanto ainda estava recente e fresca. Imaginava como estaria a cova recém-aberta do rabi, localizada no outro lado do rio, no Brooklyn, repousando embaixo de um cobertor branco. Ela o visitaria em breve, pensou, mas antes teria de saber como. Nunca estivera no Brooklyn; mal havia saído do Lower East Side. E as mulheres eram autorizadas a entrar no cemitério? Como ela poderia perguntar a alguém sem revelar sua ignorância?

A morte do rabi revelara o quão pouco ela sabia da cultura na qual vivia. Segundos após sua terrível descoberta, os vizinhos começaram a interpretar seus papéis, seguindo o roteiro que todos sabiam de cor: chamar o médico, cobrir o espelho. Quando ela encontrou o jovem sentado em vigília no dia seguinte, ficou estarrecida com a força da repugnância dele, com a inconveniência de sua presença. Apreciou a raiva que Michael sentira por causa disso; mas ele, pelo menos, entendia qual era a violação; ela apenas tropeçava no escuro.

Michael. A Golem desconfiava de que, mesmo sem sua habilidade, teria sido capaz de perceber o que ele queria lhe perguntar no corredor. Ela agradeceu o fato de ele não ter dito nada. *Julgue um homem por seus atos, não por seus pensamentos.* O rabi estava certo: Michael era uma boa pessoa, e ela estava feliz por tê-lo encontrado novamente. Talvez se encontrassem outras vezes, por acaso, na rua ou na padaria. Poderiam até se tornar amigos. Ela esperava que ele aceitasse.

Enquanto isso, sua vida seguia em frente. No trabalho, a sra. Radzin ofereceu suas condolências e disse que o sr. Radzin prestaria sua homenagem na *shivá*, na casa do rabi. (A Golem se perguntava: a sra. Radzin ficaria em casa porque as mulheres não podiam ir ou porque ela precisava cuidar das crianças? Como ela conseguiria *saber* dessas coisas?) Anna e a sra. Radzin se ofereceram para assumir os turnos da Golem no caixa para que ela pudesse trabalhar em paz nos fundos. Era uma gentileza que ela aceitou com gratidão.

A solidão lhe permitiu pensar melhor nos eventos dos últimos dias e aceitar que eles realmente haviam acontecido. O encontro com o homem resplandecente, especificamente, parecia algo saído de sua imaginação. Ele não deixara qualquer marca ou traço real de sua existência, exceto na memória da Golem.

Ela estremeceu, pensando em como revelara seu segredo àquele homem. Ele lhe contara seu próprio segredo com tanta facilidade que, por um instante, sua cautela lhe pareceu excessiva, tola até. E então ele perguntou: *O que você é?*; e a curiosidade aberta e ardente da pergunta rompeu sua resistência.

Ao menos, conseguira fugir dele antes que pudesse fazer um estrago ainda maior. Fora um encontro ao acaso, uma aberração. Não se repetiria.

Mas, quando se distraía, misturando massa ou contando pontos, seus pensamentos se voltavam para o homem, ponderando o que ele dissera. Ele era um djim... mas o que seria isso? Por que seu rosto brilhava daquela forma? Como ele chegara aqui por *acidente*?

Às vezes ela até se imaginava procurando por ele, dirigindo-se até a Washington Street e fazendo-lhe perguntas. Então tomava as rédeas de seus pensamentos e os desviava para outra coisa. Era uma fantasia perigosa demais para alimentar.

Havia mais um fio solto daquela noite que ainda demandava sua atenção. Ela pensou durante um longo tempo no envelope que havia tirado da mão do rabi, com seu pequeno pedaço de papel. Não o abrira novamente, não confiara em si mesma que não desdobraria totalmente o papel. Ela imaginava agora se o rabi realmente desejara lhe entregar o escrito. Nesse caso, ele não teria ao menos colocado o nome dela no envelope, ou, de alguma maneira, tentado disfarçar seu conteúdo? Mas toda essa especulação era inútil; ela nunca saberia ao certo. Por um instante, pensou em queimá-lo, mas isso apenas fez com que ela se agarrasse a ele com ainda mais força. Quaisquer que fossem as intenções do rabi, o envelope chegara em suas mãos, e ela não poderia destruí-lo.

A questão, então, passou a ser onde guardá-lo. Ela não poderia deixá-lo na pensão: a senhoria poderia encontrá-lo, ou a casa poderia pegar fogo. A padaria era um lugar ainda mais arriscado. Assim, munida de parte do dinheiro que guardava em uma lata de biscoitos embaixo da cama, ela foi a uma joalheria e comprou um grande medalhão de bronze com uma corrente robusta. O medalhão era plano e oblongo, com os cantos arredondados. Ali havia espaço suficiente para esconder o papelzinho bem dobrado. Ela o fechou, pendurou a corrente em seu pescoço e enfiou o medalhão por dentro da camisa. A gola era alta o bastante para esconder a maior parte da corrente; uma pessoa teria de olhar com muita atenção para perceber o brilho em sua nuca. Agora, enquanto ela observava a neve pela janela, o medalhão repousava contra a sua pele, frio e em segredo. Era uma sensação estranha, mas ela já estava se acostumando. Logo, pensou, ela mal notaria.

———— • ————

Na última noite do luto da *shivá*, Michael Levy ficou em um canto da saleta da casa de seu tio e ouviu a prece do kadish ser lida mais uma vez. Seu ritmo triste e ondulante o incomodou como nunca. Ele se sentiu mal. Passou a mão na testa; estava suando, apesar do ar frio do aposento. Os homens na saleta formavam uma parede de casacos pretos, seus solidéus balançando para cima e para baixo enquanto eles cantavam com vozes profundas e roufenhas.

No cemitério do Brooklyn, ele ficou junto à cova aberta e apanhou um punhado de terra congelada, depois estendeu o braço e abriu a mão. Os pedaços congelados bateram no caixão de pinho com um som breve e oco. O caixão parecia pequeno demais, distante demais, como algo no fundo de um poço.

Possa Deus confortá-la entre as pessoas de luto de Sião e Jerusalém. As palavras prescritas de luto, aquelas que vieram a sua boca no corredor quando ele estava com a amiga de seu tio: escutara-as dezenas de vezes naqueles poucos dias, e elas estavam começando a afetar seus nervos. Por que "entre as pessoas de luto de Sião e Jerusalém?" Por que não "entre as pessoas de luto de todo o mundo"? Tão provinciano, tão limitado. Como se a única perda que importasse fosse a antiga perda do Templo, e todas as outras apenas a refletissem. Ele sabia que isso servia para lembrar à pessoa em luto de que ela ainda fazia parte de uma comunidade e estava entre os vivos. Mas Michael tinha sua comunidade: seus amigos da escola, seus colegas na Casa de Acolhida, seus irmãos e irmãs no Partido Trabalhista Socialista. Ele não precisava desses desconhecidos piedosos. Percebera os olhares oblíquos direcionados para ele, engolindo o sobrinho apóstata. *Deixe que me julguem*, ele pensou. Era a última noite. Em breve, todos estariam livres uns dos outros.

Os homens de chapéu preto iam e vinham. Eles se postaram junto à mesa da saleta comendo ovos cozidos e fatias de pão, falando baixo. Algumas vezes Michael observou rabis mais velhos, dos quais se lembrava vagamente como amigos de seu tio, examinando as estantes, procurando por algo. Todos eles chegavam ao fim das prateleiras de rosto franzido, desapontados, olhavam em torno com um ar culpado e prosseguiam. Estariam em busca de livros valiosos dos quais pudessem se apropriar? Cobiça profissional, mesmo em uma *shivá*? Ele sorriu amargamente. Era o fim da pureza do luto.

Bem, eles poderiam ficar com tudo. Michael fora declarado herdeiro do pouco que havia, mas pretendia doar a maior parte. Ele não tinha onde guardar a mobília, nenhuma utilidade para os artigos religiosos. Depois que todos foram embora, ele percorreu os quartos com uma caixa, separando as coisas que guardaria. O jogo de chá banhado em prata, do qual sua tia tinha tanto orgulho. Os xales e as joias dela, que ele encontrou em uma gaveta. Na mesma gaveta, uma pequena bolsa contendo uma carteira manchada e um relógio quebrado. O relógio um dia fora de boa qualidade; ele nunca vira seu tio com ele. Na carteira havia dinheiro, tanto americano quanto o que parecia moeda alemã. Ele colocou os dois objetos na caixa, imaginando tratar-se de lembranças da travessia de seu tio. Cartas, os poucos daguerreótipos emoldurados da família, incluindo — escondido em uma gaveta — o retrato do casamento de seus pais. Sua mãe, uma garota de rosto redondo, espiando por trás de um véu rendado adornado de flores. Seu pai, alto e magro com um chapéu de seda, olhando não para a câmera ou para sua esposa, mas para algum ponto fora do enquadramento, como se já pretendesse escapar. A antiga raiva de seu pai aflorou por um instante, antes de se dissolver novamente em mágoa. Embaixo da cama, encontrou uma bolsa de couro com velhos livros em mau estado. Colocou-os junto a seus colegas nas estantes. Ele conhecia uma entidade filantrópica que enviava livros para novas congregações judaicas no Meio-Oeste — sem dúvida, eles teriam interesse.

Sob a toalha que cobria a mesa da saleta, ele encontrou um fino maço de papéis cobertos com a letra de seu tio. Na pressa de preparar o local para a vigília, os colegas de seu tio não os haviam notado. Uma das folhas estava à parte, como se fosse mais importante que as demais. Nela estavam escritas duas linhas em um hebraico estranho e indecifrável. Tudo parecia muito misterioso, e ele pensou em entregar todos os papéis ao primeiro rabi que encontrasse; mas a letra de seu tio exercia uma atração visceral nele. Ele não poderia, não agora. Tudo ainda estava muito recente. Cansado, jogou os papéis na bolsa de couro, agora vazia. Ele os examinaria mais tarde, depois que houvesse recuperado seu senso de perspectiva.

Levou a caixa e a bolsa de couro para seus aposentos, colocando-as embaixo de uma mesa. Ele ainda suava e se sentia enjoado, apesar de quase não ter comido nada nos últimos dias. Vomitou no banheiro e depois desabou sobre seu catre.

Pela manhã, um de seus colegas o encontrou tremendo e banhado em suor. Trouxeram um médico. Talvez uma leve influenza, disse o médico; e em algumas horas o prédio inteiro estava em quarentena, ninguém entrava ou saía.

Michael foi levado para o hospital da ilha Swinburne, onde ficou entre os aterrorizados e inconsoláveis imigrantes barrados na ilha Ellis, os moribundos e aqueles diagnosticados erroneamente. Sua febre aumentou. Ele teve alucinações com um incêndio no teto, depois com um ninho de cobras que se contorciam e caíam em cima dele. Lutou para se afastar delas e descobriu que estava amarrado na cama. Ele gritou, e uma fria mão imparcial repousou em sua testa. Alguém lhe levou um copo de água aos lábios. Ele bebeu o que pôde, depois recaiu em suas terríveis visões.

Michael não era o único a gritar em delírio na enfermaria. Em uma cama próxima havia um prussiano em torno dos quarenta anos, que embarcara vigoroso e são no *Baltika* quando este aportou em Hamburgo. Chegara à ilha Ellis sem qualquer incidente, e era o primeiro da fila para o exame médico quando sentiu que batiam em seu ombro. Voltou-se e viu atrás dele um homem pequeno, velho e encarquilhado, metido em um sobretudo grande demais. O velho acenou-lhe, obviamente querendo dizer algo. Ele se abaixou para tentar ouvi-lo no salão lotado, e o velho sussurrou uma série de palavras sem sentido, balbuciadas asperamente em seu ouvido.

O homem balançou a cabeça, tentando mostrar ao velho que ele não havia entendido — mas então ele começou a sacudir sua cabeça violentamente porque as sílabas sussurradas haviam se alojado dentro dela. O volume aumentou, e as palavras ricocheteavam de um lado a outro de seu crânio, zunindo como vespas. Ele tapou os ouvidos. *Por favor, me ajudem*, tentou dizer, mas não conseguia ouvir sua própria voz em meio àquele estampido. O rosto do velho mostrava uma inocente perplexidade. As outras pessoas na fila começaram a olhar. Agarrou sua cabeça — o barulho era insuportável, ele estava se afogando nele — e então caiu de joelhos, aos berros. Uma espuma começou a se formar em seus lábios. Médicos e homens de uniforme o seguravam agora, enfiando um cinto de couro em sua boca. A última coisa que viu, antes de ser colocado em uma camisa de força e levado para Swinburne, foi o velho aproximando-se do guichê vazio para que carimbassem seus papéis e depois desaparecendo na multidão do outro lado.

O agente do Departamento de Imigração olhou para os papéis em sua mão, depois escrutou o homem que estava à sua frente. Ele parecia ter mais que sessenta e quatro anos, certo, mas tinha aquele ar desgastado de camponês que poderia ser interpretado como qualquer coisa abaixo de cem anos.

"Em que ano você nasceu?" Do outro lado do guichê, o tradutor de iídiche se inclinou e falou com o velho. *Mil oitocentos e trinta e cinco*, respondeu. Bem, se ele diz... O homem tinha as costas eretas, seus olhos eram límpidos e o carimbo do exame médico ainda secava em seus papéis. Ele já mostrara a carteira, que continha vinte dólares americanos e algumas moedas. O bastante para evitar que se tornasse um estorvo. Não havia razão para não deixá-lo entrar.

Aquele nome, porém. "Vamos chamá-lo por algo mais americano", ele disse. "É para o seu bem." E enquanto o velho observava, uma certa confusão despontando de seus olhos, o agente riscou *Yehudah Schaalman* e, por cima, escreveu *Joseph Schall,* com uma letra obscura e quadrada.

GOLEM & GÊNIO
UMA FÁBULA ETERNA

XIII

 estação natalina aterrissou na Pequena Síria com todos os seus enfeites e festas. De um momento para o outro, o Djim começou a ter a impressão de que Arbeely estava sempre na igreja. *Para a novena*, diria o homem, ou *para celebrar a Imaculada Conceição*, ou *para a revelação a São José*. "Mas o que *significa* tudo isso?", perguntava o Djim. Assim, com um sentimento de reverência, Arbeely se viu contando ao Djim uma história condensada da vida de Cristo e da fundação de sua Igreja. A isso se seguia uma longa, complicada e, às vezes amarga, discussão.

"Deixe ver se entendi corretamente", disse o Djim a certa altura. "Você e seus parentes acreditam que um fantasma que vive no céu pode atender seus pedidos."

"Isso é uma simplificação muito grosseira, e você sabe disso."

"Ainda assim, de acordo com os homens, nós, djins, não passamos de histórias para crianças?"

"Isso é diferente. Trata-se de religião e fé."

"E onde exatamente reside a diferença?"

"Você está realmente curioso, ou sendo apenas deliberadamente insultante?"

"Estou realmente curioso."

Arbeely mergulhou uma frigideira recém-terminada em uma tina com água — a essa altura, ambos já estavam completamente enjoados de frigideiras — e esperou que o vapor se dissipasse. "Fé é acreditar em algo mesmo sem provas porque, no fundo do seu coração, você sabe que é verdade."

"Entendo. E antes de me libertar daquele frasco, você teria dito que sabia *no fundo do seu coração* que os djins não existem?"

Arbeely franziu o rosto. "Eu teria considerado uma hipótese muito remota."

"Mas olhe para mim. Aqui estou, fabricando frigideiras. Isso não coloca sua fé em dúvida?"

"Olhe para você! Você é a prova de que rotular alguma coisa como superstição não necessariamente confirma que ela não existe!"

"Mas eu *sempre* existi. Os djins podem escolher não ser vistos, mas isso não significa que somos imaginários. E nós certamente não pedimos para ser adorados. De qualquer forma", disse com satisfação — ele havia guardado essa ressalva para o momento apropriado —, "você mesmo me disse que às vezes não tem certeza da existência de Deus."

"Eu nunca deveria ter dito isso", resmungou Arbeely. "Eu estava bêbado."

Em uma noite, há não muito tempo, animado pelo crescente sucesso comercial, Arbeely resolveu apresentar seu aprendiz ao áraque.[1] A bebida à base de anis não surtia qualquer efeito no Djim, proporcionando apenas um sabor agradável e um súbito calor enquanto queimava dentro dele. Ele ficara fascinado pela transformação do áraque quando Arbeely colocava água no pequeno copo, e o líquido passava de transparente para um branco turvo. Ele insistiu em fazer isso repetidamente, dissolvendo o áraque gota a gota e observando os pequenos tentáculos opacos e enevoados que se espalhavam pelo copo.

Mas como isso funciona?, perguntou a Arbeely.

Não sei. O homem abriu um sorriso e jogou goela abaixo outra das experiências do Djim. *Apenas funciona.*

---

1 Bebida alcoólica destilada, à base de anis, comum no Mediterrâneo oriental, em países como Iraque, Palestina, Líbano, Síria e Israel. *O ouzo* grego e o *raki* turco são variações. [NT]

"E porque você estava bêbado, essa declaração é menos verdadeira?", perguntou o Djim.

"Sim. O álcool é uma má influência. Além disso, mesmo que eu não acreditasse, de que serviria? Você existia sem o benefício da minha crença. Assim como Deus existe sem a sua ajuda."

Mas a verdade era que a fé de Arbeely se apoiava em um terreno não muito firme. Para piorar, a discussão o forçava a escrutar suas próprias crenças vacilantes, quando tudo o que ele queria era o conforto do que lhe parecia familiar. À noite, sozinho em sua cama, as dúvidas e as saudades de sua terra oprimiam seu coração e lhe davam vontade de chorar.

Apesar disso, na véspera de Natal ele foi à missa. Na nave da igreja iluminada por velas, ele recebeu a comunhão com seus vizinhos, a hóstia banhada em vinho pesada em sua língua, e se esforçou para sentir algo do milagre do nascimento do menino Jesus. Depois, durante o jantar organizado pelas senhoras da paróquia, ele se sentou a uma longa mesa junto com outros homens solteiros para comer tabule, pita e quibe, que nem de longe lembravam os que sua mãe preparava. Uma dupla de homens levara um *oud*[2] e um tambor, e todos dançaram *dabke*.[3] Arbeely se juntou a eles, menos por vontade verdadeira do que pelo fato de que seria doloroso ficar de fora.

Ele saiu do jantar e foi andando de volta para o seu quarto no cortiço. Era uma noite fria e revigorante; o ar apunhalava seus pulmões. Talvez, pensou, devesse tomar um copo de áraque — apenas um dessa vez — e deitar-se cedo. Então ele viu que a lâmpada ainda queimava na oficina. Estranho — normalmente, àquela hora, o Djim estava vagando pela cidade, deitando-se com jovens herdeiras e fazendo seja lá o que costumava fazer.

Arbeely entrou e encontrou a oficina vazia. Franziu as sobrancelhas. O Djim sabia muito bem que não deveria deixar a lâmpada acesa. Irritado, ele entrou na oficina para apagá-la.

Sobre a mesa, no círculo de luz da lâmpada, estava uma pequena coruja de prata.

---

2   Instrumento de cordas comum no Oriente Médio, semelhante ao alaúde. [NT]
3   Espécie de dança comum no Líbano, Síria, Jordânia, Palestina e Turquia, em que as pessoas dançam em círculo ou enfileiradas. [NT]

Arbeely pegou a estatueta nas mãos e examinou-a. A coruja estava pousada no cepo de uma árvore, mirando-o com enormes olhos arregalados. O Djim usara uma pequena lâmina para entalhar algumas penas arrepiadas e um minúsculo bico. Conseguira criar a coruja de ar mais colérico que Arbeely jamais vira.

Ele riu alto, encantado. Não era um presente de Natal, claro! Era para ser um pedido de desculpas, ou apenas um capricho? Um pouco das duas coisas, talvez? Sorrindo, ele colocou a estatueta no bolso e tomou o rumo da cama.

A coruja realmente era um pedido de desculpas, mas por mais coisas do que Arbeely imaginava.

As discussões sobre religião também afetaram o Djim. Nunca os humanos lhe haviam parecido tão exóticos. Friamente, ele entendia que Arbeely tivesse dificuldades para explicar o assunto, ligado como estava aos seus sentimentos pela pátria e pela família. Mas então Arbeely dizia algo completamente ridículo, como quando tentou explicar de que maneira o Deus deles era três e, ao mesmo tempo, um. Isso deixava o Djim absolutamente exasperado.

Com certeza o homem tinha boas intenções, mas o Djim queria conversar com alguma outra pessoa, alguém que pudesse entender suas frustrações, talvez até compartilhá-las. Alguém que, como ele, fosse forçado a esconder seus poderes.

O Djim não sabia se a Golem concordaria em falar com ele. Mas ele precisava saber quem ela era. Assim, quando Arbeely entrou na oficina e encontrou a estatueta, o Djim já estava refazendo o caminho que havia memorizado, em busca da mulher feita de barro.

—•—

Ao longo das semanas o frio foi se intensificando e, com isso, a impaciência noturna da Golem. No fim de cada dia de trabalho, ela planejava passar mais um ou dois minutos em frente aos fornos que esfriavam, banhando-se nos últimos resquícios de calor. A caminhada de volta para casa se transformara em uma triste marcha para o que parecia uma prisão sem fim. Uma noite tentou se deitar, enfiando-se embaixo do edredom a fim de se manter aquecida, mas seus membros inquietos não permitiram. Ela quase rasgou a roupa de cama em sua ânsia para se levantar novamente.

Aos sábados, seu dia de folga, ela combatia a rigidez causada pelo frio caminhando até os limites de seu bairro, subindo e descendo as ruas mais do que conhecidas. *Rivington, Delancey, Broome, Grand, Hester. Forsyth, Allen, Eldridge, Orchard, Ludlow.* Coroas feitas com galhos de pinheiro e laços de veludo vermelho haviam aparecido em algumas janelas; ela sabia vagamente que aquilo se devia a alguma festividade, mas era um costume de gentios, e ela não deveria tomar conhecimento. A Golem passava em frente às inúmeras sinagogas, desde as congregações humildes até as imponentes construções na Eldridge e na Rivington Street. Em cada uma, ela sentia a mesma efusão de preces, como um rio profundo de correntezas poderosas. Às vezes era tão forte que tinha de atravessar a rua para não se deixar arrastar. Ela começou a entender por que o rabi nunca a levara para uma cerimônia religiosa. Seria como entrar em um furacão.

Nos limites a oeste de suas caminhadas, ela sempre parava e olhava na direção do Bowery. Para ela, a rua era uma espécie de fronteira, um portal para a vasta e perigosa extensão da cidade. Ela só a havia cruzado uma vez, na noite em que encontrara o homem resplandecente.

Ela pensou em que lugar ele poderia estar. Será que sentia o frio como ela? Ou ele o afastava, queimando mais intensamente?

Ela caminhava sem parar, indo e vindo, desejando que o sol não fosse embora. Mas a Terra insistia em girar, e logo ela estava novamente em casa, enchendo-se de coragem para enfrentar a noite. Entediada com a tarefa de recosturar seu único vestido, começou a aceitar roupas que precisavam de consertos ou modificações. A maior parte de suas clientes eram colegas da pensão, as secretárias e contadoras que nunca haviam aprendido a mexer com agulhas. Consideravam-na, nas poucas vezes em que paravam para pensar nela, uma estranha solteirona; mas mesmo elas notaram a precisão de seus pontos, seus remendos praticamente invisíveis. Elas a recomendavam a amigas e colegas, e logo a Golem tinha trabalho mais que suficiente para ocupar as mãos, ainda que não conseguisse satisfazer sua mente.

Em uma noite especialmente fria, ela estava consertando um rasgão em um par de calças quando a agulha escapou de seus dedos rígidos. Tentou pegá-la, mas atrapalhou-se, e a agulha desapareceu. Ela procurou nas calças, em suas próprias roupas, no chão, mas não conseguiu encontrá-la. Finalmente, um brilho produzido pela luz da vela chamou sua atenção: lá estava a agulha, em seu braço direito. Entrara quase até a metade.

Olhou mais de perto, estupefata. Como aquilo poderia ter acontecido? Ela enfiara a agulha ali e nem sequer percebeu!

Cuidadosamente, tirou a agulha do braço e arregaçou a manga da blusa. Havia um pequeno buraco escuro com a borda ligeiramente levantada no ponto em que a agulha empurrara o barro. Ela pressionou o local com o polegar e sentiu uma pontada de desconforto. Mas logo o furo estava se fechando, o barro voltava para o lugar; e quando ela retirou o polegar, a marca já havia praticamente desaparecido.

A Golem ficou fascinada. Acostumara-se a pensar em seu corpo como algo imutável. Ela não ficava roxa quando batia na mesa de trabalho e nunca torcera o tornozelo no gelo, como havia acontecido com a sra. Radzin. Nem seu cabelo crescia. Aquilo era algo novo e inexplorado.

Seu olhar recaiu na almofada de alfinetes, com dezenas de hastes longas e prateadas.

Minutos depois, ela já havia enfiado todos eles em seu braço, em profundidades variadas, alguns quase até a cabeça. Precisou usar a força. Era feita de um barro resistente e denso, que não cedia com facilidade. Depois de amassar o polegar nos alfinetes, ela tirou a bota e a usou como martelo.

Finalmente examinou seu trabalho, tocando um alfinete de cada vez. Ela os havia disposto ordenadamente, formando uma grade ao longo de seu antebraço esquerdo, do punho ao cotovelo. Todos estavam firmes. Ela abriu e fechou a mão, sentindo o barro puxar e se acumular junto aos alfinetes próximos ao pulso. Parecia não haver qualquer estrutura subjacente, nenhum osso, músculo ou nervo: ela era totalmente feita de barro.

Removeu um alfinete, segurando-o com as unhas. Logo o buraco havia fechado espontaneamente. Ela tirou mais um e olhou para o relógio: foram apenas três minutos até que não restasse nada além de um ponto escuro. E se o buraco fosse maior? Ela tirou um alfinete e o enfiou bem próximo a outro, fazendo um furo com o dobro do tamanho. O incômodo aumentou, mas ela ignorou. Então retirou os dois alfinetes e observou. Oito minutos se passaram até que o buraco se fechasse por completo.

Que interessante! Mas e se ela colocasse três alfinetes juntos, ou quatro? Ou ela poderia usar outra coisa que não alfinetes, algo maior — a tesoura! Pescou o objeto do cesto de costura e segurou-o na mão fechada como uma adaga sobre seu punho, pronta para o golpe.

Então, lentamente, como se estivesse evitando um choque, ela largou a tesoura. Que diabos estava fazendo? Ela não tinha ideia de quanto seu corpo aguentaria, o quão longe ele poderia ir. E se ela se mutilasse de maneira permanente? E se o buraco realmente fechasse, o que ela faria depois? Cortaria o braço fora simplesmente por tédio? Então não precisaria ter medo de que os outros descobrissem o que ela era e a destruíssem. Em breve, se destruiria sozinha, pedaço por pedaço.

Retirou todos os alfinetes do braço e os colocou de volta na almofada. Logo o único estrago era uma série de manchas pálidas. Ela fitou o relógio. Apenas duas da manhã. Ainda havia algumas horas para ocupar. E seus dedos já começavam a se retorcer.

Por quanto tempo aguentaria continuar assim? Anos, meses, semanas? Dias? *Você vai enlouquecer em breve*, disse uma voz em sua cabeça, *e colocar tudo em risco.*

Sua mão tocou o medalhão, mas logo vacilou. Ela balançou a cabeça distraidamente. Depois se embrulhou mais firmemente na capa e olhou para a rua lá embaixo.

O homem resplandecente vinha caminhando pela calçada, aproximando-se da pensão.

Chocada, ficou observando. O que ele estaria fazendo nesta rua? Ele a teria seguido até em casa aquela noite? Não; talvez fosse uma coincidência. Era possível que estivesse indo para algum outro lugar.

Cautelosamente, percebeu que o homem se aproximava. Ele usava um casaco escuro, mas não estava de chapéu, apesar da noite que congelava. Ao chegar perto da pensão, ele reduziu o passo e depois parou. Olhou em torno, como se estivesse procurando por algum espectador. Então o homem ergueu a cabeça e dirigiu o olhar diretamente para a janela da Golem.

Seus olhos se encontraram.

Rapidamente, a Golem se afastou da janela e quase tropeçou na cama. Ela fora descoberta, caçada! Agarrou o medalhão, esperando que batessem à porta, uma multidão enfurecida.

A rua, no entanto, continuava silenciosa. Ninguém bateu à porta, nenhuma onda de temerosa ira se aproximava.

Furtivamente, foi até a janela e espiou. Ele ainda estava lá, sozinho, apoiado contra um lampião de rua. Enquanto ela olhava, o homem preparou um cigarro e, sem a ajuda de fósforos, tocou uma das pontas com o dedo e tragou. Tudo isso sem olhar na direção da janela. Ele tinha, a Golem percebera, certeza de que ela o observava. E ele estava se *divertindo*.

Seu pânico diminuiu, sendo substituído pela raiva. Como ele ousou segui-la até em casa? Que direito ele tinha? No entanto... quantas vezes ela pensara em ir até a Washington Street para procurá-lo? E agora aqui estava ele, embaixo de sua janela, e ela não tinha a menor ideia do que fazer.

Durante quase uma hora ela ficou olhando para o homem ali parado, como se ele não tivesse mais nada a fazer no mundo além de ficar fumando junto ao lampião. Ele cumprimentava os ocasionais transeuntes, que se espantavam com sua cabeça descoberta e seu casaco fino.

Então, em um súbito impulso, ele tirou algo do bolso. Era aproximadamente do tamanho de uma maçã, mas não tão redondo, e brilhava à luz do lampião. Ele envolveu o objeto nas mãos, que, por alguns longos instantes, brilharam com tamanha intensidade que era quase doloroso olhar para elas. Então, de outro bolso, tirou um bastão longo, fino e pontiagudo como uma agulha. Ele segurou o objeto, fitou-o e então começou a cutucá-lo suavemente com o bastão.

Curiosa, apesar de sua cautela, a Golem se aproximou mais da janela e ficou olhando enquanto o homem trabalhava. Às vezes ele franzia as sobrancelhas e esfregava o polegar sobre algo que fizera, como se estivesse apagando um erro. Ela percebeu que a luz dentro dele não brilhava para além de seu corpo; ainda que suas mãos brilhassem quase tanto quanto o lampião a gás, o objeto que ele segurava permanecia na sombra.

Ele finalmente reduziu o ritmo até parar. Ergueu o objeto para examiná-lo, virando-o de todos os lados, e depois abaixou-se para colocá-lo ao lado do lampião. Então, sem nem ao menos olhar para trás, ele desceu a rua pelo caminho de onde viera.

A Golem esperou dez minutos. Depois outros cinco. O dia estava prestes a raiar. O movimento na calçada já começava a aumentar.

Uma, duas, três pessoas passaram pelo lampião. Logo alguém perceberia o que quer que ele tivesse deixado ali, tomando-o para si. Ou o objeto acabaria sendo chutado para a sarjeta, desaparecendo. E ela nunca saberia o que era.

Ela pegou sua capa e desceu as escadas correndo. Na porta da frente, parou; depois de preparar sua armadilha, ele teria dado meia-volta para esperar por ela? A Golem abriu uma fresta e olhou para a rua, mas não viu qualquer rosto que brilhasse, apenas homens e mulheres comuns. Ela foi até o lampião e pegou o objeto, examinando-o à luz do gás.

Era um pequeno pássaro de prata ainda morno ao toque. Ele o fizera como se a ave estivesse pousada no chão, seus pés abrigados sob si mesmo. Seu corpo arredondado se adelgaçava até uma pequena cauda de penas. Minúsculos entalhes e recortes criavam uma ilusão de plumagem. Sua cabeça estava voltada para o lado e mirava-a atentamente com seus olhos redondos.

Ele fizera aquilo com as próprias mãos enquanto estava debaixo de sua janela.

Completamente perplexa, ela levou o pássaro para o quarto, colocou-o sobre a mesa e ficou olhando para ele até a hora de trabalhar.

Naquela manhã, a Golem queimou uma fornada de biscoitos pela primeira vez. No caixa, equivocou-se com o troco de dois fregueses e entregou a uma mulher pãezinhos de passas em vez de queijo. Os enganos a deixavam mortificada, ainda que todos achassem divertido — era tão famosa por sua precisão que testemunhar um descuido dela era tão raro quanto presenciar uma estrela cadente.

Anna, claro, ficou radiante. "Qual é o nome dele?", sussurrou quando a Golem passou a seu lado.

"O quê?" Assustada, a Golem encarou a jovem. "Nome de quem?"

"Ah, de ninguém." Anna sorriu satisfeita como um gato. "Esqueça que eu disse alguma coisa."

Depois disso, a Golem foi ao banheiro para se recompor. Ela não permitiria que o homem resplandecente a tirasse dos eixos. Procuraria se manter calma e controlada, dando o melhor de si. Agiria da maneira que o rabi gostaria que ela agisse.

Naquela mesma noite, na volta para a casa, ficou esperando na janela. Finalmente, por volta das duas da manhã, ele surgiu na esquina.

Mais uma vez, estava sozinho. Retomou seu posto junto ao lampião e, novamente, deu todos os indícios de que passaria a noite ali.

Basta, ela pensou. Ela colocou sua capa, desceu as escadas na ponta dos pés e abriu silenciosamente a porta de entrada.

A rua estava praticamente deserta, e o barulho de seus sapatos chocando contra os degraus do pórtico ressoava alto no ar frio da noite. No rosto dele surgiu um lampejo de surpresa, que foi logo substituído por uma indiferença presunçosa à medida que ela se aproximava. A Golem parou a poucos metros dele. Silenciosamente, eles se olharam.

"Vá embora", ela disse.

Ele sorriu. "Por que faria isso? Eu gosto daqui."

"Você está perturbando."

"Como é possível? Não estou fazendo nada além de ficar parado na calçada."

Ela apenas o encarou, rígida e severa. Finalmente, ele disse: "O que mais eu poderia fazer? Você se recusou a ficar e conversar".

"Sim, porque eu não quero falar com você."

"Não acredito nisso", ele retrucou.

Ela cruzou os braços. "Você me seguiu até em casa e agora me chama de mentirosa?"

"Você está sendo cautelosa. Eu compreendo. Vivo com as mesmas preocupações."

"Você falou de mim para alguém?"

"Não." Então ele estremeceu, lembrando-se de alguma coisa. "Ah, um homem."

Ela lhe deu as costas e começou a voltar para a pensão.

"Não vá, espere!", ele gritou, indo atrás dela. "É o homem sobre o qual lhe falei, o latoeiro. Ele conhece meu segredo, e não o contou a ninguém. Ele também pode guardar o seu."

"Fale mais baixo!", ela sibilou. Então olhou para a pensão, mas não havia luz em nenhuma janela.

Ele suspirou, esforçando-se visivelmente para ser paciente. "Por favor. Você foi a única que encontrei que não é... como *eles*. Só quero conversar com você. Nada além disso."

Ele estaria dizendo a verdade? A Golem franziu o rosto, tentando captar suas intenções. Sentia vagamente sua curiosidade, mas esta era encoberta por alguma outra coisa que estava bem no fundo dele, como uma enorme sombra escura.

Ela tentou alcançar essa coisa — e quase foi tragada por uma ânsia totalmente diferente de tudo o que conhecia. Era como se uma parte da alma dele houvesse sido capturada e estivesse presa em um instante interminável. Não era capaz de se mover nem de falar ou fazer qualquer outra coisa além de gritar silenciosamente contra seus grilhões.

A Golem estremeceu e deu um passo para trás. Ele a olhava intrigado: "O que há?", perguntou.

Ela fez um sinal negativo com a cabeça. "Não posso. Não posso falar com você."

"Você acha que eu pretendo machucá-la? Gostaria de conhecer um homem que tentasse. Eu consigo sentir sua força, Chava."

A Golem se sobressaltou — mas, é claro, ela lhe dissera seu nome naquela noite. Imprudente, imprudente demais!

"Tudo bem", ele disse. "Vamos fazer o seguinte. Uma pergunta. Responda-me uma pergunta, com sinceridade, e eu respondo a uma pergunta sua. Depois, se você quiser, eu a deixarei em paz."

Ela ponderou. Ele já sabia demais. Mas se fizesse com que ele partisse... "Está certo", ela disse. "Uma pergunta. Diga."

"Você gostou do pássaro?"

Era *essa* a pergunta dele? Ela procurou algum significado oculto, alguma armadilha, mas parecia simples o bastante. "Sim", ela respondeu. "É lindo." E então, com atraso, acrescentou: "Obrigada".

Satisfeito, ele acenou com a cabeça. "Não é o meu melhor trabalho", disse. "A luz aqui é muito fraca. Mas você me deu a inspiração. É um pássaro do deserto, que se assusta com facilidade." Ele sorriu. "Agora é a sua vez."

Realmente *havia* uma pergunta, algo que a intrigara o dia inteiro. "Como você sabe que eu não durmo?"

Agora era a vez dele de ficar intrigado. "O que você quer dizer?"

"Você veio até aqui na noite passada e ficou debaixo da minha janela, sabendo que eu não estaria dormindo. Como?"

Aquilo o pegou desprevenido. Ele riu, verdadeiramente surpreso. "Não sei", respondeu. "Nem pensei nisso." Ele refletiu por um longo instante, depois finalmente disse: "Naquela noite em que nos encontramos, você não se comportava como alguém que deveria estar na cama àquela hora. Talvez tenha sido assim que percebi. As pessoas andam de maneira diferente à noite e durante o dia. Você já notou isso?".

"Sim!", ela exclamou. "Como se eles lutassem contra o sono, ou estivessem fugindo dele, mesmo se estão totalmente acordados."

"Mas você, não", ele disse. "Você estava perdida, mas caminhava como se o sol estivesse sobre sua cabeça."

Nenhuma outra coisa poderia ter enfraquecido tanto suas defesas. Era o tipo de comentário que ela não poderia compartilhar com mais ninguém, nem mesmo com o rabi. Ele teria compreendido a observação, mas seria incapaz de sentir sua verdade com a mesma isenção, com a mesma sensação de olhar a distância.

Ele perscrutava o rosto dela para avaliar sua reação. "Por favor", ele disse. "Eu só quero conversar. Não lhe farei mal. Você tem a minha palavra."

A cautela lhe dizia para dar as costas ao homem e voltar para a pensão. Mas ela sentiu o ar frio e revigorante em seu rosto e a dor da rigidez em seus membros. Então olhou para cima, em direção à sua janela; e, subitamente, a ideia de passar o resto da noite em seu quarto, costurando em silêncio, pareceu-lhe intolerável.

"Você promete", ela disse, "nunca, nunca mais mesmo, falar de mim para outra pessoa?"

"Eu prometo." Ele então ergueu uma sobrancelha. "Você fará o mesmo?"

O que ela poderia fazer? Ele não demonstrara má-fé; ela tinha de estar à altura dele. "Sim. Eu prometo. Mas precisamos ir a algum outro lugar. Um lugar reservado, onde ninguém possa nos ouvir."

Ele sorriu satisfeito com seu sucesso. "Tudo bem. Um lugar reservado." Ele refletiu e então disse: "Você já foi ao aquário?".

—•—

"Maravilhoso", murmurou a Golem, meia hora depois.

Eles estavam na galeria principal do aquário, em frente a um tanque com pequenos tubarões. As formas longas e elegantes se moviam lentamente na água escura, seus olhos arregalados acompanhando cada movimento dos dois visitantes.

O Djim a examinou com atenção enquanto ela ia de um tanque para outro. Ela fora uma presença vigilante a seu lado na caminhada até Battery Park, depois um par de olhos reprovadores em suas costas enquanto ele derretia o cadeado da porta. (O guarda deveria ter se cansado de seu posto, ou a temperatura caíra muito, porque não havia ninguém à vista.) A aparência dela era agradável o bastante, mas não tentadora, nem com muita boa vontade. Se ela fosse humana, ele passaria por ela na rua sem pensar em nada.

"Atravessei o oceano uma vez", disse a Golem. "Não sabia que havia criaturas como essas embaixo de mim."

"Nunca vi o oceano, apenas a baía", retrucou o Djim. "Como ele é?"

"Enorme. Frio. Estendia-se infinitamente em todas as direções. Se eu não soubesse, pensaria que o mundo inteiro era oceano."

Ele estremeceu com a imagem. "Parece terrível."

"Não, é lindo", ela disse. "A água estava sempre mudando."

Eles ficaram ali, em silêncio e tensos. Era estranho, ele pensou — agora que ela aceitara conversar, ele não sabia como seguir em frente.

"Fui trazida à vida no oceano", ela disse. E fez uma pausa, como se estivesse ouvindo o eco de suas palavras, sem acreditar que as dissera em voz alta.

"Trazida à vida", ele repetiu.

"No porão de um navio. Por um homem. Ele foi meu mestre durante um tempo. Por um tempo muito breve." Cada frase parecia ter sido arrastada de dentro dela, como se lutasse contra si própria para pronunciá-las. "Ele morreu logo depois."

"Você o matou?"

"Não!" Ela se voltou, chocada. "Ele estava doente! Eu nunca teria feito algo assim!"

"Não quis ofender", ele disse. "Você o chamou de *mestre*. Presumi que ele tivesse obrigado você a ser sua serva."

"Não foi assim", ela murmurou.

Um silêncio cauteloso se impôs novamente. Eles observaram os tubarões por algum tempo, sendo igualmente observados pelos animais.

"Também tive um mestre", disse o Djim. "Um mago. Eu teria ficado feliz em matá-lo." Ele franziu o rosto. "Espero que eu o *tenha* matado. Mas não consigo lembrar." E ele contou toda a sua história: sua vida no deserto, a perda de memória, a captura e libertação incompleta, o bracelete de ferro que o mantinha preso à forma humana.

A expressão da Golem se suavizou enquanto ele falava. "Que coisa terrível", ela disse quando ele terminou.

"Não estou em busca de sua piedade", ele disse, irritado. "Só quero me explicar para que você não fuja de mim como uma criança assustada."

"Se eu sou cautelosa demais, é por uma boa razão", ela replicou. "Preciso ser cuidadosa."

"E na noite em que nos encontramos? Se você tem de ser tão cuidadosa, como pôde se perder daquela maneira?"

"Eu estava fora de mim", ela murmurou. "Foi a noite em que o rabi morreu."

"Entendo." Ele teve a gentileza de se sentir ligeiramente embaraçado. "Quem era ele?"

"Um bom homem. Meu guardião. Ele me acolheu depois da morte de meu mestre."

"Você não teve muita sorte com mestres e guardiões."

Ofendida, ela se afastou um pouco dele. "Meu mestre estava doente, e meu guardião era velho."

"E você é tão indefesa que precisa de qualquer um deles?"

"Você não entende", ela disse, colocando os braços ao redor do corpo.

"Explique, então."

Ela o fitou. "Ainda não", respondeu. "Não, ainda não tenho certeza sobre você."

A impaciência dele estava aumentando. "O que mais eu posso lhe contar, então?"

"Conte-me o que você faz à noite, quando as pessoas estão dormindo."

Ele fez um gesto amplo. "Isso é o que eu faço. Eu ando pela cidade. Vou aonde quero."

O desejo obscureceu o olhar da Golem. "Parece maravilhoso."

"Você fala como se existisse algo que a impedisse de fazer a mesma coisa."

"É claro que há! Como eu poderia sair sozinha depois de anoitecer? Eu seria notada, uma mulher na rua sem acompanhante. Na noite em que nossos caminhos se cruzaram, foi a primeira vez que saí sozinha depois de escurecer."

"Quer dizer que você passa todas as noites em seu quarto? Mas o que você *faz*?"

Ela deu de ombros, incomodada. "Costuro roupas. Fico olhando as pessoas passarem na rua."

"Mas certamente você, entre todas as pessoas, não correria perigo!"

"Digamos que alguém se aproximasse de mim, um homem tentando me atacar ou me assaltar. E se eu me desvencilhasse, e ele percebesse minha força? Ou, pior, e se eu o machucasse? O rumor se espalharia... e depois? Eu seria caçada até o fim. Pessoas inocentes seriam feridas."

O medo da Golem reproduzia o cenário que Arbeely traçara para ele — mas ela se submetia humildemente, aceitando a prisão contra a qual ele se rebelava. O Djim teve pena dela; ao mesmo tempo, queria afastá-la. "Mas como você aguenta isso?"

"É difícil", ela disse baixinho. "Especialmente agora que as noites são tão longas."

"E é assim que você vai viver sua vida?"

Ela lhe deu as costas. "Não gosto de pensar sobre isso", disse. Seus dedos se retorciam, e ela olhou ao redor como se buscasse uma saída.

"Mas por que você não pode..."

"Porque não!", ela gritou. "Seja lá o que você queira sugerir, eu já pensei a respeito! Qualquer outra coisa colocaria em perigo as outras pessoas e eu, e como poderia ser tão egoísta? Mas há noites em que tudo o que eu quero fazer é correr e correr! Não sei quanto tempo mais..." Ela se calou de repente, tapando a boca com as mãos.

"Chava..." A piedade vencera, e ele pousou uma mão em seu braço.

Ela deu um puxão violento, afastando-se dele. "Não me toque!", gritou; e então saiu correndo na escuridão até a galeria seguinte.

Ele ficou um tanto aturdido. A Golem puxara seu braço com uma força surpreendente. Nisso, pelo menos, tinha razão: se os outros percebessem sua força, ela certamente seria notada.

O Djim começava a pensar se teria sido uma boa ideia correr atrás dela. Quando eles se conheceram, o medo e a reticência da Golem atiçaram sua curiosidade; agora eles apenas pareciam figuras débeis, um sinal de grandes problemas. Mesmo assim, ele a seguiu até a galeria seguinte. Ela estava à frente de um dos maiores tanques do aquário, cheio de peixes minúsculos e coloridos. Ele se aproximou, mas manteve alguma distância.

"Há quase uma centena de peixes nesse tanque", ela murmurou. "Não consigo contá-los direito, eles não param de se mexer."

"Eu só queria ajudar", ele disse.

"Eu sei."

"Arbeely — o latoeiro do qual lhe falei — vive dizendo que eu preciso ter cuidado. E eu sei que, até certo ponto, ele está certo. Mas se eu me esconder para sempre, vou enlouquecer. E nenhum de nós merece ter de sacrificar todas as noites por causa de nossos medos." A ideia foi se formando em sua mente enquanto ele falava. "Em vez disso, venha caminhar comigo."

Ela arregalou os olhos surpresa — e imediatamente ele se perguntou o que o levara a dizer aquilo. Ela era tão cautelosa, tão medrosa! E certamente seria um estorvo. Ainda assim, a ideia de sabê-la presa em seu quarto o deixava tão horrorizado — como se fosse seu próprio destino, e não o dela — que ele soltou aquelas palavras sem parar para refletir.

Demonstrando alguma dúvida, ela perguntou: "Você está se oferecendo como companhia?".

Ele se resignou à sua própria oferta. "Digamos, uma noite por semana. Faz sentido, certo? Uma mulher sozinha chamaria atenção, mas, dessa forma, você não estaria só."

"E para onde exatamente você me levaria?"

Ele começou a se animar com a tarefa de convencê-la. "Poderia mostrar-lhe muitas coisas. Lugares como este." Ele envolveu com um gesto os tanques de água ao redor deles. "Os parques à noite, os rios. Poderíamos andar durante toda a noite e só veríamos um pedacinho da cidade. Se o seu bairro foi tudo o que já viu, então você nem imagina." Para sua própria surpresa, ele estava ficando realmente entusiasmado.

Ela se voltou para os peixes, como se esperasse que eles tivessem uma resposta, ou ao menos que a tranquilizassem. "Tudo bem", ela disse por fim. "Por enquanto, acertemos por apenas uma noite. Daqui a uma semana. Mas há algo que você precisa saber antes. Senão, não seria justo com você." Ela visivelmente reuniu coragem. "Quando você me contou o que havia acontecido — com o mago —, respondeu a uma pergunta. Há uma *carência* em você." Ele lhe dirigiu um olhar de zombaria, mas ela prosseguiu. "Golens são criados para obedecer a um mestre. Um golem percebe os pensamentos de seu mestre e responde a eles sem refletir. Meu mestre morreu. Mas essa capacidade permaneceu."

O Djim levou um instante para entender o que ela estava dizendo. Então começou a recuar. "Você lê pensamentos?"

Ela rapidamente negou com um movimento de cabeça. "Nada assim tão simples. Medos, desejos. Necessidades. Se eu não tomar cuidado, eles podem me soterrar. Mas com você... é diferente."

"Diferente como?"

"É mais difícil de perceber." Ela estava perscrutando o rosto dele; o Djim reprimia a vontade de se afastar. "Eu vejo seu rosto como se iluminado por dentro e sombreado por fora. Com a sua mente, é a mesma coisa. É como se uma parte de você estivesse lutando para se libertar, obscurecendo todo o resto."

Isso, ele pensou, era mais do que esperava. Ele agora entendia a presença inquietante da Golem, a sensação de que ela escutava algo inaudível; mas a explicação era muito perturbadora.

"Eu só queria que você soubesse", ela disse. "Vou entender se você retirar sua proposta."

Ele analisou o caso. Bem, era por apenas uma noite. Se ela se mostrasse estranha demais, os dois se afastariam.

"Minha proposta está de pé", ele disse. "Uma noite. Daqui a uma semana." E ela sorriu.

Os dois deixaram o aquário e tomaram o caminho de volta para o bairro dela. As ruas estavam estranhamente silenciosas, e a escuridão era interrompida por uma janela iluminada aqui e ali. Enquanto caminhavam, ele se viu examinando seus próprios pensamentos; não encontrou quaisquer desejos dos quais se envergonhasse. E seus medos? Cativeiro, tédio, descobertas. Ela conhecia cada um tão bem quanto ele.

Talvez, ele pensou, *não seja assim tão terrível*. Eles andariam por aí, conversariam. Seria uma novidade, no mínimo.

A pedido da Golem, eles pararam em um beco perto da pensão, longe dos olhares dos vizinhos. Ele perguntou: "Pelo menos consegui convencer você de que não lhe desejo nenhum mal?".

Ela deu um leve sorriso. "Quase totalmente."

"Acho que isso serve. Até semana que vem." Ele se virou para ir embora.

"Espere." Ela tocou seu braço. "Por favor, lembre-se de sua promessa. Tenho de permanecer escondida. Se não de você, de todos os demais."

"Eu mantenho minhas promessas", ele disse. "Assim como confio que você vai manter a sua."

Ela assentiu com a cabeça. "Claro."

"Então eu vejo você em sete noites."

"Até logo", ela disse e, sem mais cerimônia, desapareceu na esquina.

Ele caminhou até sua casa sem ter certeza do que havia deixado entrar em sua vida. Ainda era cedo, talvez quatro da manhã. Pensou que poderia trabalhar em uma de suas estatuetas — havia uma íbis que estava pela metade. Ele não conseguia acertar as proporções, o bico estava todo errado e as pernas, grossas demais.

Quando começou a subir os degraus da entrada do prédio, uma figura se interpôs entre ele e a porta. Era um homem, velho e esquelético, vestido com o que pareciam camadas de trapos e um sobretudo imundo. Um cachecol sujo estava enrolado em sua cabeça. A postura do homem, seu olhar sombrio e acusador, fizeram o Djim pensar que ele estivera à sua espera.

"*O que você é?*", grasnou o homem.

O Djim fechou a cara. "Perdão, não entendi."

"Eu posso olhar para você", disse o homem. "Não há morte em seu rosto." O tom de sua voz era histérico, e seus olhos estavam tão arregalados que o branco deles reluzia. Ele agarrou a gola do casaco do Djim e gritou: "Eu posso vê-lo! Você é feito de fogo! *Diga-me o que você é!*".

O Djim ficou petrificado de horror. Dois garotos, que haviam acordado cedo e foram atraídos pelos gritos, se esgueiraram pela porta para presenciar o tumulto. O velho deu um berro e se afastou deles, soltando o Djim. O grito se prolongou por alguns instantes, depois ele começou a descer a escada, protegendo os olhos com uma das mãos, e saiu arrastando-se penosamente pela rua.

"Está tudo bem, senhor?", perguntou um dos garotos.

"Sim, claro." Era mentira. Ele ficara tão aterrorizado que pensou em atirar o homem escada abaixo.

"É o Saleh Sorvete", disse o outro garoto. "Ele não é muito certo das ideias."

"Entendo", disse o Djim. "Um louco. E por que permitem que ele viva aqui?"

"Ele não viola nenhuma lei, acho. E faz o melhor sorvete do bairro. Mas não consegue olhar no rosto de ninguém. Fica doente."

"Interessante", retrucou o Djim. "Obrigado." Ele achou algumas moedas no bolso do casaco e as ofereceu aos garotos. Satisfeitos, eles dispararam pela escada.

O Djim ficou profundamente perturbado. Se aquele homem — fosse ele quem fosse — realmente era capaz de vê-lo, ele não deveria se preocupar com sua segurança? Ele não poderia contar nada a Arbeely; o homem entraria em pânico e pediria ao Djim que ficasse trancado em seu quarto com a cortina fechada. Além disso, ele pensou, já mais calmo, se o homem era considerado um lunático — e ele certamente parecia um —, então qualquer coisa que dissesse seria concebida como sem sentido. Por enquanto, resolveu o Djim, ele apenas ficaria atento.

Arbeely estava de bom humor aquela manhã — recebera outro pedido grande, dessa vez de sopeiras — e cumprimentou o Djim alegremente. "Bom dia! Você teve uma noite excitante? Encontrou mais alguma mulher de barro? Ou mulheres feitas de qualquer outra coisa?"

Por um momento, o Djim pensou em contar-lhe sobre a Golem. Arbeely já sabia dela, afinal; e ele prometera não falar com mais ninguém. Mas gostava da ideia de esconder um segredo de Arbeely, algo de que o homem não pudesse repreendê-lo.

"Não", respondeu o Djim. "Não vi ninguém especial." Então pegou suas ferramentas e amarrou o avental enquanto Arbeely se movimentava pela oficina sem saber de nada.

GOLEM & GÊNIO
UMA FÁBULA ETERNA

XIV

epois de três dias na enfermaria da ilha Swinburne, a febre de Michael Levy finalmente cedeu. Os médicos o mantiveram lá por mais duas semanas, alimentando-o com caldo de galinha e purê de vegetais e ajudando-o a caminhar pelos corredores cheios de vento. Ele estava desnutrido, explicaram, e perigosamente anêmico. *É melhor se casar*, disseram. *Você precisa de uma esposa para engordar.*

Ele comeu e dormiu, e seu corpo se curou. Uma carta da Casa de Acolhida chegou desejando-lhe uma pronta recuperação, o que ele entendeu como um sinal de que tudo estava desmoronando sem ele. Durante uma das noites, as enfermeiras o encontraram andando pela enfermaria, falando com os pacientes e estimulando-os a requisitar aos agentes da ilha Ellis o reingresso no país. Elas o enxotaram e ameaçaram amarrá-lo novamente na cama.

Já era quase ano-novo quando Michael recebeu alta. Ele fez a viagem em pé junto ao guarda-corpo da barca, abrigado contra um vento gelado que deixava as águas escuras e agitadas. Engordara mais de dois quilos e há meses não se sentia tão bem. Ele começou a pensar que talvez sua doença fosse uma espécie de presente de despedida de seu tio, uma oportunidade para descansar e ter alguém tomando conta dele. Não se tratava de uma temporada em uma estação de águas, mas era o mais perto que ele chegaria disso.

A barca se afastou das finas estacas, pronunciando ruídos contra a corrente. A noite caíra. A ilha Staten e o Brooklyn dormiam, um de cada lado, suas casinhas de madeira fechadas para o inverno. Um pedacinho de Manhattan aparecia na ponta norte da baía, e a serenidade de Michael cambaleou. Que tipo de caos estaria à sua espera na Casa? O vento ficou mais forte, mas ele permaneceu no deque e ficou olhando a Estátua da Liberdade, tentando extrair forças de seu olhar calmo e compassivo.

Na Casa de Acolhida, acabara de soar a hora de apagar as luzes. Cento e cinquenta homens estavam deitados em suas camas estreitas, sob cobertores finos. Alguns estavam despertos pelo medo da nova vida; outros logo cederam à exaustão da viagem, ou de um dia cansativo em busca de emprego.

Em uma cama junto à janela, no terceiro andar, o homem agora conhecido como Joseph Schall dormia tão profunda e pacificamente quanto uma criança.

Fora por puro acaso que Schaalman chegara à Casa de Acolhida. Depois que aquele burocrata na ilha Ellis mudara seu nome — algumas pragas vieram a seus lábios, mas ele as engoliu —, ele desceu a larga escadaria e viu-se frente a frente com a linha do horizonte de Manhattan emoldurada pelas altas janelas no fim do salão. Era uma visão ao mesmo tempo ameaçadora e majestosa, que o deixou petrificado. Desde que sonhara com a cidade, ele sabia que tinha uma tarefa difícil pela frente; mas agora, observando a realidade do outro lado da baía, tudo lhe pareceu simplesmente impossível. Ele não falava inglês, não estava acostumado com pessoas e multidões, não tinha nem onde dormir. Haveria hospedarias em Nova York? Ou estábulos? Seguramente, pelo menos estábulos?

Uma mão tocou seu braço, e ele se virou assustado. Era uma jovem de rosto redondo. Ela perguntou: "O senhor fala iídiche?".

"Sim", respondeu cautelosamente.

Ela explicou que era uma voluntária da Sociedade de Ajuda ao Imigrante Hebreu. Ele precisava de alguma coisa? Ela poderia ajudá-lo?

Em outra ocasião e lugar, ele teria procurado pelas fraquezas da moça para explorá-las, ou teria simplesmente confundido sua mente para roubá-la. Mas neste momento, cansado, deprimido e derrotado, recorreu à sua mais odiada artimanha: a verdade. "Não tenho onde ficar", ele murmurou.

Ela lhe indicou um lugar chamado Casa Hebraica de Acolhida e disse que havia um barco que poderia levá-lo até lá. Humildemente ele a seguiu até as docas, agarrado à sua valise como uma criança assustada.

Mas um dia depois de chegar à Casa de Acolhida, ele recuperou sua antiga autoconfiança. De certa forma, a vida na Casa se assemelhava à da prisão. As camas, os dormitórios, os banheiros nauseabundos e as refeições comunitárias, os rostos que sempre mudavam: eis um lugar que ele entendia, com capatazes para manipular e regras para serem contornadas ou simplesmente violadas. No conjunto, o esconderijo perfeito.

Havia apenas duas regras rígidas e fixas na Casa Hebraica de Acolhida: as refeições tinham de ser feitas no salão de jantar nas horas determinadas, e nenhum homem poderia permanecer ali por mais de cinco dias. Violar a segunda regra mostrou-se uma tarefa mais fácil que a primeira. Por sorte, o diretor da Casa de Acolhida adoecera. A cozinheira e a governanta dividiram suas tarefas entre elas e passavam o dia correndo freneticamente para todos os lados, tentando manter a ordem. No terceiro dia de Schaalman, quarenta recém-chegados desceram da barca e entraram pela porta, encontrando apenas dezoito leitos desocupados. Os novos hóspedes se movimentavam desconfortavelmente pelo saguão enquanto a cozinheira e a governanta tentavam descobrir onde estava o livro de registros que colocaria tudo em seu devido lugar. Sem conseguir encontrá-lo e à beira das lágrimas, elas visitaram todos os dormitórios, perguntando se os homens que haviam excedido o tempo permitido de estadia poderiam admitir o erro. Em resposta, receberam tão somente olhares inexpressivos. Com tantos homens entrando e saindo, e a quantidade de tempo gasto à procura de emprego ou de um lugar para viver, até aqueles que poderiam denunciar os faltosos não sabiam quem apontar.

Mas Schaalman os observava há dias. Ele olhou em torno e encontrou um grupo de homens que já estava lá quando de sua chegada. Considerou o rosto daqueles homens enquanto as mulheres imploravam, e percebeu os sinais que denunciavam a culpa e a rebeldia. Ele chamou as mulheres de lado para uma breve conversa. Com a ajuda dele, elas recrutaram dois grandalhões entre os recém-chegados. Eles foram de dormitório em dormitório expulsando os transgressores enquanto Schaalman observava, um juiz ao mesmo tempo severo e brando.

A cozinheira e a governanta não se cansavam de agradecê-lo. Ele retrucou afirmando estar feliz por ajudar — claro que a ordem deveria ser mantida, todos tinham de respeitar as regras — e se elas precisassem dele para mais alguma coisa, ele estaria à disposição. Elas o beijaram na bochecha como filhas agradecidas. Mais tarde, naquela noite, Schaalman retirou o livro de registros de debaixo de seu colchão e o devolveu ao escritório, colocando-o entre as páginas de um jornal.

No dia seguinte, ele se apresentou como voluntário para ajudar com os recém-chegados. Enquanto as mulheres conferiam os nomes e agitavam-se pela Casa, ele designou as camas aos homens e explicou as regras do lugar. Depois que tudo estava arranjado, as mulheres o convidaram para ir ao escritório e lhe deram um copo de *schnapps*.

"O que os olhos do senhor Levy não veem, ele não sente", sussurrou a governanta, riscando o nome de Joseph Schall da lista dos homens que deveriam partir no dia seguinte.

Na semana seguinte, Schaalman consolidou sua posição. Ele passou a arrumar a sala de estar, dobrar os jornais e repor o chá. Na hora das refeições, monitorava a fila e informava à cozinheira quantas bocas ainda havia para alimentar. Ele parecia estar em todos os lugares ao mesmo tempo, ajudando com uma coisa ou outra, até mesmo julgando as tramoias mesquinhas dos homens.

Quando ele não estava se imiscuindo na estrutura da Casa de Acolhida, estava na rua, estudando a vizinhança. A princípio, as ruas lhe pareceram esmagadoras, uma agitada mistura de gente, carroças e animais; mas, depois de uma semana, ele era capaz de descer do meio-fio e se misturar tranquilamente na multidão, apenas mais um velho judeu com um sobretudo escuro. Ele andava durante horas, tomando nota das ruas e lojas, marcando na memória os limites do bairro em que o iídiche sumia das vitrines. Enquanto caminhava, fazia mentalmente uma lista das maiores sinagogas ortodoxas, aquelas com maior probabilidade de possuir uma biblioteca decente. E então refazia seus passos e retornava à Casa de Acolhida a tempo de ajudar um novo grupo de homens recém-chegados.

A cozinheira começou a separar, às escondidas, a melhor comida para ele, picles grandes e pedaços de pastrame. A governanta dizia que ele era um anjo enviado pelo céu e o regalava com cobertores extras. Enquanto isso, em sua maleta velha, debaixo de sua cama, repousava seu velho livro. Se algum de seus colegas por acaso o encontrasse, não notaria nada de especial — veria apenas um gasto e banal livro de orações.

— • —

O Djim apareceu debaixo da janela da Golem alguns minutos depois da meia-noite. Ela vinha dando voltas no quarto há cerca de uma hora — sabia que os vizinhos poderiam ouvir, mas não conseguia se controlar, todo o seu corpo doía com frio e apreensão. A cada volta ela parava e espiava pela janela. Ele viria como prometera? Ou seria melhor que não viesse? E o que poderia ter passado pela sua cabeça para que ela concordasse com isso?

Quando finalmente o viu, ela sentiu, ao mesmo tempo, uma explosão de alívio e uma nova onda de desconfiança. Ela estava em tal estado que só na metade da escada percebeu que havia esquecido a capa e as luvas, e voltou para pegá-las.

"Você veio", ela disse ao chegar à rua.

Ele a olhou desconfiado. "Você duvidava?"

"Você poderia ter pensado melhor."

"E você poderia não ter descido. Mas, já que estamos aqui, pensei que poderíamos ir até o Madison Square Park. Tudo bem?"

O nome não lhe dizia nada, e, de certa maneira, todos os possíveis destinos eram iguais: lugares desconhecidos, riscos desconhecidos. Tinha duas opções. Poderia concordar ou voltar para casa.

"Sim", ela respondeu. "Vamos."

Sem mais delongas, eles seguiram a Broome Street. De repente, a Golem explodiu numa risada. Ela estava na rua, ela estava caminhando! Suas pernas estavam tão duras que as juntas quase estalavam, mas movimentar-se era delicioso, como coçar uma comichão que incomoda há muito tempo. O Djim andava rapidamente, mas ela logo alcançou seu ritmo, mantendo-se a seu lado. Ele não lhe ofereceu o braço, como ela vira outros homens fazendo, e a Golem ficou feliz: isso significaria que andariam mais devagar e eles ficariam próximos demais.

Na Chrystie, ele tomou o rumo norte, e ela o seguiu. Eles estavam no limite do bairro dela agora, no limite do que ela conhecia. A cacofonia do Bowery ecoava do quarteirão vizinho. Alguns homens passaram por eles, e ela puxou o capuz da capa para cobrir o rosto.

"Não faça isso", disse o Djim.

"Por que não?"

"Porque assim você parece alguém que tem algo a esconder."

E não era o seu o caso? A euforia de estar em movimento foi diminuindo; ela estava começando a ficar assustada de novo, com medo das liberdades que se permitira tomar. Eles chegaram à Houston Street, e ela espiou seu companheiro. Era estranho que eles não conversassem? As pessoas que ela via andando juntas na rua conversavam normalmente. Mas, pensou, ele sempre andava sozinho. E o silêncio não a incomodava.

Eles chegaram à Great Jones Street, depois à vastidão das luzes elétricas da Broadway. Aqui os edifícios eram maiores e mais largos, e ela puxou o capuz para trás a fim de vê-los melhor. Tijolo e pedra deram lugar a mármore e vidro. As vitrines das lojas acenavam com vestidos e tecidos, chapéus de pena, joias, colares e brincos. Hipnotizada, ela saiu do lado do Djim para espiar um manequim ornamentado com um amplo e complexo vestido de seda cor de safira. Quanto tempo seria necessário para costurar algo tão lindo, tão complicado? Ela traçou as costuras com os olhos, tentando entender como eram feitas, e o Djim, cada vez mais impaciente, foi obrigado a tirá-la de lá.

Na Fourteenth Street, eles encontraram um amplo parque, com uma enorme estátua de um homem montado em um cavalo, e a Golem imaginou se aquele era o destino final. Mas o Djim prosseguiu, contornando o lado esquerdo do parque até cair de novo na Broadway. As ruas agora eram assustadoramente silenciosas e se estendiam vazias em todas as direções, exceto pelo ocasional trote lento das carruagens. Eles passaram por um estreito triângulo de um terreno vazio na Twenty-third Street, onde estavam espalhados jornais salpicados de neve que se agitavam com o vento. O triângulo marcava uma confluência de avenidas; em uma delas havia um magnífico arco e uma colunata, ambos brancos. O arco refulgia com luzes elétricas que transformavam a colunata em altas barras de luz e sombra, projetando um débil brilho contra o céu escuro.

O Madison Square Park estava à frente, um sombrio bosque de árvores sem folhas. Eles entraram no parque e vaguearam pelas trilhas vazias. Até os moradores de rua haviam deixado o local em busca de portais e vãos de escada aquecidos. Apenas a Golem e o Djim estavam ali para aproveitar o silêncio. A Golem se afastava do Djim para observar melhor tudo o que lhe chamava a atenção: monumentos de metal escuro retratando homens de rostos solenes, o ferro ondulado de um banco. Ela andou pela neve para tocar a casca rugosa de um tronco de árvore, depois olhou para cima para ver os galhos nus que se espalhavam em direção ao céu.

"Isso não é muito melhor que passar a noite toda em seu quarto?", perguntou o Djim enquanto eles caminhavam.

"Realmente", ela admitiu. "Todos os parques são assim tão grandes?"

Ele riu. "Há alguns muito maiores que este." Ele a olhou de esguelha. "Quer dizer que você *nunca* esteve em um parque?"

"Acho que é porque eu não estou viva há muito tempo", ela respondeu.

Ele ficou confuso. "Quantos anos você tem?"

Ela pensou. "Seis meses. E alguns dias."

O Djim parou de repente. "Seis *meses*?"

"É."

"Mas..." Ele fez um gesto que delineava a forma adulta da Golem.

"Eu fui criada da maneira que você me vê agora", ela disse, sentindo-se inquieta; ela não estava acostumada a falar de si própria. "Nós, golens, não envelhecemos, simplesmente continuamos como somos até sermos destruídos."

"Todos os golens são assim?"

"Acho que sim. Não tenho certeza. Nunca encontrei outro golem."

"*Nenhum?*"

"Pode ser que eu seja a única", ela disse.

Visivelmente atônito, o Djim ficou calado. Eles continuaram juntos, caminhando pelo perímetro do parque.

"E quantos anos você tem?", perguntou a Golem, tentando quebrar o silêncio.

"Algumas centenas", ele respondeu. "E, a não ser que algum contratempo dê cabo de mim, viverei mais uns quinhentos ou seiscentos anos."

"Então você também é jovem para a sua espécie."

"Não tão jovem como alguns."

Ela fechou a cara. "A minha idade incomoda você?"

"Não, ela explica muita coisa. Sua timidez, por exemplo."

Ao ouvir isso, ela se irritou. "Não vou me desculpar por ser cautelosa. Eu preciso ser. Você também."

"Há a cautela e o excesso de cautela. Olhe para nós. Andando à noite no parque, longe de casa. Ainda assim, a lua não despencou do céu, e a terra se recusa a tremer."

"Só porque nada aconteceu, não significa que *nada* vai acontecer."

Ele sorriu. "Verdade. Talvez haja uma surpresa. E aí você poderá dizer que tinha razão o tempo todo."

"Seria uma compensação ridícula."

"Você é sempre assim tão mal-humorada?"

"Sim. Você é sempre assim tão exasperante?"

Ele deu uma risada abafada. "Você realmente tinha de conhecer Arbeely. Vocês dois se dariam muito bem."

Ela acabou sorrindo ao ouvir isso. "Você sempre fala dele. Vocês são muito próximos?"

Ela esperava que o Djim se atirasse a uma descrição entusiasmada de seu amigo; mas ele apenas disse: "O homem tem boa vontade. E ele realmente tem me ajudado".

"Mas mesmo assim...", ela emendou.

O Djim suspirou. "Sou menos agradecido a ele do que deveria. Ele é um homem bom e generoso, mas não estou habituado a depender de outra pessoa. Isso faz com que eu me sinta fraco."

"Por que depender de outra pessoa seria uma fraqueza?"

"Por que seria outra coisa? Se por algum motivo Arbeely morrer amanhã, serei obrigado a encontrar outra ocupação. Esse acontecimento estaria fora do meu controle, mesmo assim eu estaria à sua mercê. Fraqueza não é isso?"

"Creio que sim. Mas então, de acordo com os seus padrões, todo mundo é fraco. Nesse caso, por que chamar isso de fraqueza em vez de simplesmente considerar que as coisas são assim?"

"Porque eu já estive acima disso!", ele afirmou com súbita veemência. "Eu não dependia de ninguém! Ia aonde queria e seguia meus caprichos. Não precisava de dinheiro, de patrão, de vizinhos. Nada desses intermináveis *bons-dias* e *como vai*, tenha você vontade de dizer isso ou não."

"Mas você nunca se sentia sozinho?"

"Ah, algumas vezes. Nessas ocasiões, procurava minha própria espécie e desfrutava da companhia deles por algum tempo. Depois nós nos separávamos novamente, como achássemos melhor."

Ela tentou imaginar uma vida sem trabalho ou vizinhos, sem a padaria, os Radzin ou Anna. Sem rostos familiares, nenhum padrão estabelecido para seus dias. Era apavorante. Ela disse: "Não acho que golens sejam feitos para tanta independência".

"Você só diz isso porque nunca viveu de outra forma."

Ela fez que não com a cabeça. "Você não entendeu. Todos os golens são criados para servir a um mestre. Quando acordei, já estava sujeita ao meu. À sua vontade. Eu ouvia cada pensamento dele e obedecia sem hesitar."

"Isso é terrível", disse o Djim.

"Para você, talvez. Para mim, era como as coisas deveriam ser. E quando ele morreu — quando aquela conexão se desfez —, eu não tinha mais um propósito claro. Agora estou sujeita a *todos*, ainda que só um pouco. Tenho de lutar contra isso, não posso resolver os desejos de todo mundo. Mas às vezes, na padaria em que trabalho, dou a alguém um pão — e isso responde a uma necessidade. Por um instante, aquela pessoa é meu mestre. E naquele instante, fico satisfeita. Se eu fosse tão independente como você deseja ser, eu me sentiria totalmente sem um propósito na vida."

"Você se sentia assim tão feliz em ser comandada por outra pessoa?"

"Feliz não é a palavra", ela respondeu. "Parecia *certo*."

"Tudo bem, então deixe-me perguntar uma coisa. Se, por algum acaso ou mágica, fosse possível recuperar o seu mestre, você gostaria disso?"

Era uma pergunta óbvia, mas se tratava de uma questão que ela nunca colocara a si mesma. Ela mal conhecera Rotfeld, nem mesmo para saber que tipo de homem ele era. Mas não podia imaginar? Que tipo de homem tomaria uma golem por esposa, da mesma forma que um entregador compraria um veículo novo?

Mas retornar àquela segurança! A memória desses tempos ressurgiu, forte e sedutora. E ela não se sentiria sendo usada. Uma escolha, uma decisão — e, depois, nada mais.

"Não sei", ela respondeu por fim. "Talvez sim. Ainda que, de certa forma, eu achasse que seria como morrer. Mas talvez fosse melhor assim. Cometo tantos erros sozinha..."

O Djim pronunciou um ruído que não era bem uma risada. Sua boca era uma linha rígida; ele olhava para além das árvores, como se não suportasse encará-la.

"Eu disse alguma coisa que irritou você", ela disse.

"Não faça isso", ele retrucou rispidamente. "Não olhe para *dentro* de mim."

"Não precisei fazer isso", ela replicou. Uma inabitual atitude de desafio estava crescendo dentro da Golem. Ela pronunciara uma resposta honesta, que aparentemente o afastou. Bem, paciência. Se ele não quisesse mais sua companhia, ela poderia encontrar sozinha o caminho de volta para casa. Ela não era uma criança, pensasse ele o que quisesse.

A Golem já estava praticamente decidida a tomar o caminho de volta pela Broadway, mas então o Djim perguntou: "Você se lembra do que eu contei? Que fui capturado, mas não tenho qualquer memória disso?".

"Sim, claro que eu me lembro."

"Não tenho ideia", ele disse, "de quanto tempo fui servo daquele homem. O *escravo* dele. Não sei o que ele me mandou fazer. Devo ter feito coisas terríveis. Talvez eu tenha matado para ele. Posso até ter assassinado membros da minha própria espécie." Havia uma rigidez tensa em sua voz, que era dolorosa de ouvir. "Mas o pior seria se eu tivesse feito tudo isso *de boa vontade*. Se ele roubou meu arbítrio e me jogou contra mim mesmo. Tendo uma escolha, eu preferiria me extinguir no oceano."

"Mas se todas essas coisas terríveis aconteceram, foi por culpa do mago, não sua", ela disse.

Novamente, aquela risada que não era risada. "Você tem colegas nessa padaria onde trabalha?"

"Claro que sim", ela respondeu. "Moe e Thea Radzin, além de Anna Blumberg."

Ele disse: "Imagine que seu precioso mestre retornou e que você se submeteu a ele, como afirmou que talvez fizesse. Porque você comete muitos *erros*. Então ele diz: 'Por favor, minha cara golem, mate essas boas pessoas da padaria, os Radzin e Anna Blumberg. Reduza-os a pedacinhos'".

"Mas por que..."

"Ah, por qualquer motivo! Eles o ofendem, ou o ameaçam, ou ele simplesmente tem vontade. *Imagine* isso. E então me diga se saber que não foi culpa sua serviria de consolo."

Essa era uma possibilidade na qual ela nunca havia pensado. E agora ela não conseguia evitar pensar nisto: agarrar Moe Radzin pelo pulso e puxar até arrancar-lhe o braço. Tinha força para isso. Era capaz de fazê-lo. E, enquanto isso, paz e convicção.

Não, ela pensou — mas agora, depois de entrar nessa trilha, sua mente se recusava a parar. E se Rotfeld tivesse chegado em segurança à América com ela, e o rabi os tivesse visto na rua um dia? Em seus pensamentos, o rabi confrontava Rotfeld — e logo ela estava arrastando o rabi para um beco e estrangulando-o.

Ela teve vontade de gritar. Colocou os punhos cerrados sobre os olhos para tentar afastar aquelas imagens.

"Agora você entende?", perguntou o Djim.

"*Deixe-me em paz!*"

O grito se espalhou pela praça, ecoando nas fachadas de pedra. Assustado, o Djim deu um passo para trás, com as mãos erguidas — para apaziguá-la, ou para evitar que ela o atacasse.

O silêncio recaiu sobre eles novamente. Ela esticou seus dedos o quanto pôde, tentando se acalmar. As coisas que vira em sua mente eram imaginárias. Ela não machucara os Radzin, nem Anna. Não havia qualquer razão para que ela o fizesse. Rotfeld estava morto; seu corpo jazia no fundo do oceano. Ela nunca teria outro mestre.

"Está bem", ela disse. "Entendo o que você quer dizer."

"Não tinha a intenção de perturbar você", disse o Djim.

"Não mesmo?", ela murmurou.

Uma pausa. "Se a perturbei, então cometi um erro."

"Não. Você tem razão. Eu não pensei por esse ângulo." Ela desviou o olhar, sentindo-se culpada e desconfortável.

Eles ouviram os passos ao mesmo tempo. Dois policiais corriam na direção deles pela trilha do parque, seus sobretudos de lã batendo nas botas. Na praça adormecida, sem ninguém por perto, a preocupação deles com a Golem atingiu-a quase fisicamente.

"Boa noite, moça", disse um deles, tocando seu quepe. "Este sujeito está perturbando você?"

Ela fez que não com a cabeça. "Não, ele não está. Sinto muito, vocês não precisavam ter vindo."

"Você berrou um bocado, moça."

"Foi culpa minha", disse o Djim. "Eu falei algo não que devia."

Os policiais se entreolharam, tentando descobrir o que era verdade naquela situação: um homem e uma mulher, que claramente não eram dois vadios, juntos na rua àquela hora, em um frio de congelar...

Ela os havia colocado naquela posição. Talvez se dissesse a coisa certa, seria possível tirá-los dela.

"Querido", disse a Golem, colocando a mão no braço do Djim, "deveríamos voltar para casa. Está muito frio aqui fora."

Uma centelha de surpresa passou no olhar do Djim, mas ele rapidamente a extinguiu. "Claro", ele respondeu, colocando a mão da Golem na dobra de seu cotovelo. Ele sorriu para os policiais. "Sinto muito, senhores. Foi tudo minha culpa. Boa noite."

Eles então deram as costas e foram embora.

"Boa noite", disse um dos policiais, friamente.

Em silêncio, eles fizeram o caminho de volta pelo parque, uma certa tensão no ar. Tão somente quando chegaram à Broadway, o Djim se arriscou a olhar para trás. "Estamos a sós", ele disse, soltando a mão dela.

"Eu sei. Eles não nos seguiram. Eles queriam voltar para a delegacia e se aquecer."

"Você tem um dom estranho", ele disse, balançando a cabeça. Depois a encarou com um sorriso debochado. "*Querido?*"

"É como a senhora Radzin chama o marido quando está zangada com ele."

"Entendo. Foi inteligente da sua parte."

"Foi arriscado."

"Mas funcionou. E ainda assim o céu não desabou."

Realmente não havia desabado, ela pensou. Nenhum dano permanente fora causado. Ao menos uma vez ela dissera a coisa certa na hora certa.

Eles continuaram a andar, refazendo o caminho na direção sul. O escasso tráfego na Broadway estava mudando: em lugar dos elegantes coches, havia carroças de entrega atreladas a cavalos cansados, levando os produtos que seriam consumidos durante o dia até o coração da cidade. Em uma esquina, um engraxate preparava seus apetrechos, encolhido de frio e soprando seus dedos desnudos.

Eles mal haviam passado pela Union Square quando a neve começou a cair. Inicialmente eram apenas uns flocos muito finos, mas eles foram engrossando, transformando-se em torrões de neve que atingiam seus rostos. A Golem fechou mais sua capa e notou que o Djim havia acelerado o passo. Ela teve de se apressar para acompanhá-lo. Estava prestes a perguntar-lhe o que estava acontecendo, mas então percebeu que o rosto dele não estava molhado, apesar da neve que caía. Então lembrou-se do que ele dissera quando os dois discutiam. *Eu preferiria me extinguir no oceano.*

"Você está bem?", ela perguntou.

"Sim", ele respondeu, mas havia uma tensão em sua voz que contrastava com suas palavras. E ela podia jurar que o brilho de seu rosto diminuíra.

Ela perguntou baixinho: "Você está em perigo?".

O Djim retesou a mandíbula, com raiva ou irritação, mas logo relaxou, dando um sorriso triste. "Não. Por enquanto. Você viu ou adivinhou?"

"As duas coisas, acho."

"A partir de agora, vou ter em mente que você é extremamente observadora."

"O inverno deve ser terrível para você."

"Eu certamente não tenho desfrutado dele."

Eles passaram a andar sob a proteção das marquises; mesmo assim, quando chegaram à Bond Street, o Djim parecia extremamente pálido. A Golem não conseguia evitar lançar olhares preocupados para ele.

Ele resmungou: "Você pode parar de me olhar desse jeito. Não estou prestes a morrer".

"Mas por que você não usa um chapéu, ou leva um guarda-chuva?"

"Porque eu não os suporto."

"Os da sua espécie são sempre tão teimosos?"

Ao ouvir isso, ele sorriu. "A maioria, sim."

Perto de Hester, eles pararam sob o toldo de uma mercearia italiana; na vitrine havia enormes linguiças vermelhas penduradas em duplas, junto a cordões torcidos de cabeças de alho. Um odor morno e pungente saía pela porta. "Eu posso fazer sozinha o resto do caminho", ela disse.

"Você tem certeza?"

Ela assentiu. Eles estavam a apenas poucas quadras do Bowery, e o bairro dela estava logo depois. "Ficarei bem", ela disse.

Eles permaneceram ali parados, ambos apreensivos.

"Não estou certa de que deveríamos nos ver de novo", ela disse.

Ele fechou a cara. "Você ainda duvida das minhas intenções?"

"Não, da sua tolerância. Nós irritamos um ao outro."

"Eu posso aguentar um pouco de irritação", ele disse. "Você pode?"

Era um desafio, mas também um convite. Ele a *tinha* irritado, fazendo com que ela se sentisse envergonhada; mas ela também conversara livremente com alguém pela primeira vez desde a morte do rabi. A Golem sentiu algo se afrouxando dentro dela, e isso não tinha qualquer relação com a rigidez de seu corpo.

"Tudo bem", ela disse. "Mas com uma condição."

"Qual?"

"Se o tempo estiver ameaçador, você terá de usar um chapéu. Eu me recuso a ser responsável por sua má saúde."

Ele ergueu os olhos para o céu. "Se for necessário", ele disse, mas ela percebeu um indício de sorriso. "Semana que vem, à mesma hora?"

"Sim. Agora, por favor, encontre um lugar seco. Até mais." Ela se virou e saiu andando.

"Até semana que vem", ele disse, mas ela já havia virado a esquina, e ele não pôde ver seu sorriso.

—●—

"Eu lhe disse que voltaria", disse o Djim à adormecida Fadwa. "Você duvidava?"

No sonho da menina, os dois estavam parados na colina próxima ao acampamento da família, onde ela avistara o palácio pela primeira vez. Era noite e ainda estava calor. O chão era macio sob seus pés. Ela vestia apenas uma camisola fina, mas não se sentia constrangida.

"Não", ela respondeu. "É só que... faz tanto tempo desde a última vez que nos vimos. Semanas e semanas."

"Um longo tempo para você, talvez", ele retrucou. "Os da minha espécie podem passar anos sem se ver e não se importar com isso."

"Eu pensei que você tinha ficado chateado comigo. Ou...", ela fez uma pausa e desabafou, "eu já estava certa de que você era apenas um sonho! Comecei a pensar que havia enlouquecido!"

Ele sorriu. "Sou real o bastante, fique tranquila."

"Sim, mas como eu posso ter certeza?"

"Você já viu meu palácio." Ele apontou para o vale. "Se você caminhasse naquela direção, com um pouco de sorte, encontraria uma área limpa, sem mato ou pedras. É lá que fica meu palácio."

"Conseguirei vê-lo de novo?"

"Não... ele é invisível, a não ser que eu decida o contrário."

Ela suspirou. "Você deve viver de um jeito *muito* diferente se pensa que isso é tranquilizador."

Ao ouvir isso, ele riu. Era surpreendente que uma garota humana o fizesse rir! Mas ela ainda estava de rosto franzido, visivelmente infeliz. Talvez ele tivesse esperado demais, como ela dissera. Ainda havia tanto a aprender sobre essas breves vidas humanas, com seu constante sentimento de urgência.

Ele estendeu o braço, sem saber exatamente o porquê. Um borrão de estrelas e deserto — e lá estavam eles em seu palácio novamente, entre as paredes de vidro escuro e as almofadas bordadas. Desta vez, sobre as almofadas repousavam travessas de um banquete, com arroz, cordeiro e iogurte, além de pão pita, queijo e jarras de água cristalina.

Fadwa sorriu encantada.

"É para você", ele disse, mostrando as travessas. "Por favor, coma."

Então ela comeu e conversou com ele, contando suas pequenas vitórias, um cordeiro doente que foi tratado até ficar bom, o verão que estava se mostrando relativamente ameno. "Ainda há água na fonte", ela contou. "Meu pai diz que isso não é comum nesta época do ano."

"Seu pai", disse o Djim. "Conte-me mais sobre ele."

"Ele é um bom homem", ela disse. "Ele toma conta de todos nós. Meus tios o admiram, e todos da minha tribo o respeitam. Somos um dos menores clãs dos Hadid, mas, quando nos reunimos, os demais buscam os conselhos dele antes de levar questões importantes ao sheik. Se o pai dele tivesse sido o primeiro filho do meu bisavô, então meu pai talvez fosse o sheik hoje."

"Sua vida, então, seria diferente?" Ele não entendia muito bem essa conversa de tribos, clãs e sheiks, mas a ternura na voz e nos olhos dela o intrigavam.

Ela sorriu. "Se meu pai fosse o sheik, eu não existiria! Ele teria sido prometido a outra mulher, de um clã mais importante que o da minha mãe."

"Prometido?"

"Em noivado. O pai do meu pai e o pai da minha mãe acertaram tudo quando a minha mãe nasceu." Ela notou que ele estava confuso e deu uma risadinha. "Os djins não se casam? Vocês não têm pais?"

"Claro que temos pais", ele disse. "Precisamos vir de *algum* lugar. Mas noivado, casamento... não, essas coisas são desconhecidas para nós. Somos muito mais livres em nossos afetos."

Ela arregalou os olhos ao ouvir a declaração do Djim. "Você quer dizer... com *qualquer um?*"

Ele gargalhou ao perceber o ar atônito da jovem. "Eu prefiro mulheres, mas, sim, você entendeu o espírito da coisa."

Ela enrubesceu. "E com mulheres... *humanas?*"

"Nada até o momento."

Ela desviou o olhar. "Uma moça beduína que agisse assim seria rejeitada por todos."

"Uma punição muito dura por simplesmente agir segundo seus impulsos naturais", ele disse. Aquilo, pensou, estava cada vez mais intrigante — não as ideias humanas, que eram ridículas, rígidas e inúteis, mas as idas e vindas daquela conversa, a maneira como ele a fazia corar à leve menção de um simples fato da vida.

"São nossos costumes", ela disse. "Quão duras seriam nossas vidas se ainda tivéssemos de nos preocupar com casos amorosos e ciúmes? É melhor assim, acho."

"E você", ele perguntou, "também está prometida? Ou vai escolher você mesma seu parceiro?"

Ela hesitou; esse assunto, ele percebeu, a incomodava. E então, um forte sobressalto, como se o chão tivesse estremecido.

Fadwa se agarrou à almofada. "O que foi isso?"

Era a manhã. Ele se demorara tempo demais. Alguém tentava acordá-la.

Outro tremor. Ele tomou a mão dela, levando-a rapidamente aos lábios. "Até a próxima", disse e deixou-a partir.

Alguém chamava seu nome. Ela abriu os olhos — mas eles já não estavam abertos? — e lá estava sua mãe, curvando-se sobre ela.

"Menina, qual é o seu problema? Você está doente? Eu tive de sacudir e sacudir você!"

Fadwa estremeceu. Por um instante, o rosto de sua mãe se tornara sepulcral, seus olhos eram apenas buracos escuros.

Uma brisa morna ondeava dentro da tenda. Um ruído súbito do lado de fora: as cabras balindo no cercado. Sua mãe olhou em torno e, quando ela se voltou, Fadwa viu apenas o rosto normal de sua mãe, a preocupação gravada nas profundas rugas cavadas pelo sol.

"Agora, garota, levante! As cabras têm de ser ordenhadas, escute como elas reclamam!"

Fadwa sentou-se e esfregou o rosto, com uma discreta esperança de acordar novamente no palácio de vidro, como se aquilo fosse a realidade e o momento atual, o sonho. Durante toda a manhã, enquanto trabalhava, fechava os olhos e se imaginava lá, sentindo a marca dos lábios do homem em sua mão e o calor que surgira em seu ventre como resposta.

GOLEM & GÊNIO
UMA FÁBULA ETERNA

XV

Golem estava em uma colina no cemitério do Brooklyn, junto a uma cova recém-fechada. Na cabeceira da cova havia uma lápide com o nome de Elsa Meyer e as datas gravadas de um lado. O outro lado ainda estava vazio, como se ainda não soubesse da terrível novidade.

Michael Levy a levara até o cemitério e estava em pé atrás dela agora, imerso em tristeza e culpa. Ele fora vê-la na padaria alguns dias atrás, na hora de fechar, e desculpou-se por não tê-la visitado mais cedo. "Eu estava em Swinburne", explicou. "Com gripe."

Ela sabia que era verdade, mas, para a Golem, a aparência de Michael parecia mais saudável do que ela jamais vira. Havia um toque rosado em suas bochechas, e as escuras olheiras estavam até mais claras. Os olhos, porém, continuavam pesados e tristes, velhos demais para seu rosto. Os olhos de seu tio.

"Eu só queria saber se você está precisando de alguma coisa. Não sei se meu tio ajudava você financeiramente, mas eu conheço algumas pessoas na Sociedade de Ajuda ao Imigrante Hebreu..."

"Obrigada, Michael, mas está tudo bem", ela respondeu. "Tenho tudo de que necessito."

"Acredito que suas necessidades sejam iguais às minhas", disse ele com um sorriso embaraçado. "Um pouco de comida, um pouco de sono, depois de volta ao trabalho."

Ela deu um sorriso amarelo, mas ele não percebeu e prosseguiu. "Vou visitar o túmulo do meu tio amanhã. Não sei se você observa o sabá, mas pensei, se você quiser ir..."

O nervosismo esperançoso dele a incomodava, mas ela queria muito ir ao cemitério. "Sim", ela respondeu. "Ficarei grata."

Eles combinaram de se encontrar na pensão dela às dez da manhã. O sino acima da porta chocalhou quando ele saiu, sacudindo a então vazia padaria.

Ela se deu conta de que estava aliviada por ele ter ido embora. Se tudo pudesse ser diferente entre eles! Seria bom ter um amigo com quem conversar, alguém que tivesse conhecido o rabi. Mas a atração que ele sentia por ela complicava as coisas, principalmente porque ela percebia — talvez melhor que ele — como esse sentimento estava emaranhado em culpa e remorso. Em lugar de uma paixão fugaz, ela estava se transformando em uma sombria fascinação. Ela teria de dizer algo a Michael. Gentilmente, se possível.

Anna se deixara ficar nos fundos da loja, fingindo estar atrapalhada com os cadarços de sua bota. Ela sorriu astuciosamente quando a Golem pegou sua capa.

"Não me olhe assim", resmungou a Golem. "Ele é um amigo, nada além disso."

"Você não quer que ele seja algo mais?"

"Não, não quero!" Ela parou, forçando suas mãos a relaxarem; ela esteve a ponto de arrancar a fivela de sua capa. "Não tenho esse tipo de sentimento por ele. Mas ele tem por mim." Ela apelou para Anna, queixosa: "Por que não podemos ser apenas amigos? Por que tem de haver complicações?".

"O mundo é desse jeito", replicou Anna, dando de ombros.

"É uma praga", disse a Golem.

"E eu não sei? Os rapazes que eu tive de dispensar! Mas, Chava, você não pode ficar sozinha pelo resto da vida. Não é natural!"

"Então seria melhor mentir para Michael e dizer coisas que eu não sinto?"

"Claro que não. Mas os sentimentos precisam de tempo para se desenvolver. E eu detesto pensar em você naquela pensão com todas aquelas solteironas empoeiradas, remendando os buracos das ceroulas delas."

"Eu não costuro as *ceroulas*, Anna!"

A garota caiu na gargalhada. Depois de um instante, a Golem começou a sorrir. Ela ainda não sabia o que pensar de Anna, com seus romances tempestuosos e sua imaginação fértil; mas a jovem estava se revelando uma surpreendente fonte de conforto.

Na manhã seguinte, Michael Levy chegou à pensão exatamente no horário combinado. Eles tomaram um bonde até Park Row e dali pegaram o trem para o Brooklyn. Nervosa entre os passageiros que se amontoavam, ela disse: "Nunca atravessei a ponte antes".

"Não se preocupe." Ele sorriu. "Não é tão perigoso como cruzar o oceano."

Com uma série de solavancos, o trem deixou o galpão e seguiu rampa acima. Ela observava enquanto eles subiam, passando por carros de entrega e homens que caminhavam penosamente. As chaminés nos telhados que expeliam fuligem e fumaça dos dois lados dos trilhos ficaram para trás quando eles chegaram à ponte. Tinha esperança de ver a água, mas o vagão em que estavam seguia pelos trilhos do meio, preso em uma vacilante cerca de varas e travas. Vistos através da cerca, os cavalos e charretes na estrada paralela aos trilhos pareciam se mover em um ritmo quebrado, paralítico.

O trem estremeceu ao parar na estação do Brooklyn. Sem falar muito, Michael a conduziu para fora do vagão e por uma sucessão de bondes. Depois, finalmente, eles subiram uma longa rua até chegar a um par de portões grandes e ornamentados.

O mundo pareceu cair em silêncio quando eles passaram pelos portões. A rua se estreitava até se tornar uma trilha curva, que depois se abria para um tranquilo cenário de morros cobertos de neve com fileiras de lápides.

"É lindo aqui", ela disse, surpresa.

Eles passaram por grandes estátuas, mausoléus cobertos de hera e bustos de homens solenes sobre pilares. Até que Michael a conduziu por uma trilha, e lá estava: o túmulo retangular de terra esbranquiçada e a lápide com um dos lados sem inscrição.

Ela ficou ao pé da sepultura, imaginando o que fazer. Será que Michael esperava que ela expressasse sua dor? Que chorasse?

Michael pigarreou. "Vou deixá-la um momento a sós."

"Obrigada", ela respondeu verdadeiramente grata. Ele se afastou pela trilha até sumir de vista; a Golem ficou sozinha com o rabi.

"Tenho saudades", ela murmurou. Ela se agachou junto à sepultura e tentou imaginá-lo ali, sob a terra. Parecia impossível, quando todos os seus sentidos lhe diziam que ele havia desaparecido deste mundo.

Ela pensou em alguma coisa para contar. "Todos na padaria estão bem", ela disse. "Anna tem um novo pretendente e parece feliz, ainda que eu saiba que você desaprovaria isso. Comecei a consertar roupas para ter o que fazer à noite. As noites ainda são a parte mais difícil. E... eu saí para caminhar esta semana, à noite, com um homem. Ele precisa se esconder, assim como eu. Vou vê-lo de novo na próxima semana. Desculpe, rabi. Eu sei que não deveria. Mas acho que sair com ele pode me ajudar."

Ela roçou a mão na neve, como se esperasse algum tipo de sinal: um tremor no chão, uma sensação de censura. Mas nada apareceu. Tudo permaneceu em silêncio.

Depois de alguns minutos, Michael reapareceu na trilha e colocou-se a seu lado. "Eu deveria deixá-lo a sós também", ela disse, começando a se afastar; mas ele colocou uma mão em seu braço. "Por favor, fique", ele disse. "Não gosto de ficar sozinho em cemitérios." E isso era verdade: um temor débil e informe crescia nele, junto com certa apreensão.

"Está certo", ela disse, permanecendo ao seu lado.

"Ele era um homem formidável", disse Michael; então ele começou a chorar. "Sinto muito", ele disse, limpando o rosto. "Eu deveria ter feito algo para evitar isso."

"Você não pode se culpar", ela protestou.

"Mas se eu não tivesse sido tão teimoso... se *ele* não tivesse..."

"Para isso, vocês teriam de ser pessoas diferentes", disse a Golem, esperando que essa fosse a coisa certa a dizer. "E ele tinha muita consideração por você. Dizia que você era um bom homem."

"Ele dizia isso?"

"Por que você fica surpreso, já que ajuda tantas pessoas?"

"Eu rejeitei a religião. Como ele poderia não sentir que eu também virei as costas para *ele*?"

"Acho que ele entendia você, à maneira dele", ela disse, hesitante. Ela não sabia se isso era verdade, mas Michael pareceu reconfortado, e isso, ela sabia, teria agradado ao rabi.

Michael suspirou e limpou o rosto. Juntos, eles olharam para a lápide. "Tenho de mandar gravar o nome dele", disse Michael. "Ainda este ano." Ele olhou para ela. "Normalmente eu não rezo, mas se você quiser..."

"Não precisa", respondeu a Golem. "Eu já rezei enquanto estava sozinha."

Bondes e trens e mais bondes até que eles estavam de volta ao Lower East Side. O sol já ia baixo no céu; uma neve fina caía sobre as ruelas.

"Deixe-me convidá-la para um café", disse Michael, logo acrescentando: "Se você tiver tempo, é claro. Não quero monopolizar seu dia".

Tinha muita vontade de ir para casa; os bondes estavam por demais lotados de corpos e seus desejos errantes. Mas também não conseguia pensar em nenhuma desculpa, e a esperança dele a atormentava. "Tudo bem", ela respondeu. "Se você quiser."

Eles foram a um lugar que ele conhecia, um café mal iluminado cheio de rapazes que pareciam discutir uns com os outros. Ele pediu café e biscoitos de amêndoas, e eles ficaram sentados a uma mesa, ouvindo as calorosas discussões em torno.

"Eu não me lembrava de como é barulhento aqui", ele disse, à guisa de perdão.

As vozes ressoavam dentro da cabeça dela, pedindo coisas abstratas: *paz, direitos, liberdade*. "Todos eles parecem muito zangados", ela disse.

"Com certeza! Cada um deles tem uma teoria diferente sobre o que está errado com o mundo."

Ela sorriu. "Você também tem uma teoria?"

"Costumava ter." Ele pensou por um instante e então disse: "Eu vejo centenas de homens toda semana na Casa de Acolhida. Todos eles necessitam das mesmas coisas: um lugar para ficar, um trabalho, aulas de inglês. Mas alguns deles ficariam contentes com o que quer que lhes caia nas mãos, enquanto outros não ficarão satisfeitos com nada. E sempre há alguns poucos que só querem tirar vantagem da situação. Então, quando meus amigos falam sobre a melhor maneira de consertar o mundo, tudo me parece muito ingênuo. Como se pudesse haver uma solução única para os problemas de todos os homens, transformando-nos em inocentes no Jardim do Éden. Quando, na verdade, sempre teremos nossas naturezas inferiores". Michael levantou o olhar para ela. "O que *você* acha?"

"Eu?", ela disse, assustada.

"Você acha que temos um bom coração? Ou você acha que só é possível sermos bons e maus ao mesmo tempo?"

"Eu não sei", ela respondeu, tentando não se agitar muito sob o escrutínio dele. "Mas eu acho que às vezes os homens querem o que não têm apenas *porque* eles não têm. Mesmo se alguém se oferecesse para dividir, eles iriam querer a parte que não fosse deles."

Ele assentiu com a cabeça. "Exatamente. E eu não acredito que isso vá mudar. A natureza humana é a mesma, não importa o sistema." Então ele sorriu. "Desculpe, eu não trouxe você aqui para falar de política. Vamos conversar sobre alguma outra coisa."

"Do que vamos falar?"

"Fale-me de você. Sei muito pouco sobre você."

Os ânimos dela desabaram. Ela teria de escolher as palavras com muito cuidado. Seria necessário mentir e, mais tarde, se lembrar dessas mentiras. "Eu fui casada", ela disse com um tremor na voz.

"Oh, sim." Michael ficou sem graça. "Eu sei disso. Você deve sentir falta dele."

Ela poderia dizer *Sim, eu o amava muito*, e evitar mais perguntas. Mas será que Michael não merecia um pouco de verdade? "Às vezes", ela respondeu. "Mas... para ser franca, nós não nos conhecíamos muito bem."

"Foi um casamento arranjado?"

"Creio que sim, de certa forma."

"E seus pais não lhe deram escolha?"

"Eu não tinha pais", ela disse, sem mostrar emoção. "E ele era um homem rico. Comprava tudo o que desejava." Isso, pelo menos, era verdade: ela se lembrava do orgulho de Rotfeld por aquilo que seu dinheiro havia comprado, sua esposa perfeita em uma caixa de madeira.

"Não surpreende que meu tio quisesse ajudá-la", disse Michael. "Sinto muitíssimo. Nem consigo imaginar como você deve ter se sentido sozinha."

"Está tudo bem." Ela já se sentia culpada. Que histórias ele estaria criando em sua mente para preencher as lacunas? Era hora de voltar a conversa para ele, se ela conseguisse. "Mas qualquer vida deve ser solitária em comparação à sua. Você está cercado de centenas de homens todos os dias."

Ele riu. "Realmente, é verdade. Apesar de eu não conseguir conhecê-los muito bem, já que eles só ficam na Casa por cinco dias. Ainda que... há um homem que está conosco já há algumas semanas, desde que eu adoeci. Ele tem ajudado a manter o lugar funcionando." Ele deu um sorriso. "Eu não poderia acreditar na minha sorte. Voltei achando que encontraria o lugar caindo aos pedaços, e lá estava aquele velho bondoso tomando conta das coisas e mantendo a ordem. Ele fez com que minha equipe praticamente comesse na mão dele! Eu insisti em oferecer-lhe algum dinheiro, mas não é nada perto do que ele merece."

"Parece que você realmente deu sorte de encontrá-lo", disse a Golem.

Ele assentiu. "Você deveria conhecê-lo um dia. Ele me lembra o meu tio, de certa forma. Acho que também foi um rabi — ele tem aquele jeito. Como se soubesse mais do que diz."

Estava ficando tarde. Aos poucos, os homens iam saindo do café, deixando as discussões no impasse habitual. Lá fora, um jovem acendedor de lampiões caminhava, a vara repousando em seu ombro magro como uma baioneta. "Preciso ir para casa", disse a Golem. Ela sentiu um súbito receio da caminhada de volta com ele.

"Claro", ele disse. "Deixe-me acompanhá-la."

"Não quero que você saia do seu caminho."

"Não, eu insisto."

À medida que eles se aproximavam da pensão, a Golem tomava consciência do quanto eles lembravam um casal passeando ao anoitecer. Michael, ela percebeu, começava a reunir coragem para perguntar se ela gostaria de vê-lo novamente, se eles talvez poderiam jantar juntos um dia...

"Eu não posso", ela disse e parou de andar, tirando a mão do braço dele. Surpreendido, ele também parou. "Qual é o problema?", ele perguntou.

As palavras rolaram dos lábios da Golem. "Desculpe-me, Michael. Eu sei que você está interessado em mim."

Ele empalideceu, depois tentou dar um sorriso, que saiu torto. "É assim tão óbvio?"

"Você é um homem muito bom", ela disse, sentindo-se angustiada. "Mas eu não posso. Simplesmente não posso."

"Claro", ele disse. "Cedo demais. Claro. Desculpe. Se eu lhe causei algum pesar..."

"Não, não, por favor, você não deve se desculpar!", ela disse, a frustração quase explodindo em seu peito. "Gostaria que fôssemos amigos, Michael. Não podemos ser apenas amigos? Está tudo bem assim?" Imediatamente ela percebeu que era a coisa errada a dizer.

"Claro que sim!", ele respondeu. "Sim, claro. É isso o que importa, no fim das contas. Amizade."

Não confiando mais em si mesma para falar, ela não conseguia fazer nada além de assentir com a cabeça.

"Bom!" A voz dele era cavernosa. "Estamos combinados, então." Ele recolocou a mão dela sobre o braço dele, procurando demonstrar que nada havia mudado; e eles andaram o último quarteirão até a casa dela como o mais perfeito casal da rua, ainda que a cada passo ambos desejassem desesperadamente estar em outro lugar.

—•—

Há muito passava da meia-noite, e a lua cheia já estava afundando no East River, passando pelos cabos da ponte e reservatórios para brilhar nas janelas da Casa de Acolhida. Ela rastejava pela lã pesada dos cobertores até os olhos abertos de Yehudah Schaalman, que estava esperando exatamente por isso. Ele precisava do luar para escrever.

Até agora, as coisas estavam progredindo melhor do que Schaalman ousara esperar. Ele havia pensado que a volta do diretor seria um obstáculo, que teria de enfeitiçar o homem ou confundir sua mente; mas, pelo visto, Levy era ainda mais mosca-morta que sua equipe. Schaalman inicialmente objetara contra a oferta de um salário, mas depois aceitou. Ninguém era assim *tão* altruísta, nem mesmo o homem que ele fingia ser.

Ele consolidou sua posição e obteve a confiança deles. Era hora de colocar em ação a próxima fase de seu plano. Seu sonho lhe havia garantido que Nova York guardava o segredo da *vida eterna*, mas ele precisava encontrar uma forma de reduzir o escopo de sua busca, uma varinha mágica que lhe apontasse a direção correta. E o que poderia ser melhor do que ele mesmo se tornar uma varinha mágica?

Pegou o roto maço de papéis queimados que estavam debaixo da cama. Ele os examinou à luz da lua, separando aqueles que tinham alguma relação com seu objetivo. Munido de uma folha em branco e um lápis, começou a rabiscar notas. Se ele combinasse esse encantamento com esse nome de Deus... Ele escrevia fórmulas que depois riscava, desenhava diagramas de árvores cujas folhas eram letras do alfabeto. Trabalhou por horas até que finalmente, perto da aurora, ele vivenciou um ímpeto de clareza à medida que os diagramas, as fórmulas e os encantamentos se misturavam em uma coisa só. Seu lápis dançava em êxtase pela página. Por fim, sua mão parou, e ele olhou para seus escritos, sentindo nos ossos que alcançara o que queria. A velha angústia familiar o atravessou — o que ele poderia ter sido se tivesse tido uma oportunidade! O que ele não teria feito!

Olhou ao redor mais uma vez, mas todos os seus vizinhos dormiam. Respirando profundamente, ele começou a ler em voz baixa o que escrevera.

Uma longa e ininterrupta fileira de sílabas saía da boca de Schaalman. Algumas eram suaves e lânguidas como um riacho preguiçoso. Outras eram ásperas e irregulares, e Schaalman as cuspia por entre os dentes. Se algum dos velhos sábios estivesse escutando, alguém instruído não apenas em hebreu e aramaico, mas em séculos de saber popular, mesmo ele teria tido dificuldade para entender o sentido de tudo aquilo. Ele poderia ter reconhecido alguns bocados aqui e acolá: trechos de várias preces, nomes de Deus que foram tecidos letra por letra. Mas o resto seria um mistério aterrorizante.

Ele ganhou ímpeto ao se aproximar do ápice da fórmula, a letra que estava no centro de tudo: um *aleph*, o som silencioso que foi o início de toda a Criação. E então, como se aquele *aleph* fosse um espelho, a fórmula se reverteu, e, letra por letra, Schaalman desabou do outro lado.

Ele estava se aproximando do fim, estava quase lá. Ele se preparou e pronunciou o último som, e então...

... subitamente toda a Criação jorrava através dele. Ele era infinito, ele era o universo, não havia nada que não estivesse contido nele.

Mas ele então olhou para cima e percebeu que não era nada, apenas uma migalha, um átomo insignificante encolhido sob o olhar fixo e eternamente desperto do Um.

Durou uma eternidade; foi apenas um instante. Despertando para si mesmo, Schaalman conteve as lágrimas e arrastou uma mão pegajosa sobre a testa. Era sempre assim quando ele tentava concluir algo novo e poderoso.

A lua desaparecera sob a janela, deixando apenas o brilho amarelo dos lampiões a gás. Schaalman tinha vontade de testar a eficácia de sua fórmula imediatamente — para saber se ele realmente se transformara naquela varinha mágica —, mas a exaustão o venceu, e ele desabou em um sono sem sonhos até amanhecer, acordando apenas quando os ruídos do dormitório se tornaram tão altos que era impossível ignorá-los. Os homens estavam se vestindo para o dia, endireitando os cobertores bagunçados com a delicadeza nervosa de convidados. Alguns rezavam junto a suas camas, filactérios presos a suas testas e amarrados em seus braços. A fila para o banheiro se estendia pelo corredor, cada homem segurando, com ar cansado, seu sabonete e sua toalha. Schaalman se vestiu e colocou o casaco. Ele tinha uma fome avassaladora. Ao descer, descobriu que a cozinheira deixara para ele algumas fatias de pão com geleia para o desjejum; ele as devorou num instante. Resistindo à vontade de lamber a geleia de seus dedos — os hábitos de uma vida solitária permaneciam —, atravessou o saguão e saiu pela porta da frente da Casa de Acolhida. Era hora de descobrir o que ele havia conseguido.

Cinco horas depois, ele retornou à Casa de Acolhida abatido e irritado. Andara por toda a extensão do Lower East Side, passando por todos os rabis, estudiosos, sinagogas e ieshivas que conseguira encontrar — mas nenhum sinal do feitiço da varinha mágica. Nenhum impulso em direção a uma rua em particular, nenhuma sensação de que talvez ele devesse entrar *naquela* porta ou falar com *aquele* homem ali. Mas a fórmula funcionara, e ele tinha certeza disso!

Mais uma vez, aconselhou-se a ter paciência. Ainda havia bibliotecas particulares, a enorme ieshiva sobre a qual ele ouvira falar no Upper West Side, sem mencionar o conclave de judeus alemães ao norte — não tão instruídos nas maravilhas esotéricas como seus primos russos e poloneses, mas ainda assim poderia descobrir algo ali. Ele não iria desistir.

Mas ele estava nervoso. Passara por uma procissão funerária em Delancey: alguma figura distinta, a julgar pela multidão e pelo pesado silêncio desta. O mais provável era que fosse um respeitado e proeminente rabi, falecido após um longo período de decrepitude, certo de seu lugar no Outro Mundo. Schaalman deu passagem ao cortejo e desviou o olhar, reprimindo o desejo infantil de se ocultar para que o Anjo da Morte não o visse ali, escondido entre os judeus de Nova York.

De volta à Casa de Acolhida, ele parou na porta do diretor. Levy estava em sua mesa, a caneta estranhamente parada. Seu olhar era vago. Schaalman ficou preocupado. Alguém o teria enfeitiçado? Haveria alguma outra força presente? Ele bateu à porta. "Michael?"

O homem se sobressaltou e assumiu um ar culpado. "Olá, Joseph. Desculpe, você está aí há muito tempo?"

"Não muito, não", respondeu Schaalman. "Está tudo bem com você? Nada de doença outra vez, espero."

"Não, não. Bem, não exatamente." Ele sorriu levemente. "Coisas do coração."

"Ah", disse Schaalman, seu interesse se evaporando.

Mas agora o diretor olhava para ele de maneira especulativa. "Posso lhe fazer uma pergunta pessoal?"

Schaalman suspirou mentalmente. "Certamente."

"Você já foi casado?"

"Não, nunca tive essa bênção."

"Já se apaixonou?"

"Claro", mentiu Schaalman. "Que homem da minha idade nunca esteve apaixonado?"

"Mas não deu certo." Não era bem uma pergunta.

"Foi há muito tempo. Eu era um homem diferente."

"O que aconteceu?"

"Ela partiu. Estava lá e de repente não estava mais. Nunca soube o por quê." As palavras haviam simplesmente surgido; ele as pronunciara sem pensar.

Levy acenava com a cabeça, usando de uma simpatia desnecessária. "Você ficou se perguntando, depois disso, o que poderia ter feito de diferente?"

Todos os dias. Todos os dias da minha vida desde então, eu penso nisso.

Ele deu de ombros. "Talvez eu fosse um homem muito difícil de amar."

"Ah, não acredito nisso."

Chega, ele pensou. "Você precisa de mais alguma coisa? Senão, vou ver como a cozinheira está se saindo com o jantar."

Levy piscou. "Ah, sim, claro. Obrigado, Joseph. Por me deixar alugar seus ouvidos."

Schaalman sorriu à guisa de resposta e deixou a sala.

GOLEM & GÊNIO
UMA FÁBULA ETERNA

XVI

Golem disse: "Você pôs um chapéu. Obrigada".
Eles andavam na direção norte, afastando-se da pensão, em meio a uma chuva de um granizo fino como névoa congelada. Era o terceiro passeio que faziam juntos desde a noite no Madison Square Park. Duas semanas antes, eles visitaram a área do Battery Park — dispensando o aquário, pois ela o proibiu de derreter o cadeado novamente —, depois viraram ao norte, contornando a West Street até o píer da Barrow Street. No verão, o píer era uma animada área de recreação e passeio, mas agora estava deserto, os guarda-corpos ornados de pingentes de gelo. Cauteloso com a madeira escorregadia, o Djim permaneceu junto aos quiosques de alimentação, agora fechados, e ficou olhando enquanto a Golem ia até o fim do píer, sua capa esvoaçando com o vento marinho. "É calmo aqui", ela disse ao voltar. Eles caminharam um pouco mais ao longo da West Street, mas o cenário de mar e luzes distantes logo se transformou em armazéns de carga e escritórios de empresas de navegação. Eles estavam prestes a retornar quando o Djim percebeu um brilho no céu, a alguns píeres dali, e arrastou-a para investigar o que era. A equipe de um cargueiro, desesperada para aproveitar a

maré da manhã, equipara o deque com luzes elétricas e trabalhava noite adentro. Os estivadores corriam por todos os lados, arrastando a carga, sua respiração formando nuvenzinhas brancas. O Djim e a Golem ficaram olhando até que o comandante da equipe gritou com eles em norueguês, dizendo-os para darem o fora porque não queria bisbilhoteiros ali. A Golem, sem pensar, pediu desculpas na mesma língua, e eles se retiraram rapidamente antes que o capataz pudesse colocar seus supostos conterrâneos contra a parede para perguntar de que cidade eles vinham.

Na semana seguinte, eles seguiram na direção norte, pelo Lower East Side, passando por lojas judaicas e da região da Boêmia, intercaladas aqui e ali com letreiros desbotados em alemão: os remanescentes da Kleindeutschland[1] à deriva no mar do Leste Europeu. O humor da Golem não era dos melhores aquela semana; ela estava distraída e cabisbaixa. Ela não falou muito no assunto, apenas disse que visitara um cemitério no Brooklyn com um conhecido, um homem chamado Michael. O Djim teve a impressão de que esse Michael queria mais desse relacionamento que ela.

"Tenho pena de quem tentar cortejar você", ele disse. "Ele estaria em séria desvantagem."

"Não quero ser cortejada", ela resmungou.

"Por ninguém? Ou apenas por ele?"

A Golem balançou a cabeça, como se estivesse descartando a própria pergunta.

Aquela era uma mulher difícil de entender. Tinha um traço de temperamento pudico que parecia formar um elmo com sua cautela e seriedade. Era tão curiosa quanto ele, mas hesitava em explorar o mundo. Às vezes sorria, mas raramente dava risadas. Em tudo, o caráter dela era exatamente o oposto do que ele normalmente procurava em uma mulher. Ela daria uma péssima djim.

Eles seguiram na direção norte e depois a oeste, entrando cada vez mais nos bairros adormecidos. "Como", ele perguntou, "é sentir todos esses medos e desejos?"

"Tenho a impressão de que muitas mãozinhas tentam me agarrar."

---

[1]   Ou Pequena Alemanha, como era conhecida a comunidade de imigrantes alemães em Manhattan. Os moradores foram gradativamente deixando o local, até que o sentimento antialemão despertado pela Primeira Guerra Mundial levou à extinção da comunidade. [NT]

Ele quase se contorceu só de imaginar. Provavelmente ele também daria um péssimo golem.

"Estou melhorando em não responder a essas demandas", ela explicou. "Mas ainda é difícil. Especialmente quando eu sou o objeto do medo. Ou do desejo."

"Como no caso do seu amigo Michael?"

Ela não disse nada, seu rosto ficou impassível. Talvez a Golem temesse que *ele* pudesse cultivar um desejo por ela. Mas não era o caso, nem de longe, o que o surpreendia. Poucas vezes ele passara tanto tempo na companhia de uma mulher por uma razão que não fosse essa.

Ele gostava bastante dela, supunha. Divertia-se mostrando-lhe a cidade, vendo lugares já familiares através do novo olhar dela. Ela percebia detalhes diferentes: ele olhava a paisagem como um todo para então passar aos detalhes, enquanto ela examinava cada coisa de uma vez, construindo o cenário a partir disso. A Golem poderia andar mais rápido que ele, mas normalmente ficava para trás, fascinada por algo que vira em uma vitrine ou por um letreiro de pintura alegre.

E ela finalmente não parecia mais ter medo dele. Quando ele chegou à pensão para o quarto passeio, esperou apenas durante alguns poucos segundos até que ela se juntasse a ele. E ela parara de ficar tentando se esconder quando estava ao lado dele, ainda que continuasse com o capuz levantado até que estivessem a uma boa distância da pensão.

Eles continuaram a ziguezaguear na direção norte, em seu agora habitual quase silêncio. Ele já lamentava a promessa que fizera de usar chapéu. O granizo fino não era um perigo, apenas algo irritante; na verdade, o chapéu era pior que o granizo. Ele o comprara de um vendedor ambulante sem experimentar, um erro que não cometeria novamente. O tecido era ordinário e áspero, e a aba fazia com que ele se sentisse como um cavalo com antolhos.

"Fique *quieto*", resmungou a Golem.

"Não suporto essa coisa", ele disse. "Parece que tem algo na minha cabeça."

Ela segurou o riso. "E realmente tem."

"Foi você quem me obrigou a usar isso. E *coça*."

Ela acabou por tirar o chapéu da cabeça dele. Tirou um lenço de sua manga, abriu-o e colocou-o dentro do chapéu. Ela recolocou o chapéu na cabeça dele, enfiando as pontas do lenço sob a aba. "Pronto", ela disse. "Está melhor assim?"

"Sim", respondeu ele, surpreso.

"Ótimo", disse a Golem mal-humorada. "Talvez agora eu consiga me concentrar no caminho que estamos fazendo."

"Achei que você não conseguia ouvir meus pensamentos."

"Nem precisava. Você estava fazendo estardalhaço suficiente para a rua toda saber."

Eles continuaram andando. A temperatura diminuíra, e o granizo se transformara em neve. As sarjetas, há muito tempo obstruídas, fizeram com que em cada esquina surgisse uma poça escura. Eles eram obrigados a contorná-las, até que em uma esquina o Djim, depois de se assegurar de que não havia ninguém mais na rua, deu uma corrida e tomou impulso, saltando para o outro lado da água escura. Era uma bela distância; poucos humanos poderiam ter dado um salto como aquele. Ele deu um largo sorriso, satisfeito consigo mesmo.

A Golem ficou parada na esquina, carrancuda. Ele esperou, impacientemente, enquanto ela contornava a poça.

"E se alguém tivesse visto?", ela disse.

"Valia correr o risco."

"Para ganhar o quê? Alguns segundos?"

"Para me lembrar de que estou vivo."

Ela não retrucou, apenas balançou a cabeça.

Em silêncio, ele a conduziu até o Washington Square Park. Ele ansiava por mostrar-lhe o arco iluminado, mas o mau tempo forçara a cidade a apagar as luzes por causa do risco de um curto-circuito. Nas sombras, o arco se erguia sobre eles, suas linhas rígidas e definidas contra as nuvens.

"Deveria estar iluminado", ele disse, decepcionado.

"Tudo bem, eu gosto assim como está."

Eles caminharam sob o arco, e mais uma vez o Djim ficou maravilhado com sua altura, com sua imensidão. Tantas construções muito maiores na cidade, e era o arco que o fascinava. No escuro, as enormes estátuas de mármore pareciam mudar e se agitar como ondas.

"Não serve para nada", ele disse, tentando explicar sua fascinação, tanto para si próprio como para ela. "Prédios e pontes são úteis. Mas para que isso? Um arco gigantesco ligando o nada a lugar algum."

"O que está escrito ali?" Ela estava do outro lado, observando a inscrição às escuras.

Ele recitou de memória: "*Vamos erigir um modelo ao qual os sábios e honestos possam acorrer. O evento está nas mãos de Deus.* Isso foi dito por alguém chamado Washington".

"Eu pensava que Washington era um lugar", ela disse incerta.

"Isso não importa, mas *o que* essa frase quer dizer?"

Ela não respondeu, apenas continuou a mirar as letras que não podia ver. Então perguntou: "Você acredita em Deus?".

"Não", respondeu ele sem hesitar. "Deus é uma invenção humana. Minha espécie não tem esse tipo de crença. E nada do que vivi sugere a existência de um fantasma todo-poderoso no céu, que atende a desejos." Ele sorriu, tomando gosto pelo assunto. "Há muito tempo, durante o reinado de Sulayman, o mais poderoso dos djins era capaz de satisfazer desejos. Há histórias sobre aquele tempo, de djins capturados por magos humanos. Um djim oferecia a seu captor três desejos em troca de sua liberdade. O mago gastaria seus desejos em mais desejos, forçando, assim, o djim à escravidão perpétua. Até que um dia o mago formularia mal um desejo, o que permitiria que seu prisioneiro o prendesse. E então o djim estaria livre." Ela ainda estava analisando o arco, mas prestava atenção. "Então talvez esse Deus dos humanos seja apenas um djim como eu, preso nos céus, obrigado a satisfazer desejos. Ou, quem sabe, ele tenha se libertado há muito tempo, mas ninguém avisou os humanos."

Silêncio. "O que *você* acha?", ele perguntou. "Você acredita no Deus deles?"

"Não sei", ela respondeu. "O rabi acreditava. E ele era a pessoa mais sábia que conheci. Então, sim, talvez eu acredite."

"Um homem lhe diz para acreditar, e você acredita?"

"Depende do homem. Além disso, você acredita nas histórias que *contaram* a você. Por acaso, você já encontrou um djim que pudesse satisfazer desejos?"

"Não, mas essa habilidade desapareceu por completo."

"Então, agora são apenas histórias. E talvez os humanos tenham realmente criado o Deus deles. Mas isso o torna menos real? Olhe para esse arco. Eles o criaram. Agora ele existe."

"Sim, mas não satisfaz desejos", ele disse. "Não faz *nada*."

"É verdade", ela disse. "Mas eu olho para esse arco e sinto alguma coisa. Talvez seja esse seu objetivo."

Ele quis perguntar para que poderia servir um Deus que só existia para fazer com que você *sentisse* algo? Mas desistiu. Eles já estavam à beira de uma discussão.

Deixaram o arco e caminharam mais para dentro do parque. Marcas de trenó formavam longos arcos no chão, em torno das ilhotas de gramado, agora cobertas de neve. A fonte oval, desligada por causa da estação, era uma tigela rasa de gelo. Homens adormecidos se espalhavam pelos bancos, praticamente invisíveis sob várias camadas de cobertores. A Golem olhou para eles e rapidamente desviou o rosto, demonstrando um ar de tristeza.

"Eles precisam de tanta coisa", ela murmurou. "E eu apenas passo por eles."

"Sim, mas o que você poderia fazer? Dar de comer a todos eles, levá-los para casa com você? Você não é responsável por eles."

"É fácil dizer isso, pois você não pode ouvi-los."

"Ainda assim é verdade. Você é generosa demais, Chava. Acho que você daria seu próprio eu se alguém desejasse isso."

Ela colocou os braços ao redor do corpo, demonstrando-se claramente triste. O vento afastara o capuz de seu rosto. Flocos de neve grudavam, sem derreter, em suas bochechas e nas laterais de seu nariz. Ela parecia uma estátua viva, com seus traços brancos e luminosos.

Ele estendeu a mão e limpou a neve do rosto da Golem. Os cristais desapareceram de imediato sob suas mãos. Ela se sobressaltou, surpreendida, depois percebeu qual era o problema. Com um ar triste, ela passou a mão enluvada em seu rosto.

Ele disse: "Se você dormisse em um desses bancos, estaria soterrada debaixo de neve e pombos pela manhã". Ela riu ao pensar na imagem. Era gratificante ouvir aquela rara risada. Ele sentia que a conquistara.

À medida que se aproximavam da outra ponta do parque, ouviram um longínquo tilintar atrás deles. Um trenó de transporte estava passando sob o arco, o par de cavalos trotando lindamente. As rédeas eram levadas não por um condutor, mas por um dos passageiros, um homem com traje de gala e chapéu de seda. Uma mulher loura com uma capa elegante estava ao lado dele, rindo enquanto ele conduzia o trenó para fazer um oito ao redor da fonte. O trenó se inclinava perigosamente, e a mulher enterrava o rosto no cachecol e gritava, obviamente se divertindo.

A Golem sorriu ao observá-los. O Djim deu um passo para trás, preocupado com os cavalos. O casal no trenó os viu, e o homem ergueu a mão em um cumprimento alegre. Era visível que eles estavam contentes de ter uma audiência, felizes por ter alguém que os visse como eles queriam ser vistos: jovens e ousados, vibrando por estarem vivos e brincando de amar.

A parelha de cavalos, obviamente bem treinada, vacilou apenas uma vez quando passava junto ao Djim. Por um instante, os dois casais se entreolharam, como em um espelho; e então o Djim viu o princípio de um sobressalto, um temor até, nos olhos da mulher. A mesma incerteza começou a brotar no rosto do homem — sua mão segurou as rédeas com mais força —, e então eles passaram voando, os cavalos conduzindo-os para longe daquele reflexo sobrenatural, o homem bonito demais e a mulher estranhamente resplandecente.

O sorriso da Golem havia desaparecido.

—•—

O novo século estava se mostrando bastante próspero para Boutros Arbeely. Desde a chegada do Djim, o serviço mais que dobrara. Relatos sobre o excelente e rápido trabalho de Arbeely se espalharam para além da comunidade síria, e nas últimas semanas o latoeiro recebera diversos visitantes incomuns. O primeiro foi um irlandês dono de bar que queria substituir suas velhas jarras de cerveja, as quais teimavam em se separar de suas alças — em parte pelo fato de seus clientes terem o hábito de usá-las como porretes. Um italiano dono de estábulo também apareceu em busca de ferraduras. O inglês limitado de Arbeely tornava a comunicação difícil — e o Djim não poderia ajudar, ou os vizinhos estranhariam sua fluência —, mas tudo o que os clientes precisavam fazer era encontrar um garoto sírio, colocar algumas moedas em sua mão e pedirem para que fizessem a tradução.

A visita mais estranha apareceu no fim de fevereiro: era também um sírio, um proprietário de imóveis chamado Thomas Maloof. Filho de sírios ortodoxos donos de terra, Maloof fora para a América não na terceira classe do navio, mas em uma cabine equipada, levando consigo uma fortuna considerável e uma linha de crédito. Depois de aportar em Nova York e observar onda após onda de imigrantes transbordando da barca, ele decidiu que qualquer homem com um mínimo de bom senso faria bem em comprar imóveis em Manhattan o mais rapidamente possível. Assim, ele arrebatou a escritura de um cortiço na Park Street. Dificilmente colocava os pés no imóvel, preferindo ocupar um conjunto de quartos em uma pensão distinta localizada mais ao norte. Quando ele tinha de falar com seus conterrâneos, utilizava-se de uma amável condescendência que era dirigida tanto aos ortodoxos quanto aos maronitas. As relações entre as duas comunidades eram, na melhor das hipóteses, frias, mas o igualitário Maloof se mantinha acima disso.

Maloof se considerava conhecedor e patrono das artes e, depois de uma rápida inspeção do imóvel recém-comprado, concluiu que seu problema mais urgente não era o encanamento ruim ou a escuridão dos exíguos cômodos, e sim a qualidade deplorável dos painéis de estanho no teto do saguão de entrada. Ele decidiu mandar instalar um novo teto para celebrar a mudança de propriedade. Visitou fábricas de estanho no Brooklyn e no Bronx, mas, para sua decepção, apenas lhe foram mostrados trabalhos com padrão floral comum, medalhões ou flores-de-lis, e a todos eles faltava aquela centelha do verdadeiro valor artístico. Seus inquilinos eram pessoas boas e trabalhadoras, contou a Arbeely, e mereciam uma verdadeira obra de arte no saguão do prédio, algo que não poderia ser fornecido por uma fábrica.

Arbeely escutou a proposta com uma polidez dúbia. Ao contrário de Maloof, ele sabia por que os painéis de estanho eram produzidos apenas em fábricas: sua produção exigia um equipamento caro, e o lucro era tão pequeno que seria preciso vender para todos os prédios de um bairro a fim de compensar os custos. Além disso, quando Arbeely perguntou a Maloof que tipo de arte ele tinha em mente, descobriu que este não fazia a menor ideia. "O artesão é você, não eu!", exclamou Maloof. "Eu só peço que você me apresente algo que incendeie minha imaginação!" E partiu, prometendo voltar em uma semana para examinar as amostras produzidas por Arbeely.

"Meu Deus", resmungou Arbeely para o Djim, "esse homem é louco! Ele quer que façamos todos os painéis do teto de um saguão, só eu e você, e que eles sejam extraordinários. Não podemos parar todo o serviço por um mês enquanto produzimos um teto! Quando ele voltar — *se* ele voltar —, apenas explicaremos que esse trabalho está além de nossa capacidade, e pronto."

O tempo fora tomado por um dilúvio quase constante de granizo e neve, e quando o Djim deixou a oficina aquela noite teve de se resignar a ficar em casa. Ao voltar para seu cortiço, ele parou um momento no saguão de entrada e olhou para cima. Com certeza, o teto era de estanho, e os painéis eram tão banais como os que Maloof descrevera: cerca de quarenta centímetros quadrados, gravados com um simples medalhão de círculos concêntricos. Poeira e fuligem encardiam cada quadrado; a ferrugem corroía as quinas. Quanto mais o Djim olhava, mais ele desejava não tê-lo feito.

O Djim se trancou em seu quarto e começou a trabalhar em suas estatuetas, mas estava distraído demais para realmente progredir. Tirou os olhos do trabalho para checar, pela janela, como estava o tempo. O granizo ainda caía e com mais força que antes.

Ele precisava de alguma coisa nova, diferente, mais interessante que modelar falcões e corujas. Algo que ele não tivesse tentado fazer antes.

Retornou ao saguão e observou os medalhões sob a luz fraca, apertando os olhos. Se deixasse a vista fora de foco, poderia quase fingir que estava voando acima dos painéis, olhando de cima para baixo para uma série de colinas circulares, ameaçadoramente regulares...

Uma ideia iluminou sua mente. Que tipo de regra obrigava que um teto de estanho fosse feito com quadrados? Por que não criar simplesmente uma enorme placa que cobrisse todo o teto? E quem sabe as paredes também?

Como se ele tivesse ficado sentado ali o tempo todo, esperando por aquele momento, a imagem do teto acabado veio até ele com um ímpeto avassalador. Ele correu de volta para o quarto para pegar o casaco e atravessou correndo a rua até a oficina de Arbeely. Ele acendeu a fornalha e se atirou ao trabalho.

Na manhã seguinte, Arbeely não fora direto para a oficina porque tinha algumas coisas a fazer: um pedido a um fornecedor, depois uma olhada nos novos catálogos da loja de ferramentas. Ele ainda arrumou tempo para um rápido chá com docinhos em um café. No caminho de volta, parou em frente à vitrine de uma camisaria para olhar, com desejo, um elegante chapéu-coco que ostentava uma pena na fita. Tirou seu próprio chapéu e examinou o feltro fino, a fita esgarçada e a copa afundada. Os negócios estavam indo *muito* bem. Será que ele não poderia se permitir esse prazer?

Passava de meio-dia quando ele finalmente chegou à oficina, sentindo-se culpado pelo atraso. A porta estava destrancada, mas o Djim não parecia estar ali. Talvez estivesse nos fundos?

Ao contornar a bancada de trabalho, ele quase tropeçou em seu aprendiz, que estava fora da vista. O Djim estava de quatro sobre o que parecia, em um primeiro momento, um enorme tapete feito de estanho.

O Djim olhou para cima. "Arbeely! Estava pensando onde você poderia estar."

Arbeely olhou para o estranho tapete que brilhava. Tinha pelo menos dois metros e meio de comprimento por um metro e meio de largura. A maior parte era dominada por uma onda que se desfazia em ondas menores, enovelando-se umas nas outras ao se espalharem pela placa. Alguns lugares foram dobrados e redobrados, formando picos escarpados. Outras partes eram quase totalmente planas, mas ganharam pontos espalhados que davam a ilusão de sombras.

"Ainda está pela metade", disse o Djim. "Arbeely, você encomendou mais estanho? Acabou, e ainda preciso fazer os painéis da parede. Não me lembrava de Maloof ter informado as medidas, então usei meu saguão como modelo."

Arbeely o encarou. "Isto é... você está fazendo isto para Maloof?"

"Claro", respondeu o Djim com um tom que sugeria que Arbeely estava sendo um pouco lerdo. "Vou levar mais dois dias para acabar. Tenho ideias sobre como conectar os painéis laterais ao teto, mas ainda terão de ser testadas. Não quero que as emendas apareçam. Apenas uma estragaria todo o efeito." Ele olhou mais atentamente para Arbeely. "O chapéu é novo?"

Arbeely mal ouvira as palavras do Djim; outra coisa que ele dissera pulava em sua mente, tentando chamar sua atenção. "Você usou *todo* o estanho?"

"Bem, um teto é bastante amplo. E vou precisar de mais. Para esta tarde, se possível."

"Todo o estanho", disse Arbeely, pasmado. Ele pegou um banco e se sentou.

Finalmente o Djim percebeu a aflição do homem. "Algum problema?"

"Você tem ideia", disse Arbeely, com uma cólera crescente, "de quanto dinheiro você me custou? Você usou um estoque de quatro meses de estanho! E não temos qualquer garantia de que Maloof vai reaparecer! E, mesmo que ele volte, certamente não vai querer isso — ele pediu placas, não uma peça gigante! Como pôde..." Ele ficou sem palavras e pôs-se a olhar para o tapete de estanho. "Quatro meses de material", murmurou. "Isso pode me levar à falência."

O Djim franziu o rosto. "Mas vai funcionar perfeitamente. Arbeely, você nem *olhou* direito para o trabalho."

O pasmo estava dando lugar ao desespero. "Eu deveria ter pensado nisso", disse Arbeely. "Você não compreende os fatores por trás de um negócio. Desculpe-me, no fundo a culpa é minha. Mas terei de repensar nosso acordo. É possível que não tenha mais condições de lhe oferecer um pagamento. Só pela perda do estanho..."

A mágoa no rosto do Djim se transformou em uma raiva indignada. Ele olhou para a obra em estanho a seus pés, depois para Arbeely. Furioso demais para falar, ele pegou seu casaco, passou por Arbeely — que não tentou detê-lo — e saiu a passos largos da oficina, batendo a porta atrás de si.

No silêncio que se seguiu, Arbeely analisou suas alternativas. Ele tinha algum dinheiro guardado e seria possível conseguir mais algum emprestado. Poderia restringir os novos serviços a consertos, mas teria de cancelar a maior parte de seus pedidos atuais. Sua reputação talvez nunca fosse recuperada.

Ele passou pelo tapete de estanho — algo em suas ondas e dobras tentou chamar sua atenção, mas ele estava para além de qualquer distração — e voltou para o quarto dos fundos, onde fez um rápido inventário. Era verdade: o estanho acabara. Não havia nada nas prateleiras além de sobras e serviços inacabados.

Voltou para a parte da frente da oficina, olhou de novo para o estanho desperdiçado — talvez alguns pedaços pudessem ser reaproveitados, pelo menos daria para alguns dias. Enquanto ele olhava, a luz da claraboia foi filtrada pelo ar empoeirado e bateu no tapete de estanho, realçando os picos e despenhadeiros, deixando as depressões na sombra. De súbito tudo entrou em foco, e com um choque vertiginoso Arbeely viu exatamente o que o Djim havia criado: o retrato de uma vasta paisagem desértica vista do alto.

Não era um bom dia para vender sorvetes.

O vento e o granizo haviam dado uma trégua, mas a neve que caíra congelara nas calçadas, refratando a pálida luz do dia nos olhos ofuscados de Mahmoud Saleh. Cuidadosamente, ele arrastou seu carrinho de restaurantes a cafés, batendo de porta em porta, colocando seu sorvete em qualquer vasilha que lhe entregassem e embolsando as moedas que recebia em troca. Ele tinha certeza de que tudo ia direto para as latas de lixo; afinal, quem iria querer sorvete num dia como esse? Era possível ouvir os suspiros mal disfarçados dos donos dos restaurantes, os longos silêncios, os sussurrados Deus-te-abençoe que soavam mais como superstição que como gentileza, como se Saleh fosse um fantasma malcriado que precisasse ser apaziguado.

Ele apertou mais seu casaco esfarrapado sobre o corpo e estava quase chegando no café de Maryam quando a rua se iluminou com um segundo alvorecer. Aturdido, ele protegeu os olhos.

Era o homem, o homem resplandecente! Ele saía de uma oficina que ficava num porão, seu rosto era uma máscara raivosa. Seu casaco estava pendurado em um braço. Apenas uma camisa fina e calças de brim o separavam do ar gelado, mas ele parecia não se dar conta. Quem estava na calçada saía de seu caminho. Ele ia rumo norte, na direção do mercado de hortifrutigranjeiros.

Saleh nunca o vira à luz do dia antes. Se demorasse muito, ele o perderia.

Ele arrastou o carrinho até o café de Maryam tão rápido quanto podia. Ela devia tê-lo visto chegar, pois estava do lado de fora antes mesmo que ele chegasse à porta.

"Mahmoud! O que houve?"

"Maryam", ele disse arquejante, "preciso pedir uma coisa... você pode, por favor, olhar meu carrinho? Você faria isso?"

"Claro que sim!"

"Obrigado." Assim, ele partiu em direção ao norte, seguindo de longe o homem resplandecente.

O Djim nunca estivera tão furioso em sua vida.

Ele não tinha qualquer destino em mente, nenhum objetivo, a não ser se afastar de seu patrão tacanho. Depois de tudo o que o Djim havia feito por ele, passando dia após dia remendando panelas até achar que explodiria de tédio — tudo o que o homem era capaz de fazer era se queixar de quanto estanho ele gastara? Os negócios que ele atraíra, o dinheiro que ganhara para o homem, e agora essa demissão brusca?

O tráfego aumentava à medida que ele se aproximava do mercado, obrigando-o a diminuir o passo e atentar para onde estava indo. Sua raiva agora exigia um objetivo, um destino. Há semanas ele nem pensava em Sophia Winston, mas agora seu rosto surgia diante dele, com seus traços belos e orgulhosos. Por que não? Talvez ela ficasse aborrecida com ele por seu atrevimento, mas, quem sabe, talvez sua porta estivesse aberta, à espera como antes.

Ele pensou em tomar o trem, mas concluiu que não aguentaria ficar espremido em meio a uma multidão de estranhos que batiam os jornais em seu rosto. Uma voz dentro dele disse que correr para a casa de Sophia não era bom, que ele ainda precisava pensar no que fazer de sua vida depois — mas ele a ignorou e acelerou o passo.

A meio quarteirão de distância, Mahmoud Saleh lutava para não perder de vista o homem resplandecente. Era difícil: ele tinha pernas longas e era impelido pela raiva. Para não perdê-lo, Saleh quase corria, trombando nas pessoas, em carrinhos de ambulantes e paredes, murmurando desculpas a tudo e todos. Ele avançava por labirintos de cavalos, carroças e pedestres, em meio a poças de lama quase congeladas. A cada cruzamento ele previa o golpe fatal de uma charrete, esperando ser pisoteado pelos cascos dos cavalos, mas, de alguma maneira, isso não aconteceu. Em uma esquina, deu um passo em falso e caiu, machucando o ombro. Um espasmo de dor percorreu seu braço, mas ele se endireitou e prosseguiu segurando o braço junto ao corpo.

Aos poucos, deu-se conta de que nunca encontraria o caminho de volta para casa sem ajuda. Ele não conseguia nem ler as placas. As únicas palavras que conhecia em inglês, além de *desculpe*, eram *olá*, *obrigado* e *sorvete*.

Com certo alívio, ele se resignou a seu destino. Ou o homem resplandecente o levaria para casa, ou ele passaria o último de seus dias em uma rua desconhecida, cercado de estranhos. Pela manhã, seria apenas um mendigo congelado, sem nome e sem ninguém para chorar por ele. Saleh não se sentiu triste, apenas imaginou o que Maryam faria com seu carrinho de sorvete.

—◆•◆—

No fim das contas, encontrar Thomas Maloof foi uma tarefa relativamente simples. Arbeely teve apenas de ir até o cortiço do qual ele era proprietário — observando, ao passar pelo saguão, que o teto em questão era realmente horroroso — e começar a bater às portas. Ele implorava o perdão das mulheres que abriam, mas será que elas sabiam onde vivia Thomas Maloof? Elas respondiam que não, pois ele raramente visitava o prédio e mandava um garoto para cobrar o aluguel. Depois de algumas tentativas, Arbeely decidiu perguntar pelo menino.

Sabia-se que o garoto era um tal Matthew Mounsef, que morava no quarto andar. Sua mãe, uma mulher de ar cansado cujos olhos fundos e a pele pálida deixavam entrever alguma doença, disse que Matthew estava na escola, mas voltaria para casa às três da tarde. Arbeely passou esse tempo em sua oficina, num estado de frustração nervosa. Agora que ele sabia o que o teto de estanho era, não conseguia tirar os olhos dele. À medida que o dia avançava, a luz invernal o expunha de diferentes formas — ora envolto em sombras, ora iluminado com brilhantes pontos brancos quando o sol batia em uma montanha em miniatura.

Finalmente, às três horas, ele voltou ao cortiço. Um rapaz de sete ou oito anos abriu a porta. Ele tinha os traços da mãe, mas com uma aparência mais saudável e uma coroa enorme e emaranhada de cabelos pretos cacheados. O garoto olhou pacientemente para Arbeely, e sua mão mexia sem parar na maçaneta.

"Olá", disse Arbeely, hesitante. "Meu nome é Boutros. Sua mãe me disse que você às vezes presta serviços para Thomas Maloof."

Um aceno de confirmação.

"Você sabe onde ele mora?"

Outro aceno.

"Você pode me levar até lá?" Em sua mão, uma moeda.

Com uma velocidade desconcertante, o garoto arrancou a moeda das mãos de Arbeely e desapareceu dentro da casa. Houve um murmúrio de palavras e o ruído suave de um beijo; e logo o garoto passava por

Arbeely e descia as escadas, um boné encimava seus cachos e seus braços finos quase sumiam dentro das mangas de um grande casaco cinza.

Arbeely seguia o garoto enquanto este andava resolutamente na direção do bairro irlandês. Ele se sentia um tolo andando na cola daquele minúsculo espantalho de lã, mas, quando emparelhava, Matthew apressava o passo. Eles passaram por um grupo de garotos mais velhos que estavam sentados em um alpendre, fumando e matando o tempo. Um deles os chamou em inglês, num tom de deboche. Matthew não respondeu, e os outros deram risada.

"O que ele disse?", perguntou Arbeely, mas o garoto não respondeu.

O prédio ao qual Matthew o levara parecia mais limpo e iluminado que seus vizinhos. A porta abria para um saguão bem mobiliado com uma saleta nos fundos. Uma mulher de rosto redondo e descorado os encarou. O garoto sussurrou uma pergunta em inglês, quase inaudível; a mulher fez um aceno de cabeça, dirigiu um olhar sombrio a Arbeely e depois fechou a porta. Arbeely e o garoto ficaram parados ali, evitando trocar olhares.

Maloof apareceu alguns minutos depois. "O latoeiro!", exclamou. "E o pequeno Matthew! Algum problema?"

"Não, não há nada de errado", disse Arbeely — embora não fosse exatamente verdade. "Tenho algo na oficina que preciso mostrar a você." Maloof fechou a cara, e Arbeely rapidamente acrescentou: "Eu não perturbaria o senhor se não achasse que é importante. Meu assistente teve uma ideia para o seu teto e, francamente, ela é inacreditável. Mas o senhor precisa ver por si próprio para entender".

Provavelmente, algo do entusiasmo do latoeiro contagiara Maloof porque ele imediatamente pegou seu casaco e seguiu-os até a oficina. Matthew esperou pacientemente que Arbeely destrancasse a porta antes de se enfiar atrás deles, como se ele também tivesse algum interesse no processo.

A luz do entardecer era mais fraca, mas, esperava Arbeely, ainda forte o suficiente. Ele não disse nada, apenas ficou parado ali enquanto Maloof caminhava cautelosamente ao redor da escultura.

"Certamente é grande", disse o senhorio. "Mas estou confuso. Eu estou olhando para quê?"

Depois de um segundo, ele se deteve. Piscou e visivelmente balançou para trás, apoiando-se nos calcanhares. Arbeely sorriu — Maloof se sentira da mesma maneira com a mudança de perspectiva, como se o chão houvesse sumido debaixo dele. Ele começou a rir.

"Assombroso!" Ele se abaixou e observou de perto, depois ficou em pé e riu novamente. Caminhou em torno da escultura, examinando-a de diferentes ângulos. "Assombroso", repetiu. O garoto apenas ficou sentado nos calcanhares, abraçando os joelhos e contemplando o estanho de olhos arregalados.

Maloof deu mais alguns risinhos abafados, depois percebeu que Arbeely o encarava. Imediatamente seu rosto se transformou em uma máscara neutra de negociante. "Preciso dizer que não era isso o que eu tinha em mente", disse. "Solicitei peças repetidas, não uma placa enorme, e esperava um estilo mais clássico. Na verdade, estou surpreso e, sim, decepcionado, com o fato de você ter ido tão longe sem me consultar."

"Tenho de pedir desculpas. Não fui eu quem fez isso, mas meu assistente. E, para ser honesto, estou tão surpreso quanto você. Eu só descobri isso há algumas horas."

"O homem alto? Ele fez isso sozinho? Mas em pouco mais de um dia!"

"Ele me disse que estava... inspirado."

"Incrível", disse Maloof. "Mas por que o próprio não está aqui para me contar isso?"

"Temo que seja minha culpa. Quando vi o que ele havia feito, fiquei irritado. Como o senhor disse, não foi o que o senhor pediu. Ele foi longe demais sem o meu ou o seu consentimento. Isso não é jeito de fazer negócios. Mas ele é um artista, e as preocupações da empresa às vezes passam longe dele. Temo que tenhamos nos desentendido, e ele partiu."

Maloof pareceu alarmado. "Para sempre?"

"Não, não", respondeu Arbeely rapidamente. "Acho que ele está cuidando de seu orgulho ferido e voltará assim que concluir que eu já sofri o bastante." *Por favor, que seja assim*, ele pensou.

"Entendo", disse Maloof. "Bem, parece que ele é um homem difícil, com quem não se pode trabalhar facilmente em conjunto. Mas o temperamento artístico é assim, não? E é impossível ter arte sem artistas."

Juntos, os homens olharam a escultura. Eram tantos detalhes que Arbeely podia imaginar chacais e hienas surgindo por detrás das montanhas, ou um minúsculo javali, robusto e de peito inchado, os últimos raios de sol faiscando nas presas de estanho.

"Não foi isso que eu pedi", disse Maloof.

"Não", concordou Arbeely tristemente.

"E se eu disser que não quero? O que será feito com isso?"

"Como é grande demais para guardar na oficina, e como não há qualquer outro possível comprador, terei de mandá-lo para o ferro-velho. Uma pena, mas é assim."

Maloof se encolheu, como se sentisse dor. Ele passou a mão nos cabelos e então virou-se para o garoto que estava a seus pés. "Bem, Matthew, o que você acha? Devo comprar essa enorme peça de estanho para colocar no seu prédio?"

O garoto assentiu.

"Ainda que não seja aquilo que pedi?"

"Isso é melhor", disse o garoto. Era a primeira vez que Arbeely o ouvia falar.

Maloof riu de novo. Ele enfiou as mãos nos bolsos e deu às costas ao teto de estanho. "Isso é absurdo", disse. "Se eu disser que sim, estarei comprando o que não pedi. E se eu recusar, serei como o homem que reclama que alguém roubou os ovos do seu galinheiro, deixando rubis em troca." Ele se voltou para Arbeely. "Eu compro, mas com uma condição. Seu assistente precisa voltar e me explicar, com detalhes, o que mais ele pretende fazer. Se houver qualquer outra surpresa, retirarei minha oferta. Estamos de acordo?"

Uma onda de alívio inundou Arbeely. "De acordo."

Os homens apertaram as mãos. Maloof lançou mais um olhar melancólico para o seu novo teto e partiu.

Matthew continuava sentado no chão, junto ao deserto de estanho, que agora estava quase completamente na sombra. O garoto ergueu uma das mãos e contornou os picos de uma cadeia de montanhas sem tocar a superfície de estanho, como se tivesse medo de encostar nela — ou, pensou Arbeely, como se ele imaginasse que seus dedos eram gaviões ou falcões que roçavam os cumes das montanhas, atravessando o espinhaço do mundo.

"Obrigado, Matthew", disse Arbeely. "Você me ajudou muito hoje."

Matthew não respondeu. Arbeely teve um impulso: de alguma maneira, ele tinha de fazer aquele garoto estranho, de ar solene, sorrir! Então disse: "Você gostaria de conhecer Ahmad, meu assistente? O homem que fez esse teto?".

Isso lhe garantiu a atenção do menino.

"Então volte amanhã, depois da escola, se a sua mãe concordar. Você fará isso?"

Um aceno vigoroso de cabeça, e então Matthew se pôs de pé e subiu as escadas. Ele não sorriu, mas era possível perceber alguma leveza e energia em sua pequena figura que não existiam antes. Ele se foi; a porta se fechou atrás dele.

"Bem", disse Arbeely, sozinho na oficina vazia. "Bem, bem, bem."

Anoitecia, e Saleh continuava a seguir o homem resplandecente. Parecia inconcebível que eles ainda estivessem em Nova York. O vento congelante o cortava através de suas roupas. Seu braço machucado estava dormente, e suas pernas tremiam de cansaço. Uma lembrança surgiu: um cordeiro entalhado em madeira, amarrado a uma corda, com rodinhas no lugar de cascos. O brinquedo predileto de sua filha. Ela o puxava no quintal por horas, gritando "bééé, bééé", o cordeiro sempre atrás dela. Ele deu um sorriso amargo, quase um ricto, e fixou a vista no homem iluminado, sempre andando. *Bééé*.

Eles caminharam e caminharam até que os prédios dos dois lados da rua, de lojas com vitrines envidraçadas, se transformaram em enormes casarões de tijolos por trás de altas cercas pretas. Mesmo com a visão turvada, ele percebia o brilho das colunas de mármore e das fileiras de janelas iluminadas. Que tipo de negócio aquele homem poderia ter aqui?

Em frente àquela que talvez fosse a mais imponente mansão de todas, sua presa diminuiu o passo, depois passou por ela e virou a esquina. Saleh foi atrás dele e espiou a esquina a tempo de ver o homem resplandecente passar por uma cerca de metal. Ouviu-se um farfalhar de galhos.

Aos tropeços, foi até o lugar onde o homem desaparecera. Duas das barras da grade haviam sumido. Além da grade, apenas uma densa e intimidadora parede de arbustos.

O homem resplandecente passara por ali, certo? Então Saleh também seria capaz de fazê-lo.

Ele passou por cima da barra inferior, quase tropeçando. Havia um espaço estreito entre a sebe e a cerca, e ali ele se insinuou, avançando de lado, até se ver livre. Então, viu-se no canto de um enorme jardim que cercava toda a mansão e era limitado por um enorme muro de tijolos. Mesmo no auge do inverno, o jardim tinha um encanto imponente e formal. Orlas de sempre-verde delineavam canteiros vazios. Ao longo do muro, árvores austeras e nuas haviam sido podadas, seus galhos transformados em candelabros. Junto à casa havia um pátio com uma fonte de mármore cuja bacia estava repleta de folhas que apodreciam.

O homem resplandecente, aparentemente, havia desaparecido — mas então Saleh olhou para cima e o viu subindo uma das fachadas da mansão, passando da calha para a balaustrada. Saleh arregalou os olhos. Mesmo quando jovem, ele nunca poderia ter feito tal coisa. O homem alcançou uma das grandes varandas do último andar, saltou e sumiu de vista.

O Djim estava na varanda do quarto de Sophia, e a maçaneta da porta se recusava a se mover. Trancada. Ele colocou a mão em concha sobre o vidro e espiou.

O quarto estava escuro e vazio. Grandes panos brancos encobriam a escrivaninha e a penteadeira. A cama estava despida dos lençóis. Sophia Winston, pelo visto, não estava mais na casa.

Ele sequer pensara na hipótese de não encontrá-la ali. Imaginava-a como uma princesa aprisionada em um palácio de tijolos e mármore que ansiava por sua liberdade. Mas claro que não era assim. Ela era uma jovem rica. Provavelmente, podia ir aonde quisesse.

Sua raiva e excitação começaram a desaparecer. Estaria com um melhor humor se ele pudesse rir de si mesmo. O que fazer agora? Voltar para a Washington Street com rabo entre as pernas?

Enquanto ele ficava ali pensando, a porta do outro lado do quarto de Sophia se abriu. Uma mulher com um vestido preto simples e avental entrou no aposento, segurando um enorme espanador de penas.

Ela viu o Djim e congelou. O espanador caiu de suas mãos.

O grito agudo da empregada sacudiu os vidros enquanto o Djim xingava, pulava a balaustrada e agarrava o cano da calha.

Saleh ficou parado, hesitante, no meio do jardim.

Talvez, pensou, *eu devesse sentar para esperar.*

Um segundo depois, suas pernas cederam ao peso do corpo, como se feitas de palha. O chão congelado embalou seu corpo, drenando o calor. As janelas e varandas escuras o encaravam. Seus olhos flutuaram até o telhado, onde havia quatro chaminés alinhadas. De uma delas, saía uma fumaça branco-acinzentada. Tantas chaminés para apenas uma casa.

Deixou que suas pálpebras cerrassem, e então os ruídos do mundo à sua volta diminuíram. Ondas de cansaço o atingiram, quase como as contrações de uma mulher em trabalho de parto. Como se seus devaneios tivessem se tornado realidade, ele ouviu os gritos de uma mulher. Por fim, um calor lento, etéreo, surgiu em seu íntimo e começou a se espalhar por seu corpo.

Alguém tentava abrir uma de suas pálpebras.

Irritado, tentou afastar a mão, mas mal conseguia mover os braços. Ele abriu um pouco o outro olho e, em seguida, apertou-o para evitar um brilho intenso.

O homem resplandecente estava agachado junto a Saleh. "O que *você* está fazendo aqui?"

Deixe-me em paz, disse Saleh, *estou tentando morrer.* Tudo o que se pôde ouvir foi uma espécie de coaxar.

Ouviu-se um grito, e logo surgiram sons longínquos de uma agitação. O homem resplandecente sussurrou algo incompreensível: "Você pode ficar de pé? Não... você será lento demais...".

Com praticamente nenhum esforço, o homem iluminado colocou Saleh sobre seus ombros. Então saiu correndo.

Toda esperança de uma morte tranquila desapareceu enquanto Saleh estava ali suspenso, com a cabeça dependurada batendo contra as costas do homem resplandecente. A mansão desapareceu depois que o homem arrastou Saleh pelo buraco da cerca. Saleh não conseguia ver os homens que os perseguiam, mas podia ouvir seus sapatos batendo no chão e gritos nervosos em inglês.

O homem resplandecente correu ainda mais rápido, esquivando-se por vielas, virando à esquerda, depois à direita. Saleh bateu no ombro do homem e gritou em meio a uma onda de sofrimento. Por um longo tempo, o mundo se apagou. Quando ele voltou a abrir os olhos, a calçada e a rua haviam se transformado no chão de um bosque. O ar cheirava a água fria. As árvores se abriram para o céu, e uma estradinha para carruagens soou sob os pés do homem resplandecente — mas logo depois eles mergulharam novamente no bosque.

O tempo desacelerou, tornando-se elástico; e então o homem resplandecente o retirou cuidadosamente de seu ombro, apoiando-o contra o que parecia uma parede de madeira.

"Fique aqui", disse o homem resplandecente. "Não se mexa." E sumiu, o suave ruído de seus passos se afastando rapidamente.

Saleh se ergueu, apoiando-se na parede, e olhou à sua volta. Havia uma janela empoeirada a centímetros de seu nariz. Ela dava para um amplo depósito em que repousavam fileiras organizadas de remos de madeira cujas cavilhas estavam presas por grossas correntes. Ele virou a cabeça na direção oposta e concluiu que, definitivamente, havia perdido o juízo — ou morrera sem se dar conta — porque à sua frente se desfraldava uma paisagem de incrível beleza. Ele estava à beira de um lago congelado que se estendia por uma longa distância, tanto à esquerda como à direita, sua margem fazendo uma curva sinuosa demarcada por árvores nuas. Na outra ponta do lago — ele piscou, passou a mão sobre os olhos, mas continuava ali — uma figura alta e com asas flutuava sobre a água congelada. Era um anjo.

Ele deu uma única risada, uma ferida em sua garganta. *Finalmente.*

Mas o anjo não se moveu. Apenas pairava, como se esperasse. Refletindo.

Passos e a voz do homem resplandecente. "Eles ainda estão à nossa procura... você pode andar?" Mas ele não conseguiu responder, e a escuridão tomou conta dele.

Saleh despertou novamente quando o Djim o colocou sobre seus pés. O lago e o bosque haviam desaparecido; eles estavam em uma rua da cidade. "Você precisa andar", disse, impaciente, o homem resplandecente. "Será muito fácil nos encontrarem se eu carregar você."

"Onde estamos?", resmungou Saleh.

"A oeste do Central Park."

Saleh deu alguns passos, apoiando-se no braço do homem. A dor em suas pernas era inacreditável. Sentiu uma ânsia de vômito, mas nada veio. Ele viu a careta de nojo do homem resplandecente.

"Quase fui pego por sua causa", disse o homem. "Deveria tê-lo deixado lá."

"E por que não deixou?"

"Você poderia trazê-los até mim."

Saleh deu mais um passo, e suas pernas vacilaram. O homem resplandecente o agarrou antes que ele caísse na calçada.

"Isso é insuportável", resmungou o homem.

"Então deixe-me aqui."

"Não. Você me abordou uma vez e agora me seguiu. Eu quero saber o por quê."

Saleh engoliu em seco. "Porque eu posso vê-lo."

"Sim, você já disse. Mas o que isso significa?"

"Há algo errado com meus olhos", respondeu Saleh. "Não consigo olhar para o rosto de ninguém. Exceto para o seu." Ele ergueu os olhos em direção ao homem, para a luz que cintilava sob seus traços. "É como se você estivesse em chamas, mas ninguém além de mim parece ver isso."

O homem iluminado olhou para ele envolto em um silêncio cauteloso. Finalmente, disse: "E você parece meio-morto. Acho que você precisa de comida".

"Não tenho dinheiro", murmurou Saleh.

O homem resplandecente suspirou. "Eu pago."

Eles encontraram uma lanchonete simples, de aparência limpa, cheia de homens que deixavam o turno da noite. O homem resplandecente comprou duas tigelas de sopa. Saleh comeu devagar, temendo exigir demais de seu estômago, e mantinha o braço machucado ao lado do corpo. A sopa aqueceu seu corpo, um calor genuíno. O homem resplandecente não tocou na tigela dele, apenas observava Saleh. Por fim, perguntou: "Você sempre foi desse jeito?".

"Não. Isso começou há dez anos."

"E você não consegue ver nenhum rosto?"

Saleh balançou a cabeça. "Não, não é bem assim. Não posso ver rostos... como eles são. Vejo buracos neles." Ele sentiu um nó na garganta. "Como caveiras. Se eu olho para eles, tenho enjoo e ataques apopléticos. E não são apenas os rostos... o mundo inteiro está distorcido. Acho que é um tipo de epilepsia que afeta minha vista."

"Como isso aconteceu?"

"Não", disse Saleh. "Já falei demais. Agora me diga por que eu consigo ver você."

"Talvez eu não saiba."

Saleh riu asperamente. "Ah, você sabe. Eu posso ver isso." Ele tomou mais uma colherada de sopa. "É algum tipo de doença?"

O olhar do homem endureceu. "O que faz você pensar que eu esteja *doente?*"

"Parece lógico. Se pessoas saudáveis parecem mortas para mim, então talvez um homem doente pareça bem e resplandecente."

O homem bufou, sentindo-se insultado. "De que serve a lógica se ela o conduz para uma direção tão errada?"

"Então me explique", disse Saleh, cada vez mais irritado.

Um longo silêncio, durante o qual o homem resplandecente ficou olhando para ele. Então o Djim se inclinou para a frente, olhando bem fundo nos olhos de Saleh, como se procurasse algo. Saleh congelou, sentindo uma vertigem enquanto o rosto brilhante enchia seu campo de visão. Ele podia sentir suas pupilas se dilatando contra aquela luz.

O homem assentiu e se reclinou na cadeira. "Consigo ver", disse. "Mal, mas está aí. Há dez anos você ainda estava na Síria, certo?"

"Sim. Em Homs. *O que* você consegue ver?"

"A coisa que possuiu você."

Saleh ficou rígido. "Isso é absurdo. Uma garota estava com febre. Tratei dela e fui contaminado. A febre causou a epilepsia."

O homem resplandecente abafou o riso. "Você contraiu muito mais que uma febre."

"Beduínos como você podem acreditar nesse tipo de superstição, mas é simplesmente impossível."

O homem resplandecente riu, como se tivesse um segredo escondido no bolso e esperasse o momento certo para contá-lo.

"Tudo bem, então", disse Saleh. "Você afirmou que alguma coisa me possuiu. Um diabinho, suponho, ou um djim."

"Sim. Provavelmente um dos *ifrits* menores."

"Ah, entendo. E que provas você tem?"

"Há uma centelha bem no fundo da sua mente. Posso vê-la."

"Uma *centelha?*"

"Uma ínfima brasa que foi deixada para trás. A marca de algo que passou."

"E suponho", disse Saleh, em tom sarcástico, "que ela não estaria visível para nenhum dos vários médicos que me examinaram."

"Pouco provável."

"Mas você consegue vê-la", disse Saleh, rindo. "E quem é *você* para ter essa habilidade?"

O homem sorriu, como se estivesse esperando aquela pergunta. Ele pegou sua colher de sopa, gêmea da colher de Saleh: um metal grosso e feio, feito para resistir durante anos aos clientes. Ele olhou ao redor para se assegurar de que ninguém estava olhando. De repente, amassou o objeto como se fosse papel. Sua mão começou a brilhar com mais intensidade — e então o metal derretido respingou em sua tigela, ainda intocada. A sopa explodiu em fumaça.

Saleh se afastou da mesa tão rapidamente que sua cadeira virou. Os outros fregueses se viraram para checar o que estava acontecendo enquanto ele cambaleava para se pôr de pé. O homem resplandecente limpava a mão no guardanapo com ar indiferente.

Os andaimes de racionalidade e razão que mantinham Saleh foram abalados.

Ele se virou e correu para a porta sem ousar olhar para trás. Quando alcançou a rua, lembrou-se de como estava frio e de que não havia qualquer esperança de voltar para casa sozinho. Mas nada disso importava. Ele tinha de ficar o mais longe possível daquela *coisa*, daquela monstruosidade — fosse lá o que fosse — que estava naquela mesa, falando como um homem.

Ele bateu com seu ombro machucado em um poste, o que o fez ver estrelas. Então, foi atingido por uma vertigem familiar e medonha.

Acordou estirado na calçada com espuma no canto da boca. Homens contornavam o seu corpo; alguns se inclinavam e lhe dirigiam a palavra. Ele rapidamente desviava o olhar de seus rostos, encarando o chão. Um par de sapatos entrou no seu campo de visão. O dono deles se agachou; o maravilhoso e terrível rosto do homem resplandecente pairava a alguns centímetros do seu.

"Pelo amor de Deus", arquejou Saleh, "apenas me deixe morrer."

O Djim ficou em silêncio, como se realmente considerasse essa hipótese. "Acho que não", ele disse. "Ainda não."

Saleh teria lutado contra o homem se tivesse forças para isso. Mas, uma vez mais, ele foi içado e carregado, mas agora como uma criança em vez de um saco de farinha, apertado contra o peito de seu captor. Ele fechou os olhos de vergonha. A exaustão o venceu.

Por um breve instante, no trem, ele despertou. Gemeu e tentou se levantar, mas foi retido por um par de mãos resplandecentes e caiu de novo no sono. Os demais passageiros espiaram por cima de seus jornais e ficaram imaginando que história estaria por trás daqueles dois.

Quando acordou novamente, estava caído em frente a uma porta, perto do café de Maryam. Sentindo muita dor, pôs-se de pé e desceu os degraus coxeando. Mais à frente, o homem resplandecente descia a rua, diminuindo à distância, e sua cabeça parecia uma espécie de lua.

→ • ←

Quando depositou Saleh na porta de sua casa na Washington Street, o Djim ficou pensando se ele também estaria louco. Por que não atendeu ao pedido de Saleh, deixando-o na rua para morrer? Pior ainda, por que revelara sua verdadeira natureza?

Ele passou em frente à oficina de Arbeely, que estava às escuras, e só então se lembrou do que provocara seu longo dia de desventuras. A raiva veio à tona, fresca e dolorida. A essa altura, Arbeely certamente já havia desmantelado o teto. Ele não tinha coragem de entrar para verificar; esforçara-se muito nele, e não suportaria vê-lo transformado em sucata.

O Djim estava tão absorto nesses pensamentos que apenas notou o homem diante de sua porta quando estava prestes a tropeçar nele. Era Arbeely. O latoeiro estava encolhido e usava um cachecol dobrado como travesseiro. Um ronco baixo saía de sua boca entreaberta.

O Djim ficou olhando para o visitante adormecido por alguns instantes. Então o chutou, não muito suavemente.

Arbeely sentou de um pulo, piscando, e bateu a cabeça contra o batente da porta. "Você chegou."

"Sim", disse o Djim, "e gostaria de entrar. Devo adivinhar qual é a senha, ou preciso solucionar uma charada?"

Arbeely se pôs de pé, aos trambolhões. "Estava esperando por você."

"Eu notei." Ele abriu a porta, e Arbeely o seguiu. O Djim não se mexeu para acender a luminária; ele podia enxergar muito bem no escuro e não tinha a menor vontade de deixar o outro confortável.

Arbeely olhou em torno, mesmo na penumbra. "Você não tem cadeiras?"

"Não."

Arbeely deu de ombros, sentou-se em uma almofada e deu um riso amarelo. "Maloof comprou o teto."

O Djim estava tão resignado a tê-lo perdido que ficou sem palavras. "Não demorei muito para encontrá-lo", prosseguiu Arbeely animado. "Eu tive de pagar dez centavos a um rapaz chamado Matthew. Ele faz alguns serviços para Maloof, como coleta de aluguéis. Você vai conhecê-lo amanhã." Ele olhou à sua volta. "Por que tanta escuridão?" Sem esperar uma resposta, ele levantou e foi até a luminária mais próxima." Onde estão os fósforos?"

O Djim apenas o encarou.

Arbeely riu. "Claro! Que tolice a minha." Ele apontou a luminária. "Você poderia?"

O Djim retirou a cúpula de vidro, abriu a válvula e estalou os dedos. O gás acendeu, fazendo surgir uma chama azul. "Aí está", disse. "Você tem luz. Agora conte direito essa história, do princípio ao fim, ou eu vou convocar uma centena de demônios, dos quatro cantos do mundo, e mandá-los atormentarem você até o fim dos seus dias."

Arbeely arregalou os olhos. "Que horror! Você realmente pode fazer isso?"

"*Arbeely!*"

Afinal, a história toda veio à tona. Enquanto ouvia, a frustração e a raiva que o Djim sentira durante o dia se transformaram em um orgulho reluzente. Justiça e da parte do próprio Arbeely!

"Não acho que essa história estará completa sem um pedido de desculpas", disse ele quando Arbeely terminou.

"Ah, sim?" Arbeely cruzou os braços. "Então, por favor. Adoraria ouvir suas desculpas."

"*Eu*, pedir desculpas? Era você quem queria destruir o teto! Você disse que Maloof nunca o compraria!"

"Eu disse que era pouco provável que ele o comprasse, e por um triz isso não se tornou verdade. Isso não pode acontecer outra vez. Trabalhei muito para ver você colocar em jogo meu ganha-pão."

A raiva do Djim ressurgiu. "Então nosso acordo continua rompido? Ou você me aceitará de volta, desde que eu me conforme a apenas consertar panelas e frigideiras?"

Inesperadamente, Arbeely abriu um sorriso largo. "Não, você não entende? Esse foi o meu erro desde o início! Maloof viu o que eu não vi — você não é um operário, mas um artista! Pensei no assunto e encontrei uma solução. De agora em diante, você terá sociedade plena nos negócios." Ele esperou por uma reação. "E então? Não faz sentido?

Eu posso lidar com as finanças e a contabilidade do dia a dia, coisas assim. Vamos fazer um orçamento para os seus materiais, e você pode levar adiante os projetos que lhe interessarem. O teto poderá ser sua propaganda, todos vão falar dele. Podemos até colocar seu nome no letreiro! ARBEELY & AHMAD!"

Aturdido, o Djim tentou colocar os pensamentos em ordem. "Mas... e os pedidos que já temos?"

Arbeely fez um gesto de indiferença com a mão. "Você pode me ajudar esporadicamente, quando não estiver ocupado com suas próprias encomendas. Como você achar melhor, claro."

Durante cerca de uma hora, Arbeely continuou a traçar planos do nada — eles provavelmente precisariam de um lugar maior e, é claro, teriam de pensar em anúncios —, e o Djim começou a se contagiar com o entusiasmo do homem. Ele começou a imaginar sua própria loja, cheia de joias e estatuetas, objetos de decoração luxuosos de ouro, prata e pedras preciosas. No entanto, mais tarde naquela mesma noite, depois que Arbeely partiu, uma fina corrente de mal-estar atravessou seus pensamentos. Era realmente isso o que ele queria? Tornara-se o aprendiz de Arbeely por puro desespero, pela necessidade de abrigo em um lugar desconhecido. E, agora, ter uma parte dos negócios... isso implicava responsabilidade e permanência.

Podemos até colocar seu nome no letreiro, dissera Arbeely. Mas ele não era Ahmad! Escolhera esse nome num impulso, sem imaginar que este acabaria por defini-lo. Era isso, então? Ele agora era Ahmad em vez de seu eu verdadeiro, aquele cujo nome não poderia mais pronunciar? Tentou lembrar-se da última vez que, sem refletir, tentara mudar de forma. Seus reflexos agora repousavam em músculos, tendões e passos largos sobre telhados, nas ferramentas de aço de um ferreiro — ferramentas que, há muito tempo atrás, ele nem seria capaz de tocar.

Em sua mente, repetiu seu nome a si mesmo, obtendo algum consolo com esse som. Ele ainda era um djim, no fim das contas, não importava há quanto tempo estivesse com um bracelete de ferro em seu pulso. Consolou-se pensando que, ainda que fosse obrigado a viver como um humano, ele jamais seria realmente um deles.

GOLEM & GÊNIO
UMA FÁBULA ETERNA

XVII

m uma noite sem nuvens, preta como tinta, com apenas uma ínfima casquinha da lua no céu, a Golem e o Djim saíram para caminhar juntos pelos telhados da Prince Street. A Golem nunca estivera em um telhado antes. Ela reclamou um pouco quando o Djim chegou à sua pensão e revelou o destino. "Mas é seguro lá em cima?"

"Tão seguro quanto andar em qualquer lugar da cidade a essa hora."

"Isso não é muito animador."

"Para você e para mim, é perfeitamente seguro. Venha."

A Golem percebeu, pela postura e pela voz do Djim, que ele estava num daqueles dias de humor agitado e obstinado. Com relutância, ela o acompanhou, decidindo que, se achasse o passeio perigoso, daria meia-volta.

Ela o seguiu até uma escada nos fundos de um prédio. Quando alcançou o espaço amplo do telhado daquele cortiço, percebeu que ele tinha razão: o cenário era fascinante demais para ir embora. Os telhados eram como ruas escondidas, agitadas pelo tráfego noturno. Homens, mulheres e crianças iam e vinham, entregando encomendas, levando mensagens ou apenas voltando para casa. Trabalhadores em macacões sujos de graxa conversavam ao redor de latões para incinerar lixo, seus rostos vermelhos e tremeluzentes. Garotos vagabundeavam pelos cantos com os olhos alertas. A Golem captou a sensação de fronteiras que estavam sendo guardadas, mas o Djim, ao que parecia, era um rosto familiar. A maior parte das dúvidas das pessoas se dirigia a ela: uma forasteira, alta, limpa e vestida formalmente. Alguns dos rapazes mais jovens a tomaram por uma assistente social e se esconderam nas sombras.

A Golem começou a se dar conta de que, se soubesse que direção tomar, poderia cruzar todo o Lower East Side sem pisar no chão uma única vez. Muitos telhados se estendiam por um quarteirão inteiro, divididos apenas pelas muretas baixas que marcavam o ponto onde os cortiços se encostavam. Quando um prédio era mais alto que o outro, escadas estreitas permitiam a passagem. Em alguns pontos havia até pranchas para transpor os vãos estreitos dos becos. O Djim atravessou a primeira delas sem dar muita atenção, nem mesmo olhou para baixo, apesar de estarem em um prédio de quatro andares, depois virou-se e esperou que a Golem o seguisse. Felizmente, a ponte improvisada mostrou-se sólida e forte o suficiente para que ela atravessasse sem medo. Ele ergueu as sobrancelhas, impressionado, e ela balançou a cabeça. A Golem não sabia o que era mais irritante: se o fato de ele pensar que ela estava aquém da proeza, ou sua própria tolice por morder a isca dele.

Eles estavam atravessando um trecho cheio de gente quando um grito fez todas as cabeças se virarem. Um homem corria na direção deles cruzando os telhados e com um policial de uniforme em seu encalço. O policial era rápido, mas sua presa era mais veloz e saltava muretas e barris como um cavalo em uma corrida de obstáculos. Todos abriram caminho enquanto o homem passava correndo. Ele pulou sobre a ponte improvisada e correu para a porta que dava para uma escada interna, escancarou-a e sumiu.

O policial parou bufando junto deles, visivelmente nada atraído pela ideia de perseguir o homem em um cortiço escuro. Com azedume, ele olhou para todos os espectadores, cuja atenção foi atraída, sem exceção, para outro canto. Então ele percebeu a presença do Djim e sorriu, fazendo, de brincadeira, uma continência. "Ora, é o Sultão. Boa noite!"

"Agente Farrelly", respondeu o Djim.

"Você *tá* ficando lerdo com a idade, Farrelly", disse um homem grisalho com ar de bêbado, que estava sentado ali perto, encostado em uma parede.

"Sou rápido o bastante para tipos como você, Scotty."

"Então me prenda. Bem que eu gostaria de uma refeição quentinha."

O policial ignorou o homem, fez um aceno de cabeça para o grupo e partiu por onde tinha vindo.

"Ei, Sultão", disse o homem chamado Scotty. "Quem é a sua amiga?" Seus olhos remelentos se voltaram para a Golem, e, sem esperar pela resposta, ele disse: "Bem, dona, se seu amigo aqui é o Sultão, acho que isso faz de você a sultana!". Scotty ficou sem fôlego de tanto rir enquanto eles retomavam seu caminho.

Os dois caminharam até encontrar o que o Djim procurava: um telhado particularmente bem localizado, com uma caixa-d'água alta em um canto. Para desencorajar as pessoas a subirem ali, a escada da caixa-d'água terminava a cerca de dois metros do chão; o Djim pulou, agarrou o último degrau com facilidade e se içou com as mãos, aterrissando em uma borda que circundava todo o compartimento. Ele se debruçou. "Você vem?"

"Se eu não for, você vai dizer que eu não tenho coragem; se eu for, apenas estarei estimulando você."

Ele riu. "Venha de qualquer forma. Você vai gostar da vista."

Olhando em volta para ter certeza de que ninguém estava vendo, ela pulou e agarrou a escada. Sentia-se ridícula com sua saia balançando, mas era uma subida fácil, e logo ela alcançou o Djim no beiral. Ele tinha razão: a vista era maravilhosa. Os telhados se sobrepunham uns aos outros à distância, como uma sequência iluminada de cartas de baralho. Para além deles, parcialmente visível, o rio Hudson era uma faixa escura que dividia as luzes do porto e o brilho da outra margem.

Ela apontou o rio. "Foi ali que eu cheguei à terra firme, acho. Ou mais ao sul. Não tenho certeza."

Ele balançou a cabeça. "Andando pelo leito do rio. Eu mal posso pensar nisso, quanto mais fazer algo assim."

"Sem dúvida você teria escapado de alguma outra maneira."

Ao ouvir isso, ele abriu um sorriso. "Sim, sem dúvida."

Uma brisa fria e constante jogava o cabelo da Golem em seu rosto, carregando os cheiros de pó de carvão e lodo do rio, a fumaça de mil chaminés. Ela observou enquanto o Djim enrolava um cigarro, tocava a ponta deste e inalava. "Aquele policial", ela disse. "Você o conhece?"

"Só de nome. A polícia me deixa quieto, e eu faço a mesma coisa."

"Eles o chamaram de Sultão."

"Não posso dizer que tenha estimulado isso. Mas é meu nome tanto quanto Ahmad." Um tom amargo despontou em sua voz; o assunto ainda lhe parecia doloroso, e o motivo era recente. "E agora você também tem outro nome. Embora eu suspeite que o homem estivesse tentando fazer uma piada, só não sei qual."

"Sultana é uma rainha, mas também uma espécie de cardo",[1] ela explicou.

O Djim bufou. "*Um cardo?*" Ele riu, reclinou-se e olhou para ela. "Posso perguntar uma coisa?"

Ela ergueu uma sobrancelha. "Claro."

"Suas habilidades são fantásticas. Você não fica irritada por desperdiçar seus dias assando pães?"

"Deveria? Por acaso, assar pães é um trabalho inferior aos demais?"

"Não, mas eu não diria que seja adequado para o seu talento."

"Sou muito boa nisso", ela afirmou.

"Chava, não tenho dúvidas de que você seja a melhor padeira da cidade. Mas você pode fazer muito mais que isso! Por que passar o dia inteiro assando pães quando você pode erguer mais peso que qualquer homem e andar no leito de um rio?"

"E como eu usaria essas habilidades sem chamar atenção? Você me empregaria na construção civil para erguer blocos de pedra? Ou devo tirar licença de rebocador?"

"Está certo, entendi seu ponto de vista. Mas e o fato de perceber os medos e desejos? É um talento muito mais sutil, e você poderia ganhar um bom dinheiro com ele."

"Nunca", ela disse, categoricamente. "Jamais tiraria vantagem de algo assim."

"Por que não? Você daria uma ótima vidente, ou mesmo uma vigarista. Sei de uma dezena de lojas no Bowery que adorariam..."

---

[1] Em português, é um nome comum para os cardos, planta da família das compostas, de flores amarelas, folhas com espinho, acinzentadas, e caule revestido de pelos. Em inglês, "sultana" é o nome de um tipo de uva branca sem sementes e da passa feita a partir dessa fruta. [NT]

"De modo algum!" Só então ela percebeu o risinho no canto da boca do Djim. "Você está me provocando", disse.

"Claro que estou. Você seria uma péssima vigarista. Alertaria todos os otários."

"Tomarei isso como um elogio. Além disso, eu gosto do meu trabalho. Ele combina comigo."

O Djim encostou no parapeito e apoiou o queixo na mão; ela se perguntou se ele percebia o quão humano estava parecendo. "E se você pudesse fazer o que quisesse sem se preocupar em esconder sua natureza? Ainda assim trabalharia na padaria?"

"Não sei", ela respondeu. "Acho que sim. Mas eu não *posso* fazer o que quiser, então por que insistir nisso? Só vou ficar irritada."

"Então você acha que limitar seus pensamentos é melhor que ficar irritada?"

"Como sempre, você coloca as coisas da pior maneira possível; mas, sim."

"Por que evitar a irritação? É uma reação honesta, pura!"

Ela balançou a cabeça, tentando encontrar a melhor maneira de se explicar. "Deixe-me contar uma história", ela disse. "Uma vez eu roubei algo, no dia em que cheguei a Nova York." E ela relatou tudo: o menino faminto, o homem com o *knish*, a multidão que gritava. "Eu não sabia o que fazer. Apenas sabia que eles estavam furiosos e queriam me punir. Depois, assimilei tudo... eu não estava mais lá." Ela se encolheu ao lembrar. "Era como se eu estivesse olhando de fora. Eu estava calma. Não sentia nada. Mas sabia que alguma coisa horrível estava prestes a acontecer e que seria eu a fazê-la. Eu tinha apenas alguns dias, não sabia me controlar."

"O que aconteceu?"

"No fim das contas, nada. O rabi me socorreu e pagou o *knish* daquele homem. Eu voltei a mim mesma. Mas se ele não estivesse lá... nem quero imaginar o que poderia ter acontecido."

"Mas nada aconteceu", disse o Djim. "E agora você tem mais controle. Você mesma disse isso."

"Sim, mas será o suficiente? Só sei que não posso, em hipótese alguma, ferir ninguém. *Nunca*. Eu me destruiria antes se fosse preciso."

Ela não tinha a intenção de dizer aquilo. Mas agora que o fizera, sentia-se bem. Que ele percebesse como ela era determinada sobre essa questão, reconhecendo a sua importância.

"Você não pode realmente querer isso." Ele parecia horrorizado. "Chava, você *não pode*."

"Eu realmente quero isso."

"No primeiro sinal de raiva? Um homem esbarra em você na rua, e você se destrói?"

Ela balançou a cabeça. "Não, nada dos seus 'e se'. Não vou discutir sobre isso."

Eles ficaram imersos em um silêncio tenso.

"Eu achava que você era indestrutível", ele disse.

"Acho que sou quase."

O Djim voltou os olhos para o pescoço dela — e a Golem se deu conta de que, sem pensar, colocara a mão em seu medalhão. Imediatamente ela o soltou. Ambos desviaram o olhar, como se estivessem envergonhados. Estava mais frio, o vento soprava mais forte.

"Às vezes eu me esqueço", ele disse, "de como somos diferentes. Eu nunca falaria em me destruir. Seria como me entregar."

Ela teve vontade de perguntar: *E não há nada pelo que você aceite se entregar?* Mas talvez significasse ir longe demais, intrometer-se demais. Uma das mãos dele mexia distraidamente no bracelete do outro pulso. Ela podia ver a marca sob o tecido da camisa. "Machuca?", perguntou.

Ele olhou para baixo surpreso. "Não", respondeu. "Não fisicamente."

"Posso ver?"

Ele hesitou por um instante — teria vergonha de mostrar a ela? Então deu de ombros e enrolou a manga. Ela examinou o bracelete à luz fraca. A larga faixa de metal estava colada em sua pele, como se tivesse sido feita sob medida. Consistia em dois semicírculos unidos por duas dobradiças. Uma delas era espessa e sólida; a outra era bem mais fina e estava presa com um pino delgado, quase decorativo. A cabeça do pino era chata e redonda como uma moeda. Ela tentou puxá-la, mas esta não cedeu.

"Não se mexe", ele disse. "Acredite, eu tentei."

"O pino deveria ser o ponto mais frágil." Ela o encarou. "Eu posso tentar rompê-lo se você quiser."

As pupilas do Djim dilataram. "Por favor."

Com cuidado, ela encaixou seus dedos nas bordas do bracelete. A pele dele era surpreendentemente quente. Ele deu um pulo ao toque dela e perguntou: "Suas mãos são sempre tão frias?".

"Em comparação às suas, elas devem ser." A Golem agarrou o metal com a ponta dos dedos. "Avise se eu machucar você."

"Você não o fará", o Djim respondeu, mas ela percebia sua tensão.

Ela começou a puxar firmemente e com cada vez mais força, mais até do que seria suficiente para que o metal comum cedesse. Mas tanto o pino quanto o bracelete permaneciam firmes, sem se curvar um milímetro que fosse. O Djim se firmava contra a pressão dela segurando o guarda-corpo com a outra mão; e ela percebeu que o guarda-corpo ou o Djim quebrariam muito antes que o bracelete.

Ela afrouxou a pressão e parou; olhou para o rosto dele e viu a esperança desvanecer. "Desculpe", disse.

Os olhos escuros do Djim miraram à frente, cegos e indefesos — e então ele retirou sua mão de entre as dela e virou para o lado. "Duvido que qualquer quantidade de força consiga fazer isso", disse. "Mas obrigado por tentar." Ele se ocupou enrolando outro cigarro. "Está ficando tarde", continuou. "Acredito que você queira voltar logo para casa."

"Sim", ela murmurou.

Juntos, eles caminharam de volta pelos telhados, passando por homens que tomavam um café da manhã antecipado que consistia em pão e cerveja, cruzaram com rapazes enrolados debaixo de cobertores e surpreenderam Scotty adormecido, encostado na mesma parede de antes. Perto da pensão da Golem, eles encontraram uma escada de incêndio e desceram, contornando degraus lascados e ausentes. Na ruela, despediram-se como de hábito. Ela olhou para trás ao dobrar a esquina e ficou surpresa ao vê-lo ainda ali, observando-a como se estivesse profundamente perplexo: um homem alto com um rosto resplandecente, a mais estranha e ao mesmo tempo mais familiar vista da cidade.

—•—

Arbeely tinha razão sobre o interesse que o teto de estanho provocaria. Espalhou-se na vizinhança a história de que o aprendiz beduíno de Arbeely estava criando uma bizarra escultura de metal e que esta seria colocada no novo saguão de Maloof. A pequena oficina ficou lotada de visitantes. O Djim não gostava nada das constantes interrupções e logo dispensou qualquer tentativa de ser gentil. Arbeely acabou fechando a oficina para aqueles que não eram clientes.

A única pessoa para quem se abria uma exceção era o jovem Matthew Mounsef. O garoto começou a passar as tardes depois da escola na oficina, observando o trabalho do Djim. Contrariando todas as expectativas, o Djim parecia realmente gostar de Matthew, talvez graças, em parte, ao habitual silêncio do garoto. Ocasionalmente o Djim lhe pedia para cumprir algumas pequenas tarefas na rua, o que lhe dava ocasião de usar suas mãos sem que Matthew visse. Por esses serviços, o Djim oferecia ao garoto algumas moedas ou, quando estava de bom humor, pequenos animais feitos com sobras de estanho.

Na agitação inicial da construção do teto, o Djim acreditou que terminaria tudo em quatro dias, no máximo cinco, mas a realidade se mostrou bem diferente. Nunca antes ele havia trabalhado com tantas exigências de especificações. Não adiantava obter as medidas aproximadas do teto; elas precisavam ser exatas em cada milímetro, ou a peça não encaixaria. Gastou um dia inteiro pendurado em uma escada no saguão, medindo, conferindo e gritando os números para Matthew, que os anotava cuidadosamente em um caderninho. Depois disso, ele teve de remover o forro antigo, um serviço sujo que o cobriu de teias de aranha e pó de gesso. O teto, então, ganhou um reboco novo que foi nivelado com precisão. Era um trabalho meticuloso e árduo. Mais de uma vez o Djim pensou em desistir do projeto, considerou até derreter o metal do teto, mas algo sempre o detinha. O teto parecia pertencer a todo mundo agora — Maloof, Matthew, Arbeely, os inquilinos, aqueles que o paravam na rua para perguntar como iam as coisas e desejar boa sorte. Estranhamente, o trabalho não lhe pertencia mais, e então ele não poderia destruí-lo.

Finalmente a fase preparatória chegou ao fim. Enquanto Arbeely olhava, os nervos em frangalhos, o Djim cortou o teto acabado em grandes pedaços irregulares, seguindo as linhas de vales e montanhas, transformando-o em um enorme quebra-cabeça de estanho. Eles colocaram os pedaços em um carrinho forrado de palha e o levaram até o prédio de Maloof. Matthew estava à espera deles, a animação em pessoa, e Arbeely não teve coragem de perguntar se ele não deveria estar na escola. Logo Maloof também chegou. O Djim ficou surpreso ao ver o senhorio arregaçar as mangas, preparando-se para ajudá-los.

Eles levaram quase o dia inteiro para instalar o teto. A parte mais difícil foi manter os pedaços firmes o suficiente para prendê-los no lugar. Foi preciso que o Djim, Arbeely e Maloof ficassem cada um em uma escada, com muitas mudanças, discussões e demonstrações de boa vontade. Cada vez que alguém queria passar pelo saguão, duas das escadas tinham de ser retiradas, obrigando o Djim a segurar sozinho uma peça meio presa. À medida que o dia passava, mais e mais pessoas se reuniam para observá-los trabalhar. Até a mãe de Matthew apareceu, descendo vagarosamente as escadas e se apoiando no corrimão. Pelo visto, a saúde dela não havia melhorado.

Por fim, o Djim colocou o último prego sob uma espontânea chuva de aplausos. Durante cerca de uma hora ele apertou as mãos de, aparentemente, toda a comunidade síria de Nova York. Depois todos se espalharam pelo saguão, admirando o teto. Muitos riam e esticavam as mãos, como se tentassem tocar as montanhas. Alguns poucos moradores mais velhos reclamaram de vertigens e subiram para jantar. As crianças rodavam com os rostos virados para cima e acabavam trombando nas pernas de seus pais. Finalmente, um a um, eles se foram, deixando Arbeely e o Djim sozinhos.

Imediatamente, o Djim sentiu-se esgotado até o fundo de sua alma. Tudo havia acabado. Ele olhou para sua obra-prima, tentando decidir se ela estava pronta.

"Todos adoraram", disse Arbeely. "É uma questão de tempo até você ter sua própria oficina." Ele, então, percebeu a expressão no rosto do Djim. "Qual é o problema?"

"Meu palácio", respondeu o Djim. "Não está aí."

Arbeely deu uma olhada rápida em volta, mas eles estavam sós. "Você ainda pode incluí-lo", disse baixinho. "Chame de toque artístico ou capricho, o que quiser."

"Você não entende", disse o Djim. "Fiz isso intencionalmente. É conveniente que você não possa vê-lo, que eles não possam vê-lo. Mas *eu* deveria vê-lo. Deveria estar ali." Ele mostrou um ponto próximo ao centro do teto. "Logo depois daquelas montanhas. O vale parece vazio sem ele."

Algo se encaixou na cabeça de Arbeely. "Quer dizer que isso é um *mapa*?"

"Claro que é um mapa. O que você achou que fosse?"

"Não sei... fruto da sua imaginação, acho." Ele olhou para a obra com interesse renovado. "E é exato?"

"Passei duzentos anos viajando por cada centímetro dessas terras. Sim, é exato." Ele apontou uma montanha no canto junto à escada.

"Explorei um veio de prata na lateral daquela montanha uma vez. Um grupo de *ifrits* tentou roubar o metal. Eu os expulsei, embora isso tenha me custado um dia e uma noite." Seu dedo se moveu para uma planície estreita imersa em sombras. "Foi ali que encontrei uma caravana que ia para ash-Sham. Eu os segui, invisível, até que eles chegassem ao Ghouta. É a última coisa da qual eu me lembro de minha vida anterior."

Arbeely ouviu essa declaração com tristeza. Ele esperava que, a essa altura, o Djim já tivesse encontrado algum conforto: em seu trabalho, na vida que construíra, nas excursões noturnas que ainda deixavam Arbeely com o coração na mão. Mas como ele poderia substituir a vida que levara durante séculos? Arbeely colocou a mão no ombro de seu sócio. "Vamos, meu amigo", disse. "Vamos abrir uma garrafa de áraque e brindar ao seu sucesso."

O Djim consentiu em ser levado para fora, noite adentro. E, atrás deles, Matthew se esgueirou escada abaixo e olhou mais uma vez para o teto, os olhos arregalados de espanto com o que escutara.

—•—

A Páscoa se aproximava, e assim a mercadoria oferecida na Padaria Radzin começou a mudar: de roscas trançadas a pães ázimos, de croissants recheados a bolinhos de amêndoas. Mas, mesmo com os produtos da Páscoa e as vendas no atacado, lamentavelmente o trabalho na padaria diminuíra bastante. Como o sr. Radzin não gostava que seus funcionários parecessem ociosos, eles tinham de trabalhar o mais lentamente possível, esticando cada tarefa a um nível absurdo. Para a Golem, era como nadar em cola. Pequenos incômodos eram amplificados: o barulho da sineta da porta, os passos e a tosse dos fregueses. Os pensamentos deles soavam no silêncio, desesperadamente monótonos e egocêntricos.

Depois de dias assim, as longas noites eram tanto um alívio quanto uma tortura. Ela ansiava por estar sozinha, mas a tensão que se acumulara durante o dia não encontrava válvula de escape. Tentara fazer exercícios silenciosos — uma vez, apenas por tédio, ela passou uma hora levantando a mesa acima de sua cabeça como o fortão do circo —, mas precisava de todo o tempo disponível para a costura. Anna deixou escapar para os fregueses que a Golem era uma exímia costureira, e agora ela estava assoberbada de encomendas. Ela deixava as roupas por consertar em uma pilha oscilante num canto do quarto até que a senhoria reclamou que era impossível fazer a limpeza — "Além disso, querida Chava, esta é uma pensão respeitável, não uma fábrica." Ela pediu desculpas e enfiou as roupas no armário. Costurava o mais rápido possível, irritada com a monotonia. Por que cargas-d'água os homens não conseguiam manter as calças inteiras? Por que eles sempre perdiam seus botões?

Em uma noite, nas horas mortas que antecediam a aurora, um pensamento errante se esgueirou em sua mente: o Djim tinha razão. Esses trabalhos não eram suficientes para prender sua atenção, não pelos longos anos que seu corpo de barro prometia. "Sumam daqui", ela resmungou, forçando aquelas ideias a deixarem-na em paz. Era tudo culpa dele, claro. Antes, ela estava bastante satisfeita; agora, estava ficando tão rabugenta quanto ele.

Chafurdava nessas preocupações na padaria, tentando ignorar a conversa fiada da sra. Radzin com uma freguesa, quando uma erupção do mais puro pânico abafou todas as outras vozes. Anna estava imóvel junto à sua mesa de trabalho, o rosto branco como cera. Ela colocou o rolo da massa sobre a mesa e foi para o fundo, caminhando da maneira mais descontraída possível; mas o murmúrio das vozes da padaria não era capaz de esconder o ruído que ela fazia ao vomitar no banheiro. Voltou alguns minutos depois e retomou o trabalho como se nada tivesse acontecido; mas a Golem descobriu a verdade, pois os pensamentos da jovem formavam uma tormenta confusa: *Deus, não há mais dúvidas agora. E se os Radzin ouviram? O que Irving vai dizer? O que eu vou fazer?* Pelo resto do dia, Anna provou que poderia ter alcançado sucesso como atriz, pois conversava e sorria como se tudo estivesse bem, sem qualquer sinal exterior do aterrorizado rumor que ocupava sua mente.

—•—

Enquanto o Djim se ocupava com o teto de Maloof, a primavera havia deitado raízes em Manhattan. No deserto, ele presenciara inúmeras vezes a mudança das estações, mas desta vez parecia um truque de mágica. Um dia de chuva forte lavou o lixo das sarjetas meio congeladas, e então, improvável, o sol apareceu. Os imundos montículos de neve que estavam nas esquinas desde novembro começaram a formar crateras e se dissolver. Janelas fechadas por meses foram escancaradas, os varais novamente estendidos. Tapetes e cobertas foram levados para as escadas de incêndio e sacudidos com alegria. O ar começou a cheirar a poeira e a pedras aquecidas pelo sol.

Enquanto o Djim caminhava até a pensão da Golem naquela semana, ele tentou decidir se contava ou não a ela sobre o teto de estanho. Normalmente, falava pouco sobre seu trabalho, mas ela gostaria de ouvir essa história. A Golem lhe dirigiria elogios, mostraria-se contente por seu sucesso, mas alguma coisa dentro dele se rebelou contra isso. O Djim não queria os elogios dela, não por isso. Não quando a Golem sabia que ele era capaz de fazer muito mais. Apenas o fato de mencionar o teto já pareceria um perigoso indício de que estava entregando os pontos, acomodando-se, admitindo que sua vida era boa o bastante, bem diferente das declarações que fizera a Arbeely.

Ao chegar à pensão, descobriu que, como sempre, a Golem estava esperando por ele. Mas, dispensando a cautela habitual, ela escancarou a porta da frente e desceu correndo as escadas, como se estivesse fugindo de uma discussão terrível. A Golem não dirigiu um olhar culpado às janelas dos vizinhos, nem se incomodou em levantar o capuz. "Aonde vamos?", ela perguntou à guisa de cumprimento.

"Central Park", ele respondeu, sentindo-se confuso.

"Vai ser uma longa caminhada?"

"Acho que sim, mas..."

"Ótimo", ela disse, partindo sem mais delongas. Ele correu para alcançá-la. Cada parte de seu corpo expressava frustração. Ela caminhava com a cabeça baixa, pulando impacientemente o labirinto de poças sem se lembrar de que o criticara por fazer a mesma coisa. Suas mãos abriam e fechavam sem parar. O Djim nunca a vira daquele jeito.

Eles caminharam por alguns quarteirões até que ele disse: "Se é comigo que você está furiosa, então diga o motivo. Prefiro não ficar tentando adivinhar".

Imediatamente, sua raiva se transformou em tristeza. "Oh, Ahmad, desculpe! Sou uma péssima companhia, não deveria ter vindo. Só que eu acabaria destruindo o quarto se ficasse lá um minuto a mais." Ela pressionou as têmporas com as mãos, como se lutasse contra uma dor de cabeça. "A semana foi terrível."

"Como assim?"

"Não posso falar muito. Há um segredo que não cabe a mim revelar. Alguém na padaria está muito assustado e tenta omiti-lo. Eu nem deveria saber disso."

"Entendo como isso pode perturbá-la."

"Mal consigo pensar em outra coisa. Já me controlei para não dizer nada errado uma dúzia de vezes." Ela apertou os braços contra o corpo, fechando a cara. "Tenho cometido muitos erros. Ontem tive de jogar fora uma leva inteira de massa. E hoje eu queimei todos os croissants. O sr. Radzin gritou comigo, e a sra. Radzin me perguntou se estava tudo bem. Para *mim*! Enquanto Anna fica sorrindo como se nada..."

Ela se calou, tapando a boca com as mãos. "Viu? Ah, isso é insuportável!"

"Se ajudar, eu já havia adivinhado que se tratava de Anna. Você não tem muitos colegas de trabalho."

"Por favor, não diga nada a ninguém."

"Chava, com quem eu falaria? E *o que* eu diria? Nem sei qual é o segredo!"

"E eu não vou dizer qual é", ela resmungou.

Finalmente surgiram os portões da Fifty-ninth Street, e eles entraram no parque pela trilha escura, deixando as luzes dos lampiões de rua para trás. Galhos tremulavam sobre eles em meio ao repentino silêncio. A Golem desacelerou o passo e olhou fascinada à sua volta, seu mau humor desaparecendo visivelmente. "Nunca tinha visto tantas árvores."

"Então espere", ele disse, sorrindo.

Eles viraram uma esquina, e a visão completa do parque surgiu, as ondulantes extensões de grama e as alamedas distantes. Ela girava ao andar, tentando captar todo o panorama de uma só vez. "É imenso! E tão silencioso!" A Golem tapou as orelhas com as mãos e as descobriu de novo, como se estivesse tentando se assegurar de que não ficara surda. "É sempre assim?"

"À noite, sim. Durante o dia fica cheio de gente."

"Nunca pensei que a cidade pudesse esconder isso. Qual é a extensão?"

"Não sei. Levaria semanas para explorá-lo por completo. Talvez meses."

Eles caminharam na direção norte, para o vasto gramado de Sheep Meadow. Ele queria tirá-la da trilha principal das carruagens, mas o gramado se transformara num pântano em virtude da neve derretida, e as trilhas secundárias estavam afundadas nele. Não havia ovelhas[2] à vista; ele supôs que elas estivessem abrigadas em algum lugar menos lamacento.

"Eu me sinto diferente aqui", disse a Golem, subitamente.

"Como assim?"

"Não sei." Ela estremeceu ligeiramente, uma e depois duas vezes.

Ele ficou preocupado. "Você está bem?"

"Sim, estou." Mas a voz dela soava distraída, como se estivesse escutando algo muito longe.

Eles deixaram a trilha das carruagens e desceram os degraus que levavam ao terraço da fonte Bethesda. À noite, a fonte era desligada. Havia moedas espalhadas no fundo, círculos escuros e perfeitos. A água era tão transparente que parecia uma miragem.

A Golem mirou a estátua alada. "Ela é linda. Quem é?"

"Chamam-na de Anjo das Águas", respondeu o Djim, lembrando-se daquela primeira conversa com Sophia. Quanto tempo se passara desde que ele a vira pela última vez? Lembrou-se da porta trancada, da mobília coberta, e sentiu um vago mal-estar.

Então, a Golem disse: "Li sobre anjos uma vez. Em um dos livros do rabi". Ela olhou para o Djim. "Você não acredita neles, imagino."

"Não, não acredito", respondeu. Ele supôs que a Golem esperava que ele lhe fizesse a mesma pergunta; mas naquela semana ele não queria falar de anjos, deuses ou sobre qualquer coisa que os homens tivessem inventado. O parque era calmo e silencioso demais para uma discussão. Ele pensou, mais uma vez, em abordar o assunto do teto de estanho, mas não encontrou uma maneira elegante de fazê-lo. Ela o tomaria por uma criança em busca de um elogio.

Eles ficaram por algum tempo recostados na borda da fonte — o Djim sempre preocupado com a água atrás dele —, observando o lago

---

2   Até 1934, essa área do Central Park era usada como pasto para ovelhas, daí o nome Sheep Meadow (campo de ovelhas). A ideia era dar um ar inglês ao local. As ovelhas foram removidas durante a Grande Depressão por medo de que fossem capturadas e consumidas pela população faminta. [NT]

que circundava a esplanada. A neblina estava mais espessa, fazendo com que ele sentisse um formigamento em sua pele. A Golem era uma presença fresca e sólida a seu lado. Sua cabeça estava voltada para cima; ela mirava o céu. Mesmo ali, bem no meio do parque, as luzes da cidade iluminavam as nuvens, dando-lhes profundidade e textura.

"Gostaria que minha vida pudesse ser sempre assim", disse a Golem. "Calma. Serena." Ela fechou os olhos e novamente parecia que ela estava ouvindo alguma coisa.

"Você deveria vir aqui nos seus sábados livres", ele disse. "É completamente diferente durante o dia."

"Eu não poderia vir sozinha", ela considerou distraidamente.

O Djim pensou em contestar, mas então se lembrou de como Sophia se destacava, uma mulher sozinha junto à fonte. A Golem não tinha a beleza de Sophia, mas mesmo assim atraía olhares. Talvez um acompanhante não fosse uma ideia ruim. "E aquele seu amigo, Michael? Você poderia vir com ele."

Ela abriu os olhos e lhe dirigiu um olhar estranho. "Prefiro não fazer isso."

"Por que? Vocês brigaram?"

"Não, não é isso. Não o vejo desde que fomos ao Brooklyn. Mas ele poderia... interpretar mal o convite."

Ele franziu o rosto sem entender, mas então recordou: aquele amigo queria algo mais dela, o que a deixava receosa. "Seria uma tarde no parque, não um relacionamento pelo resto da vida."

Ela estremeceu ao ouvir isso. "Ele é um homem bom. Eu não gostaria de iludi-lo."

"Você, então, vai evitá-lo pelo resto da vida para que ele não tenha uma ideia errada."

"Você não entende", ela resmungou. "Ele tem *desejos* por mim. E estes são bastante veementes."

"E você não nutre qualquer sentimento romântico por ele?"

"Creio que não. É difícil dizer."

Ele sorriu com desdém. "Talvez fosse melhor ir para a *cama* com ele. As coisas ficariam mais claras."

A Golem se sobressaltou, como se ele a houvesse esbofeteado. "Eu nunca faria isso!"

"*Nunca*? Você quer dizer com ele, ou com qualquer outro?"

Ela lhe deu as costas. "Não sei. É difícil pensar nisso."

Era um sinal claro, mas ele preferiu ignorá-lo. "Seria fácil. *Os humanos* é que complicam as coisas para além da razão."

"É claro que *você* diria algo assim! E eu suponho que deveria seguir seu exemplo e desfrutar de todos os prazeres possíveis!"

"Por que não, se isso não machuca ninguém?"

"Com isso, você quer dizer que *você* não se machuca, e é só o que importa!" Ela se virou contra ele, cheia de fúria. "Você chega aqui deixando sabe-se lá o que em seu rastro e depois despreza os humanos por pensarem nas consequências. Enquanto isso, eu tenho de ouvir cada *Eu gostaria de não ter feito aquilo* e *O que vai ser de mim agora*! É egoísta, negligente e indesculpável!"

A surpreendente raiva da Golem parecia ter se esgotado. Ela lhe deu as costas imersa em um silêncio de pedra.

Depois de um instante, ele disse: "Chava, eu fiz algo que ignore? Machuquei alguém?".

"Não que eu saiba", ela murmurou. "Mas sua vida afeta os outros, e você parece não se dar conta disso." Ela olhou para suas mãos que se retorciam em seu colo. "Talvez seja injusto querer outra coisa. Somos nossa natureza, eu e você."

As palavras dela o magoaram mais do que ele imaginara ser possível. Ele gostaria de ter se defendido — mas era provável que ela tivesse razão, talvez ele fosse egoísta e negligente. E ele também tinha razão ao considerá-la pudica e cautelosa demais. Ambos tinham seus motivos, bem como suas naturezas. O Djim olhou para o lago escuro e sombrio, e não parecia nem um pouco perturbado com a discussão deles.

"Parece que não conseguimos conversar sem brigar." As palavras dela se aproximavam desconfortavelmente do curso de seus pensamentos; ele considerou se, às vezes, seria realmente tão opaco quanto ela dizia. "É estranho que possamos ser amigos. *Espero* que você me considere uma amiga, não um fardo. Não quero que esses passeios lhe causem apreensão." Ela lhe lançou um rápido olhar, como se estivesse envergonhada. "É estranho não saber. Se fosse outra pessoa, eu não teria coragem de perguntar."

Ele demorou um pouco para responder, e foi um desafio fazê-lo com a mesma franqueza dela. "Eu aguardo ansiosamente pelos nossos passeios. Acho que fico ansioso até pelas discussões. Você entende como é a minha vida, mesmo quando discordamos. Arbeely se esforça, mas não consegue ver as coisas do mesmo jeito que você." Ele sorriu.

"Então, sim, eu a considero uma amiga. E sentiria falta disso se parássemos de nos ver."

Ela devolveu o sorriso, parecendo um pouco triste. "Eu também."

"Chega disso", ele disse. "Vamos ou não ver o parque?"

Ela riu. "Mostre o caminho."

Eles deixaram o pátio e caminharam até a alameda. A neblina, cada vez mais densa, apagara o mundo, deixando apenas a larga alameda ladeada de olmos e um horizonte cheio de brumas. A seu lado, a Golem parecia uma manifestação da paisagem. "Este lugar me faz sentir estranha", ela murmurou.

"Estranha como?"

"Não estou certa." Ela ergueu as mãos, como se estivesse sentindo as palavras no ar. "É como se eu quisesse correr e correr, e nunca mais parar."

Ele sorriu. "E isso é estranho?"

"Para mim, é. Eu nunca corri."

"Como assim *nunca*?"

"Nunca."

"Então você deveria tentar."

Ela parou, aparentemente pensando no assunto — e então tomou impulso e saiu em disparada. As pernas esticadas, a capa flutuando como se fossem asas; e por um longo instante seu corpo parecia apenas uma forma escura voando para longe numa velocidade inacreditável.

Ele ficou parado, aturdido, olhando; e então abriu um largo sorriso e saiu correndo atrás dela, seus sapatos batendo na ardósia, as árvores dos dois lados se transformando em borrões. Ele a estaria alcançando? Impossível saber: a Golem simplesmente desaparecera; saíra correndo tão depressa!

Um grupo de árvores se sobressaía da neblina: era o fim da alameda. Ele desacelerou até parar e olhou ao redor. Onde ela estava? "Chava?"

"Venha ver!"

Ela estava no meio do bosque, agachada junto a alguma coisa. O Djim atravessou a cerca baixa e afundou até os tornozelos em uma lama fria. Andando com dificuldade, foi até onde ela estava. "Veja", disse a Golem.

Um enorme broto se deixava entrever em meio à lama. Na ponta, formava-se um grupo de pétalas firmemente dobradas. Ele olhou ao redor e viu brotos menores espalhados em toda parte: as primeiras flores da primavera. "Você conseguiu ver isso da alameda?"

Ela fez que não com a cabeça. "Eu sabia que estava aqui. O solo está despertando." O Djim ficou observando enquanto ela afundava a mão na lama. Sua mão sumiu, depois seu pulso. Por um instante, ele teve a louca ideia de que a Golem poderia afundar por completo. Ele queria puxá-la dali para evitar que ela desaparecesse. Mas então ela percebeu a sujeira em sua saia e em seus sapatos, a capa toda respingada de lama. "Ah, não, olhe o que eu fiz", murmurou. Então, pôs-se de pé, assumindo novamente seu eu ativo e profissional. "Que horas são?"

Juntos, eles voltaram para a terra firme. Os sapatos do Djim não passavam, agora, de lixo; ele os tirou, jogando-os contra uma árvore. A seu lado, a Golem tentava limpar a lama de sua capa. Eles se entreolharam, sorriram e rapidamente desviaram os olhos, como crianças surpreendidas em flagrante.

Retomaram a trilha das carruagens na direção sul e logo atravessaram de novo os portões, retornando ao mundo de concreto e granito. Quanto mais se afastavam do parque, mais a Golem parecia perder sua estranha energia. Ela olhou desgostosa para suas botas enlameadas e resmungou que teria de lavar sua capa. Quando eles chegaram à Broadway, ela parecia tão disposta a correr por puro e simples prazer quanto a fazer asas brotarem e sair voando. Na verdade, era ele quem ainda se sentia presa de um estranho torpor. As ruas familiares pareciam repletas de novos detalhes: os arabescos dos lampiões de rua, os ornamentos esculpidos nos portais dos prédios. O Djim tinha a sensação de que algo dentro dele estava prestes a quebrar ou desmoronar.

Num espaço de tempo que pareceu apenas um segundo, eles chegaram à ruela ao lado da pensão. "Voltaremos lá quando estiver mais quente", ele disse.

Ela sorriu. "Vou gostar muito. Obrigada." A Golem tomou a mão do Djim e a apertou firmemente, seus dedos frios em torno dos dele. E então, como de hábito, ela se foi, e ele voltou sozinho para casa, caminhando pelas ruas ainda cobertas pela neblina matinal.

Páscoa se alongava, e o Lower East Side se transformara em um coro de desejos: por um docinho, um *bagel*, qualquer coisa que não fosse pão ázimo. Até que, misericordiosamente, a festa religiosa chegou ao fim, e toda a vizinhança, aliviada, acorreu às padarias locais. Consciente de que sua saída matinal às compras seria semelhante a uma batalha campal, a cozinheira da Casa de Acolhida incumbiu Joseph Schall de acompanhá-la à Padaria Shimmel, a nova fornecedora, para ajudá-la a carregar o máximo de pães possível. Michael justificara a troca da Padaria Radzin citando práticas de trabalho melhores e a necessidade de apoiar novas empresas; a cozinheira se lembrou dos bolinhos de amêndoas presenteados e reparou no recente humor taciturno de Michael, mas decidiu não fazer perguntas.

Naquele dia, porém, a Padaria Shimmel estava de enlouquecer. A fila ia muito além da porta de entrada; lá dentro, os funcionários corriam de um lado para outro em pânico, procurando ingredientes e abrindo freneticamente a massa, ou então pedindo desculpas a fregueses desapontados porque suas guloseimas favoritas haviam acabado. A cozinheira espiou dentro da loja, ficou horrorizada e saiu. "Vamos à Padaria Radzin", disse a Schall. "Michael não vai notar a diferença."

Yehudah Schaalman não dava a mínima para o lugar em que eles compravam pães. O esforço de se passar pelo bondoso Joseph Schall estava saindo caro. Estivera em todas as sinagogas, ieshivas e lugares de estudos judaicos que pôde encontrar, mas não conseguiu se aproximar um milímetro de seu objetivo: o segredo da vida eterna. Nem uma só vez ele sentira um puxão do encantamento da varinha mágica, apesar de ter certeza de que este havia funcionado. Foi para isso que viera a Nova York, para prestar pequenos serviços e resolver brigas de dormitório? Já fazia um mês que ele engolia em seco e continuava por falta de opção. Era a sua única cartada; ele jogaria com ela até vencer ou morrer.

Com o máximo de entusiasmo que conseguia fingir, seguiu a cozinheira de volta pelas ruas encharcadas e abarrotadas de gente. A fila na Padaria Radzin não era menor, mas pelo menos andava. Lá dentro, ele ficou rondando perto da porta, desconfiado da multidão. A padaria estava lotada, e a respiração das pessoas embaçava os vidros, deixando o ar espesso e úmido. Schaalman começou a suar em seu casaco de lã. Pelo menos, as funcionárias da padaria distraíam o olhar. Elas se moviam rápido, como se fossem máquinas, especialmente a moça alta na mesa mais próxima, que abria a massa como se tivesse nascido para fazer isso. Ele ficou fascinado pelas mãos dela. Estas se moviam sem pausa, não executando sequer um único gesto inútil. Ele olhou para o rosto dela — uma garota sem nada de excepcional, que ainda assim lhe parecia familiar...

Houve um *puxão* forte, insistente, quando o encantamento da varinha mágica se manifestou. E naquele instante ele a reconheceu.

Surpresa, a garota ergueu o olhar. Seus olhos vagaram atabalhoadamente pela multidão, como se não soubessem exatamente o que procurar.

Mas Schaalman já havia se esgueirado pela porta. Ele se forçou a ficar calmo, com a mente clara, até chegar à esquina, onde se apoiou contra uma parede, trêmulo por causa do choque.

A sua golem! A golem que fizera para Rotfeld! Ela estava aqui, em Nova York! Ele imaginara que ela pudesse estar apodrecendo em algum depósito de lixo — mas isso significava, então, que Rotfeld a despertara ainda no navio, antes de morrer? Provavelmente; ele era tolo o bastante para fazer isso. E agora ela estava andando pela cidade sem um mestre, um pedaço de barro com dentes e cabelo, uma criatura perigosa que parecia uma mulher. E Schaalman não tinha a menor ideia do que isso poderia significar.

—➤•◄—

Durou apenas um átimo de segundo: a sensação de que alguém a *via*, olhara para seu íntimo, sentindo medo. Mas no instante seguinte havia apenas os fregueses, com seus desejos por pão de centeio e croissants recheados. Ainda assim, a Golem ficou parada, prestando atenção com todos os seus sentidos, até que a sra. Radzin olhou para ela com um ar inquisidor. "Chava? Você está bem?"

"Sim, estou bem. Achei que tinha ouvido alguém me chamando." Ela sorriu brevemente e depois retomou seu trabalho, imaginando o que teria acontecido. Às vezes aparecia alguém com a mente agitada por causa do álcool, de alguma doença ou infortúnio; provavelmente fora uma pessoa desse tipo, que chegara à resposta certa pelas razões erradas. Ou então ela estava trabalhando com muita velocidade e alguém percebeu. Em qualquer hipótese, não havia nada que ela pudesse fazer, não com uma fila que ia porta afora e seis tabuleiros de biscoitos no forno. Prestou atenção no decorrer do restante do dia, mas não ouviu mais nada; e outras preocupações mais insistentes acabaram se impondo.

A situação de Anna estava se agravando. Agora, pelo menos duas vezes por dia, a garota corria ao banheiro para vomitar, e os Radzin, inevitavelmente, já haviam percebido. A cada saída apressada de Anna, a boca da sra. Radzin se curvava em desgosto, e a expressão do sr. Radzin azedava. Era óbvio para eles que estava tudo perdido; no entanto, o mais exasperante era que ninguém dizia uma palavra. Eles falavam muito para si próprios, porém; e, no meio da semana, a Golem achou que enlouqueceria de tanto barulho.

À noite, enquanto costurava, ela repassou os detalhes silenciosamente recolhidos da situação de Anna. A garota estava com pelo menos dois meses de gravidez. Seu namorado ainda não sabia. Contara seu segredo a duas amigas, fazendo-as jurar que manteriam sigilo, mas ninguém sabia se isso duraria muito. Ela pensara em dar um jeito, mas não tinha condições de pagar por um lugar bom, e os que havia no Bowery a deixavam mais assustada que a ideia de contar a Irving. Anna gostava de perturbá-lo e de brigar com ele, mas apreciava ainda mais quando eles faziam as pazes; porém, no fundo, quem era ele? De que maneira se revelaria depois que ela lhe contasse?

A Golem examinou o assunto por todos os ângulos, tentando decidir qual seria a melhor atitude para Anna, mas não conseguiu encontrar nenhum conselho que pudesse dar. O rabi diria que sua amiga agira precipitadamente, tomado decisões ruins, o que, sem dúvida, era verdade. Mas quando comparada à de Anna, sua própria vida parecia uma pálida sombra, sem ter sequer as oportunidades para cometer os mesmos erros. Ela não era humana. Nunca poderia ter filhos. Até o amor poderia estar fora de seu alcance. Como poderia afirmar que não faria o mesmo que Anna se tivesse nascido em vez de ter sido criada?

Ao amanhecer, ela ainda estava debruçada sobre esses pensamentos, enfiando irritada a agulha na perna das calças de alguém. Ainda não havia se passado uma semana de sua corrida imprudente pelo Central Park, mas a alegria simples daquele evento lhe parecia a memória de outra pessoa. Fora realmente uma estranha experiência. Ela se lembrava da atração insistente da terra, e de como seus sentidos haviam se espalhado em todas as direções, abarcando a totalidade do parque. E o Djim parecera tão estranhamente perdido na ruela, tão diferente do seu confiante eu habitual, mas ela não tinha ideia do por quê. Segurara sua mão por impulso, para ter certeza de que ele ainda estava ali.

Ela deu um nó e cortou a linha. Pronto. Calças consertadas. Apenas desejava que aqueles homens *parassem* de rasgá-las.

Vestiu a capa e foi para a padaria, preparando-se para mais um dia de medos e silêncios. E então Anna entrou pela porta dos fundos e tirou o chão de seus pés.

"Chava!" Ela agarrou as mãos da Golem e cada centímetro de seu ser irradiava felicidade. "Vou me casar!"

"*O quê?*"

"Irving me pediu em casamento na noite passada! E eu *aceitei!*"

"Oh, querida!", gritou a sra. Radzin. Ela abraçou a garota, e todos os pecados estavam imediatamente perdoados. "Que maravilha! Vamos, conte-me tudo!"

"Bem, estamos loucamente apaixonados, então vamos nos casar o mais breve possível..."

O sr. Radzin teve um acesso de tosse.

"... e, adivinhe só, nós vamos viver em Boston!"

A sra. Radzin engasgou, como era de se esperar, e Anna contou do amigo de Irving que deixara Nova York para ajudar seu tio em uma fábrica de tecidos. "E agora há um emprego lá, esperando por Irving. Ele será gerente auxiliar, tendo homens sob suas ordens e tudo mais. Imagine: eu, mulher do chefe!"

As duas mulheres continuaram a conversar alegremente enquanto a Golem ficava ali parada e aturdida. Um casamento? Boston? Isso era possível? Ela considerara o dilema de Anna como uma escolha angustiante entre opções extremamente ruins. Agora, ouvindo enquanto as mulheres discutiam as vantagens de um vestido de noiva de renda ou de cetim bordado, ela se deu conta de que nunca imaginara um final feliz.

Logo o sr. Radzin começou a reclamar que estavam se atrasando e que elas deveriam planejar o enxoval de Anna nas horas de folga. Todos voltaram ao trabalho, e o estado de espírito na padaria voltou a algo próximo do normal, apesar de o pequeno Abie ficar dando umas espiadas ocasionais em Anna, como se estivesse esperando que ela se transformasse em uma princesa de contos de fada. No fim do dia, ao ver Anna apanhando seu casaco no aposento dos fundos, a Golem percebeu que ainda não lhe havia dado adequadamente os parabéns. Ela atravessou o aposento e abraçou Anna. Surpresa, a moça engasgou com uma risada. "Chava, assim você vai me matar sufocada!"

Ela a soltou imediatamente; o rosto de Anna estava vermelho e sorridente, ela não a machucara de verdade. "Desculpe, não pretendia, só queria lhe dar os parabéns! Mas vou sentir muito a sua falta. Boston é muito longe? É possível ir até lá de bonde? Ah, duvido muito."

Anna estava rindo a valer. "Chava, sua tola! Você é um enigma, juro."

As palavras saíram em cascata, todas as preocupações daquela semana aliviadas em uma única torrente. "Estou tão feliz por você! O que ele disse quando você contou..." Ela se calou bruscamente, tapando a boca com a mão. Felizmente, os Radzin estavam do lado de fora, aguardando para trancar a padaria.

Anna reprimiu o riso nervosa. "Quieta, pelo amor de Deus! Não consegui disfarçar direito, eu sei, mas agora está tudo bem. Ele ficou surpreso — é claro, quem não ficaria? —, mas depois ele se mostrou tão amável e sério que quase me partiu o coração. Ele começou a falar de Boston e sobre como isso era um sinal de que precisava amadurecer e tomar juízo. Aí ele simplesmente caiu de joelhos e me pediu em casamento! Claro que eu desatei a chorar, nem conseguia dizer sim direito!"

"Vocês vão passar a noite aí?", o sr. Radzin perguntou da rua. "Tem gente aqui querendo ir para casa."

Anna revirou os olhos, brincando, e elas saíram da padaria e se despediram dos Radzin. "Que noite linda", disse Anna à Golem enquanto caminhavam, sem ligar para o cheiro de lixo das vielas e para a brisa úmida e gelada. A Golem sorria ao vê-la. Esta noite ela poderia relaxar com suas costuras, talvez até se divertir um pouco. E amanhã poderia contar ao Djim que tudo estava bem no trabalho. Talvez, pelo menos dessa vez, eles não discutiriam.

Anna perguntou: "No que você está pensando?".

"Em nada", respondeu a Golem. "Em um amigo. Por quê?"

"Nunca vi você sorrindo assim. Esse amigo é um homem? Ah, não seja acanhada, Chava! Você não pode se esconder do mundo para sempre, até viúvas precisam viver um pouco! Com todo o respeito por seu falecido marido, claro... mas será que ele iria querer que você ficasse sozinha na cama pelo resto da vida?"

Ela tentou imaginar a opinião de Rotfeld sobre o assunto. Provavelmente ele desejaria exatamente isso. "Acho que não", ela murmurou, ciente da mentira.

"Então saia e se divirta, ao menos uma vez."

Ela percebeu que a conversa tomava um rumo que estava fora de seu controle. E riu um tanto nervosa. "Anna, eu nem saberia como."

"Vou ajudar você", disse a garota com a sublime generosidade daqueles que acabam de conquistar a felicidade. "Começaremos amanhã à noite. Há um baile no cassino da Broome Street. Posso fazer você entrar de graça, conheço o porteiro. Vou apresentar você a minhas amigas, que conhecem os melhores rapazes."

Um baile? Em um lugar estranho, cercada de estranhos? "Mas eu nunca... eu não sei dançar."

"Nós ensinaremos! Não é nada demais. Se você pode andar, é capaz de dançar." Ela pegou as mãos da Golem. "*Por favor*, Chava, venha. Vai significar muito para mim. Você poderá conhecer Irving! Ele prometeu ir." Ela deu uma risadinha. "Quero dançar com ele enquanto ainda posso ver meus pés!"

Bem, isso mudava as coisas. O fato de encontrá-lo acabaria com qualquer receio que ainda restasse com relação ao tipo de homem que Irving era. Quanto a dançar, ela poderia alegar que estava cansada, ou com os pés doloridos. E quanto ao Djim? Eles se encontrariam amanhã! "A que horas é o baile?"

"Nove horas."

Tão cedo? Isso resolvia as coisas. O Djim nunca aparecia antes das onze. Ela poderia ir ao baile, conhecer Irving e talvez até dançar uma ou duas músicas, se isso deixasse Anna feliz. Depois daria uma desculpa e esperaria o Djim sob sua janela. "Tudo bem", ela disse, sorrindo. "Eu vou."

"Que maravilha!", gritou Anna. "Encontre-me às oito e meia na casa das minhas amigas, Phyllis e Estelle...", e ela passou o endereço de um cortiço localizado em Rivington. "Caminharemos juntas até o cassino, sem muita pressa. Nunca se chega cedo demais a um baile, pois pode dar a impressão de que você está muito ansiosa. Não se preocupe com a roupa, apenas coloque sua melhor blusa; é o que todas nós fazemos. Ah, estou tão animada!" Anna a agarrou em um abraço apertado, que a Golem retribuiu, divertida; depois a garota partiu rua abaixo com a cabeça erguida e a capa balançando atrás dela.

A Golem seguiu para casa. Estava escurecendo, e os ambulantes faziam suas últimas vendas. Perto de sua pensão, ela viu um homem que empurrava um carrinho cheio de roupas de mulher. Havia uma placa afixada na lateral do carrinho com os dizeres: A MELHOR MODA FEMININA; e abaixo, em letras menores, lia-se: DESCULPEM, SOU MUDO. A Golem pensou no que Anna dissera sobre blusas. Ela olhou para os punhos de sua camisa, irremediavelmente puídos. Sua outra blusa, ela sabia, estava do mesmo jeito.

Foi até o homem e bateu em seu ombro. Ele parou o carrinho e se virou, as sobrancelhas erguidas.

"Olá", disse nervosa. "Vou a um baile amanhã. O senhor tem blusas para dançar?"

O homem ergueu a mão como se dissesse: *Não precisa dizer mais nada*. Tirou do bolso uma fita métrica e, por meio de mímicas, pediu que ela levantasse os braços. A Golem o fez e ficou surpresa com a precisão expressiva dos gestos dele, que não davam espaço para enganos. *Talvez todos nós devêssemos aprender a ser mudos*, ela pensou.

Ele tomou suas medidas com movimentos rápidos, depois enrolou a fita métrica e colocou a mão no queixo, pensando. Voltou para o carrinho e remexeu uma pilha de blusas. Com um gesto floreado, puxou uma delas e a exibiu. Certamente não era uma blusa para usar no trabalho. O tecido de cor creme era muito mais delicado que o da roupa que ela usava. Babados estreitos percorriam toda a extensão do corpo da blusa e contornavam a gola alta; os punhos também eram rodeados pelos enfeites. A blusa se adelgaçava de tal forma que a Golem imaginou como seria possível respirar nela. O homem estendeu-a blusa para ela — *sim?*

"Quanto?"

Ele mostrou quatro dedos; na mente dele, ela viu três. A Golem reprimiu um sorriso. Talvez alguns subterfúgios fossem universais, independente da linguagem.

Tratava-se de uma extravagância, mas pela qual podia pagar. Abriu a carteira, separou quatro dólares e os entregou ao ambulante. Os olhos do homem se arregalaram, demonstrando surpresa. Ele lhe entregou a blusa e recebeu o dinheiro com um certo embaraço, ela notou. "Obrigada", disse a Golem, retomando seu caminho.

Ela mal havia dado alguns passos quando o ambulante correu em sua direção e estendeu as mãos: *Espere.* De um dos bolsos do casaco, tirou dois pentes em imitação de tartaruga cujas laterais eram esculpidas no formato de rosas. Ele se esticou e acertou a risca no cabelo da Golem, puxando alguns fios no alto da cabeça. Depois, puxou para trás os cabelos do lado esquerdo e os prendeu com um dos pentes, os dentes ajustados no couro cabeludo. Fez o mesmo do lado direito, torcendo um pouco as mechas antes de prender o pente no lugar. Ele deu um passo para trás, fez um gesto positivo e voltou para seu carrinho.

"Espere!", chamou a Golem. "Você não quer que eu pague?"

Ele fez que não com a cabeça, sem ao menos se virar, e partiu empurrando seu carrinho rua acima. Ela ficou parada ali por alguns instantes, perplexa, depois caminhou até sua casa.

Em seu quarto, tirou sua velha blusa e vestiu a nova. O reflexo no espelho era surpreendente. Os babadinhos junto à gola emolduravam seu rosto, acentuando as maçãs e os olhos grandes. Seu cabelo, modelado pelos pentes, derramava-se em ondas sobre seus ombros. Os punhos com babados suavizavam suas mãos, deixando-as finas e elegantes. Ela se examinou por longos minutos satisfeita, porém inquieta. Uma máscara ou fantasia seria menos enervante que essas pequenas transformações. Mudara o suficiente para se perguntar se ainda era a mesma.

———— • ————

O dia seguinte foi repleto de sussurros excitados e risadinhas significativas de Anna, e à tarde a sra. Radzin farejou quais eram seus planos. Ela inventou um pretexto para levar a Golem até os fundos. "Você sabe o que faz, tenho certeza", disse a mulher. "Mas tenha cuidado, Chavaleh. Você gosta de Anna, eu também, mas não precisa colocar sua reputação em jogo. E há outros homens melhores que aqueles que se pode encontrar em um salão de baile. E o sobrinho do rabi? Ele não foi amável com você? Eu sei que ele não tem onde cair morto, mas dinheiro não é tudo."

A Golem se aborreceu. "Senhora Radzin, por favor. Não pretendo 'colocar minha reputação em jogo', certamente não como a senhora pensa. Acompanharei Anna para conhecer Irving e ver que tipo de homem ele é. Nada além disso."

A mulher resmungou. "Eu posso lhe dizer que tipo de homem ele é. Igual aos outros." Mas liberou a Golem para que ela retomasse o trabalho, limitando novas queixas a olhares sombrios.

O dia finalmente chegou ao fim, e a Golem foi para casa e vestiu sua blusa nova. Os pentes eram mais complicados do que ela pensara, mas conseguiu arrumar o cabelo de maneira satisfatória. Ela foi até o endereço que Anna lhe dera, e a porta se abriu assim que ela bateu. "Você veio!", exclamou Anna, surpresa, como se a Golem não tivesse prometido ir uma dúzia de vezes. Com um gesto, ela convidou a Golem para entrar. "Você está adorável com seu cabelo assim... ah, deixe-me ver sua blusa! Linda!"

No quarto, duas jovens estavam de pé, vestidas apenas com as roupas de baixo e mexendo em uma pilha de vestimentas. Elas pararam de conversar quando Anna entrou com a Golem atrás de si. "Meninas, esta é Chava. Sejam boazinhas, ela é tímida. Chava, esta é Phyllis, e aquela é Estelle."

A Golem congelou sob os olhares curiosos das moças, combatendo um pânico súbito. Como ela pôde pensar que estaria pronta para fazer isso, fingindo ser uma mulher entre mulheres? O que havia se apossado dela?

Mas as jovens sorriram para ela, demonstrando simpatia. "Chava, que bom conhecê-la! Anna nos contou tudo sobre você. Venha, ajude-nos a escolher o que vestir", disse uma delas — Phyllis? "Acho que esta blusa fica melhor em mim, mas eu simplesmente adoro os botões desta outra."

"*Eu* vou vestir esta", disse a outra jovem.

"Fica apertada demais em você!"

"Não, não fica!"

Hesitando, a Golem se juntou a elas, sem saber como proceder. Deveria tirar a roupa também? Não, elas pareciam pensar que era perfeitamente natural que ela ficasse ali de chapéu e botas enquanto elas experimentavam várias roupas e as tiravam de novo. Quando notaram a blusa que a Golem usava, cobriram-na de elogios e imploraram para que ela contasse onde a havia comprado. A atenção a enervava, mas era tão francamente amigável que ela começou a relaxar e até a sorrir.

De repente, ela deu pela ausência de sua amiga. "Onde está Anna?"

Phyllis e Estelle se calaram e se aproximaram dela, preocupadas e com ar conspirador. "No banheiro. Ela não nos deixa vê-la se vestindo", disse Estelle. "Acho que ela tem vergonha."

"Ela tem chorado também", disse Phyllis. "Ele deveria ter vindo procurá-la na noite passada, mas não apareceu."

"Mas ele vem esta noite, não?"

As jovens se entreolharam; e naquele instante Anna entrou, com sua afobação costumeira, usando um vestido longo muito justo. Na cabeça, um enorme chapéu de palha, encimado por uma pluma de avestruz trêmula e um tanto gasta.

"Estamos prontas?", ela disse alegremente. "Então vamos!"

A Golem esperava ficar mais afastada aquela noite, mas, no caminho para o baile, ficou claro que Anna e suas amigas pretendiam torná-la o centro das atenções. Elas se agruparam à sua volta, bombardeando-a de instruções e conselhos. "Não seja muito ansiosa, mas também não muito exigente", diziam. "Não dance a noite toda com o primeiro que pedir. E se você não gostar da aparência de um homem, diga não. Defenda seu território se ele for muito atrevido."

"Está tudo bem", disse Anna, vendo o olhar de pânico da Golem. "Vamos fazer turnos para vigiar você, não vamos?" As moças assentiram, deram risinhos, apertaram seu braço; e a Golem se resignou.

Ao se aproximarem de seu destino, elas se viram em meio a uma multidão de moças e rapazes bem-vestidos, todos se encaminhando para uma porta sem letreiro na Broome Street. A Golem podia ouvir a música. Ela se sentiu empurrada e acotovelada, tanto em sua mente como em seu corpo. Por sorte, a multidão estava de bom humor, alegre e disposta a flertar; as mulheres exclamavam sobre a elegância de algumas delas enquanto os homens faziam piadas e tomavam goles de umas garrafinhas.

Um homem grande estava sentado em um banquinho junto à porta, recolhendo o dinheiro da entrada: quinze centavos para as mulheres, vinte e cinco para os homens. "É Mendel", disse Anna. Ela acenou para o homem, mostrando-lhe um sorriso deslumbrante. Mendel sorriu também, um pouco atônito, e fez um sinal para que elas entrassem. "Ele arrastou a asa para mim durante anos", sussurrou Anna.

Depois da porta havia um corredor sombrio, cheio de pessoas, todas se empurrando. Por um instante, a Golem sentiu pânico, pensando que poderia esmagar alguém sem querer. Então a multidão impaciente fez pressão atrás dela — e a Golem foi arremessada para o salão mais extraordinário que jamais vira. Enorme, de pé-direito alto, ele engolia a multidão. Lustres de bronze enfeitados com pingentes de vidro projetavam uma luminosidade deslumbrante sobre as pessoas. As paredes resplandeciam com luminárias a gás e candelabros, que eram multiplicados por colunas espelhadas. Parecia um brilhante país de contos de fada que se estendia ao infinito.

A Golem olhava tudo encantada. Em qualquer outra ocasião, uma multidão daquele tamanho poderia tê-la sufocado; mas o simples espetáculo inesperado e a animação geral de todos ali amenizavam sua ansiedade, despertando algo que se parecia muito com o prazer.

"O que você acha?" Estelle tinha quase de gritar no ouvido da Golem para se fazer ouvir. "Gostou?"

A Golem só podia assentir com a cabeça.

Anna riu. "Eu disse! Agora venha, antes que todas as mesas boas sejam tomadas."

Elas passaram por um comprido bar de madeira repleto de garrafas e jarras. Depois dele havia fileiras de mesas redondas cobertas com toalhas. Garçons de paletó passavam pelas mesas, iam até o bar e voltavam, as bandejas carregadas de cerveja. O salão terminava em uma área aberta com piso de madeira, onde homens e mulheres já se reuniam. A banda ficava em um palco no canto. Um homem gorducho com um smoking desbotado estava à frente da grupo, batendo no ar com uma pequena vareta.

A Golem seguiu Anna e suas amigas até uma mesa bem em frente à pista de dança. Logo elas estavam cercadas de conhecidas, todas se abraçando, rindo e trocando fofocas. Anna, visivelmente desfrutando de seu papel de guia da Golem, assegurou-se de que ela fosse apresentada a todas. A Golem disse olá uma dúzia de vezes, sorriu e foi informada de seus nomes. Ela era um tanto devagar para engatar uma conversa, mas foi facilmente desculpada: era sua primeira vez em um baile, e todas se lembravam de como era estar nessa situação. Alguém sussurrou que ela era uma viúva, e imediatamente seu jeito calado ganhou uma aura de mistério triste e romântica.

Depois de uma breve pausa, a banda voltou a tocar, e a dança começou de verdade. A Golem olhava enquanto duplas de mulheres iam para a pista, segurando-se pela cintura e pelos ombros. Elas dançavam fazendo círculos com passinhos pulados, saias e babados sacolejando, enquanto olhavam, por sobre o ombro, para os homens que circundavam a pista de dança.

"Olhe para eles", disse Estelle à Golem, mostrando dois homens ao redor da pista. "Estão tomando coragem." Tinha razão: os dois entraram na pista e abordaram duas das mulheres que dançavam. Sorrindo, elas se largaram e abraçaram os novos parceiros.

"Viu?", disse Estelle. "É assim que se faz. Agora é a sua vez." Ela pegou a mão da Golem e tentou puxá-la para a pista.

"Mas..."

"Venha!"

Não adiantava, era inútil resistir. Se Estelle puxasse o braço da Golem por mais tempo, acabaria percebendo a sua força. Então ela seguiu a jovem até a pista, subitamente consciente dos olhares ao redor.

Estelle ficou de frente para a Golem e colocou a mão em seu ombro. "Você é muito alta, vai ter de conduzir!" Ela riu. "Assim, segure-me." Ela colocou a mão da Golem em sua cintura esbelta. "Vou mostrar os passos básicos. Faça como eu, mas em sentido contrário."

No fim das contas, a Golem se revelou uma ótima aprendiz. No início ela se movia desajeitadamente, temendo pisar nos pés de Estelle — mas em alguns minutos estava espelhando os movimentos de sua professora com facilidade, graças, em parte, ao fato de saber o que Estelle queria que ela fizesse. Talvez ainda fosse um pouco dura, mas tudo o que Estelle percebeu foi o progresso. "Chava, você nasceu para dançar!"

"Você acha?"

"Tenho certeza. E não olhe agora, mas acho que Anna está dizendo àqueles rapazes para dançarem conosco."

"O quê? Quem?" Realmente, Anna estava conversando com uma dupla de rapazes, um alto e outro baixo, de paletó e chapéu. Ambos olhavam na direção delas. O mais baixo cutucou o mais alto, e então eles contornaram a mesa, indo em direção à pista. A Golem atirou um olhar de desespero para Anna, mas esta apenas acenou, rindo.

"Não se preocupe", disse Estelle. "Eu os conheço, são bons rapazes. Você fica com o mais alto, Jerry. Ele é desajeitado, mas muito bonzinho. O amigo dele é um pouco saidinho. Mas eu sei lidar com ele."

A Golem sentiu a aproximação dos homens. O mais alto — Jerry? — queria, basicamente, passar a noite sem ser alvo de risadas. O mais baixo nutria a esperança de uma aventura romântica no beco ali fora. Ambos estavam ansiosos para dançar.

Sentiu um tapinha no ombro. Com relutância, ela largou Estelle, que lhe deu um aperto de mão reconfortante antes de se virar para seu novo parceiro. O homem alto deu um sorriso tímido. "Sou Jerry", disse.

"E eu, Chava."

"Prazer em conhecê-la, Chava. Soube que você é nova nisso."

"Sim. *Muito* nova."

"Tudo bem. Também não sou muito bom nisso."

Houve alguma confusão quando ambos buscaram a cintura um do outro, mas então a Golem lembrou que o homem é que deveria conduzir a dança. Ela colocou uma mão hesitante em seu ombro e repousou a outra na mão dele.

"Nossa, seus dedos são frios", ele disse, e começaram a dançar.

Jerry, ela notou, não estava apenas sendo modesto. Ele tinha dificuldade de manter o ritmo e estava muito ocupado prestando atenção em seus pés para conduzi-la bem. Não demorou para que os outros casais mantivessem distância deles. Mas ele era um cavalheiro, mantendo a mão firme na cintura da Golem, sem escorregá-la para baixo como ela viu outros homens fazendo. Ela sentiu que o homem lutava contra um medo sutil de conversar. "Então você é amiga da Anna", ele disse, por fim.

"Trabalho com ela na padaria", respondeu a Golem. "E você, como a conheceu?"

"Oh, por aí", ele disse. "Todo mundo conhece Anna. Mas não no mau sentido", acrescentou apressadamente. "Ela não é, sabe, uma *dessas* garotas."

"Claro que não", ela retrucou, tendo apenas uma vaga sensação do que ele queria dizer. "Só achei que você pudesse ser amigo de Irving. O noivo dela."

A surpresa ficou estampada em seu rosto. "Eles ficaram noivos?"

"Sim, isso é recente. Acho que a notícia ainda não se espalhou."

"Hã. Quem diria", disse Jerry.

"Você está surpreso?"

"É, um pouco. Irving não parece o tipo que casa. Mas, bem", ele disse, sorrindo, "todos temos de sossegar um dia, certo?"

Ela não deu qualquer resposta, apenas um sorriso. O amigo de Jerry passou bailando por eles com Estelle nos braços; ela lançou à Golem olhares encorajadores por sobre o ombro do parceiro.

"Você é realmente boa nisso", disse Jerry. "Tem certeza de que você acabou de aprender?"

A canção chegou ao fim, e os pares aplaudiram os músicos. O homem com a batuta anunciou um breve intervalo, e as pessoas retornaram a suas mesas, onde os garçons os abordavam com jarros de cerveja.

À mesa delas, Anna irradiava alegria. "Chava, sua mentirosa! Você disse que nunca havia dançado!"

"Nunca dancei, juro", disse a Golem. "Estelle é uma ótima professora."

"Não, eu lhe disse, você nasceu para dançar." Estelle voltara com o amigo de Jerry e agora falava a partir de seu assento precário, nos joelhos do rapaz.

"Mas eu ainda preciso olhar para os pés de vez em quando", disse a Golem.

"Com os diabos, eu olho pros meus pés e danço há anos", disse Jerry, provocando uma risada de seu amigo.

"Chava nunca perde uma chance de se diminuir", disse Anna, limpando a espuma de cerveja dos lábios. "Aprenda a aceitar um elogio, garota!"

Confrontada com essa artilharia de apoio, a Golem teve de ceder. "Está bem, eu admito. Sou boa para dançar."

"Eu brindo a isso!", disse Estelle, erguendo sua cerveja. Anna tomou outro gole e sorriu para a Golem. A conversa na mesa se tornou um misto de fofoca, flerte e gracejos amigáveis, e a Golem ficou ali no meio, sentindo-se estranhamente contente. Era uma sensação tão rara essa, a de estar cercada de pessoas que se divertiam. Havia necessidades e medos, claro; todos tinham esperanças para aquela noite, e muitos temiam voltar para casa sozinhos, ou então se preocupavam com o trabalho do dia seguinte. E a Golem percebeu que a atenção de Anna frequentemente deixava a mesa para procurar o rosto de Irving na multidão. Mas até mesmo essa enervante expectativa era suavizada pela bebida e pela conversa, bem como pelo brilho do salão. Os alertas da sra. Radzin agora soavam mesquinhos, risíveis até.

A banda recomeçou a tocar, e desta vez foi Phyllis quem puxou a Golem e dançou com ela até que dois homens apareceram. Seu novo parceiro era muito melhor dançarino que Jerry, e ele queria se exibir. Conduziu-a por uma série de movimentos complicados, e ela descobriu que era capaz de copiá-los facilmente, guiada pelas pistas dele. Surpreso e contente pela maneira com que sua parceira se adaptava, os pensamentos do rapaz se tornaram mais carinhosos; ele a fez girar e, quando eles se reagruparam, colocou a mão em seu traseiro.

Imediatamente ela pensou em parar, dar uma desculpa e sair correndo. Mas, depois de um segundo de hesitação, ela fez apenas o que vira outras moças fazendo: ergueu a mão dele, recolocando-a firmemente em sua cintura. Depois disso, ele se comportou. Quando a música acabou, o rapaz agradeceu e foi procurar uma parceira mais dócil. Ela se sentiu estranhamente eufórica, como se tivesse vencido uma batalha pequena, mas necessária.

"Muito bem", disse Estelle quando a Golem lhe contou o que acontecera. "Não deixe que homens assim estraguem sua noite. Se ele não entender a dica, apenas afaste-se e procure uma de nós. Vamos botá-lo para correr!"

A hora seguinte se tornou um borrão. Ela sentava, ela dançava, ela ouvia a conversa e sorria com as brincadeiras. A noite prosseguia a todo vapor; parecia que a banda nunca parava de tocar. Outros três homens a tiraram para dançar, sendo o último deles um rapaz embriagado que era uns trinta centímetros mais baixo que ela e ficava pisando em seus pés. A Golem estava pensando no que fazer quando Jerry apareceu e o espantou.

"Obrigada", ela disse aliviada.

Ele sorria de orelha a orelha. "Eu teria vindo antes, mas era muito engraçado ver o tipo tentando olhar por cima do seu ombro. Anna quase morreu de rir." E, realmente, a jovem ainda ria tão alto que parecia prestes a cair da cadeira.

"Espero que Irving apareça logo", ela disse. "Gostaria de ver Anna dançando."

"É", disse Jerry. "Ei, Chava, você acha..."

Mas o que quer que Jerry pretendesse perguntar se apagou no momento em que os passos de dança deixaram a Golem cara a cara com um enorme e trabalhado relógio pendurado na parede cujos ponteiros há muito haviam passado das onze.

"Não!", ela gritou. Como foi possível ter passado tanto tempo sem que percebesse? Ela se afastou de um atônito Jerry e correu até a mesa para pegar sua capa. "Desculpe, Anna, mas tenho de ir!"

Anna e suas amigas protestaram imediatamente. Para o que ela estaria atrasada? Ela não queria conhecer Irving? "Você está se divertindo demais para ir embora!", disse Anna. Mas a Golem não podia suportar a ideia de que o Djim a estava esperando, pensando que ela o havia esquecido.

Talvez, ela pensou repentinamente, não fosse preciso escolher. Olhou para os rostos de seus novos amigos, para a beleza do salão. Talvez, desta vez, *ela* pudesse lhe mostrar uma coisa nova.

"Não se preocupem", disse a Golem. "Volto logo."

Por mais incrível que pudesse parecer, a Golem não estava em casa.

O Djim lançou um olhar mal-humorado para a janela dela, sem conseguir decidir se ficava irritado ou preocupado. Onde ela poderia estar? Certamente não no trabalho, e, pelo que o Djim sabia, só havia dois lugares na vida da Golem: a padaria e a pensão. Embora não tivesse se dado conta do horário, ainda estaria sentada lá em cima, trabalhando em seus consertos à luz de uma vela. Com certeza não poderia ter saído sozinha, não com o horror que tinha à indecência. E, mesmo assim, teria deixado um bilhete, um sinal, alguma coisa. Ou não?

O que o deixava ainda mais irritado é que ele finalmente decidira levá-la à Washington Street para mostrar-lhe o teto de estanho. Este já estava se transformando em uma atração local. Havia sempre pelo menos um visitante olhando espantado para ele. Até o jornalzinho árabe da vizinhança o havia mencionado, chamando-o de "orgulhosa façanha cívica de um artesão local".

É claro que, agora, a decisão lhe parecia discutível. Ele tinha a absurda sensação de ser um cachorrinho preso pela coleira a um poste. A Golem esperava que ele ficasse de vigília a noite inteira?

Um ruído de passos apressados. No fim da rua, surgiu uma mulher correndo. Era a Golem, e ela estava só. Ela corria, não com a velocidade inumana que havia mostrado no parque, mas com uma urgência excitada que beirava a irresponsabilidade. Ela passou voando por dois homens atônitos; um deles gritou alguma coisa, mas a Golem não pareceu se dar conta. "Estou atrasada, desculpe!", gritou enquanto se aproximava. E então, simplesmente deixando de se mover, ela se pôs ao lado dele.

Ele a olhou admirado. Por que ela parecia tão diferente? Observou os pentes no cabelo, os babados na blusa nova, mas havia algo a mais. Então ele percebeu: a Golem estava feliz. Seus olhos brilhavam, seus traços mostravam animação; ela se inclinou para ele, sorrindo, mostrando uma confiança otimista.

"Desculpe, eu estava em um baile! Você vai voltar comigo? Por favor, diga que sim. Anna e suas amigas estão lá, e eu quero que você as conheça. E você precisa ver o salão, é lindo!"

Um baile? Quem era aquela mulher? "Mas eu não sei dançar", disse ele confuso.

"Não tem problema, eu posso ensinar."

Ele, então, esqueceu o teto e concordou em segui-la, sentindo-se um pouco contagiado pela recém-surgida exuberância da Golem. O que quer que houvesse provocado isso nela merecia uma olhada. Mas, pelo jeito, ele estava indo muito devagar porque ela o pegou pela mão e começou a praticamente puxá-lo. "O salão está pegando fogo?", perguntou o Djim.

"Não, mas eu prometi que voltaria logo. E Irving já deve estar lá. Ele e Anna... ah, eu não contei a você! Está tudo certo agora na padaria, eles vão se casar!"

Do que diabos ela estava falando? Ele não conseguiu conter o riso. "Pare com isso!", disse a Golem, mas começou a rir também. "Mais tarde eu explico."

"E vai fazer sentido?"

"Se você continuar me provocando, farei mistério. Veja: chegamos."

Ela apontou uma porta comum, da qual saía uma torrente de música. Algumas moedas na mão do homem à porta e eles estavam lá dentro.

Um corredor longo e escuro — e depois, em um instante, o Djim sofreu um choque, passando da frivolidade ao silêncio. Não era apenas a enorme extensão do salão, nem a multidão fervilhante que o lotava. Não; o que o deixou plantado onde estava, seus pensamentos jogados em uma confusão agridoce, era o simples fato de que, se ele tivesse desejado criar, no meio de Nova York, algo parecido com seu distante e saudoso palácio, o resultado não seria muito diferente. As paredes eram cobertas de espelhos, não de vidro opaco, e as luzes se refletiam neles, vindas de lâmpadas de gás e candelabros, não do sol ou das estrelas, mas com a mesma expansividade, o mesmo jogo suntuoso de luz brilhante e sombra suave. Era mais parecido com seu lar do que qualquer outro lugar em Nova York, mas, ao ser confrontado com essa familiaridade chocante, sentiu que o abismo entre seu lar e ele só fizera aumentar. *Isto é o máximo a que você pode almejar*, o salão lhe dizia. *Isto e nada mais.*

"Você gosta?", perguntou a Golem. Ela olhava para o Djim preocupada, e a noite parecia depender da resposta dele.

"É lindo", ele disse.

Ela sorriu. "Que bom. Achei que você ia gostar. Veja, ali estão meus amigos", disse a Golem, apontando uma mesa distante. "Venha, vou apresentá-los a você."

Novamente, ele a seguiu enquanto ela polidamente atravessava a multidão. Aqui estavam eles, em meio a centenas de pessoas, e a Golem não demonstrava qualquer sensação de vertigem ou hesitação. Será que esta mudança vinha se preparando dentro dela, e ele simplesmente não percebera? Há alguns meses ela escondia o rosto na rua, e agora não podia esperar para apresentá-lo a seus amigos. E ainda mais: tinha amigos agora?

Na mesa, uma mulher com um chapéu ridiculamente emplumado olhou para a Golem e disse: "Aí está! Por onde você...". Então ela percebeu o Djim logo atrás, e o resto de sua frase se perdeu no espanto.

"Anna, não é o que você está pensando", disse logo a Golem. "É um amigo. Ahmad, esta é Anna, da padaria, e estas são Phyllis e Estelle. Este é Jerry, com quem eu dancei, e o amigo de Jerry... desculpe, mas não sei seu nome."

"Stanley", disse um homem baixo com uma cara achatada.

"Ahmad, este é Stanley", ela concluiu, triunfante. A Golem estava falando inglês — claro, não se esperava que ele soubesse iídiche.

Anna foi a primeira a se recobrar. "Prazer em conhecê-lo, Ahmad", disse em um inglês com sotaque, apertando firmemente a mão dele. Ela era uma moça bonita, a mais atraente da mesa, mas o Djim não podia evitar a sensação de que aquele chapéu estava prestes a atacá-lo. "Como você conheceu nossa Chava?", perguntou Anna.

Um sinal de preocupação passou pelos olhos da Golem. "Por puro acaso", ele respondeu. "Nossos caminhos se cruzaram um dia em Castle Garden. Ela disse que nunca havia visitado o aquário, e eu insisti em levá-la." Ele mirou furtivamente a Golem, que respondeu com um olhar de alívio.

"Que simpático", disse Anna.

"Que romântico", murmurou Phyllis.

O homem alto — Jerry? — o olhava de mau humor. "Sotaque esquisito esse seu", ele disse. "Você é donde?"

"Do que você chama de Síria."

"Hum", disse Jerry. "É perto da China, né?"

"Jerry, seu pateta, a Síria não fica nem um pouco perto da China", disse Estelle em iídiche, e Stanley deu uma gargalhada. Corando, Jerry tratou de se ocupar com sua cerveja.

Eles poderiam ser amigos da Golem, mas o exame ao qual o estavam submetendo começava a aborrecê-lo. "Chava, você prometeu que me ensinaria a dançar", ele disse, e o grupo ficou olhando enquanto os dois se afastavam.

A Golem o conduziu a um canto da pista de dança e ficou de frente para ele. "Você coloca suas mãos aqui e aqui", ela ensinou divertidamente pudica. "E eu seguro aqui e aqui. É um passo, depois um pulinho. Nós nos espelhamos."

"Um momento", ele disse. "Antes, deixe-me ver como os outros fazem." Eles ficaram de lado e observaram a multidão. O Djim ficou imaginando como era possível que eles não trombassem uns nos outros. E não via razão em gastar tanta energia para, no fim, praticamente não sair do lugar, mas guardou esse pensamento para si.

"Pronto agora?", ela perguntou.

"Acho que sim."

O Djim posicionou as mãos nos lugares indicados pela Golem e deu, cautelosamente, o primeiro passo. O padrão não era difícil, e ele aprendeu rápido. No início eles trombaram em alguns dos casais próximos, mas depois ele desenvolveu um sentido para conduzir a dança, sua mão pressionando a cintura dela na direção em que ele desejava seguir. Sua altura representava uma vantagem: era capaz de encontrar espaços vazios na multidão, evitando que eles fossem encurralados.

O topo da cabeça da Golem roçou seu queixo. "Você está indo muito bem", ela disse.

Ele riu. "Como pode julgar? Você mesma acaba de aprender."

"Sim, mas você não está pisando no meu pé nem me jogando contra os outros. Você nasceu para dançar", disse ela, com certo prazer.

"Temo ter surpreendido seus amigos", ele disse.

"E você teve de mentir para eles", retrucou a Golem, ficando séria. "Foi minha culpa. Eu deveria ter pensado nisso."

"Fico feliz que não tenha pensado. Você poderia não ter me trazido aqui, e eu não veria isso."

"Então você está se divertindo?"

"Muito", ele respondeu, dando-se conta de que era verdade.

Os dançarinos rodavam em torno do Djim e da Golem; o entusiasmo deles e da banda parecia inesgotável. "Anna não está mais na mesa", ela disse, espichando-se para olhar sobre o ombro dele. "Talvez tenha encontrado Irving."

"Ah, sim, o misterioso Irving."

Ela sorriu. "Desculpe, ainda não expliquei." Então ela lhe contou toda a história: a gravidez de Anna, o subsequente noivado, a iminente mudança para Boston. "Acho que nunca mais vou vê-la", ela disse. "Conheço tão pouca gente, e todos acabam por partir. Suponho que as coisas sejam assim."

Ela pareceu tão melancólica que o Djim disse: "Bem, eu não estou indo a lugar algum".

Sua intenção era fazê-la rir, mas ela se calou por alguns instantes. "E se você partir? E se, um dia, você descobrir uma forma de se livrar disso?" Os dedos frios dela tocaram o bracelete sob a manga do Djim. "Prometa-me uma coisa", ela disse, com súbita urgência. "Se um dia isso acontecer, quero que você venha me visitar uma última vez. Não me deixe imaginando o que aconteceu. Por favor, prometa-me isso."

Aturdido, ele disse: "Não partirei sem me despedir, Chava. Prometo".

"Que bom", ela assentiu. "Obrigada."

Ainda estavam dançando, embora a música alegre estivesse contrastando com o clima sério que havia se estabelecido entre eles. Ele tentou imaginar: liberto graças a algum milagre, alçando-se por sobre as ruas entupidas de sujeira e os cortiços sufocantes, voando com o vento até a conhecida janela da Golem. Ele lhe diria adeus — e, nesse ponto, algo se apoderou dele por dentro. Ele deu um passo em falso e se apressou em corrigi-lo.

"Você está bem?", ela perguntou.

"Sim, estou", ele respondeu, apertando a mão em sua cintura. "Estava apenas imaginando isso. Ficar livre." Ele parou, sem atinar no que diria em seguida, mas sabendo que precisava dizer alguma coisa. "Gostaria de poder mostrar a você..."

A banda encerrou a música com um floreio, e os aplausos da multidão calaram as palavras do Djim. A Golem esperava que ele prosseguisse, mas agora a multidão ao redor bradava em coro para o maestro: *Uma polca! Uma polca!* O Djim lançou à Golem um olhar inquisidor; ela balançou a cabeça, aparentemente tão perplexa quanto ele.

O maestro sorriu e fez uma reverência, concordando. Seguiu-se um gigantesco aplauso. Mais casais acorreram à pista de dança, lotando-a completamente. O maestro limpou a testa com um lenço e retomou a batuta — e desta vez a música era mais rápida, mais estridente, com uma melodia intensa, chorosa. Cada homem pegou a parceira pela cintura, puxando-a para si, muito mais perto que antes, e começou a rodopiar com ela em um círculo estreito, passando rapidamente de um pé para outro. As mulheres gargalhavam. Aqueles que ficaram nas mesas batiam palmas em deleite.

A música se espalhou por dentro do Djim. O que quer que ele pretendesse dizer perdeu o sentido, derretendo-se no poço maior dos anseios. Então fechou os olhos, absolutamente cansado e, ao mesmo tempo, cheio de uma energia febril.

"Acho que isso é uma polca", disse a Golem em seu ouvido. "Eu não aprendi isso."

"Mas eu já conheço." Ele a puxou para perto.

Ela ficou completamente surpresa. "Ahmad..."

"Segure-se firme", ele disse, pondo-se a dançar.

Ele a girava e girava, uma das mãos na parte inferior de suas costas, a outra entrelaçando os dedos nos dela. O Djim mantinha os olhos fechados, equilibrando-se por instinto. De início, temeu que ela se afastasse; mas então ela relaxou em seus braços, um gesto de confiança que fez com que uma onda de contentamento o atravessasse. "Feche seus olhos", ele disse.

"Mas vamos cair!"

"Não, não vamos."

E eles realmente não caíram, nem trombaram com outro casal.

Os demais estavam reparando neles, aquele casal alto e atraente que girava como se estivessem em um mundo à parte. A multidão começou a se afastar, dando-lhes espaço, para ver melhor. Eles dançavam cada vez mais rápido — e de olhos fechados! Como conseguiam? — e agora os passos da Golem eram movimentos mínimos, precisos, que se encaixavam perfeitamente nos passos do Djim, descrevendo um círculo cujo centro era ele. No meio de todo esse movimento, uma calma cresceu dentro dele, e por um longo e maravilhoso momento todo o resto desapareceu...

Alguém tocou em seu ombro.

Ele abriu os olhos e quase atropelou a garota chamada Phyllis. A Golem tropeçou; ele a pegou pela cintura e a estabilizou. Phyllis deu um passo para trás até ter certeza de que eles não trombariam nela; então, com um rápido olhar de desculpas para o Djim, ela disse em iídiche: "Chava, desculpe, mas é Anna. Ela encontrou Irving com outra, e agora eles estão brigando. Ele está bêbado e dizendo coisas horríveis. Temo que algo aconteça. Ahmad poderia ajudar? Odeio pedir, mas Jerry e Stanley já se foram".

O Djim ouviu, fingindo que não entendia. Uma mudança irritante nos acontecimentos; mas ele interviria para devolver a paz àquela noite. A Golem, porém, estava petrificada. "Ele está brigando com Anna?", disse, e o tom de sua voz deixou Phyllis alarmada. "Onde eles estão?"

"Lá fora."

Ela agarrou a mão do Djim e quase o arrancou do chão, partindo como uma flecha pela multidão. "Chava, espere", ele disse, mas ela já não ouvia mais nada. O Djim sentia a tensão no corpo dela, sua crescente ansiedade em defesa de sua amiga.

Eles passaram pelo hall de entrada, depois pela porta. Na Broome Street, havia alguns vagabundos fumando, mas nenhum sinal de Anna ou do tal Irving. Então ele ouviu, ao longe, um homem gritando, e uma mulher respondendo. A cabeça da Golem girou. "O beco", ela disse.

Eles viraram a esquina, o Djim ainda atrás dela. No fim do beco, sua amiga Anna lutava com um homem. Ela se segurava nele, tentando se erguer, soluçando. O homem disse algo e lhe deu um tabefe, depois arrancou as mãos dela de seu paletó e a jogou no chão. Ela bateu a cabeça na calçada e gritou.

"Anna!", exclamou a Golem.

O homem mal se equilibrava, visivelmente bêbado. Ele olhou para os dois quando se aproximaram. "Quem diabos são vocês?"

"Deixe-a em paz!" Ela já avançava na direção dele, quase correndo; o Djim custava a acompanhá-la. Ele tentou segurar o braço da Golem para que diminuísse o passo, mas ela já estava fora de alcance.

Irving deu um passo à frente, de modo que Anna ficou no chão atrás dele. Ele fixou seus olhos turvos na Golem, depois no Djim. "Sua dona precisa cuidar do nariz dela."

Aquilo tinha ido longe demais. "Afaste-se", disse ele ao homem. "Agora."

O homem deu uma risadinha e aprontou-se para um soco, a mira trêmula.

O Djim tanto sentiu quanto viu a mudança que se apossou da Golem. Os movimentos dela se tornaram mais rápidos, mais fluidos, quando ela alcançou Irving; ela quase pareceu crescer — e em um segundo estava sobre ele. Um borrão, e Irving estava esparramado na calçada, sangue jorrando de sua boca. Com uma velocidade espantosa, a Golem o agarrou, levantou-o e o jogou contra a parede. Os pés do homem estavam suspensos sobre o lixo, balançando-se fracamente.

"Chava!" O Djim agarrou-a pelos ombros, tentando puxá-la para trás. Ela arremessou Irving para o lado — ele caiu no chão gemendo — e empurrou o Djim. O rosto dela não tinha mais qualquer expressão, seus olhos estavam apáticos, mortos. Era como se tivesse desaparecido de seu corpo.

O Djim agarrou-a pela cintura e levantou-a do chão. Eles caíram no pavimento, e ele sentiu sua cabeça batendo contra a pedra. A Golem estava em cima dele, lutando para se soltar. Ela se desvencilhou e arremeteu de novo contra Irving. O Djim pulou em cima dela, tirando-a de seu rumo. Ela bateu contra a parede e ele a prendeu ali, segurando seus ombros, os pés fazendo pressão contra o calçamento. "*Chava!*", ele berrou.

Ela tentou se desgrudar da parede, contorcendo o rosto com o esforço, arreganhando os dentes como um chacal. Sua força era inacreditável. O Djim tinha a vantagem da altura, mas seus pés já escorregavam. Se ela se soltasse, destruiria aquele homem. Ele tinha de fazer algo.

O Djim se concentrou — e a blusa da Golem começou a arder sob as mãos dele. Surgiu um cheiro de algodão chamuscado, depois de terra queimada. Os olhos dela se enevoaram confusos; e então ela gritou, um berro tão alto que era quase inaudível.

Ele bateu em seu rosto com força — uma, duas vezes — e a derrubou no chão, prendendo-a ali. Se a irritasse, pelo menos seria com ele que ela lutaria, não com Irving.

Mas ela não se debatia. Piscava, desnorteada, como um humano que despertava. "Ahmad? O que aconteceu?"

Seria um ardil? Lentamente ele a soltou. Ela se sentou e levou a mão ao rosto, depois ao peito. Sua blusa e suas roupas de baixo não passavam de farrapos queimados. Sobre seus seios havia marcas compridas e escuras: o desenho dos dedos do Djim. Ela tocou essas marcas, depois olhou em torno como se buscasse uma pista para entender sua condição. Rapidamente ele mudou de posição para que ela não visse Irving. A Golem tentou se levantar — e então teve uma convulsão e tombou. Ele a segurou um instante antes que ela caísse no chão. Seus olhos estavam meio fechados, nada enxergavam.

Um movimento na esquina: era Anna, trêmula, tentando se colocar de pé. Ele xingou baixinho; esquecera-se completamente dela. O que ela teria visto? Um hematoma feio se formava na lateral de seu rosto, e um dos olhos não abria de tão inchado. Apalermada por causa do choque, ela olhou de Irving para a Golem, depois para o Djim.

Em iídiche, ele disse: "Anna. Escute. Um estranho atacou seu namorado e fugiu. Você bateu a cabeça e não o viu claramente. Se alguém disser outra coisa, está bêbado ou equivocado. Agora vá buscar um médico".

A garota apenas ficou olhando para ele. "Anna!", ele disse; então ela deu um pulo atônita. "Você me entendeu?"

Um aceno de cabeça. Ela deu uma última olhada na figura alquebrada de Irving e depois saiu andando trêmula. Será que acreditara nele? Provavelmente, não — mas era inútil, não havia tempo. Alguém já estava gritando pela polícia. Ele pegou a Golem e se pôs de pé, vacilando por um instante. E então correu.

—•—

"Estávamos falando sobre você arrumar um companheiro", disse o Djim.

Fadwa abriu os olhos. Não — eles estavam fechados, não estavam? Ela acabara de fechá-los. Dormia em sua tenda — não, claro que não, ela estava acordada, no palácio de vidro do Djim. Apenas sonhara que estava dormindo.

Um mal-estar insistia em atormentá-la, mas ela decidiu ignorá-lo. Estava novamente na companhia do Djim; o que mais precisava saber? Reclinava-se em uma almofada, e ele se mantinha do outro lado de uma mesa baixa que, mais uma vez, tinha suprimento de comida para uma semana. Ela mordiscou uma tâmara, bebeu um copo de água fresca e límpida. Ele sorria, olhando para ela. Os dois não se viam há — dias? Semanas? Ela não sabia ao certo. Ultimamente, não percebia mais a passagem do tempo. Certa manhã, foi ordenhar as cabras e encontrou seus úberes vazios. Ela correu para contar à sua mãe, que lhe disse que ela estava ficando doida, pois já as havia ordenhado mais cedo. Outras coisas estranhas aconteciam. Pelo canto dos olhos, ela via sombras que se moviam, mesmo em plena luz do dia. Os rostos mudavam quando ela não estava olhando. Certa tarde, estava no tanque, buscando a pouca água que ali restava, quando a figura da deusa começou a lhe contar histórias sobre os homens ridículos que haviam tentado conquistar o deserto. Elas riram juntas, como irmãs, até que alguém chamou seu nome. Era um de seus tios. Sua mãe, preocupada com a demora, pedira que ele a buscasse. Fadwa se virou para a deusa para se despedir, mas esta havia se calado. Mais tarde Fadwa ouviu o tio sussurrando para sua mãe que a havia encontrado na água rasa, rindo sozinha. *Não conte nada disso ao pai dela*, disse a mulher. *Nem uma palavra.*

Mas claro que nada disso importava agora: ela estava com o Djim, em segurança dentro de suas paredes de vidro, banhando-se à luz das estrelas. Seus olhos estavam límpidos, as sombras não se moviam. Nada poderia machucá-la aqui.

"Um companheiro", ela disse. "Um marido, você quer dizer." E então suspirou, desejando que eles conversassem sobre outra coisa, mas seria rude mudar de assunto. "Meu pai encontrará um marido para mim, e não vai demorar. Há homens em nossa tribo procurando esposas, e meu pai vai escolher entre eles."

"Como ele vai escolher?"

"Ele vai se decidir por aquele que tiver mais a oferecer. Não apenas o dote da noiva, mas o tamanho do clã, da pastagem, a posição deles na tribo. E, claro, se os outros o consideram um bom homem."

"E atração, desejo... isso não entra na decisão dele?"

Ela riu. "Mulheres de fábulas talvez possam se dar a esse luxo. Além disso, minhas tias dizem que o desejo vem depois."

"Mesmo assim, você está assustada."

Ela corou; era assim tão óbvio? "Bem, claro", ela disse, tentando soar adulta e despreocupada. "Vou deixar minha família e minha terra para viver na tenda de um estranho e trabalhar para a mãe dele. Sei que eu sou mimada pelo meu pai, e não sou uma ingrata de pensar que ele me casaria com alguém horrível. Mas, sim, tenho medo. Quem não teria?"

"Então para que casar?"

Mais uma vez ela se surpreendeu com a ignorância dele. "Só garotas doentes ou débeis não arrumam marido. Uma garota precisa se casar se puder, senão ela se torna um fardo. Nosso clã é pequeno demais para sustentar uma filha solteira, pois há crianças que têm de ser alimentadas, e ainda é preciso encontrar esposas para meus irmãos e primos. Não, eu preciso casar, e logo."

Ele agora a olhava com pena. "Uma vida dura, com tão poucas escolhas."

O peito dela se encheu de orgulho. "Mas é uma vida boa também. Sempre há algo para comemorar, um casamento ou um nascimento, ou filhotes saudáveis na primavera. Não conheço outra maneira de viver. Além disso", ela continuou, "*nem todos* podem viver em palácios de vidro."

Ele ergueu uma sobrancelha, sorrindo. "Você gostaria de viver se pudesse?"

O Djim estaria brincando com ela? Seu rosto não dava pistas. Ela voltou a sorrir. "Senhor, sua casa é muito bonita. Mas eu não saberia o que fazer em um lugar assim."

"Talvez você não tivesse de fazer nada."

Ela então riu, e era uma risada satisfeita, uma risada de mulher. "Isso, eu acho, me assustaria mais que qualquer marido."

O Djim também riu, inclinando a cabeça para ela, em um gesto de quem reconhece a derrota. "Espero que você me deixe visitá-la depois que se casar."

"É claro", ela disse surpresa e tocada. "E você poderia ir ao casamento se quisesse." Que engraçado, ela pensou, um emissário djim no casamento dela, como se ela fosse a rainha de alguma fábula!

"Sua família não iria se opor?"

"É só não contarmos a eles", ela respondeu em meio a risinhos. Ao lado dele, essa atitude não parecia indecente.

Ele riu também e depois, reclinando-se para trás, lançou-lhe um olhar de avaliação. "Um casamento. Eu realmente gostaria de ver isso. Fadwa, você me mostraria como é um casamento?"

"Mostrar a você?" Será que ele quis dizer *contar*? Ela franziu a testa, subitamente insegura. Mas o Djim estendeu a mão — ele estava sentado ao lado dela agora, mas ele teria se mexido? — e alisou as rugas de sua testa. Novamente, o inesperado calor da pele dele; novamente, aquele estranho desabrochar em seu estômago. *Mostre-me*, ele murmurou. De repente, ela se sentiu muito cansada. Certamente ele não se incomodaria se ela se aninhasse ali e adormecesse (algo dentro dela sussurrou: *Tolinha, você já está dormindo*; mas aquilo era um sonho e ela ignorou essa voz), e a sensação da mão dele em sua testa era tão maravilhosa que ela nem ao menos resistiu, entregando-se à fadiga enquanto era tomada por essa sensação.

Fadwa abriu os olhos.

Viu-se em uma tenda, a tenda de um homem. Ela estava sozinha. Olhou para baixo. Seus pés e mãos estavam pintados com hena. Ela usava seu vestido de casamento.

Lembrou-se de como sua mãe e suas tias a haviam vestido na tenda das mulheres e pintado suas mãos. A negociação do dote, a revelação de suas posses. Cantoria, dança, uma festa. Depois a procissão com ela à frente. E agora esperava, sozinha, na tenda de um estranho. Lá fora, ela podia ouvir, havia risos, batuques, canções matrimoniais. À frente dela havia uma cama arrumada com peles e cobertores.

Um homem estava de pé atrás dela.

Ela se virou para olhá-lo. Ele estava vestido como um beduíno agora, em vestes matrimoniais pretas, esbelto e elegante. O homem estendeu as mãos, unidas em concha, e nelas havia um colar, o colar mais extraordinário que ela jamais vira: uma intrincada corrente de elos de ouro e prata, com discos de um impecável vidro azul leitoso presos com filigrana. Era como se ele tivesse transformado o palácio em uma joia para que ela o usasse no pescoço. Fadwa estendeu a mão e tocou o colar. Os discos de vidro se moviam e tilintavam em seus dedos.

Isso é para mim?, ela murmurou.

Se você quiser.

Os olhos dele dançavam à luz da lamparina. Ela viu desejo neles, e isso não a assustou. *Sim*, ela respondeu.

O homem prendeu o colar em sua garganta, quase abraçando-a. Ele tinha um cheiro morno como uma pedra aquecida pelo sol. Os dedos dele soltaram o fecho do colar e desceram pelos ombros e braços dela. Ela não estava apavorada, não tremia. Ele levou a boca até os lábios da jovem, e então ela começou a beijá-lo como se esperasse por isso há anos. Os dedos dele se enterraram nos cabelos de Fadwa. Seu vestido era agora uma pilha de tecido bordado a seus pés, as mãos dele repousavam em seus seios, mas ela não sentia medo. Ele a ergueu sem esforço, e logo ela estava na cama, e ele também, dentro dela, e não doía nem um pouco, ao contrário do que suas tias disseram. Eles se moviam juntos lentamente, tinham todo o tempo do mundo, e logo era como se ela sempre soubesse como fazer aquilo. Ela o beijou na boca e o enlaçou, mordendo o lábio de prazer, mantendo-se firme enquanto o turbilhão que era seu amante a levava para cada vez mais longe...

Acorde!

Alguma coisa estava errada.

Fadwa! Acorde!

O chão se agitou sob eles, primeiro um leve tremor, que ficou cada vez mais forte. A tenda começou a desabar. Ele tentava escapar, mas se prendeu a ele, estava aterrorizada, ela não o soltaria...

Fadwa!

Ela segurou com todas as suas forças, mas ele conseguiu se desvencilhar e partiu. A tenda, o mundo, tudo escureceu.

Sobre o acampamento dos beduínos, o Djim oscilava ao sabor dos ventos. Ele nunca sentira tanta dor. Estava dilacerado, em farrapos, perto da dissolução. Aos poucos, percebeu que se deixara dominar, arrastado pelas fantasias do sonho dela. Teve de dar tudo de si para escapar. Um djim menor teria sido destruído.

Ele se deixou ficar ali durante algum tempo, recuperando-se o melhor que podia antes de retomar a viagem para casa — fraco como estava, ele seria uma presa fácil, vulnerável até chegar a seu palácio. E se o vento trazia a seus ouvidos uma comoção de vozes humanas aterrorizadas, os gemidos das mulheres e os gritos de um pai, o Djim se esforçava para não ouvir.

GOLEM & O GÊNIO
UMA FÁBULA ETERNA

XIX

Djim correu com a Golem em seus braços.

Decidira levá-la para o Bowery, pensando em escondê-la no meio da multidão, ou nas pocilgas onde a polícia não ousava entrar. Ele encontrou uma escada de incêndio e subiu, passando a correr de telhado em telhado, sendo seguido por olhos ocultos nas sombras. Era difícil carregá-la completamente desmaiada. Será que a machucara muito? Se ela precisasse de ajuda, onde ele poderia buscar? Talvez ele pudesse escondê-la na lojinha de Conroy...

Ele sentiu que a Golem tremera em seus braços, uma vez, depois outra. Reduzindo a marcha, encontrou um canto deserto e escuro atrás de uma chaminé. Ele se agachou no chão, embalando-a consigo, estremecendo com a visão de sua blusa e roupas de baixo arruinadas. Seu cabelo estava todo emaranhado, os pentes com rosas esculpidas haviam caído em algum ponto do caminho. Com sua pele fria, sem pulso ou respiração, qualquer um pensaria que ele estava segurando um cadáver. As queimaduras nos seios dela já estavam se apagando, as marcas dos dedos sumiam enquanto ele olhava. Fora por isso que ela havia desmaiado, para que seu corpo pudesse sarar?

Ele tentou erguê-la mais uma vez, e algo brilhou entre os farrapos de algodão: uma corrente dourada, um colar. Em sua ponta, havia um medalhão quadrado com um fecho. O Djim se lembrou de quando estava com ela na plataforma da caixa-d'água e recordou as palavras que o haviam perturbado: *Não posso ferir ninguém. Nunca. Eu me destruiria antes se fosse preciso.* A Golem, então, levara uma das mãos ao pescoço, logo deixando-a cair, envergonhada. Como se ele tivesse visto demais.

Ele tocou o medalhão, e o fecho abriu. Um quadradinho de papel, espesso e dobrado, caiu em sua mão. Como se aquela fosse a chave para despertá-la, a Golem começou a se mexer. Rapidamente ele fechou o medalhão e enfiou o papel no bolso.

Ela piscou os olhos e se esforçou para olhar à sua volta, movendo-se com hesitação como um passarinho. "Ahmad", ela disse. "Onde estamos?" Suas palavras soavam estranhamente arrastadas. "O que aconteceu, por que não consigo me lembrar?"

Teria ela apagado todas as lembranças do que acontecera? Se Anna ficara inconsciente e todas as outras testemunhas estavam longe demais para ver com clareza... "Houve um acidente", ele disse, improvisando com desespero. "Um incêndio. Você se queimou e desmaiou. Tirei você de lá, e agora você está se curando."

"Oh, meu Deus! Alguém se machucou?" Ela tentou se pôr de pé, ainda oscilante. "Temos de voltar!"

"Não é seguro ainda." Sua mente estava acelerada, tentando rebater quaisquer objeções. "Mas todos estão bem. Ninguém mais se feriu."

"Anna está..."

Mas ela se calou. E ele percebia, nos olhos dela que ganhavam foco, que a Golem recuperava a memória, e as imagens da surra que dera em Irving voltavam.

De sua boca saiu um uivo sem palavras. Ela caiu de joelhos, suas mãos agarravam os cabelos. Imediatamente o Djim se arrependeu da história que contara. Ele tentou abraçá-la para ajudá-la a levantar-se.

"Solte-me!" Ela se arrancou das mãos dele, colocou-se de pé e deu uns passos para trás. Com o cabelo desgrenhado e as roupas rasgadas, ela parecia uma mulher fantasma com a qual ele tivesse esbarrado, alguém que ele tentara evitar a todo custo. "Você entende agora?", ela gritou. "Você *entende*? Eu matei um homem!"

"Ele estava vivo quando saímos de lá. Vão achar um médico e ele vai se recuperar, tenho certeza." O Djim tentou demonstrar uma confiança que não sentia.

"Não fui cuidadosa o bastante, eu me deixei levar... Oh, céus, o que eu fiz? E você... por que me tirou de lá, por que mentiu?"

"Foi para proteger você! Eles estavam chamando a polícia, e você seria presa!"

"Pois deveria! Preciso ser punida!"

"Chava, preste atenção no que você está dizendo. Você iria para a cadeia e explicaria para a polícia o que fez?" Ela hesitou, e ele continuou a pressionar, sentindo uma brecha. "Ninguém precisa saber", ele disse. "Ninguém viu, nem mesmo Anna."

Ela o encarava horrorizada. "Esse é o seu conselho? Fingir que nada aconteceu?"

Claro que ela nunca faria isso; não condizia com a sua natureza. Mas ele estava encurralado. "Se fosse comigo, se eu tivesse atacado um homem por acidente, sem testemunhas, e se não houvesse como confessar sem revelar o que sou... então, sim, talvez eu fingisse. O mal já foi feito, para que aumentá-lo?"

Ela balançou a cabeça. "Não. É o que dá ter dado ouvidos a você. Esta noite eu deixei minha prudência de lado, e esse é o resultado."

"A culpa é *minha*?"

"Não culpo ninguém a não ser eu mesma; eu deveria ter tido mais juízo."

"Mas foi minha influência maléfica que a levou por esse caminho." A preocupação que ele sentia pela Golem começava a se transformar em ressentimento. "Você também culpa Anna por tê-la feito cair na tentação de ir ao salão de baile?"

"Anna não sabe o que eu sou! Ela agiu de maneira inocente!"

"Enquanto eu enganei você intencionalmente, suponho."

"Não, mas você me confunde! Você me faz esquecer que algumas coisas são impossíveis para mim!"

Mas esta noite você estava feliz, ele pensou; porém, o que disse foi: "Se é o que você pensa, não precisamos nos ver mais".

Ela recuou magoada e chocada — e, pela segunda vez naquela noite, o Djim desejou ter o poder de apagar suas palavras. "Sim", ela disse com a voz trêmula. "Acho que é o melhor. Adeus, Ahmad."

Ela se virou e saiu andando. Sem acreditar, ele ficou parado ali, olhando. No meio do telhado, a Golem se deteve: ele a imaginou olhando para trás, com um leve traço de arrependimento nos olhos. Ele a chamaria, pediria desculpas, imploraria para que não fosse embora.

Em vez disso, ela se abaixou e pegou um cobertor largado no chão, embrulhou-se nele e continuou andando. Ele ficou olhando a silhueta da Golem diminuir até que não fosse mais possível distingui-la das outras que se moviam pelos telhados. Ela não olhou para trás nem uma vez.

—◆•◀—

Pouco depois, a Golem desceu dos telhados e buscou alguma viela silenciosa onde pudesse se destruir.

Era uma decisão simples, que foi tomada rapidamente. Ela não poderia se permitir machucar outra pessoa. E nisto, pelo menos, o Djim tinha razão: ninguém estaria seguro mesmo que ela estivesse na prisão. Mesmo que conseguisse se manter escondida, por quanto tempo aguentaria antes que o cativeiro a enlouquecesse? O que era pior: a espera interminável pelo momento do colapso ou o horror de que este finalmente acontecesse?

Ela agarrou com mais força o cobertor fedorento: ele arranhava o que restava das queimaduras em seu peito. Nunca sentira dor antes. Até que o Djim a ferisse, ela estava em algum lugar distante, observando calmamente, com seus próprios olhos, a surra que dava em Irving, partindo os ossos dele. Ela não sentia raiva ou cólera. Seu corpo simplesmente assumira o controle como se ela tivesse sido criada com esse único propósito. O Djim aparecera, o horror estampado em seu rosto, e ela apenas pensou: *Ora, eis Ahmad.* As mãos dele sobre ela e, então, a dor — depois o despertar no telhado, nos braços do Djim.

A Golem encontrou um beco sem saída, livre de janelas abertas e de olhares curiosos. Ela prestou atenção com todos os sentidos, mas ouviu apenas os costumeiros pensamentos de quem dormia em segurança por trás das paredes do beco. Se a polícia saíra à sua procura, não estava perto o suficiente para interferir. Ela não sentia qualquer hesitação ou mágoa. Só lhe restava a perplexidade com a rapidez com que tudo havia desmoronado.

Tirou o pesado medalhão dourado do pescoço, deixando-o repousar um pouco na palma da mão. E pôs-se a imaginar: cairia no chão, imóvel? Ou se dissolveria em um montículo de pó? Ela sentiria algo acontecendo, ou apenas deixaria de existir? Sentia-se ao mesmo tempo serena e tomada por vertigens, como se tivesse pulado de uma enorme altura e agora estivesse olhando o chão que vinha a seu encontro.

Ela colocou o polegar no fecho do medalhão e pressionou. Este se abriu, revelando um vazio interior dourado. O papel não estava mais lá. Simplesmente desaparecera.

Ficou olhando para o local onde o papel deveria estar. Ele teria sumido há tempos, e ela nunca percebera? Será que alguém o havia roubado? Na confusão irreal que se instalara aquela noite, parecia perfeitamente possível que ele nunca tivesse existido, que ela houvesse inventado tudo: o rabi, a morte dele, o envelope junto à sua mão.

Ela se forçou a pensar. Seria preciso achar outra solução, mas qual? Obviamente, não poderia mais ficar por sua própria conta. Tomara decisões ruins, deixando-se levar por muitas tentações. Talvez pudesse achar alguém para cuidar dela como o rabi fizera uma vez. Alguém honesto e responsável. Ele não precisaria saber de sua verdadeira natureza — poderia guiá-la apenas por seu exemplo, protegendo-a sem saber o bem que fazia.

A resposta, quando surgiu, trouxe o peso da inevitabilidade. Talvez, pensou, fosse esse seu rumo desde o princípio.

Michael Levy foi para a Casa de Acolhida mais cedo do que o habitual naquela manhã. Ele havia dormido mal, perseguido por sonhos sinistros dos quais lhe restavam apenas fragmentos. Em um deles, seu tio o segurava pelos ombros para lhe falar de algo que ele *não podia* esquecer, mas suas palavras eram engolidas pelo vento. Em outro, ele caminhava na direção de um casebre imundo, caindo aos pedaços, e da janela os olhos malévolos de um homem o espiavam, como em uma fábula. Ele não conseguiu dormir de novo depois deste último, então arrastou-se para fora do catre, vestiu-se e foi trabalhar.

Estava exausto até os ossos. De alguma forma, vinha conseguindo evitar o colapso da Casa de Acolhida, mas em manhãs como aquela ele pensava se não estava apenas prolongando a agonia do local. Para piorar, outras instituições de caridade judaicas estavam começando a mandar para lá seus casos excedentes, como se ele fosse um mágico e pudesse, do nada, fazer surgir leitos e pão. Ele negava ajuda ao máximo de pessoas que poderia aguentar, mas ainda assim o local estava acima de sua capacidade. O moral dos funcionários da Casa estava padecendo; mesmo o infatigável Joseph Schall estava cada vez mais rabugento e distraído. E quem poderia culpá-lo? Algo precisava mudar, e rápido. Todos eles necessitavam de uma razão para ter esperança.

Ao virar a esquina, ele percebeu uma figura sombria sentada nos degraus da Casa de Acolhida. Por um momento ele gemeu, pensando tratar-se de outro imigrante que fora encaminhado para lá, mas então a figura o viu e se levantou: era uma mulher alta e séria. Ele percebeu quem era, e seu coração deu um pulo.

"Olá, Chava", disse. Ele não queria perguntar o por quê de ela estar ali. Sem dúvida, tratava-se de alguma tarefa rotineira, e logo ela partiria.

Então ela disse: "Michael, eu gostaria de ser sua esposa. Você quer casar comigo?".

Aquilo estava realmente acontecendo? Provavelmente; seus sonhos nunca eram tão generosos. Ele estendeu a mão e tocou o rosto dela, ousando acreditar. Chava não se afastou. Mas também não se aproximou dele. Ela apenas devolveu seu olhar, e ele se viu refletido, com a mão estendida, em seus olhos escuros e firmes.

——•——

Eram quase três da manhã, e o Bowery ainda estava lotado de homens e mulheres com suas risadas bêbadas e ruidosas. A música vazava pelas portas das casas de jogatina e dos bordéis, mas a devassidão parecia cada vez mais desesperada. Nas ruelas, trapaceiros vasculhavam a multidão, pensando em como obter os últimos trocados da noite; prostitutas se debruçavam nas janelas, em poses indolentes, seus olhares ansiosos e argutos.

Foi em meio a essa bacanal desgastada que o Djim surgiu ao descer dos telhados onde a Golem o largara. Ele não via nada daquilo, nem a multidão nem os caçadores, que percebiam a cólera ferida em seus olhos e decidiam ir atrás de presas melhores. Só conseguia vislumbrar a Golem de pé à sua frente, as roupas queimadas e o cabelo desgrenhado. Em sua mente, ecoavam as palavras que ela proferira, as coisas pelas quais ela o havia culpado. O caráter definitivo do adeus que dissera.

Bem, então que fosse. Ela poderia se entregar à polícia, tornar-se a mártir que tanto queria ser. Ou voltar para a gaiola de sua pensão, assar pães e costurar por toda a eternidade. Ele não se importava. Não queria mais saber dela.

À medida que caminhava na direção sul, a multidão foi diminuindo até desaparecer, restando apenas os cortiços. Ele continuou andando, evitando a guinada à esquerda que o levaria à Pequena Síria. Nada esperava por ele lá, além da oficina e de seu quarto alugado, e ele não conseguia nem pensar neles.

Finalmente, aproximou-se da sombra da ponte do Brooklyn. Ele sempre admirara a ponte, a curva elegante de seus cabos metálicos, os inacreditáveis esforços e maestria empregados em sua construção. Encontrou a entrada para a passagem de pedestres e caminhou por ali até chegar ao ponto onde a terra firme acabava. Barcos balouçavam no porto logo abaixo dele, seus cascos faziam ruído contra os pilares. Se quisesse, poderia simplesmente atravessar até o Brooklyn e continuar andando. Quanto mais pensava nisso, mais atraente a ideia lhe parecia. Nada o prendia em Manhattan. Ele poderia abandonar todas as pretensões de levar uma vida humana e seguir em frente para sempre, sem nunca cansar, sem nunca parar! A Terra deslizaria sob ele como antigamente!

Ficou de pé sobre a água, o corpo tenso, esperando pelo primeiro passo. A ponte se estendia à sua frente, uma rede de aço frio e lampiões a gás que se afilava no horizonte.

Imediatamente a tensão se desfez, deixando um profundo cansaço. Era inútil. O que havia para ele do outro lado daquela ponte? Pessoas e prédios ao infinito, em uma terra que não passava de outra ilha. Andaria até chegar ao seu fim, mas e depois? Ele se atiraria no oceano? Seria mais fácil pular de onde estava agora.

Sentia a Washington Street puxando-o como se ele fosse um pássaro preso em uma armadilha. Milímetro a milímetro, ela o puxava para trás. Não havia nada ali que ele quisesse, mas também nenhum outro lugar para ir.

Arbeely estava alimentando a fornalha quando o Djim entrou. "Bom dia", disse o homem. "Você se incomoda em cuidar da oficina? Tenho algumas coisas para resolver, depois vou visitar a mãe de

Matthew. Não estou certo de que ela saiba quanto tempo o garoto tem passado aqui." Não encontrando uma resposta do Djim, Arbeely levantou o olhar para ele, empalidecendo. "Você está bem?"

Silêncio. "Por que você está perguntando isso?"

Arbeely pensou em dizer que o Djim parecia angustiado, como se tivesse perdido algo muito valioso e passado toda a noite procurando por esse objeto. Mas apenas disse: "Você parece doente".

"Eu não adoeço."

"Eu sei."

O Djim sentou-se junto à bancada de trabalho. "Arbeely", disse, "você está satisfeito com a sua vida?"

Oh, céus, pensou Arbeely, *aconteceu alguma coisa*. Nervoso, ele pensou muito antes de responder. "É difícil explicar. Mas, sim, acho que estou satisfeito. Os negócios vão bem. Tenho o que comer e mando dinheiro para minha mãe. O trabalho é duro, mas eu gosto dele. Não há muitos homens que possam dizer o mesmo."

"Mas você vive longe da sua terra. E não tem uma amante, pelo que sei. Você faz a mesma coisa todos os dias, e sua única companhia sou eu. Como é possível que você esteja satisfeito?"

Arbeely estremeceu. "Não é tão ruim assim. É claro que eu sinto falta da minha família, mas ganho mais dinheiro aqui do que jamais ganharia em Zahlé. Um dia voltarei para a Síria, encontrarei uma esposa e começarei uma família. Mas, por enquanto, não preciso de mais nada. Nunca ambicionei a riqueza ou a aventura. Só quero ganhar o bastante para ter uma vida confortável. Bom, não sou exatamente um sujeito complicado."

O Djim deixou escapar uma risada cínica. Então ele se inclinou para a frente e colocou a cabeça entre as mãos. Era um gesto surpreendentemente humano, pleno de fraqueza. Mortificado, Arbeely voltou a se ocupar da fornalha. Se o Djim fosse outra pessoa, Arbeely o teria conduzido para uma conversa reconfortante com Maryam. Mas obviamente o Djim não poderia fazer isso, não sem revelar sua verdadeira natureza. Ele seria o único confidente do Djim? Esse pensamento o fez querer rezar por ambos.

Talvez ele pudesse oferecer ao menos uma distração. "Estive pensando", disse Arbeely. "Você gostaria de fazer joias femininas? Sam Hosseini recebe muitas encomendas de mulheres ricas de fora do bairro, que estão à procura de peças exóticas. Se você o abordar com algumas amostras, talvez ele arrume um espaço na vitrine para nós." Depois de uma pausa, ele prosseguiu: "O que você acha? Um colar, quem sabe. Não é tão desafiador como um teto, mas é mais interessante que panelas e frigideiras".

Houve um longo silêncio. Então o Djim disse: "Acho que poderia fazer um colar".

"Ótimo! Isso é muito bom. Vou procurar Sam depois de falar com a mãe de Matthew." Ele saiu da oficina, não sem lançar um último olhar de preocupação com a esperança de que o quer que estivesse incomodando seu parceiro se resolvesse logo.

O Djim ficou sozinho na oficina, olhando as chamas da fornalha. À menção de um colar, uma imagem começou a se formar em sua mente: uma intrincada corrente de ouro e prata, com discos pendentes de um azul leitoso, presos com filigrana. Ele nunca vira tal colar; o objeto simplesmente apareceu diante dele, tal como o teto de estanho. Achava que deveria se sentir agradecido. Afinal, teria alguma coisa para fazer.

Ele se levantou para pegar o material e sentiu algo em seu bolso. O quadrado de papel da Golem. Esquecera-se completamente daquilo.

Tirou-o do bolso, segurando-o cautelosamente, quase se desafiando a abri-lo. O objeto mais secreto dela, e ele o roubara. Isso lhe dava alguma satisfação mesquinha, mas, ao segurar aquele papel, ele começou a sentir um certo pavor. Passou pela sua cabeça destruí-lo, mas ele também vacilou em fazer isso. Apoderara-se dele quase sem pensar, e agora via-se diante de um fardo indesejado.

O que fazer com ele, então? A oficina não era um lugar seguro; seu quartinho no cortiço, menos ainda. Depois de pensar por alguns instantes, ele arregaçou a manga e enfiou o papel sob seu bracelete de ferro, encaixando-o entre o metal e sua pele, como quem passa um bilhete pela fresta de uma porta. O espaço era exato. Ele flexionou o pulso, tentando mexer o papel, mas este permaneceu no lugar. Poderia praticamente esquecer que estava lá.

Quando Matthew abriu a porta da oficina alguns minutos depois, ele viu o Djim sentado, de costas para ele, curvado sobre seu trabalho. Com seus passinhos silenciosos, foi até a ponta da bancada de trabalho, fora da vista do Djim.

Em uma das mãos o Djim segurava um fio curto de prata, preso com um alicate de joalheiro. Com a outra, lenta e cuidadosamente alisava o fio. Matthew viu quando o fio metálico começou a brilhar com o calor. Então, em um movimento rápido e suave, o Djim pegou a ponta livre do fio e o dobrou sobre as pinças do alicate, formando um círculo perfeito. Ele soltou o fio do alicate e segurou as duas pontas juntas, fundindo-as. Agora Matthew via que uma corrente de elos como aquele pendia do aro recém-criado. O Djim se virou para pegar mais um pedacinho de fio metálico e, então, viu Matthew.

Menino e djim ficaram se encarando por longos instantes. Então o Djim perguntou: "Você já sabia?".

O garoto fez que sim com a cabeça.

"Como?"

Em um murmúrio, o menino disse: "O teto. Eu ouvi você e o senhor Arbeely. Você costumava viver lá".

O Djim se lembrou da conversa que os dois tiveram no saguão. "Alguém mais ouviu?" O garoto sacudiu a cabeça: *Não*. "Você contou a alguém? *"Não.*" Nem mesmo à sua mãe?" *Não*.

O Djim suspirou silenciosamente. Era ruim, mas poderia ter sido muito pior. "Não diga a Arbeely que você sabe. Ele ficaria bravo comigo se descobrisse. Promete?"

Ele assentiu firmemente com a cabeça, os olhos bem abertos. Então pegou uma das mãos do Djim. Ele começou a fazer um exame cuidadoso, tocando na palma com a ponta dos dedos, como se temesse que pudessem pegar fogo. O Djim ficou observando, achando graça, então enviou uma onda mínima de calor para a mão. O garoto levou um susto e soltou-a, colocando seus dedos na boca.

"Você se machucou?"

Sempre com um sinal de cabeça, Matthew negou. O Djim pegou a mão do menino e a examinou: nenhuma marca vermelha ou bolha. Fora apenas um susto.

"Há um preço por saber meu segredo", disse o Djim. "Você precisa me ajudar a fazer esse colar." O garoto, que por um instante ficou alarmado, abriu um enorme sorriso. "Preciso de muitos pedaços pequenos de fio de prata, assim, do tamanho da sua unha." Ele cortou um pedaço do rolo para mostrar, depois entregou um alicate ao garoto. "Você consegue fazer isso?"

Como resposta, o menino começou a medir o fio e a cortá-lo com extremo cuidado. "Ótimo", disse o Djim. "Cuidado para não dobrá-los." Ele teria de contar a Arbeely que o garoto sabia; isso não poderia ser mantido muito tempo em segredo. Arbeely ficaria furioso. Primeiro Saleh, depois Matthew: quem seria o próximo? Talvez sua sorte perdurasse, e ele só fosse desmascarado por homens meio loucos e crianças quase mudas.

Distraidamente, ele esfregou seu bracelete, imaginando se ela já havia se dado conta de que o papel desaparecera. Depois, afastou esses pensamentos. Havia trabalho a fazer.

Alguns dias depois, um garoto de entregas pedalou até a Washington Street e encontrou o letreiro que dizia ARBEELY & AHMAD — ESTANHO, FERRO, PRATA, QUALQUER METAL. Arbeely foi até a porta e viu o garoto ali, segurando um pequeno pacote. "B'a tarde", disse o garoto em inglês, tocando de leve o chapéu.

"Ah, olá", disse Arbeely em seu inglês hesitante.

"Me disseram pra dar isso prum ferreiro chamado Ahmad", disse o garoto. "É você?"

"Eu sou Ahmad", respondeu o Djim, deixando sua bancada de trabalho. "Ele é Arbeely."

O garoto deu de ombros e entregou-lhe o pacote. O Djim entregou-lhe uma moeda e fechou a porta.

"Você estava esperando algo?", perguntou Arbeely.

"Não." Não havia endereço de remetente, ou qualquer marca de postagem. Ele desfez o nó do barbante e abriu o pacote, que revelou uma caixa de madeira com dobradiças. Lá dentro, repousando em um ninho de lascas de madeira, havia um pequeno pássaro de prata. Seu corpo redondo se afinava em um leque de penas na cauda, e sua cabeça estava recatadamente virada de lado.

Ignorando os protestos de Arbeely, o Djim atirou o pássaro ao fogo, observando enquanto ele afundava em um dos lados, para então derreter, formando uma poça cinzenta que escorria pelos carvões. Era isso: ele cortava as relações com ela. Para sempre. Esfregou seu bracelete, e o papel escondido sussurrou-lhe, como resposta, as palavras: *Para sempre.*

GOLEM & O GÊNIO
UMA FÁBULA ETERNA

XX

 MISTERIOSA AGRESSÃO NO BAILE
Vítima de agressor desconhecido à beira da morte. Polícia lida com testemunhos desconcertantes e contraditórios.

As autoridades estão intrigadas com o estranho caso de Irving Wasserman, 21, um judeu residente da Allen Street. Há três noites, Wasserman foi vítima de golpes desferidos por um ou mais desconhecidos atrás do Grand Casino, na Broome Street, um salão de baile popular entre a juventude hebraica da área. Testemunhas que socorreram o ferido chamaram a polícia, mas o agressor, ou agressores, fugiu, desaparecendo da cena do crime. Wasserman agora luta por sua vida no hospital Beth Israel.

A polícia afirma que as descrições dadas pelas testemunhas, em sua maior parte jovens que vagavam nos arredores do cassino, pouco ajudaram. O agressor foi descrito tanto como um homem quanto como uma mulher, ou, o que é mais estranho, como um homem vestido de mulher. Outros disseram que dois agressores, e não apenas um, fugiram do local. Depois de examinar a vítima no Beth Israel, o médico Philip

White declarou a hipótese de que os golpes foram muitos, e muito graves, para terem sido desferidos por apenas um homem, e afirmou que era impossível que uma mulher tivesse feito aquilo. "Se eu não soubesse das circunstâncias", afirmou o médico, "eu pensaria que ele fora pisoteado por um cavalo."

O caso foi entregue ao sargento George Kilpatrick, que logo descobriu que Wasserman era conhecido no bairro por seus inúmeros casos amorosos e que naquela noite ele fora visto discutindo com uma de suas namoradas. O sargento especulou que Wasserman poderia ter sido atacado por amigos ou parentes da garota — o que ela negou veementemente — e deu a entender que os autores das alegações de que o agressor seria uma mulher estariam tentando confundir a polícia. Por enquanto, o caso continua sob investigação.

———•———

A primavera se encaminhava para o verão. No Central Park, homens com chapéus de palha remavam em barcos alugados, suas namoradas na proa a procurar, nas margens, amigos e rivais. Em Coney Island, jovens pais comiam cachorros-quentes por dez centavos enquanto suas crianças corriam gritando pela praia. No novo túnel subterrâneo sob a baía, homens suarentos instalavam quilômetros de trilhos, sem atinar para a enorme e assassina massa de água acima de suas cabeças.

Todo mundo, ao que parecia, estava se sentindo rejuvenescido pela mudança das estações, exceto por um homem. Semanas haviam se passado desde que Yehudah Schaalman vira pela primeira vez a Golem na Padaria Radzin, sentindo o puxão do encantamento da varinha mágica; e nesse período ele caíra em uma profunda depressão. Passava as noites acordado no estreito catre, em ruminações intermináveis. Teria sido *ela* o objetivo de sua busca? Impossível! Ela era apenas uma golem! Inteligente, e aparentemente abençoada com habilidades que ele não previra — mas, ainda assim, uma golem, criada para o trabalho árduo e para a proteção. Se quisesse, ele poderia criar uma dezena de golens como ela. De qualquer maneira, ao vê-la, o feitiço da varinha finalmente despertara. Seu sonho lhe mostrara que a *vida eterna* poderia ser encontrada em algum lugar de Nova York: e não poderia uma golem, praticamente indestrutível e livre dos limites da existência humana, ser considerada como alguém que desfruta da vida eterna?

Ele se virava e revirava, enroscando os lençóis em seu corpo ossudo, e se perguntava se o Todo-Poderoso estaria pregando uma peça nele. O que ele poderia fazer? Não poderia segui-la, ou ela seria alertada por seus pensamentos. E, enquanto isso, o Anjo da Morte se aproximava.

Basta, pensou. Ele não conseguiria nada com autopiedade. Então o feitiço da varinha apontara para a sua golem; e daí? O encantamento era uma de suas criações não testadas, e estas poderiam resultar imprecisas. Talvez estivesse apenas respondendo a suas origens, à imortal sabedoria dos místicos judeus de séculos atrás.

Era talvez uma esperança tênue, mas ele não poderia desistir de procurar. Caso contrário, seria perfeitamente possível dar cabo de sua vida, admitindo a vitória do Todo-Poderoso.

Assim, alimentado por nada além de uma pertinaz força de vontade, Schaalman retomou sua busca. Ele refez seus passos, voltando às mais antigas sinagogas ortodoxas, aquelas com os rabis mais eruditos, as maiores bibliotecas. Em cada uma delas, implorava por uma audiência com o rabi-chefe, dizendo ser um antigo professor de ieshiva recém-chegado à América. Ele estava interessado em se apresentar como voluntário para qualquer especialidade de que necessitassem. O que o rabi poderia lhe dizer sobre a congregação? Eles mantinham os costumes antigos, os ensinamentos tradicionais?

Cada rabi, entusiasmado com esse presente inesperado — *Voluntário, você disse?* — conduzia Schaalman a seu escritório e descrevia as virtudes da congregação, como eles lutavam contra a intrusão do secularismo e das doentias influências modernas. Algumas congregações haviam mesmo começado a permitir o uso de rapé durante o sermão, ele acreditava nisso? Schaalman balançava a cabeça tristemente, demonstrando solidariedade, e então estendia a mão e dava tapinhas, de uma maneira muito especial, na mão do rabi.

O rabi ficava em silêncio e parado, um olhar de devaneio no rosto.

Seu livro mais precioso, dizia Schaalman. *Aquele perigoso, que você esconde de seus colegas. Onde você o guarda?*

Os primeiros rabis responderam: *Não tenho um livro assim*; e Schaalman soltava suas mãos, olhava-os piscando, confusos, pedia desculpas e seguia seu caminho. Até que um rabi disse:

Não o tenho mais.

Interessante, pensou Schaalman. *O que aconteceu?*

Avram Meyer o pegou. Que sua alma tenha descanso.

Por que ele o pegou?

Ele não disse.

Onde está o livro agora?

Gostaria de saber.

Ele liberou o homem, sem ousar fazer mais perguntas — em doses longas, o feitiço causava danos permanentes, e ele não tinha a menor vontade de deixar um rastro de rabis estupidificados atrás de si. Ele ficou imaginando quem poderia ser Avram Meyer e o que teria acontecido com ele.

No dia seguinte, outro rabi lhe disse a mesma coisa. E depois, um terceiro.

No fim da semana, cinco rabis haviam relatado o roubo de seus livros mais secretos por esse tal Avram Meyer, já falecido. Ele começou a pensar em Meyer como um adversário além-túmulo, um espírito intrometido que flutuava pela cidade alguns metros acima dele, farejando livros e roubando-os.

Com o último rabi, Schaalman ousou esticar o interrogatório fazendo-lhe mais uma pergunta. Esse Meyer tinha família?

Um sobrinho, disse o rabi enfeitiçado. *Apóstata. Michael Levy, o filho de sua irmã.*

Schaalman deixou a sinagoga com a cabeça girando. O nome era ridiculamente comum; devia haver mais de uma centena de Michael Levy só no Lower East Side.

Ainda assim, ele tinha certeza.

Na Casa de Acolhida, o homem em questão estava em seu escritório, como sempre, mexendo em papéis. Havia uma energia nova em sua figura, que Schaalman não notara antes. A bem da verdade, ele não prestava a menor atenção em Levy.

"Alguém me disse", começou Schaalman, "que você tinha um tio chamado Avram Meyer."

Michael levantou o olhar surpreso. "Sim", assentiu. "Ele morreu no ano passado. Quem disse isso a você?"

"Um rabi que encontrei por acaso", respondeu Schaalman. "Comentei que trabalhava na Casa de Acolhida, e seu nome surgiu na conversa."

Michael deu um sorriso torto. "Com pouco entusiasmo, aposto", disse. "Meu tio e os amigos dele queriam que eu entrasse para o rabinato. As coisas saíram bem diferentes."

"Ele mencionou que seu tio tinha uma biblioteca maravilhosa." Era um palpite bastante intuitivo. "Só digo isso porque estou procurando um livro."

"Gostaria de poder ajudá-lo", disse Michael. "Mas doei todos os livros dele para uma obra de caridade. Eles foram enviados a congregações no Oeste. Estão espalhados por aí, suponho."

"Entendo", disse Schaalman, buscando manter um tom de voz neutro. "Uma pena."

"Qual era o livro?"

"Oh, apenas algo dos tempos de escola. À medida que envelheço, sou tomado por esses caprichos sentimentais."

Michael sorriu. "Sabe, é curioso que você tenha mencionado meu tio. Tenho pensado nele ultimamente, e isso tem a ver, em parte, com você."

Isso o surpreendeu. "Como assim?"

"De alguma forma, você me lembra dele. Teria apreciado que vocês tivessem se encontrado antes de sua morte."

"Sim", disse Schaalman. "Eu teria gostado disso."

"E há o casamento, claro. Será estranho não tê-lo aqui." Ao observar o olhar inexpressivo de Schaalman, Michael riu incrédulo. "Joseph, eu não contei a você? Onde está minha cabeça? Vou me casar!"

Schaalman abriu um largo sorriso. "Parabéns! Quem é a feliz noiva?"

"O nome dela é Chava. Ela trabalha na Padaria Radzin. Na verdade, foi meu tio quem nos apresentou. Ela veio para a América logo depois de perder o marido, e meu tio se tornou uma espécie de guardião dela." E logo depois: "Joseph? Você está bem?".

"Sim. Sim, estou bem." Sua voz soava tênue e distante. "Tempo demais em pé, acho. Preciso descansar antes do jantar."

"Claro, claro! Cuide de sua saúde, Joseph. Se eu estiver exigindo demais de você, basta falar."

Schaalman sorriu para seu patrão, depois saiu vacilante pela porta.

Ele foi para a rua e andou sem rumo, os destroços de um naufrágio levados pelo torvelinho da multidão. Era início de noite de uma sexta--feira, e o sol estava se pondo. *Aí vem a noiva do sabá*, Schaalman pensou e tossiu algo parecido com uma risada. Todas as esperanças de que o feitiço da varinha tivesse dado errado haviam se dissipado. A própria criação balançava a golem à sua frente, como um brinquedo para um gatinho. Velho e tolo Schaalman, o bobo da corte: ele uma vez tentara ser mais esperto que o Todo-Poderoso.

As atrações noturnas do Lower East Side estavam despertando para os negócios. Clientes com suas melhores roupas se aglomeravam em frente aos salões de baile e teatros. Cassinos e bares derramavam uma fraca luz amarela na rua. Ele mal notou tudo isso. Alguém esbarrou nele; uma faca cortou o bolso esquerdo das suas calças. Ficou observando o ladrão que fugia, sem fazer sequer um movimento para ir atrás dele. Sua carteira estava segura no outro bolso, mas, mesmo que tivesse sido roubado, não reclamaria. Aquele lugar era um reflexo do inferno, do *sheol*, da Cova de Abaddon.[1] Apenas um aperitivo do que estava por vir.

A multidão o carregou, deixando-o na porta de um bar. Ele entrou e ocupou uma mesa. Um homem em um avental imundo colocou um drinque à sua frente, uma cerveja aguada que tinha gosto de borra e terebintina. Ele a tomou, depois outra e então um uísque. Uma jovem que usava não muito mais que uma peruca amarela encaracolada sentou-se à sua mesa. Provocante, ela lhe perguntou alguma coisa em inglês e colocou a mão em sua perna. Ele balançou a cabeça, depois enterrou-a nos ombros dela e começou a soluçar.

Ela acabou levando-o, pela escada dos fundos, até um quartinho sórdido, onde o deitou no colchão de molas e tirou suas calças. Ele ficou olhando, sem se importar, enquanto ela pegava a carteira, fazia cara feia para o seu conteúdo e deixava ali apenas uma das notas. Depois, subiu em cima dele. Teve início um espetáculo patético, uma simulação grotesca de sexo; mas ele não reagia, e ela logo desistiu.

---

1   No Antigo Testamento, o termo *sheol* é utilizado para se referir à morada dos mortos que sofrem punição, como um limbo ou estado preparatório para a entrada no inferno. Abbadon é um termo hebraico que significa 'destruidor' ou 'destruição'. Causador de guerras e de desastres, é comumente referido como o *anjo exterminador*. Diz-se que, invocado por Moisés, foi ele o responsável por enviar as terríveis tormentas que arrasaram o Egito. [NE]

Dando de ombros, vasculhou atrás do colchão e pegou uma bandeji-
nha preta, de laca, bastante velha. Nela havia um pequeno cachimbo,
uma lamparina, uma agulha de metal e pedrinhas de algo parecido
com alcatrão. A garota acendeu a lamparina, espetou uma das pedras
com a agulha e a segurou sobre a chama. Quando começou a produzir
fumaça, despejou a pedrinha no cachimbo, que levou aos lábios e inalou profundamente. Envolvida por alguma coisa que parecia prazer,
seus olhos se entrecerraram e depois abriram, vendo Schaalman, que
a observava. Sorrindo, ela preparou outro cachimbo e ofereceu a ele.

A fumaça era acre e picante, e fez sua cabeça rodar. Por um longo
instante, ele achou que ia vomitar. Então seu corpo relaxou, e uma
lenta e deliciosa lassidão se espalhou por seu corpo. Em minutos seu
desespero fora completamente suprimido por uma avassaladora sensação de calma e bem-estar. Suas pálpebras tombaram; ele começou
a sorrir.

A garota ria, olhando para ele, e então os olhos dela começaram a
fechar. Logo estava dormindo. Olhando-a, ele percebeu que ela não
era tão nova como pensara: a cor de suas faces era produzida basicamente por maquiagem, e a pele embaixo desta se apresentava descorada e enrugada. Mas isso não importava. Ele via agora que o mundo
material era apenas uma ilusão, fina como uma teia de aranha. Ele
então encontrou as calças, recuperou seu dinheiro e saiu do quarto.

Atravessou o corredor sombrio até a escada de incêndio nos fundos
e estava prestes a descer para a rua quando ouviu vozes e passos que
vinham do alto. Uma inútil curiosidade o levou a subir os degraus en-
ferrujados até o telhado. Para sua surpresa, ele encontrou o local den-
samente povoado. Uma dezena de jovens fumava cigarros, enquanto
garotas em andrajos cochichavam entre si. Perto delas, um grupo de
crianças jogava dados à luz de uma lanterna.

Ao examinar o telhado, ele sentiu pela segunda vez o puxão interno
do feitiço da varinha. Mesmo em seu estado alterado, não havia como
estar errado. Cada homem, mulher, criança, até o próprio telhado —
tudo parecia insuportavelmente *interessante*, um fascínio que arreba-
tava sua alma.

Sentiu-se inundado pela alegria, um sentimento tão forte que
achou que iria chorar novamente. Flutuou pelo telhado, olhando cada
um daqueles rostos, tentando captar o significado deles. Um homem,

incomodado com o olhar de Schaalman, ergueu um punho ameaçador, mas Schaalman apenas sorriu sonhadoramente e continuou andando.

Aquele telhado era contíguo ao do prédio vizinho, que também estava povoado de homens e mulheres que pareciam fascinantes, por alguma razão que ele não sabia explicar. Subiu o rebordo baixo que separava os dois prédios, ignorando o rangido de protesto de seus ossos. A euforia do ópio estava se dissolvendo, mas um novo propósito se impunha. O que lhe restava além de seguir a trilha e ver para onde ela o conduziria?

Logo estava atravessando os telhados, sendo guiado apenas pelo instinto. Ele estava bem no coração do Bowery agora, longe dos bairros judeus. Que negócios sua golem poderia ter aqui? Ou será que — e agora, sob sua calma, ele sentiu as primeiras pontadas de excitação — a trilha, na verdade, não o conduzia até ela? Haveria algo a mais por aqui de que ela fazia parte?

Por fim, ele se viu em um telhado cuja única saída era sua escada escura. Desceu até a rua e olhou em torno. Um letreiro ali perto quase pulou em cima dele. CONROY'S, dizia. A julgar pela vitrine, era apenas uma minúscula tabacaria. Mas nas duas pontas do letreiro havia um par de símbolos: um sol brilhante sobreposto por lua crescente. Por séculos, esses haviam sido os símbolos alquímicos do ouro e da prata. Ele duvidava que tivesse chegado até ali por acaso.

Um sino metálico soou por cima da porta quando ele entrou. O homem por trás do balcão — Conroy, presumivelmente — era baixo, tinha ombros estreitos e usava um par de óculos finos na ponta do nariz. Ele ergueu os olhos, examinando seu novo freguês. Schaalman percebeu, no olhar duro e pelos movimentos contidos do homem, a cautela dos presidiários e soube que o outro era capaz de ver a mesma coisa nele. Eles se encararam por alguns instantes sem falar. Conroy fez uma pergunta, e Schaalman balançou a cabeça, apontando para seus lábios. "Inglês não", disse. O homem aguardou, com incerteza e suspeita.

Schaalman pensou um pouco. Então perguntou: "Michael Levy?".

Conroy franziu o rosto e balançou a cabeça negativamente.

"Avram Meyer? Chava?" A mesma resposta. Schaalman fez uma pausa e perguntou: "Golem?".

Conroy ergueu as duas mãos, visivelmente perplexo.

Com um suspiro, Schaalman agradeceu acenando com a cabeça e partiu. Ele teria apreciado ler a mente do homem, mas Conroy não era um rabi amigável que poderia ser enfeitiçado com um simples toque. Algo se passava ali, um mistério estranho e complicado, que esperava para ser resolvido. Ele caminhou de volta pela multidão do Bowery até a Casa e sua cama, sentido o coração leve pela primeira vez em muitas semanas.

—◆•◀—

Bem mais ao norte, nas esferas majestosas da Fifth Avenue, a mansão dos Winston era presa de uma atividade febril. Há semanas a criadagem se preparava para a mudança habitual de verão para Rhode Island, na propriedade à beira-mar da família. A louça fora embrulhada e empacotada, e os baús preenchidos com a roupa de cama. Eles só aguardavam o retorno da sra. Winston e de Sophia de sua longa viagem à Europa, um presente de Francis Winston para a filha como comemoração de seu noivado.

Então chegou a notícia surpreendente: os Winston não iriam mais veranear em Rhode Island. A criadagem, ao que parecia, ficaria em Nova York.

Então os criados, trocando olhares sombrios e desapontados, desfizeram a bagagem e renovaram a despensa. Não foi dada qualquer explicação para a mudança de planos, mas surgiram rumores nos aposentos dos empregados de que a srta. Sophia adoecera em Paris. Mas parecia estranho: as brisas de Narragansett[2] não seriam mais adequadas para uma convalescente que os nocivos vapores de Manhattan? A ordem, no entanto, fora dada, e não havia nada que eles pudessem fazer. Então descobriram os móveis do quarto de Sophia, tiraram o pó e poliram os objetos da penteadeira: caixas, vidros, bugigangas e o pequeno pássaro dourado na gaiola.

Enquanto isso, a jovem em questão estava deitada, sentindo calafrios, em uma cadeira no convés do RMS *Oceanic*, completamente embrulhada em cobertores e agarrando com as mãos uma caneca de caldo quente. Era de manhã, e sua mãe ainda dormia na cabine. Sophia acordara de madrugada e ficara olhando para o teto até que um princípio de enjoo marítimo a levou para o deque superior. O frio

2 Cidade costeira localizada no estado de Rhode Island. [NT]

persistente que sentia piorava ao ar livre, mas pelo menos, assim, conseguia mirar o horizonte. E era um alívio ficar longe de sua mãe, que mal saíra de seu lado nos últimos meses — desde que encontrara Sophia desmaiada no chão do apartamento que elas alugavam junto ao Sena, seu corpo esgotado pela febre, o sangue manchando suas saias e escurecendo o tapete.

A doença começara há algumas semanas, antes mesmo de embarcarem para a Europa. A princípio, era só uma estranha e desconfortável pontada de calor em seu estômago. Por algum tempo, pensou que pudesse ser apenas o estresse dos planos para o casamento. Sua mãe não falava em outra coisa, a não ser sobre listas de convidados, enxoval e itinerários para a lua de mel, do nascer ao pôr do sol, ao ponto de a simples menção à palavra *casamento* se tornar odiosa para os ouvidos de Sophia. Mas a pontada começou a aumentar, e finalmente lhe ocorreu que ela deveria começar a se preocupar.

Quando elas chegaram em uma França encharcada pelas chuvas, era como se houvesse uma minúscula fornalha, do tamanho de um carvão, dentro dela. Sophia se sentiu tomada por uma estranha energia nervosa e vagava de um aposento a outro, limitada pelo horrível tempo que fazia lá fora. Ela começou a abrir as persianas de seu quarto, deixando a névoa úmida que vinha do Sena encharcá-la. Mas apenas quando sua mãe fez uma observação sobre encontrar uma babá para o eventual parto — *nunca é cedo demais para pensar nessas coisas* — foi que Sophia se deu conta de que não lembrava qual fora a última vez que menstruara.

Felizmente, a sra. Winston tomou o olhar de pânico de Sophia como medo de seus iminentes deveres maritais. Sentou-se ao lado da filha e, em uma rara demonstração de carinho, contou-lhe sobre os temores que um dia experimentara, sobre como eles se mostraram, em sua maior parte, sem fundamento, e a maneira como rapidamente aprendera a desfrutar das intimidades da vida de casada. A sra. Winston nunca se mostrara tão próxima e vulnerável para a filha, e Sophia não ouviu uma só palavra. A garota pediu licença e correu para seu quarto, onde ficou dando voltas, a mão sobre o fogo que ardia dentro dela, contando as semanas desde a última vez que o homem chamado Ahmad fora visitá-la. Fazia pouco mais de três meses.

Deus, seria possível? Mas, nesse caso, o que seria *aquilo*? Afinal, ela não sentia qualquer um dos supostos sinais da gravidez, nenhum enjoo ou fadiga. Pelo contrário: sentia-se como se fosse capaz de voar. Mesmo assim, suas regras se recusavam a aparecer.

Tinha de fazer alguma coisa, mas o quê? Não poderia dizer nada a sua mãe. Em Nova York havia amigos que podiam ajudar, mas em Paris ela não conhecia ninguém. Seu francês mal servia para pedir leite com o chá. Queimando com o calor e doente de preocupação, ela ficou de pé no meio do quarto, bateu com o punho em seu estômago e fechou os olhos. *Vá embora*, ela pensou. *Você está me matando.*

Em meio à névoa escura de calor e desespero, sentiu algo se mexendo dentro dela. Um tentáculo de fogo subiu por sua espinha — então sua mente foi preenchida por um tremor assustado, um ruído semelhante a uma vela açoitada pela brisa. Imediatamente percebeu que havia algo preso dentro dela, minúsculo e incompleto, e que isso estava se afogando em seu corpo, ao mesmo tempo que a queimava. Não havia nada que nenhum deles pudesse fazer.

Não, ela pensou, *coitadinho*.

Desamparada, ela sentiu que aquilo derretia e se apagava...

Quando Sophia abriu novamente os olhos, estava em uma cama de hospital, sua mãe cochilando em uma cadeira a seu lado. Ela se sentia fraca e vazia por dentro, uma casca de árvore seca balançando no vento de outono. Os calafrios começaram.

O médico, em um inglês excelente, disse que não fora mais do que um espessamento anormal da parede do útero e que seu corpo cuidara sozinho do problema. Não havia qualquer dano permanente e nenhum motivo para que a mãe de Sophia não se tornasse uma *grandmère* no futuro. Enquanto a sra. Winston soluçava aliviada, o médico se inclinou e murmurou no ouvido de Sophia: "Tenha mais cuidado da próxima vez", antes de sorrir e pedir licença.

Mas Sophia não parava de sentir calafrios.

Apenas uma anemia persistente, disseram os médicos; logo estaria melhor. Mas passaram-se dias, depois semanas, e ela ainda tremia, às vezes com tal força que mal se aguentava de pé. Era como se seu corpo tivesse se acostumado àquele calor interno e agora se recusasse a se readaptar.

Sem saber o que fazer, eles a mandaram à Alemanha, para um spa em Baden, onde uma enorme enfermeira a colocava nas piscinas de água quente e a alimentava com tônicos restauradores. E ela realmente se sentiu melhor por algum tempo — as águas termais eram agradavelmente mornas, e, por sua vontade, ela ficaria nos salões aquecidos até ficar mumificada. Mas bastava sair da água que os calafrios retornavam. Por fim, tanto os médicos alemães como os franceses desistiram dela. Quando a sra. Winston exigiu uma explicação, eles deram a entender que qualquer problema de saúde que persistisse não estava no corpo, mas na mente de sua filha.

O pior é que Sophia estava inclinada a acreditar neles. Deitada na cama, imóvel sob os cobertores, ela pensava se seu juízo não teria ido embora naquele quarto em Paris. Ainda assim, no fundo, sabia que o que sentira era real.

A sra. Winston se recusava a ouvir qualquer sugestão de que sua filha estava doente da cabeça. Se os médicos europeus não eram capazes de ajudar, então elas deixariam a Europa. Quanto ao noivado de Sophia, não havia qualquer insinuação de que seria modificado ou adiado; sua doença, pelo visto, pertencia à categoria das coisas que é melhor não mencionar, como o tio que morreu no hospício e o primo que casou com uma católica.

Em seu único ato de rebeldia, Sophia declarou que só deixaria a Europa se pudesse voltar a Nova York, onde ao menos poderia se sentir aquecida, em lugar daquela odiosa mansão em Rhode Island, cheia de correntes de ar. Sua mãe discutiu, julgando a ideia ridícula, mas um cabograma de seu marido encerrou a batalha a favor de Sophia. Só então a moça pensou em seu pai, sentado há meses em seu escritório, esperando que alguém trouxesse notícias sobre a doença da filha; e ela se comoveu com ele.

Para seu noivo, Charles Townsend, Sophia escreveu que havia ficado doente na França e fora a Baden para um tratamento com águas termais. Para a diversão dele, ela descreveu os mais exasperantes hábitos teutônicos dos funcionários do spa. Charles respondeu educadamente, desejando-lhe um pronto restabelecimento, finalizando a carta com algumas observações secas sobre o monótono verão que teriam pela frente. Ele era um rapaz muito agradável e, sem dúvida, bonito. Mas a verdade era que eles não passavam de estranhos um para o outro.

Sophia contemplou o oceano e tentou relaxar. Ela suspirou, bebeu um pouco do caldo que já começava a esfriar e tentou imaginar o que Charles pensaria quando a visse tremendo. Tinha consciência de que deveria estar preocupada com essas coisas, mas era difícil se concentrar nelas. Ocasionalmente seus pensamentos se voltavam para os instantes anteriores a seu colapso, e uma mágoa bruta e indefinida crescia dentro dela. Sentia-se como uma velha triste, embrulhada em todos aqueles cobertores. E não tinha nem vinte anos.

Ela gostaria de poder culpar o homem que fora a sua varanda, mas não era capaz, não seria justo. Ele não a forçara, não havia nem mesmo feito pressão sobre ela. Apenas se apresentou como uma oportunidade, e a confiança dele fez com que aquilo parecesse a coisa mais natural do mundo. Outra mulher poderia procurá-lo para contar o que acontecera, mas só o fato de pensar nisso lhe causava horror. Não, ela não perdera o orgulho, apenas sua saúde.

Com o canto do olho, viu sua mãe que surgia no deque. Sophia fechou os olhos e fingiu dormir. Apenas mais alguns dias no mar e estaria em casa, onde poderia se trancar em seu quarto e sentar junto ao fogo pelo tempo que desejasse. E, dessa vez, ela se certificaria de que a porta da varanda estivesse bem trancada.

——•——

Sentada na cama em seu vestido de noiva branco, com as mãos enluvadas pousadas no colo, a Golem ouviu os passos na escada de alguém que vinha para levá-la até seu noivo.

Ela mesma costurara o vestido. O corpete de gola alta era enfeitado com rendas e bordados, a cintura, marcada por dezenas de preguinhas minúsculas. No espelho, parecia quase delicado demais para seu corpo robusto. Michael, ela sabia, considerava esse tipo de vestido uma extravagância. Mas o fizera para ela, não para o noivo; e trabalhara cuidadosamente na peça, colocando em cada ponto sua determinação de fazer com que tudo desse certo, de se manter no rumo que traçara para si própria. Recusou-se, porém, a colocar um véu. Iria para seu casamento com os olhos descobertos.

Ouviu um barulho que vinha do saguão lá embaixo: vozes masculinas rindo juntas. Estava quase na hora.

Ela apertou a mão contra o peito, sentindo a forma sólida do medalhão sob o vestido. Dentro dele, em lugar do papel perdido, havia uma notícia de jornal dobrada. *MISTERIOSA AGRESSÃO NO BAILE*, dizia o título. Levava-a consigo para se recordar dos erros que cometera e do caminho que deixava para trás.

Continuara a vasculhar os jornais, mas não surgiram outras notícias sobre a saúde de Irving. Ela não sabia se ele ainda estava vivo, nem se ainda procuravam pelo agressor. Mesmo agora, quase um mês depois, sempre que andava na rua sentia um certo temor de ser presa.

Anna não voltara ao trabalho depois daquela noite. Os Radzin mandaram o pequeno Abie até o cortiço onde ela morava, mas a senhoria contou que a garota fizera as malas e partira sem dar uma palavra. A sra. Radzin se dizia morta de preocupação, mas o sr. Radzin declarou que tinha um negócio a tocar, e logo uma garota chamada Ruby estava ocupando a mesa em que Anna trabalhava. Ruby era afável, tinha um ar assustado e ria nervosamente quando alguém simplesmente colocava os olhos nela; mas era obediente e falava pouco, e por isso o sr. Radzin a tolerava.

Eles estavam agora no saguão lá embaixo, os Radzin e Ruby, bem como sua senhoria, Michael e o pequeno círculo de amigos dele. "Não há mais ninguém que você queira convidar?", perguntara Michael. Ela sorriu com a preocupação dele e balançou a cabeça. Quem mais havia? Ninguém, exceto o único homem que a compreendia.

Ela franziu o rosto e alisou a saia, como se quisesse afastar alguma coisa. Deveria ficar atenta; não poderia arruinar sua chance de um novo começo. Manteria afastados de sua mente todos os pensamentos sobre o Djim e não iria, em hipótese *alguma*, especular sobre o que ele diria acerca de seu casamento se, por acaso, tomasse conhecimento.

A porta se abriu, assustando-a. Um homem magro e idoso, em um terno escuro, estava de pé na entrada.

"O senhor deve ser Schall", ela disse. "Michael me falou muito sobre o senhor."

O velho sorriu bondosamente. "Por favor", disse, "chame-me de Joseph."

Ela se levantou e tomou o braço que ele oferecia. A Golem era cerca de trinta centímetros mais alta que o homem, mas nunca se sentira tão pequena e insegura. Perderia a coragem, depois de tudo? Não: ela se endireitou, dominando-se, determinada a seguir em frente.

Juntos, eles deixaram o quarto.

Yehudah Schaalman conduziu a Golem até o saguão, lutando para manter a compostura. Era difícil; sua vontade era cair na gargalhada. Quando Michael Levy lhe pediu que fizesse o papel de pai da noiva, ele precisou de muita força de vontade para se manter sério. "Se ela concordar, então, sim, acho que seria adequado", conseguiu se forçar a dizer. Uma semana antes, ele estava se sentindo o alvo de outra piada cósmica, mas agora era a sua vez de rir. A noiva inocente, que ele mesmo havia criado!

Deixou-a junto ao noivo, em frente ao juiz de paz em sua toga preta. O calor no saguão aumentava, e os homens jovens, sem se prender ao decoro, haviam tirado seus paletós. Schaalman gostaria de fazer o mesmo, mas não podia se arriscar. Seu braço esquerdo estava embrulhado em um enorme curativo abaixo do cotovelo, e sem o paletó este ficaria muito visível, especialmente se tivesse começado a sangrar de novo. Mas seu incômodo era um preço pequeno a pagar. Olhem para ela! Surda a todos os pensamentos e desejos dele, sem a mais vaga ideia de quem ele era ou o que desejava. Seus preparativos haviam funcionado tão perfeitamente quanto havia esperado.

Mais uma vez, ele encontrara a solução em seus papéis. Depois de três noites de intenso estudo, alcançara a resposta: um diagrama especial, do tipo feito para ser gravado em um amuleto que ficaria pendurado no pescoço da pessoa. Mas sem um amuleto à mão e na impossibilidade de criar um, ele decidiu gravar o diagrama na parte interna de seu braço. Não imaginara que seria algo agradável, mas, mesmo assim, a intensidade da dor foi um choque, como se a faca estivesse atravessando seu corpo para cortar a alma. Ele passou o dia seguinte doente, de cama, seu braço latejando, e invadido por ondas de náusea. Mas valera muito a pena! Agora poderia segui-la sem ser percebido, e não teria de se preocupar se Levy aparecesse inesperadamente com sua esposa na Casa de Acolhida.

Vou destruí-la um dia, disse mentalmente à Golem o mais alto que pôde — mas ela apenas ficou ali, ouvindo o juiz suarento enquanto este zumbia em inglês. Às vezes Levy lançava à noiva um sorriso nervoso; esta, por sua vez, tinha o ar solene de um agente funerário. Schaalman tentou imaginar o que as pessoas falavam sobre ela.

Uma mulher sensata, supôs. *Calada. Não é dada a piadas ou frivolidades.* Como se esses fossem traços de seu caráter, como ocorria com as outras pessoas, e não os sinais exteriores de sua natureza, de suas limitações. Era impressionante que ela houvesse chegado até aqui sem ser descoberta. Grande tolo esse Levy, por ter se apaixonado.

O juiz de paz elevou sua voz em um pronunciamento — Schaalman reconheceu as palavras *marido e mulher* — e houve uma explosão de aplausos e risos quando Levy tomou a criatura vestida de branco em seus braços e a beijou.

Schaalman riu com os demais, feliz com seu segredo. Ele levaria mais um ou dois dias para recuperar as forças. Depois, começaria a próxima fase de sua busca. Seja lá o que ligasse a Golem ao Bowery, ou o que quer que o tio de Levy tivesse conspirado para esconder dele, seria descoberto. Era capaz de sentir o segredo na cidade, esperando para ser revelado.

GOLEM & GÊNIO
UMA FÁBULA ETERNA

XXI

rbeely perguntou: "Maryam, você conhece Nadia Mounsef, a mãe de Matthew?"

Ele estava no café dos Faddoul, tomando o líquido escaldante em copinhos apesar do calor. Sabendo que Arbeely só vinha quando queria conversar sobre alguma coisa, Maryam ficara próxima a ele, polindo as já imaculadas mesas enquanto Sayeed atendia os outros fregueses. Ela então fez uma pausa, o pano nas mãos. "Nadia? Conversamos algumas vezes, mas não recentemente. Por que você pergunta?"

Arbeely hesitou. Ele não queria dizer a verdade, que vinha se sentindo assombrado pelo rosto da mulher. "Fui vê-la há algumas semanas para falar de Matthew", explicou. "Ela estava doente. Quero dizer, já parecia doente antes, mas... desta vez era diferente." Então descreveu a mulher que atendeu a porta: mais magra do que ele se lembrava, com olhos baços e fundos. Um estranho rubor escuro, quase uma erupção cutânea, se espalhava por suas bochechas e nariz. O crucifixo em seu pescoço — de três barras, símbolo da Igreja Ortodoxa — tremera visivelmente, seguindo o mesmo compasso de seu coração acelerado. Ela piscava na pálida luz do corredor enquanto Arbeely pausadamente explicava suas preocupações. Não que Matthew fosse um estorvo, longe disso: era um menino prestativo, e eles gostavam de tê-lo na oficina. Mas o garoto estava passando as manhãs ali quando certamente deveria estar em uma sala de aula. E se algum fiscal escolar por acaso aparecesse... "Não quero que Matthew arrume problemas com quem quer que seja", disse ele. "Inclusive sua mãe."

Ela lhe deu o vago sinal de um sorriso educado. "Claro, senhor Arbeely. Falarei com Matthew. Obrigado por ser paciente com ele." E antes que Arbeely pudesse objetar que paciência não tinha nada a ver com isso — o garoto era realmente talentoso e poderia ser um aprendiz promissor —, ela voltou para dentro e fechou a porta, deixando Arbeely a imaginar se poderia ter lidado melhor com o assunto.

"Você fez o que tinha de fazer", garantiu Maryam. "Vocês não podem ser responsáveis pelo bem-estar do filho dela." Ela suspirou. "Pobre Nadia. Ela está completamente sozinha, você sabe."

"Estava pensando nisso", admitiu Arbeely. "O que aconteceu?"

"O marido dela estava trabalhando como mascate em Ohio. Durante algum tempo, ela recebeu cartas, mas, de repente, nada."

"Ele desapareceu?"

"Morreu, adoeceu ou fugiu... ninguém sabe."

Arbeely balançou a cabeça. Era uma história comum, mas na qual ele ainda custava a acreditar quando ouvia. "E ela não tem ninguém aqui?"

"Nenhuma família, ao menos. E recusa qualquer tentativa de ajuda. Já a convidei para jantar, mas ela nunca aparece." Maryam parecia perturbada, e não era para menos: era raro que alguém conseguisse rejeitar sua generosidade. "Acho que a maioria dos vizinhos já desistiu. Sua doença é tão estranha, vai e volta... é horrível dizer isso, mas muitos concluíram que ela estava fingindo, a fim de evitá-los."

"Ou talvez ela apenas não queira que a olhem e fiquem comentando."

Maryam assentiu tristemente. "Você tem razão, claro. E quem pode culpá-la? Vou visitá-la em breve e tentar de novo. Talvez haja alguma maneira de ajudá-la."

"Obrigado, Maryam." Ele suspirou. "Pelo menos, Matthew parou de aparecer pelas manhãs. Ainda que, veja você, eu até gostaria que ele aparecesse." Ao ver o olhar de interrogação de Maryam, ele acrescentou: "É Ahmad. Nesta altura dos acontecimentos, acho que ele gosta mais do garoto que de mim. Ultimamente, tem estado... taciturno. Um romance que não deu certo, desconfio. Ele me conta pouca coisa".

Maryam aquiesceu com sua habitual simpatia, mas, à menção do nome do Djim, seus olhos perderam o calor. Como poderia Maryam, com seu talento para ver o lado bom de todo mundo, ter tomado tamanha antipatia por ele? Arbeely gostaria de perguntar, mas isso significaria aventurar-se em um território perigoso. Em vez disso, agradeceu e partiu, sentindo-se mais melancólico que nunca.

Na oficina, Djim e Matthew estavam na bancada de trabalho, com as cabeças próximas, como se conspirassem. O Djim insistiu em afirmar que Matthew descobrira seu segredo por simples acaso, mas, ainda assim, Arbeely achava que o Djim fora muito descuidado. Isso ocasionou a pior discussão entre eles desde o teto de estanho.

Como você não o ouviu entrar?

Metade das vezes você também não o escuta. Além disso, eu disse, ele já sabia.

E você nem tentou convencê-lo de que era um engano?

Arbeely, ele me viu soldando elos de metal com minhas próprias mãos. O que eu poderia dizer?

Você poderia ao menos ter tentado! Inventasse uma desculpa qualquer!

O rosto do Djim ensombreceu. *Estou farto de mentir.* E quando Arbeely tentou pressioná-lo sobre o assunto, o Djim saiu da oficina.

Desde então, eles passavam a maior parte das manhãs imersos em um silêncio tenso. Mas sempre que Matthew aparecia e tomava seu lugar na bancada, o Djim o tratava com uma paciência incomum. Às vezes eles até riam juntos de uma piada ou de um erro, e Arbeely tinha de reprimir o ciúme, sentindo-se um estranho em sua própria oficina.

Ele tentava manter a perspectiva. Os negócios davam mais lucro que nunca, e os colares que estavam fazendo para Sam Hosseini eram lindos — sem dúvida, Sam cobraria uma pequena fortuna por cada um deles. Relembrou aquela manhã em que o Djim chegara como quem acaba de receber um golpe mortal. Passara-se apenas um mês. Com sorte, logo seu parceiro estaria distraído com alguma coisa — ou, que Deus tivesse piedade, uma pessoa — nova e intrigante.

—◆•◆—

O sol mergulhou atrás das largas silhuetas dos cortiços, e as luzes na vitrine da oficina enfraqueceram. Vozes de mulheres vinham dos andares superiores, chamando os filhos para a janta. Matthew deslizou do banco e partiu, a porta da oficina pronunciando um quase murmúrio quando ele passou. Mais uma vez, o Djim se pôs a pensar se o mundo dos espíritos não estaria envolvido na linhagem do garoto — parecia impossível para um humano ser tão incomum sem qualquer ajuda.

As visitas de Matthew haviam se tornado o único momento alegre nos dias do Djim. Sempre que o garoto saía, fechando a porta atrás de si, alguma coisa também se fechava dentro dele, algo que ele não reconhecia. Arbeely acendia as luzes, e os dois trabalhavam, cada qual imerso em seu silêncio, até que Arbeely, sucumbindo à fome ou ao cansaço, soltava um profundo suspiro e começava a jogar areia no fogo. Com isso, o Djim soltava suas ferramentas e partia, como Matthew, sem dizer uma palavra.

Sua vida era a mesma de antes: a oficina durante o dia, a cidade à noite. Mas as horas agora pareciam intermináveis, regradas por uma entorpecente monotonia. À noite, ele andava a passos rápidos, como se fosse obrigado a isso, quase sem atinar para o que o cercava. Ele tentou voltar aos seus antigos locais favoritos — Madison Square Park, Washington Square, o aquário de Battery Park —, mas esses lugares agora eram assombrados, marcados por lembranças de noites e conversas especiais, coisas ditas e não ditas. Bastava ver de longe o Central Park para que uma raiva dolorida o empurrasse para outro lugar.

Então ele se dirigia para o norte, traçando caminhos sem rumo em territórios inexplorados. Ele subiu o Riverside até o limite sul do Harlem, depois atravessou as novas instalações da universidade, passando pela biblioteca com suas colunas e a gigantesca cúpula de granito. Avançou rapidamente pela Amsterdam Avenue, passando por centenas de ruas numeradas. Aos poucos, os bem cuidados predinhos de pedra foram dando lugar a casas de madeira com treliças cobertas de rosas.

Em uma noite, ele descobriu a Harlem River Speedway e caminhou por toda a sua extensão, o rio brilhando à sua direita. Passava muito da meia-noite, mas alguns dos espécimes mais temerários da sociedade estavam ali, com seus carros de corrida, perseguindo uns aos outros na estrada. Seus cavalos, forçados até o limite, levantavam poeira do macadame. De madrugada, ele se viu no parque de diversões de Fort George cuja entrada lacrada estava lúgubre e silenciosa. A montanha-russa parecia um esqueleto, como os restos de um enorme animal. O bonde da Third Avenue tinha seu ponto final junto à entrada do parque, e ele ficou olhando enquanto o primeiro carro do dia expelia seus passageiros: camelôs e operadores da montanha-russa, garçonetes que bocejavam em saias desbotadas, um tocador de realejo cujo macaquinho dormia enroscado em seu pescoço. Ninguém parecia contente de estar ali. Ele embarcou no bonde e foi para o sul, vendo o carro encher e esvaziar, entregando trabalhadores nas indústrias e nas gráficas, bem como em fábricas semiclandestinas e nas docas. Quanto mais andava nos bondes de Nova York, mais estes pareciam formar um gigantesco e malévolo pulmão que, ao inalar, engolia passageiros indefesos nas plataformas e esquinas, soprando-os para fora em algum outro canto.

De volta à Washington Street, ele caminhou penosamente até a oficina de Arbeely, sentindo-se como se estivesse preso em um único dia que se esticava como vidro derretido. Não havia nada de bom a esperar, exceto pelas aparições de Matthew. Ele apreciava a atenção dos olhos arregalados do garoto, gostava de dar-lhe tarefas e vê-lo desempenhá-las com um interesse silencioso. Imaginava que um dia Matthew iria crescer e perder o interesse, assumindo seu lugar entre os rapazes selvagens que vadiavam pela vizinhança. Ou, pior ainda, ele se tornaria mais um passageiro dos bondes, de olhar estúpido e incapaz de reclamar.

Ele tomou seu lugar na bancada sem dar uma palavra. Atrás dele, Arbeely se ocupava com ninharias pela oficina, proferindo uns zumbidos irritados. O homem estava afobado com um enorme pedido de raladores de cozinha e passara uma semana inteira fazendo furos em forma de diamante em folhas metálicas. Só de olhar, o Djim quase enlouquecia. Mas Arbeely não deu qualquer sinal de que a repetição do gesto o incomodava, e o Djim estava começando a detestá-lo por isso.

Você o julga com muita severidade, ele podia ouvir a Golem dizer.

O Djim fechou a cara. Era óbvio que eles nunca mais se falariam, mas mesmo assim ele ouvia sua voz com cada vez mais frequência. Esfregou seu bracelete, sentindo o pedaço de papel mover-se ali embaixo. Basta: ele precisava entregar os colares a Sam Hosseini. Apanhou suas ferramentas e tentou se distrair com a criação de algo belo.

— • —

Michael Levy despertou lentamente para o brilho claro da manhã. A outra metade da cama era um mar vazio de lençóis e cobertas. Ele fechou os olhos, tentando ouvir sua esposa. Ei-la: na cozinha, atarefada como sempre. Era um som reconfortante, um som da infância. O ar até cheirava a pão que acabara de sair do forno.

Ele entrou na minúscula cozinha. Ela estava de pé junto ao fogão, usava um vestidinho caseiro e folheava seu livro de receitas da culinária americana. Ele abraçou sua cintura por trás e lhe deu um beijo. "Não conseguiu dormir de novo?"

"Não, mas está tudo bem."

Aparentemente, ela sofrera com insônia a vida toda. Garantiu-lhe que estava habituada; e, realmente, ela parecia mais desperta que ele. Se Michael tivesse passado a noite em claro, estaria morto. Uma mulher extraordinária.

Ele ainda não conseguia acreditar que estivessem casados. À noite, ele se deitava ao lado dela, passando os dedos por sua barriga até alcançar os seios e os braços, espantado pela maneira como a sua vida mudara por completo. Ele adorava o toque da pele dela — sempre *fresca*, de alguma maneira, ainda que os dias fossem sufocantes. "Acho que deve ser por causa dos fornos da padaria", ele disse uma vez. "Seu corpo está acostumado ao calor." Ela sorriu, como se estivesse envergonhada, e disse: "Acho que você tem razão".

Era sempre tímida, sua esposa. Muitas de suas refeições juntos eram feitas em silêncio, ou quase: eles ainda hesitavam um com o outro, inseguros com relação à maneira de agir. Ele olhava por sobre a mesa e pensava, será que haviam se casado depressa demais? Seriam eles eternos estranhos? Mas então, antes mesmo de o pensamento deixar sua mente, ela perguntava sobre como fora seu dia, ou lhe contava algo que acontecera com ela, ou simplesmente esticava o braço e apertava sua mão. Ele se dava conta de que era exatamente disso que precisava e imaginava como ela poderia ter percebido.

E havia a questão da cama. A noite de núpcias começara com hesitação. Ele sabia que, como uma mulher que já fora casada, ela deveria ter muito mais experiência que ele. Mas do que ela gostava? O que lhe dava *prazer*? Ele não tinha a menor ideia de como perguntar, nem coragem para isso. E se ela sugerisse algo estranho, talvez até assustador? Depois de alguns drinques, seus amigos se gabavam de noites exóticas com garotas "emancipadas", mas suas próprias fantasias nunca se afastavam do prosaico. Talvez fosse uma deficiência; talvez ela ficasse desapontada.

Se ficou, ela não o disse. Parecendo compreender a aflição dele — lá estava, mais uma vez, aquela *consciência* —, ela o conduziu ao ato com seu jeito habitual, calmo e firme. Se o sexo entre eles era um pouco certinho demais — se, no fim, ele não tinha certeza se ela havia sentido prazer —, ainda assim ele sentia alívio por, ao menos, ter sido consumado.

E houve aquela noite, cerca de uma semana depois, em que ela se mexeu de repente, parecendo surpreendida, e colocou uma das mãos entre os corpos de ambos, em um determinado local. Para absoluto arrependimento de Michael, ele ficou paralisado, vexado, enquanto sua criação ortodoxa vinha à tona clamando que aquilo era *obsceno*, impróprio para uma esposa — e lentamente ela puxou a mão, recolocando-a nas costas dele e retomando o ritmo.

Ele não foi capaz de falar com ela sobre aquilo depois. Simplesmente não conseguiu. Tentou, uma vez, repetir o gesto dela; mas sua esposa retirou a mão dele, afastando-a, e tudo ficou por isso mesmo.

Já havia coisas reprimidas entre eles. Mas ele a amava, tinha certeza disso. E gostava de pensar que ela também o amava. Michael imaginava os dois dentro de trinta anos, com filhos crescidos, de mãos dadas na cama e rindo de sua insegurança, como andavam delicadamente um em volta do outro. *Mas você sempre sabia o que dizer*, ele recordaria; e ela sorriria, aninhando a cabeça em seu ombro, ambos totalmente à vontade.

Um dia ele lhe perguntaria sobre essas coisas. E descobriria o que a levara a pedi-lo em casamento no momento em que ele já tinha perdido as esperanças. Ou o que passou na cabeça dela quando estava diante do juiz de paz, com o ar tão composto e sereno. Ele só esperava não levar trinta anos para abordá-la sobre o assunto.

A Golem colocou um copo de chá e um prato de torradas diante de seu marido e ficou olhando enquanto ele comia rapidamente, em grandes bocados. Ela sorriu, demonstrando verdadeiro afeto. Ele era tão intenso em tudo o que fazia.

Voltou para a pia, a fim de lavar os poucos pratos. Eles agora viviam em três minúsculos aposentos, socados no fim do corredor do primeiro andar. A tênue luz que se filtrava pelo poço da ventilação iluminava uma pilha de lixo que subia quase até a janela do quarto. Às vezes ela ficava olhando uma ponta de cigarro que descia pelo ar. A cozinha lembrava mais um armário, com um fogão onde mal se podia assar uma galinha. À noite ela fazia suas costuras na saleta, que mal merecia esse nome; tinha, talvez, um terço do tamanho de seu antigo quarto na pensão. A principal vantagem do local era que eles ficavam nos fundos do cortiço, que fora escavado em uma ligeira elevação, de maneira que a terra mantinha aqueles aposentos frescos enquanto o resto do prédio derretia. "Será mais quente no inverno também", dissera Michael. Ela esperava, com isso, não se sentir tão enrijecida, tão ansiosa para caminhar durante a noite. Mas, no fundo, ela sabia que sua proximidade com a mente agitada de Michael a incitaria a buscar uma distração, assim como fizera com relação ao frio.

Com poucos dias de casada, ela percebeu o quanto havia subestimado as dificuldades que tinha pela frente. Ao contrário do rabi, que sempre fora muito prudente, muito cuidadoso com seus pensamentos, a mente de Michael era uma constante agitação de necessidades, medos e críticas, cuja maior parte se dirigia a ela. O ruído desgastava sua compostura e colocava seu autocontrole à prova. Ela se viu enchendo novamente o prato de seu marido quando ele tinha fome, falando quando ele queria conversar e tomando sua mão quando ele desejava ser reconfortado. Começou a se perguntar se ainda tinha vontade própria.

E ainda havia os infindáveis dilemas cotidianos. Os longos períodos durante os quais permanecia deitada ao lado dele na cama, esforçando-se para se lembrar de respirar. As desculpas para a falta de sono, para sua pele fria. Será que ele perceberia que o cabelo nunca crescia? Ou, Deus não permitisse, que ela não tinha pulso? E o que aconteceria quando ela não conseguisse engravidar? Esperava ter o mínimo possível de relações íntimas, mantendo uma certa distância protetora entre eles — ela temia, acima de tudo, machucá-lo acidentalmente —, mas então o desejo de Michael se tornava forte demais para ser ignorado, e ela se sentia obrigada a atendê-lo. Houve uma noite em que ela mesma sentiu uma morna ponta de desejo e tentou, avidamente, encorajá-lo; mas esta fora apagada pelo temor demonstrado por Michael, uma mistura de vergonha e horror. Não era culpa dele; ela podia sentir que ele ficara magoado com sua própria reação, e mais tarde ele tentou remediar a situação, mas com uma ambivalência tão torturada que ela o fez parar. Seria o prazer em si, ela pensou, assim tão vergonhoso? Ou apenas o que ela fizera para estimulá-lo?

Espontaneamente, veio à sua mente a voz do Djim: *Deveria ser fácil. São os humanos que complicam as coisas além da razão.*

Não. Ela não poderia se dar ao luxo de ouvir aquela voz. Era errado, absurdo até, ficar ressentida com Michael por uma decisão que ela havia tomado. Comprometera-se com ele; iria até o fim daquilo que começara. E, quem sabe, um dia ela lhe diria a verdade.

——◆•◆——

Finalmente ficaram prontos os colares para Sam Hosseini. Arbeely levou-os pessoalmente à loja de Sam porque não acreditava que o Djim pudesse conseguir um bom preço. Mas ele não precisava ter se preocupado porque Sam gostou tanto deles que mal se lembrou de negociar. Além do colar original do Djim, com discos de vidro verde-azul, havia versões com gotas de cor granada, cristais brancos e losangos verde--esmeralda. O Djim havia achatado os elos e embaciado levemente o metal, o que lhe dava uma beleza atemporal, além de não se parecer com nada do que Sam já havia visto.

Arbeely imaginara que Sam exibiria os colares na sua maior vitrine, mas Sam tinha uma ideia melhor. Recentemente, tornara-se moda entre as mulheres da alta sociedade de Manhattan posar para retratos em roupas de um fantasioso estilo "oriental", como elas imaginavam que uma princesa ou cortesã do Oriente Médio se vestiria. A loja de Sam era um destino popular entre essas mulheres, que enviavam com frequência suas criadas, ou iam elas próprias, para comprar adereços e peças de roupa. A maior parte achava que pechinchar era cafona, o que significava que Sam estava lucrando um bocado com chinelinhos de bico curvo, calças bufantes de seda e falsos braceletes egípcios. Os novos colares certamente fariam sucesso; e Sam sabia que elas os apreciariam ainda mais se viessem acompanhados de uma boa história.

Poucos dias haviam se passado quando apareceu a primeira provável compradora. Uma berlinda lustrosa e visivelmente cara parou na porta da loja de Sam — deixando muitas das pessoas que passavam por ali de boca aberta —, e dela desceu uma jovem de cabelos escuros. O calor da tarde estava cozinhando a calçada, mas a jovem usava um vestido escuro e pesado, encoberta por um xale grosso. Ela olhou em torno com educada curiosidade, e então uma mulher bem mais velha, vestida elegantemente de preto, desceu da carruagem. A idosa lançou um olhar de repugnância para os arredores, tomou o braço da jovem e a conduziu para a loja de Sam.

De fato, elas foram até lá por causa de um retrato. "Ideia do meu noivo", disse a jovem. "Ele o encomendou como um presente de casamento." Sam as conduziu para suas melhores poltronas, serviu-lhes chá e passou a hora seguinte mostrando-lhes rolos de tecido, lenços bordados de contas, véus com moedinhas presas na borda e todo tipo de bricabraque que ele achava que poderia agradá-las. Para sua surpresa, a jovem tinha um excelente olho para o que era autêntico e evitava as peças de mau gosto. Logo ela havia reunido uma fantasia que realmente lembrava as roupas que uma mulher otomana usaria.

O sol atravessava a ampla vitrine da loja, e a idosa enxugou a testa com um lenço. Mas a jovem não fez qualquer menção de tirar o xale, e Sam notou que o copinho de chá tremia ligeiramente em suas mãos. Algum tipo de doença ou incapacidade, talvez. Uma tristeza para alguém tão jovem e bela.

Finalmente, como Sam havia previsto, elas tocaram na questão de um colar adequado. Ele foi ao depósito e voltou com uma velha caixa de couro, muito gasta, e soprou uma poeira imaginária dela. "Isto", ele disse, "eu raramente mostro."

Ele abriu a caixa, e a jovem ficou boquiaberta enquanto ele tirava de lá colar atrás de colar. "Que lindos! São antigos?"

"Sim, muito. São da minha *jaddah* — desculpe, como vocês dizem, 'mãe da mãe'?"

"Avó."

"Obrigado, sim, minha avó. Ela era beduína. Você sabe? Que viaja o deserto."

"Sim, já ouvi falar dos beduínos", disse a jovem.

"Meu avô *dá* a ela, no casamento deles. Como parte do... hmm. Preço?"

"O dote?"

"Sim, dote. Quando ela *morre*, deixa os colares comigo para vender. Porque um lindo colar precisa de uma linda mulher para usá-lo, senão não vale nada."

"Você não prefere guardá-los para sua esposa ou filhas?"

"Para elas", e ele fez um gesto mostrando a loja, "eu faço negócios. Vale muito mais na América."

Ela deu um risinho. "O senhor é um homem sábio, senhor Hosseini." Ao lado dela, a idosa bufou, como para exprimir sua opinião sobre a sabedoria do sr. Hosseini, ou talvez sobre toda a conversa.

"Posso ver este aqui?" E a jovem apontou para o colar com os discos de vidro verde-azul.

Ele pegou um espelho e segurou-o na frente dela enquanto sua acompanhante prendia o colar. Ela se mirou, e Sam sorriu: o colar estava perfeito, como se fosse feito para o seu pescoço. "Belíssima", ele disse. "Como uma rainha do deserto."

Com seus dedos trêmulos, ela tocou o colar. Os discos de vidro se mexeram, tocando suavemente como sinos. "Uma rainha do deserto", ela repetiu. E então uma profunda e alarmante tristeza tomou seu rosto. Lágrimas começaram a descer de seus olhos; ela cobriu o rosto com a mão e soluçou profundamente.

"Querida, o que houve?", clamou a outra mulher. Mas sua jovem companheira apenas balançou a cabeça, tentando sorrir, visivelmente envergonhada. Sam lhe estendeu um lenço, que ela apanhou com gratidão e levou aos olhos. Aflito, ele não conseguiu se conter: "Você não gosta?".

"Oh, pelo contrário! Gostei muito dele! Perdoe-me, senhor Hosseini, não estou muito bem no momento."

"É o casamento", disse a idosa à guisa de consolo. "Sua mãe tem se preocupado com isso de maneira exagerada, não sei como você aguenta."

Sam balançou a cabeça, concordando, ao mesmo tempo que pensava em sua calma Lulu, com sua eterna saudade da terra natal. "Um casamento é uma época estranha", ele disse. "Muita felicidade, mas também muitas mudanças."

"Com certeza." A jovem respirou profundamente, depois sorriu para o seu reflexo no espelho. "É lindo. Quanto você quer por ele?"

Sam arriscou uma cifra que considerava estar no limite do absurdo, e ela imediatamente concordou. A mulher idosa arregalou os olhos, alarmada, com o ar de quem teria ralhado severamente com sua pupila se elas estivessem sozinhas. Percebendo que as compras haviam acabado, Sam serviu-lhes mais chá e ofereceu bolinhos com cobertura de pistache — "Feitos pela minha mulher", ele disse com orgulho —, depois ocupou-se em embrulhar as coisas e conduziu-as até a carruagem.

O lacaio lhe entregou um endereço na Fifth Avenue, para onde deveria ser enviada a conta.

Quando as mulheres finalmente se levantaram para ir embora, Sam colocou a mão sobre o coração e inclinou-se para elas. "Sua visita é uma honra", ele disse. "Se precisarem de qualquer outra coisa, por favor, venham de novo."

"Certamente", disse a jovem calorosamente, apertando a mão do vendedor; ele sentiu o estranho tremor nos dedos dela. Ela espiou sua acompanhante, que já se dirigia para a porta, e disse baixinho: "Senhor Hosseini, o senhor conhece muitos dos seus vizinhos sírios?".

"Sim", ele respondeu surpreso. "Estou aqui há muito tempo, conheço todo mundo."

"Então talvez o senhor pudesse me dizer... o senhor conhece um homem..." Ela, então, olhou de novo para a mulher que esperava junto à porta, e a pergunta que desejava fazer morreu em seus lábios. Ela sorriu mais uma vez, um pouco triste, e disse: "Não importa. Obrigada, senhor Hosseini. Por tudo". Os sininhos da porta tilintaram quando ela passou.

O lacaio ajudou Sophia a subir na carruagem. Ela se acomodou junto à sua tia e se embrulhou mais ainda em seu xale. A visita à loja fora um sucesso, ela apenas gostaria de não ter chorado daquele jeito, fazendo aquela cena. Achava que devia agradecer sua tia por ter-lhe arranjado uma desculpa para suas lágrimas, quando a razão por trás delas era muito diferente. *Uma rainha do deserto*: fora assim que ela se imaginara, em sua cama, nos braços dele. E, é claro, a ironia do retrato para o noivado não passou despercebida.

Sua tia suarenta se abanou com as luvas. Então voltou-se para Sophia, como se quisesse dizer algo — *esse calor horrível* —, mas se conteve, esboçando apenas um sorriso constrangido. A doença de Sophia tinha, pelo menos, algumas vantagens: o recente embaraço de seus amigos e parentes significava que ela estava livre de qualquer espécie de tagarelice.

O lacaio afastou a berlinda do meio-fio e entrou, lentamente, no atoleiro de carruagens. "Que tal irmos ao Central Park?", perguntou sua tia. "Tenho certeza de que sua mãe não se importaria."

"Tudo bem, titia. Prefiro ir para casa." Ela sorriu a fim de suavizar a recusa. Sua tia estava preocupada com ela; todos estavam. Sophia nunca fora uma garota enérgica, mas ao menos ela saía para passear, visitava os amigos e fazia todas as coisas que, supostamente, uma jovem de posses deveria fazer. Agora, porém, ela apenas ficava sentada em frente à lareira por horas a fio. Sabia que todos tinham pena dela, mas encontrava um verdadeiro consolo na prostração de sua convalescência. Sua mãe a desobrigara de todos os deveres sociais — que não eram muitos, de qualquer forma, já que os Winston eram a única família distinta que havia permanecido na cidade durante o verão. Seu pai, indulgente em meio à preocupação, abrira a biblioteca para ela, e finalmente Sophia poderia ler tudo o que quisesse. Assim, essas últimas semanas estavam entre as mais tranquilas de sua vida. Tinha a sensação de estar vivendo em uma pausa frágil, em um instante de graça.

Mas isso logo acabaria. Sua mãe estava determinada a prosseguir com os planos do casamento. Ela havia mesmo garantido aos pais de seu noivo que os tremores de Sophia estavam melhorando, o que não era verdade. Sophia tão somente aprendera a disfarçá-los melhor. Quanto ao próprio Charles, até o momento, ele cuidara de não se mostrar desencorajado pela visão de sua trêmula noiva. A cada encontro, ele fazia uma única pergunta sobre sua saúde — ela sempre lutava para encontrar uma resposta que não fosse nem uma mentira nem uma queixa — e depois embarcava em uma rápida sucessão de gracejos. Era exatamente o tipo de conversa que esperava nunca ter com um marido, e Sophia duvidava que ele desfrutasse desse tipo de interação. Ela temia que a vida de casados acabasse como um romance ruim: o jovem marido insatisfeito, a herdeira adoentada.

Ela observava, pela janela da berlinda, os homens e as mulheres que cuidavam de seus afazeres, imaginando como seria perder-se em meio a eles, a pressão morna das pessoas levando-a para algum lugar qualquer, um lugar muito longe dali.

E então, ela o viu.

A oficina do latoeiro estava particularmente sufocante aquela manhã. Cada baque do martelo de Arbeely, cada ruído surdo de metal contra metal, parecia armado e calculado para parecer o mais irritante possível. Então, quando Arbeely resmungou que o couro do martelo[1] estava gasto, o Djim afirmou em voz alta que iria até a loja de arreios para

---

1   O martelo de couro, cuja cabeça é um rolo de couro cru,
é usado para trabalhar superfícies mais delicadas. [NT]

lhe comprar um novo. Era uma longa caminhada para uma tarefa tão ínfima, mas Arbeely não tentou demovê-lo da ideia. Aparentemente, ambos o queriam fora dali.

Eles tiveram, mais uma vez, uma ríspida discussão por causa de Matthew. Arbeely ficara sabendo que, aparentemente, o garoto não tinha mais um pai e parecia pensar que o Djim deveria se preocupar com o bem-estar do menino. A discussão que se seguiu incluíra expressões como *orientação moral* e *figura paterna adequada*, além de outras frases indecifráveis que, suspeitava o Djim, escondiam insultos. Por que Arbeely se incomodava com o fato de Matthew preferir passar as tardes ali? A verdade, pensava o Djim, era que Arbeely tinha ciúmes. Matthew mal prestava atenção nele, ainda que obedecesse sem reclamar quando Arbeely lhe lembrava que estava tarde, dizendo: *Sua mãe vai ficar preocupada.* Mas era na bancada do Djim que o garoto silenciosamente se materializava todas as tardes. E não era de surpreender. Quem desejaria passar suas tardes com Arbeely, se pudesse evitar? A cada dia, o latoeiro ficava mais resmungão, seu rosto franzido de preocupações e censura, os olhos fundos pela falta de sono. *Você está com uma cara horrível*, disse-lhe o Djim certa manhã, recebendo em troca um olhar de franca hostilidade.

O Djim deixou a oficina com seus pensamentos tomados pela agora habitual ansiedade, contornando com irritação as carruagens e os cavalos. Muitos estavam presos atrás de uma berlinda que tentava manobrar. A carruagem avançou um pouco, e o Djim olhou para a janela do veículo ao passar por ele.

Era, sem dúvida, Sophia — mas, ainda assim, ele teve de olhar mais uma vez. Pálida, vestida de preto, ela visivelmente passara por alguma mudança. Lembrou-se do quarto escuro com os móveis cobertos. O que teria acontecido com ela? Estaria doente?

Ela olhou à frente e o viu. Surpresa, consternação, raiva, seu rosto demonstrou todos esses sentimentos — mas ela não enrubesceu nem desviou o olhar, como teria feito antes. Em vez disso, sustentou o olhar do Djim, mirando-o com uma tristeza tão evidente e vulnerável que foi ele quem desviou o olhar primeiro.

No instante seguinte, o carro havia ido embora. Confuso e abalado, o Djim retomou seu caminho. Disse a si mesmo que ela era uma jovem de posses, e que, qualquer problema que tivesse, não caberia a ele resolvê-lo. Mas ele não pôde deixar de achar que, naquele momento, ela o estava chamando para responsabilizá-lo por alguma coisa.

—•—

Abu Yusuf estava sentado no chão de uma tenda, segurando a mão de sua filha.

Haviam se passado três dias desde que Fadwa adoecera, e durante esse tempo ele quase não saíra de perto dela. Ele observava os dedos sonhadores de Fadwa que agarravam o ar, escutava seus gemidos e as palavras sem sentido que ela murmurava. No início, eles pediam que ela abrisse os olhos, mas a menina olhou para Abu Yusuf, deu um grito de horror e começou a sufocar. Depois disso, eles a vendaram com um tecido escuro.

A palavra *possuída* pairava no ar abafado da tenda da doente, era trocada pelos olhares, mas ninguém ousava pronunciá-la.

Os irmãos de Abu Yusuf assumiram as responsabilidades deste sem dizer uma palavra. Fatim continuou com seu trabalho, resmungando que *alguém* tinha de alimentá-los, pois, se eles morressem de fome, seria pior para Fadwa. Várias vezes ao dia ela levava uma tigela de iogurte diluído à tenda da doente e, com uma colher, colocava o máximo que conseguia na boca de sua filha. Seus olhos estavam sempre vermelhos enquanto ela trabalhava, e ela pouco falava, apenas olhava para seu marido enquanto ele ficava sentado ali, silenciosamente culpando a si próprio. Ele deveria ter dado o alarme, concluiu, quando viu aquele palácio impossível. Deveria ter apanhado sua filha, levando-a para muito, muito longe.

Ao fim do segundo dia, os olhares de Fatim tinham algo de acusatório. *Por quanto tempo*, ela parecia dizer, *você vai ficar sentado aí sem fazer nada? Por que você a deixa sofrer quando sabe qual é o remédio?* E um nome, sem ser pronunciado, começou a pairar entre eles: *Wahab ibn Malik*.

Ele quis argumentar com ela, dizer-lhe que era mais prudente esperar que Fadwa melhorasse antes de trilhar esse caminho. Que ele nem ao menos sabia se ibn Malik ainda estava vivo. Mas, na manhã do terceiro dia, foi obrigado a admitir que sua mulher tinha razão.

Fadwa não estava melhorando, e a prudência começava a tomar ares de covardia.

"Basta", disse ele, levantando-se. "Diga a meus irmãos que preparem um cavalo e um pônei. E traga-me uma das ovelhas." Ela assentiu com a cabeça, soturnamente satisfeita, e saiu da tenda.

Ele embalou provisões suficientes para uma semana, depois colocou Fadwa sobre o pônei, atou suas mãos e a amarrou na sela. A cabeça vendada da menina se inclinava e balançava como a de um homem que adormecia durante uma vigília. Ele prendeu a ovelha ao pônei de Fadwa, deixando bastante trela. Então montou em seu cavalo e tomou as rédeas do pônei, deixando o acampamento: uma procissão deplorável, praticamente cega. Ninguém apareceu para se despedir. Em vez disso, o clã os espiava de dentro das tendas, murmurando preces para que retornassem sãos e salvos, bem como pedindo proteção contra o homem atrás do qual eles partiam. Somente Fatim ficou do lado de fora, olhando até que seu marido e sua filha sumissem de vista.

A caverna de ibn Malik ficava nas colinas ocidentais, em uma escarpa pedregosa e batida pelo vento. Poucos do clã haviam se aventurado por ali, pois lá não havia pastagem ou lugar para montar acampamento. Já na época em que Abu Yusuf era um garoto — e nem se chamava Abu Yusuf, apenas Jalal ibn Karim — *ir para o oeste* era um eufemismo entre o clã que significava procurar Wahab ibn Malik. Pais iam para o oeste com crianças gravemente doentes ou que precisavam de exorcismo; esposas estéreis iam para o oeste com seus maridos e logo sentiam uma criança em seus ventres. Mas ibn Malik sempre pegava algo em troca, fosse da pessoa curada ou de quem a havia levado até lá — não apenas uma ou duas ovelhas, mas algo intangível e necessário. O pai da criança exorcizada nunca mais voltava a falar. A mulher grávida ficava cega ao dar à luz. Ninguém se queixava das perdas, pois eram dívidas que quitavam com ibn Malik, e todos sabiam disso.

Aziz, primo de Abu Yusuf, já pagara tal dívida. Ele era nove anos mais velho que Jalal e era alto, forte e atraente. Todos os homens do clã eram capazes de montar a cavalo como se houvessem nascido sobre uma sela, mas Aziz montava como um deus, e Jalal o idolatrava por isso. Jalal estava fora, cuidando do rebanho de ovelhas de seu pai, quando o cavalo de Aziz tropeçou em uma pedra, atirando longe o jovem, que fraturou a coluna e o pescoço. Aziz oscilou entre a vida e a morte por um dia, até que seu pai decidiu ir para o oeste. Não era possível subir com uma padiola pelas escarpas pedregosas, então ele fez a viagem sozinho e voltou carregando um saco de cataplasmas. Estes fizeram com que os ossos de Aziz se curassem e a febre desaparecesse. Em uma semana ele estava de pé e já caminhava. Mas, dali em diante, todos os cavalos dos quais ele se aproximava se afastavam dele. Os poucos que conseguia tocar urravam de terror e começavam a espumar. Aziz al-Hadid, mestre dos cavalos, nunca mais cavalgou. Ele se tornou uma sombra de seu antigo eu — mas, pelo menos, sobreviveu.

Lentamente, eles fizeram a viagem para oeste. Periodicamente Abu Yusuf parava para entornar um cantil nos lábios de Fadwa ou alimentá-la com algumas colheradas de iogurte. Às vezes ela cuspia; em outras, engolia como se estivesse morrendo de fome. Logo o terreno plano das estepes deu lugar a colinas angulosas com picos baixos e recortados. O caminho era íngreme, e a ovelha começou a empacar. Quando ficou óbvio que ela não seguiria adiante, Abu Yusuf desceu do cavalo, ajoelhou-se ao lado do animal que se debatia e esmagou seu crânio com uma pedra. A ovelha teria de ser dessangrada logo, ou seu sangue se transformaria em veneno; mas, se ele o fizesse naquele local, atrairia todos os chacais das montanhas. Ele prendeu a carcaça no lombo de seu cavalo e retomou o caminho.

Era quase noite quando avistou a caverna de ibn Malik. Forçando a vista sob os últimos raios de sol, Abu Yusuf viu uma figura pequena e magra que estava sentada de pernas cruzadas em uma pedra plana bem em frente à entrada da caverna. Ele estava vivo. E sabia que eles estavam chegando. É claro que sabia.

Wahab ibn Malik já estava com trinta e muitos anos quando o primo de Abu Yusuf se machucara; mesmo assim, ao se aproximar, Abu Yusuf ficou chocado com o estado do homem que esperava por eles. Ele parecia um esqueleto coberto de couro e de olhos amarelos. Quando o grupo se aproximou, ele se levantou com um movimento que lembrava o de uma aranha, e Abu Yusuf viu que ele estava praticamente nu, mantendo apenas um trapo que cobria seu sexo. Ele olhou para Fadwa; mas a menina, é claro, estava vendada e não podia ver nada.

Ele apeou e tirou a ovelha morta de cima do cavalo. Levando-a em seus braços, aproximou-se de ibn Malik e deixou o animal aos seus pés. O homem sorriu para Abu Yusuf, mostrando seus dentes pretos e quebrados, e olhou para Fadwa, ainda presa ao pônei.

"Você quer um exorcismo", disse ibn Malik. A voz dele era surpreendente: intensa e encorpada, parecia vir de algum outro lugar que não daquele corpo.

"Sim", disse Abu Yusuf, sentindo-se desconfortável. "Se você acha que há esperança."

Ibn Malik riu. "Nunca há *esperança*, Jalal ibn Karim", retrucou. "Há apenas o que pode e o que não pode ser feito." Com um gesto de cabeça, ele apontou Fadwa. "Traga-a até aqui e me siga. Então veremos o que pode ser feito." Dito isso, ele se abaixou e puxou a ovelha morta por duas de suas patas, levando-a até a entrada da caverna.

O que Abu Yusuf supunha ser tão somente uma pequena caverna era apenas o primeiro de uma série de nichos conectados, iluminados por tochas, que se estendiam pelo interior da montanha. Enquanto ele seguia ibn Malik, Fadwa murmurava e agitava os braços, tentando se livrar de algo que somente ela podia ver. As tochas que queimavam soltavam um cheiro de gordura animal, desprendendo uma fumaça preta e oleosa que entupia as passagens.

Em uma das cavernas menores, ibn Malik ordenou, com um gesto, que ele colocasse Fadwa em um catre tosco. Abu Yusuf assim o fez, tentando ignorar a sujeira do local e olhando, impotente, enquanto ibn Malik começava seu exame. Fadwa lutou contra o homem até que ele pingou algo na boca da menina que a deixou relaxada e quieta. Ele, então, começou a tirar as roupas dela. Sua conduta era totalmente fria; ainda assim, Abu Yusuf tinha ganas de arrancá-lo dali e esmagar sua cabeça como fizera com a ovelha.

"Apenas a mente foi violada, não o corpo", disse afinal ibn Malik. "Você vai gostar de saber que ela ainda é virgem."

Uma onda de cólera passou pelos olhos de Abu Yusuf. "Prossiga", murmurou.

Ibn Malik retirou a venda e abriu um dos olhos da menina, depois o outro. Abu Yusuf se retesou, esperando que ela começasse a gritar ou vomitar, mas Fadwa permaneceu quieta, em silêncio. "Interessante", disse ibn Malik, em um quase ronronar.

"O que é?"

O homem esquelético fez um gesto pedindo silêncio, tão absurdamente parecido com os que Fatim fazia que Abu Yusuf sentiu vontade de rir. O impulso morreu no instante em que ibn Malik montou sobre Fadwa. Com ambas as mãos, ele puxou suas pálpebras para trás; sua testa imunda quase tocava a dela. Por longos minutos, um ficou olhando nos olhos do outro. Nenhum deles piscou; pareciam nem respirar. Abu Yusuf se virou de costas, evitando ver ibn Malik agachado sobre o peito de sua filha como um inseto grotesco. A fumaça da tocha entrava por suas narinas e entupia seus pulmões, deixando-o tonto. Ele se apoiou contra a parede e fechou os olhos.

Depois de algum tempo — ele não sabia quanto —, ouviu um movimento e voltou-se a tempo de ver ibn Malik saindo de junto de sua filha. O ancião sorria, e seus olhos brilhavam como os de um garoto em virtude da excitação.

"Eu esperei por isso", disse ibn Malik. "Durante toda a minha vida."

"Você pode curá-la?", perguntou Abu Yusuf com ar apatetado.

"Sim, sim, isso é fácil", disse o homem impaciente. "Mas" — e Abu Yusuf já sentia os joelhos fracos e as lágrimas brotando de seus olhos — "ainda não. Não, ainda não. Há algo grande aqui. Devo pensar com cuidado. Precisamos de um plano, de uma estratégia."

"Uma estratégia para *quê*?"

O sorriso desdentado de ibn Malik brilhou por um segundo. "Para capturar o djim que fez isso com sua filha."

GOLEM & GÊNIO
UMA FÁBULA ETERNA

XXII

uas horas depois que as luzes se apagaram, o homem conhecido como Joseph Schall acordou na escuridão do dormitório da Casa de Acolhida. No decorrer do dia, fora um modelo de diligência, distribuindo cobertores, leitos e barras de sabão, além de lavar os pratos na cozinha. Na chamada da noite, ele leu os nomes da lista e resolveu as inevitáveis disputas antes de ir para seu leito e afundar num sono profundo e agradável. Mas agora, enquanto se vestia em silêncio e pegava seus sapatos, ele se desfazia do papel de Joseph Schall como de uma pele. Era quase meia-noite, e o dia de Yehudah Schaalman estava apenas começando.

Desde a noite das revelações alimentadas pelo ópio, a busca de Schaalman ganhara um novo impulso. Ele compreendia agora o erro que cometera ao imaginar sua presa como algo escondido ou como uma joia no centro de um labirinto. Mas acabara por abrir os olhos. Seja lá o que estava buscando, essa coisa *viajava*. Era algo que podia ser transportado, até mesmo passado adiante, conscientemente ou não.

Primeiro ele retornou ao Bowery, esperando reencontrar a pista. Por uma semana, todas as noites ele caminhou sobre os telhados, outra alma anônima no meio da multidão. Mas os traços que haviam se mostrado tão nítidos começaram a se apagar. Mesmo Conroy, o negociante de peças roubadas, perdera seu inegável apelo; ele agora parecia apenas ligeiramente interessante.

Schaalman se recusava a entregar os pontos. Ele já havia encontrado a pista antes, completamente por acaso. Com certeza o faria novamente.

Então mais uma vez se pôs a caminho, andando a esmo em bairros estranhos onde o iídiche desaparecia das placas das lojas. Essas ruas tinham muito menos tráfego à noite, e, sem uma multidão na qual se esconder, Schaalman se sentia exposto. Mas o risco compensou: logo o feitiço da varinha o estava atraindo para o norte, para além dos longos quarteirões de prédios com colunas, em direção a um parque amplo e aberto onde havia um enorme arco iluminado cuja superfície de alabastro branco brilhava atraente. Sua presa estivera aqui, e recentemente.

Ele estudou o arco por quase uma hora, tentando entender sua importância. Teria sido parte de um edifício, ou o portão de uma cidade que fora conquistada? Uma ilegível citação em inglês estava gravada em um de seus lados, mas, de alguma forma, Schaalman duvidava que ela pudesse responder a qualquer uma de suas dúvidas. O arco apenas ficava acima dele, um incalculável peso em mármore. A escultura de uma águia repousava em um frontão no vértice do arco, olhando para Schaalman, lá de cima, com seus olhos frios. Perturbado, Schaalman saiu do parque e voltou para a Casa, desabando em seu leito pouco antes do alvorecer.

Retornou ao Washington Square Park algumas noites depois, mas, assim como ocorrera com o Bowery, seu fascínio já estava decaindo. Então ele seguiu rumo ao norte, vagando pelas ruas adjacentes à Fifth Avenue, captando algumas alusões interessantes aqui e ali. Precisava se concentrar porque o que havia ao redor era uma distração constante: os monumentais edifícios de granito, a vastidão das perfeitas lâminas de vidro. Como uma rua poderia seguir reta como uma vara por quilômetros e quilômetros, sem nunca fazer uma curva? Isso não parecia natural e lhe dava arrepios.

Finalmente o feitiço o levou para outro parque, cercado de árvores e cravejado de estátuas de bronze em vestimentas antigas. Havia alguns marginais dormindo, mas nenhum deles atraiu sua atenção.

Então, de volta para a Casa de Acolhida, afundou-se em melancolia, sentindo que estava, mais uma vez, à caça do tio de Levy.

E este, é claro, era o outro fio desse emaranhado: a desconhecida conexão entre sua presa e a nova sra. Levy. Ele percebeu que o feitiço da varinha não demonstrou qualquer interesse por seu marido. Ela simulava a vida de uma recém-casada comum, mas estaria escondendo uma vida paralela? Isso certamente responderia à questão de como ela passava suas noites.

Então, numa tarde, ele a seguiu até em casa depois que a Golem deixou a padaria, percebendo, com frustração, que ela também deixava de atrair o feitiço da varinha. Poderia ser a presença dela em Nova York uma simples coincidência? Não, ela estava interligada demais com sua busca, com Levy e seu falecido tio. Havia algo mais ali, ele só precisava descobrir o quê.

Mesmo alta, ela era uma mulher difícil de seguir. Andava rapidamente em meio à multidão, dando a pedintes e ambulantes poucas chances de se aproximarem dela. Ela só parou uma vez, em um armazém, para comprar farinha, chá, linha e agulhas. Não ficou de conversa, como era comum entre as mulheres, com o vendedor; não gastou palavras além de *por favor* e *obrigada*. Levando seus pacotes banais, foi diretamente para casa e desapareceu ao entrar no edifício.

Bem, talvez uma noite de observação rendesse mais frutos. Naquela noite, ele voltou mais tarde, seguindo o rastro de Levy depois do encerramento das atividades diárias da Casa. O homem não fez qualquer desvio em seu caminho, o que não era de espantar. Até o momento, ele tinha se mostrado tão interessante quanto um tijolo.

Schaalman se postou na entrada do prédio em frente, fortaleceu-se com encantamentos para permanecer acordado e se preparou para uma longa vigília noturna. Mas nenhum dos Levy apareceu até a alvorada do dia seguinte, quando Michael surgiu bocejando na porta da frente. Sua esposa veio poucos minutos depois, tomando o caminho, a passos largos, até a padaria. Schaalman não tivera muita fé em sua teoria; ainda assim, sentiu-se um tanto desapontado com sua criação. *O que* ela havia feito a noite toda? Escutara seu marido roncar enquanto lavava as meias dele à luz de velas? Sentiu vontade de repreendê-la. A mais notável golem que já existira, e estava satisfeita em brincar de casinha! Isso, porém, talvez fosse parte de sua natureza: a ânsia de substituir seu mestre perdido, de encontrar alguém a quem obedecer.

Arrastou-se de volta para a Casa de Acolhida. Seus pés doíam, sua cabeça martelava de fadiga e em virtude dos efeitos colaterais dos encantamentos que usara. Precisava recordar a si mesmo que estava fazendo progressos, por mais lentos que estes fossem. Mas era enlouquecedor. Ele desabou em seu leito, sem nem tirar os sapatos. Uma hora depois, despertou como o velho e inofensivo Joseph Schall, pronto para suas tarefas cotidianas.

E o dia já trazia um novo desafio para a Casa de Acolhida. Lá embaixo, na cozinha, a cozinheira estava à beira de um ataque apoplético. Ninguém colocara na porta o aviso para o homem do gelo, e agora ela teria de servir, no café da manhã, um suprimento de três dias de anchovas, senão estas estragariam. E, para piorar, a entrega da Padaria Shimmel chegou com itens a menos; não haveria pãezinhos suficientes para o dia.

"Posso, pelo menos, pegar os pãezinhos", disse Joseph Schall. "Mas acho que vou comprá-los na Padaria Radzin." Ele sorriu. "Gostaria de cumprimentar a sra. Levy."

—●—

Naquela manhã, as coisas na Padaria Radzin estavam ainda mais complicadas que na Casa de Acolhida. Ruby, a garota nova, colocara as assadeiras erradas no forno, e agora todas as *chalot* estavam cruas e todos os doces, queimados. Os fregueses esperavam junto ao caixa, resmungando entre si, enquanto os funcionários da padaria corriam para reparar o erro. Sentindo a impaciência dos clientes, a Golem enrolava, fatiava e trançava com uma rapidez temerária. Ela percebeu que estava ficando cada vez mais irritada. Por que deveria arcar com o erro de Ruby? Se desacelerasse para um ritmo mais razoável e deixasse os clientes se queixarem, a garota seria mais cuidadosa da próxima vez.

Ela deu uma olhada para Ruby, que freneticamente misturava massa em uma vasilha, os pensamentos tumultuados pela autorrecriminação. A Golem suspirou, decepcionada consigo mesma. Quando havia se tornado tão amarga, tão cruel?

A noite anterior também fora difícil. Preocupado com sua insônia, Michael implorou para que ela fosse ao médico. A Golem tentou tranquilizá-lo, afirmando que estava perfeitamente bem, mas ficou claro que a única maneira de acalmá-lo era fingir que dormia. Então passou a noite inteira deitada ao lado dele, de olhos fechados, inspirando e expirando cuidadosamente. Depois de algumas horas, suas pernas tremiam com câimbras e sua mente disparou enlouquecida. Ela se imaginava sacudindo-o, gritando a verdade em sua cara. Como ele ainda não havia percebido? Como um homem podia ser tão *cego*?

Então, ao alvorecer, ele acordou e sorriu-lhe um sorriso sonolento. "Você dormiu", murmurou, e ela se aninhou, culpada, na alegria dele.

Finalmente a padaria se recuperou do contratempo da manhã, e os clientes começaram a relaxar. A Golem foi até a despensa pegar sua inútil refeição. Do banheiro, vinham sons de soluços e uma avalanche de pensamentos desesperados. Ela bateu suavemente à porta. "Ruby?" Silêncio. "Ruby, por favor, saia daí. Está tudo bem."

Uma fresta se abriu; o rosto da garota surgiu, vermelho e inchado. "Não, não está tudo bem. Ele vai me mandar embora, tenho certeza."

"Não, ele não vai fazer isso." Era verdade; o sr. Radzin até se sentira tentado a fazê-lo, mas estava cansado demais para pensar em contratar outra pessoa. "Ele sabe que você é nova nisso. E todos nós cometemos erros, principalmente quando estamos começando."

"Não *você*." A voz de Ruby era taciturna. "Você *nunca* erra."

A culpa se insinuou novamente. "Ruby, cometi tantos erros que perdi a conta. Mas quando algo dá errado, não adianta se esconder e chorar. Você tem de ver o que aprendeu e seguir em frente."

A garota deu uma fungada que deixava transparecer suas dúvidas e então limpou as lágrimas do rosto. "Está bem", disse baixinho, saindo dali para enfrentar a carranca do sr. Radzin.

A Golem comeu seu pão com manteiga ainda com menos entusiasmo que o habitual. Enquanto isso, a jovem Selma corria de um lado para o outro, pegando ovos no refrigerador e rolos de barbante. Há um ano ela era uma garota barrigudinha de tranças; agora, forte e de pernas compridas, colocava um saco de açúcar nos ombros e saía em disparada. A Golem a observava, imaginando como seria ter uma filha. Ela sabia que a sra. Radzin vivia preocupada e ansiosa por causa de Selma, desejando às vezes poder parar o tempo para manter a menina inocente em relação ao mundo e às decepções deste. Selma, enquanto isso, mal podia esperar para crescer, nem que fosse para entender os frustrantes adultos à sua volta, suas discussões sussurradas e súbitos silêncios.

E onde, pensou a Golem, ela se encaixava? Em algum lugar entre mãe e filha, achava; não mais inocente, mas ainda sem entender tudo.

Friamente, pensou em como Michael estaria se saindo na Casa de Acolhida. Trabalhando demais, sem dúvida. Um dia desses, ela imploraria para tirar uma hora de almoço, a fim de levar-lhe um prato de bolinhos de amêndoas. Algo que uma esposa faria. Um gesto afetuoso.

"Chava?"

Ela olhou para cima, surpresa, Selma estava parada à porta. "Papai disse que é a sua vez de ficar no caixa."

"Claro." Ela jogou suas preocupações para o fundo de sua mente e foi até o caixa, socorrendo a aflita sra. Radzin. A mulher tocou seu braço, em um gesto de gratidão, e deixou o posto. A Golem colocou um sorriso no rosto e começou a anotar os pedidos.

"Boa tarde, sra. Levy."

Um velhote baixinho estava de pé em frente ao balcão com os olhos piscando. "Senhor Schall!", ela exclamou surpresa. "Não o vejo desde o casamento! Como tem passado?"

"Oh, muito bem, muito bem. E a senhora? Gostando da vida de casada?"

O sorriso dela ameaçou vacilar, mas conseguiu sustentá-lo. "Sim, embora pense que o senhor deva ver meu marido mais que eu mesma."

Ele deu um risinho. "Uma pena. Aposto que a senhora gostaria de não ter de trabalhar ou dormir." O silêncio da Golem durou apenas um segundo até que ela sorriu e concordou.

Os clientes na fila atrás dele começaram a mostrar impaciência. Ela perguntou: "O que posso lhe oferecer, senhor Schall?", e se concentrou nele, pronta para atender a seus desejos.

Mas não havia nenhum.

Ela viu os lábios do homem se moverem e ouviu-o dizer: "A senhora poderia separar três dúzias de pãezinhos? Temo que estejamos em um dia difícil na Casa de Acolhida". Mas, por trás disso, não havia qualquer desejo. Apenas um vácuo, uma vasta extensão de nada.

"Claro", ela disse, debilmente. E emendou com mais convicção: "Sim, claro. Podemos separar mais até, se o senhor desejar".

"Não, três dúzias bastam."

Ela rapidamente colocou os pãezinhos nas caixas, amarrando-as com barbante. Na última, acrescentou um punhado de bolinhos de amêndoas. "Para Michael, se não for incômodo", disse. "E um para o senhor."

O homem sorriu e agradeceu, depois parou, olhando para a Golem. "Você é uma mulher exemplar, Chava. Nunca duvidei de que você seria uma excelente esposa." E partiu.

Ela se voltou para o próximo cliente, e mal ouviu seu pedido. *Nunca duvidou*? Que estranha escolha de palavras! Ele não a vira apenas uma vez? A não ser que tivesse ouvido Michael falar sobre o noivado. Mas... ela estremeceu ao pensar naquele vácuo bizarro em que havia uma total e absoluta ausência de medos ou desejos. Era muito diferente daquilo que percebera no Djim: aqueles que o Djim tinha estavam lá, apenas abafados, escondidos dela. Com Joseph Schall, era como se eles tivessem sido deliberadamente extirpados. Ela pensou no cirurgião do *Baltika* cortando fora o apêndice de Rotfeld, tirando-o de seu corpo.

Passou o resto da tarde cumprimentando clientes e anotando pedidos, seu sorriso habitual encobrindo o mal-estar. Mas, durante todo esse tempo, ela não conseguiu afastar a crescente convicção de que havia algo errado com Joseph Schall.

—◆—

"Um sucesso!", disse Sam Hosseini ao Djim. "Um sucesso absoluto!"

Os colares, pelo visto, foram todos vendidos, e com um belo lucro. "Será que você poderia fazer mais uma dúzia?", perguntou Sam. "E, desta vez, com braceletes combinando?" Então, mais uma vez, o Djim assumiu suas ferramentas. Mas os colares haviam deixado de ser novidade; rapidamente, pensou, ele ficaria tão entediado com eles como ficara com as frigideiras.

Enquanto isso, as horas que Arbeely passava junto à forja só faziam aumentar. Inundado de encomendas, ele chegou mesmo a abordar o assunto de contratar outro assistente, talvez um aprendiz. O Djim não ficou nada satisfeito com a ideia. Além de seu pequeno quarto, que ele mal aguentava, a oficina era o único lugar onde era permitido ser ele mesmo — mas, sem dúvida, Arbeely insistiria para que ele ocultasse seus métodos mais heterodoxos de um novato.

Apesar do silêncio e da tensão — ou talvez por isso mesmo —, o trabalho de ambos progredia firmemente; e, no fim de uma tarde, o Djim se deu conta de que ele e Matthew haviam terminado metade da encomenda de Sam Hosseini e, provavelmente, estavam até mesmo adiantados no cronograma. O Djim sorriu enquanto observava Matthew sumindo pela porta. Quem sabe, pensou, ele devesse abrir sua própria oficina, sem Arbeely, tomando Matthew como aprendiz. *AHMAD E MOUNSEF, OURIVESARIA*. Arbeely estava fora, em uma de suas tarefas habituais, negociando um preço melhor com um fornecedor, e era bom estar sozinho, sem os silêncios rabugentos do homem. Então inclinou-se novamente sobre seu trabalho, sentindo a pontinha de algo que deveria ser satisfação.

A porta se escancarou.

Era Matthew, pálido de terror. Ele correu para o Djim e agarrou seu braço, o seu corpo inteiro parecia um apelo; então o Djim se viu puxado até a porta.

O menino o arrastou pelas ruas, correndo. Pelo canto do olho, o Djim percebeu que Maryam Faddoul os olhava, surpresa, interrompendo uma conversa em uma mesa na calçada e vendo-os passar correndo por carrinhos e transeuntes. Eles subiram as escadas do prédio de Matthew, atravessaram o vestíbulo — o telhado de estanho brilhava acima deles — e subiram, subiram, subiram, até o quarto andar. Uma das portas estava aberta, e Matthew entrou correndo por ela. O aposento era sombrio e abafado, com cortinas muito escuras e pesadas. O Djim tomou coragem e seguiu Matthew.

Havia uma mulher caída no chão, o rosto virado para o piso de tábuas. Matthew correu para ela, sacudiu seu braço — sem qualquer reação — e olhou para o Djim, implorando silenciosamente.

Com cuidado, o Djim ergueu a mulher do chão e a virou. Pesava pouco mais que uma criança. Até ele era capaz de perceber que ela estava terrivelmente doente. Seus olhos estavam fechados e a pele descorada, exceto por um pálido rubor que se espalhava por suas bochechas e nariz. Aquilo, com certeza, não era normal. Por trás disso, o rosto dela tinha os mesmos traços delicados que o de Matthew.

"Esta é sua mãe?" Um aceno impaciente: *Sim, claro! Por favor, ajude-a!*

O que ele poderia fazer? Por que Matthew recorrera a *ele*? Sem saber como agir, colocou a mulher no sofá e inclinou a cabeça dela sobre seu peito. O coração batia, mas muito fraco. Suor corria pela testa dela, e sua pele era quase tão cálida quanto a dele. O Djim percebeu que ela respirava com dificuldade. Em resposta, seu próprio corpo se retesou, como se quisesse ajudar — mas era inútil; *o que* ele, supostamente, deveria fazer?

Passos na escada; então Maryam entrou correndo, assumindo rapidamente uma posição no cenário. Até então, ele nada sentira por Maryam Faddoul além de uma cautelosa antipatia, mas naquele momento foi inundado por uma onda de alívio. "Acho que ela está morrendo", ele disse, pronunciando uma declaração que era quase uma súplica.

A hesitação de Maryam não durou mais que um segundo. "Fique aqui com Matthew", ela disse. "Vou buscar um médico." E partiu.

O pescoço da mulher estava dobrado em um ângulo estranho. Ele colocou uma almofada sob sua cabeça, acreditando que poderia ajudar. Matthew deixou o aposento, e o Djim imaginou se o garoto poderia estar assustado demais para continuar olhando, mas então ele voltou, trazendo um pequeno saco de papel e um copo de água. O Djim ficou olhando enquanto Matthew tirava uma colher de pó branco do saquinho e colocava na água. Aquilo seria... remédio? O garoto misturou o pó por alguns segundos, depois segurou o copo contra a luz fraca, examinando-o com um olhar crítico. O gesto denotava uma repetição infindável. Matthew lutou para erguer a cabeça de sua mãe do sofá, e o Djim rapidamente a colocou sentada. Ele tomou o copo de Matthew e levou-o aos lábios dela. A mulher bebericou, hesitante, então começou a tossir e a cuspir. Ele limpou o rosto dela e olhou para Matthew; o menino fez um gesto de urgência — *mais*. Então tentou forçá-la a beber um pouco mais, mas ela havia mergulhado novamente na inconsciência.

Mais uma vez, o ruído de passos na escada — e então surgiu um homem grisalho no vestíbulo, carregando uma maleta de couro. "Afaste-se, por favor", ele disse, e o Djim recuou para um canto. Sem pronunciar uma palavra, o homem — um médico, supôs o Djim — examinou o rubor nas faces da mulher, depois auscultou seus pulmões. Segurando seu pulso com uma das mãos, com a outra ele pegou seu relógio e mediu a pulsação. Depois de longos instantes, guardou o relógio. "Esta mulher está sob seus cuidados?", perguntou ao Djim.

"Não", o Djim respondeu rapidamente. "Eu... não a conheço."

Imediatamente a atenção do médico se voltou para Matthew. "Você é filho dela?" Um aceno. "O que você estava dando para ela agora mesmo?" Matthew lhe entregou o saquinho; o médico examinou, mergulhou um dedo no pó e provou. Então fez uma careta. "Acetanilida", disse. "Para dor de cabeça. É o único remédio que ela toma? Não há nada mais?" Outro aceno, agora negativo.

Maryam entrou, carregando um balde. "Trouxe gelo", disse.

"Ótimo", assentiu o médico. "Vamos precisar." Virando-se para Matthew, ele perguntou: "Ela ia a algum médico?". Matthew sussurrou um nome, e os lábios do homem se retorceram em desdém. Ele puxou a carteira do bolso e pegou uma nota. "Vá buscá-lo", disse. "Se ele não quiser vir, dê-lhe isto. Mas não diga que eu estou aqui." Matthew saiu em disparada pela porta.

O Djim estava congelado em um canto. Ele não conhecia a mãe de Matthew. Nem sabia seu nome. Desejava desesperadamente sair dali, mas não conseguia se mexer. Ficou olhando enquanto Maryam colocava um pano frio na testa da mulher e murmurava palavras reconfortantes. Os olhos dela se mexeram sob as pálpebras. De sua maleta, o médico tirou um pequeno frasco que continha um líquido transparente e um cilindro com uma agulha na ponta. Ele fez alguns gestos com o frasco e o cilindro — novamente aquela sensação de ver algo repetido inúmeras vezes — e colocou a ponta da agulha na parte interna do cotovelo da mulher. Maryam estremeceu e desviou o olhar.

O Djim observou a agulha sumindo no braço da mulher. "O que é isso?"

"Quinina", respondeu o médico. Ele retirou a agulha, deixando no local uma ínfima mancha de sangue. Parecia uma ilusão, um truque de mágico.

"E o pó?"

"Se ela tomasse o bastante", resmungou o médico, "não teria dor de cabeça."

Eles ficaram ali, imersos em um silêncio tenso, escutando a respiração difícil da mulher. O Djim olhou em volta, prestando atenção no lugar pela primeira vez. O aposento era tão minúsculo que lhe dava arrepios. A mobília estava velha e destruída. Havia flores de papel empoeiradas em um vaso sobre a lareira, encimadas por uma aquarela desbotada que ilustrava uma cidadezinha em uma colina. Cortinas pesadas estavam pregadas nos caixilhos das janelas, como se estivessem ali para bloquear o mais ínfimo raio de sol.

Era aqui que Matthew vivia. Não era o que o Djim imaginara. Ele pensara em — o quê? Nada. Nunca se dera ao trabalho de pensar sobre o assunto.

"Obrigada por ter vindo, doutor Joubran", disse Maryam.

O homem assentiu, depois olhou para o Djim, seus olhos aguçados pela curiosidade. "Você é o sócio de Boutros Arbeely, certo? O beduíno."

"Ahmad", respondeu o Djim.

"Foi você quem a encontrou?"

"Matthew a encontrou. Ele me trouxe aqui. Eu nunca a vi antes."

Matthew por fim voltou, trazendo atrás de si um homem malvestido que também carregava uma maleta de couro. O homem se encolheu, temeroso, ao ver o dr. Joubran. Parecia que ele ia fugir, então Maryam rapidamente se levantou e bloqueou o caminho.

"Você estava tratando dessa mulher, certo?", perguntou o dr. Joubran. "Qual foi, posso saber, seu diagnóstico?"

O homem, nervoso, vacilou. "Ela se queixava de dores de cabeça, dores nas juntas e febre. Desconfiei de uma hipocondria nervosa, mas receitei acetanilida."

"Você nunca viu um caso de *lupus erythematosus* antes?"

O homem piscou. "Lúpus?"

"Bastava olhar para o rosto dela!"

O homem se inclinou para a frente e olhou confuso.

"Caia fora daqui", disse o médico. "Vá embora e reze por ela." E o homem escapuliu escada abaixo.

"Charlatão inútil." O dr. Joubran pegou novamente o frasco e a seringa. Ao ver isso, Maryam disse: "Venha comigo, Matthew, pegar mais gelo para a sua mãe", levando o garoto para fora dali.

O Djim observou a agulha desaparecer novamente, desta vez na pele da barriga da mulher. "Isso fará com que ela melhore?", ele perguntou.

"É possível", disse o médico. "Mas pouco provável. A doença está muito avançada. Os órgãos começam a falhar." Ele pegou a mão da mulher e pressionou o dedo contra as costas de sua palma; por alguns instantes, a pele manteve a impressão digital dele. "Vê? O corpo dela está se enchendo de um fluido que faz pressão nos pulmões. Logo vai chegar ao coração." Ele puxou seu relógio de novo, tomou o pulso da mulher e então disse: "Vou pedir a Maryam que mande buscar um sacerdote".

A agitação não passou despercebida pelos vizinhos. Timidamente, uma mulher colocou a cabeça dentro do aposento. Ela e Maryam conversaram, aos sussurros, e a mulher foi embora. Ouviram-se batidas nas portas pelo corredor. Lenta e silenciosamente, o aposento começou a se encher de mulheres. Elas traziam pratos e tigelas com comida, pão, arroz e copos de leite, além de cadeiras e cestinhas de costura. De maneira solene, elas se sentaram em silêncio.

Sayeed, o marido de Maryam, também apareceu, e o Djim ficou olhando enquanto os dois trocavam palavras em voz muito baixa. Como era possível, pensou, que o afeto dos dois fosse tão evidente, se eles não se abraçavam, nem ao menos se tocavam? Sayeed partiu de novo, obviamente por causa de alguma tarefa; e o Djim se sentiu subitamente supérfluo, uma tralha no meio da sala.

Ele notou um peso contra sua perna. Era Matthew. O garoto havia sentado a seus pés e adormecera. Gentilmente, Maryam o despertou. "Matthew? Talvez você devesse ir para a cama." Porém o garoto balançou a cabeça, depois procurou e agarrou a mão do Djim, como se buscasse proteção. Ela pareceu surpresa por um momento, até magoada; mas deu um suspiro e se afastou.

Sayeed Faddoul voltou, acompanhado de um jovem sacerdote que usava uma longa vestimenta preta, seu rosto redondo emoldurado por uma barba quadrada. Uma a uma, as mulheres se levantaram e se curvaram para ele, que então fez o sinal da cruz sobre suas cabeças. Depois de um momento de hesitação, ele também fez o sinal sobre a cabeça do Djim. E começou a recitar em voz baixa algum tipo de prece. As mulheres abaixaram suas cabeças; o médico tomou a mão de Nadia.

O Djim começou a pensar: se ele estivesse às portas da morte, quem viria em seu auxílio? Arbeely? Maryam? Eles chamariam um sacerdote? Será que seus vizinhos, com os quais nunca havia trocado uma palavra, iriam a seu minúsculo quarto e ficariam em vigília? E como alguém saberia que a Golem deveria ser avisada?

Era quase meia-noite quando Nadia Mounsef deu seu último suspiro, deixando escapar um longo e profundo gemido. O médico olhou para o relógio e fez uma anotação. Muitas das mulheres começaram a chorar. O sacerdote retomou suas orações. O Djim olhou para o rosto da mulher. Ele não conseguia dizer o que havia de diferente, mas ela estava completamente mudada.

O sacerdote terminou suas preces. Uma pausa, silêncio; e então surgiu uma agitação no aposento. Maryam e as outras mulheres se juntaram perto da porta, murmurando. O Djim as ouviu dizer

Matthew uma vez, duas. Algumas olhavam para o garoto, a pequena figura adormecida a seu lado, que ainda agarrava sua mão. Então se deu conta de que Matthew estava dormindo enquanto sua mãe morria. Alguém teria de acordá-lo. Teria de contar a ele.

Cuidadosamente, o Djim pegou Matthew no colo e se pôs de pé. O grupo de mulheres se calou quando ele se aproximou delas. Ele entregou o garoto adormecido a Maryam — que o pegou com um ar surpreso — e saiu.

Uma vez na rua, começou a caminhar a esmo, sem atinar para onde estava indo. Cada fibra de seu ser queria seguir na direção leste, para a janela em Broome, ficando ali parado até que ela descesse para encontrá-lo. Ele esperaria um dia, uma semana, um mês. Sua ânsia por vê-la, mais resoluta do que jamais havia sentido, provocava nele uma raiva confusa; esforçou-se para dirigir seus passos até a oficina. Deixara a fornalha acesa. Arbeely ficaria furioso se descobrisse.

Um envelope sobressaía da moldura da porta, onde havia sido enfiado por uma fresta. Ele o retirou dali com cuidado. Nele estava escrito *Ahmad* em letras hebraicas, uma escrita feminina.

Ele rasgou o envelope e puxou a carta que havia dentro dele. Mas rapidamente sua breve esperança se transformou em confusão, depois irritação e, finalmente, em uma fúria viva e inacreditável.

> *Sr. Ahmad,*
> *Meu nome é Anna. Nós nos conhecemos no Grand Casino. Eu me lembro de que você falava iídiche, então espero que também possa ler em iídiche. Duvido que você tenha esquecido o que aconteceu aquela noite no beco. Eu também não esqueci.*
> *Desde então, minha vida não tem sido fácil. Meu bebê vai chegar logo, e não tenho a quem recorrer. Não posso voltar para a casa dos meus pais. Não tenho dinheiro e ninguém vai me contratar. Eu lhe peço cem dólares. Por favor, leve o dinheiro até a esquina da Hester com a Chrystie Street amanhã, ao meio-dia. O prédio na esquina sudoeste tem uma jardineira no pórtico. Coloque o envelope sob a jardineira e vá embora. Estarei vigiando.*
> *Se você não trouxer o dinheiro, irei até a polícia e contarei a verdade a eles. Direi que foi Chava que atacou Irving e onde*

poderão encontrá-la. Não sou uma má pessoa, mas estou deses-
perada e preciso cuidar de mim e do meu bebê.
   Atenciosamente,
   Anna Blumberg

━━●━━

"Joseph Schall foi à padaria hoje", disse a Golem.

"É mesmo?" Michael se serviu de mais macarrão ao forno. "Claro, os bolinhos de amêndoas! Eu quase esqueci." Ele sorriu para sua esposa. "Obrigado, estavam deliciosos."

"O senhor Schall é um homem interessante", ela disse. "Você pode me contar mais sobre ele?"

"Joseph?" Ele franziu a testa surpreso. "O que você quer saber?"

"Qualquer coisa, acho. De onde ele vem, ou em que trabalhava antes. Ele tem família aqui?"

Procurara simular uma curiosidade desinteressada, mas Michael já estava sorrindo. "Chava, você parece a banca de interrogadores da ilha Ellis!"

"É que sei tão pouco sobre ele, exceto o fato de que me faz lembrar seu tio. E você o tem em alta consideração."

"É verdade. Às vezes, acho que ele é a única coisa que mantém a Casa de Acolhida de pé." Pensou por um instante enquanto mastigava. "Ele é polonês. De algum lugar perto de Danzig, acho." Então ele riu. "Sabe, agora que você perguntou, me dei conta de que não sei quase nada sobre ele. Schall deve ter sido um acadêmico em algum momento de sua vida, talvez um rabi. Ao menos, ele fala como um. Nunca se casou e não tem família na América."

"Imagino, então, por que ele veio para cá."

"Os tempos estão difíceis na Europa, você sabe disso melhor que ninguém."

"Sim, mas as pessoas mais velhas normalmente são mais acomodadas. Viajar sozinho para um país estranho e concordar em viver na Casa de Acolhida, além de trabalhar tanto por tão pouco..."

"Eu *pago* um salário, você sabe disso", disse Michael.

"Eu quis dizer que vir para Nova York deveria ser a realização de um sonho para ele. Ou talvez ele tivesse alguma razão para não ficar na Europa."

Ele lhe lançou um olhar preocupado. "Você está querendo dizer que ele estaria fugindo de alguma coisa?"

"Não, claro que não! Ele é apenas um enigma, só isso."

"Não tanto quanto outras pessoas que conheço."

Ela riu, porque ele dissera aquilo para que ela risse, e começou a tirar a mesa. A Golem não fora cuidadosa o bastante; ele ainda imaginava que motivos sua esposa teria para fazer tantas perguntas. Bem, talvez fosse melhor assim. Provavelmente, dessa forma, Michael mantivesse um olhar mais atento sobre Schall e lhe contasse caso percebesse algo estranho.

Michael tinha um olhar distante. "Ele uma vez me perguntou sobre o tio Avram", disse.

A Golem parou, segurando com um prato nas mãos. "É mesmo?"

"Sobre a biblioteca dele, na verdade. Estava procurando por um determinado livro. Do seu tempo de escola, disse."

"Ele disse que livro era?"

"Não, eu disse que havia dado todos. Ele pareceu bastante decepcionado. Você sabe, foi a única vez que me arrependi do que fiz." Ele sorriu. "Mas você consegue imaginar viver aqui com todos aqueles livros? *O que* faríamos com eles?"

"Teríamos de nos livrar da cama", ela respondeu, e ele riu.

Aquela noite ela se deitou ao lado dele, mais uma vez fingindo dormir, e pensou em Joseph Schall. Haveria algo de sinistro no fato de ele perguntar pelos livros do rabi? Ou estaria desconfiando à toa? Havia muitas bibliotecas judaicas particulares no Lower East Side; talvez ela pudesse se oferecer para ajudá-lo em sua procura. Não, essa oferta pareceria muito estranha. Ela teria de depender de Michael. Além disso, Joseph Schall era, muito provavelmente, apenas um homenzinho estranho. Ela estava apenas inventando coisas.

Virou-se, tentando encontrar uma posição mais confortável. Era apenas uma da manhã, mas suas pernas já começavam a doer. O pior do calor do verão havia passado, e a maior parte dos moradores do prédio estava desfrutando de uma agradável noite de sono. Apenas uns poucos permaneciam acordados, perturbando-a com seus pensamentos. Lá fora, um homem caminhava pela rua, aproveitando o frescor da noite, à vontade consigo mesmo e com sua vida. Ele só queria caminhar até o nascer do sol. Sob um lampião de rua, ele parou para preparar um cigarro.

Um fiapo de esperança surgiu.

Os pensamentos do homem se voltaram para a frustração enquanto ele vasculhava os bolsos atrás de fósforos. Finalmente ele os encontrou, acendeu seu cigarro e retomou sua caminhada.

Censurou-se por sua tolice. Claro que não era ele. *Se* fosse, ela não o teria percebido. O Djim não sabia onde ela morava agora, não tinha ideia de que se casara. Ela jamais o veria de novo.

"Chava!"

Ah, não. Michael despertara apavorado. Ela estava imóvel demais. Esquecera-se de respirar.

Ela se virou, fingindo estar meio adormecida. "O que há? O que aconteceu?"

Michael estava com os olhos arregalados de pavor. "Eu achei... por um momento, eu achei..." Então suspirou. "Desculpe. Não foi nada. Um pesadelo."

"Tudo bem. Shhh, volte a dormir."

Ele a envolveu em seus braços, seu peito contra as costas dela. A Golem colocou seus dedos entre os dele, afastando-os de onde estaria seu coração. Assim, juntos, eles ficaram deitados até o amanhecer, a Golem presa nos braços de Michael, contando os minutos que passavam.

Os resquícios do pesadelo de Michael o atormentaram até a manhã seguinte, dominando seus pensamentos. Ele havia acordado — ou achava que havia acordado — e encontrara sua esposa sem vida a seu lado, imóvel como uma estátua de mármore. Mas, de repente, era ela mesma de novo, estava viva e respirava. Estranho como sonho e realidade podiam se fundir de maneira tão imperceptível. Ele imaginava de onde teria vindo aquele sonho. Deveria haver alguma fábula ali, algo que sua mãe ou sua tia lhe haviam contado um dia: uma mulher-cadáver ou uma sinistra criança trocada quando bebê.

Ele observava sua esposa na cozinha. "Você conseguiu dormir, afinal?"

Ela lhe respondeu com um sorriso distraído. "Um pouco, acho."

"Devo comprar algo para o jantar? Fígado?"

"Não é muito caro?"

"Ah, acho que podemos gastar com isso de vez em quando." Ele sorriu, foi até ela e a beijou. "Além disso, precisamos manter você saudável."

No caso de começarmos uma família, ele quase emendou, contendo-se no último instante. Nunca lhe perguntara se ela desejava ter filhos. Era uma das muitas conversas que eles haviam deixado de lado a caminho do altar. Teriam de falar disso, e logo. Não agora, no entanto — ele já estava atrasado para o trabalho. Então beijou-a mais uma vez e partiu.

Ele estava no meio do caminho para a Casa de Acolhida quando se lembrou das perguntas de Chava sobre Joseph Schall. Elas se casavam, de alguma forma, com seu pesadelo — fábulas, histórias para crianças... Sim, claro: Joseph procurava um livro do seu tempo de estudante. E ele esperava que o tio de Michael o tivesse. Lembrou-se de ter encontrado, na última noite da *shivá*, a bolsa de couro de seu tio, cheia de livros antigos, bem como de tê-la colocado na estante. Se ele soubesse, poderia tê-los guardado — talvez um daqueles livros fosse o que Joseph buscava...

De repente, recordou-se. Ele também não tinha encontrado uma pilha de papéis, que jogara naquela pasta e levara para casa? Essa lembrança tinha algo de doença febril — isso ocorreu imediatamente antes de ser enviado para Swinburne —, mas, sim, tinha certeza de que aquilo realmente acontecera. O que ele havia feito com aquela pasta de couro? Não estava em sua casa, com certeza — entre as tão poucas coisas que eles tinham, isso certamente não teria escapado de sua vista. Poderia estar em seu antigo apartamento?

Já estava atrasado para o trabalho, mas a lembrança da bolsa de couro e dos papéis dominava seus pensamentos. E sua antiga morada ficava a poucas ruas dali. Rapidamente, ele alterou seu rumo.

No velho prédio, um de seus antigos colegas de quarto abriu a porta, ainda sonolento. *Uma pasta de couro? Cheia de papéis? Deixe-me ver — talvez haja algo parecido por aí...* E lá estava, escondida em uma pilha de roupas sujas, embaixo de uma mesa. Exatamente onde Michael a largara, meses atrás. Levou-a para a Casa de Acolhida, evitando abri-la até que estivesse sozinho. Guardara tão poucas coisas de seu tio que aqueles papéis, mesmo que não tivessem qualquer utilidade, pareciam preciosos.

Na Casa, certificou-se, com a equipe, de que o caos matinal se encontrava em um nível administrável. Satisfeito, fechou a porta de sua sala e abriu a pasta.

No mesmo instante, sua excitação diminuiu. Os papéis pareciam anotações de algum projeto místico. Ele folheou as páginas com diagramas, círculos concêntricos, espirais e desenhos de sóis brilhantes, entre os quais estavam espalhadas letras hebraicas. Aqui e ali, garatujas esotéricas se alternavam com comentários em iídiche que reportavam os avanços obtidos. Examinou as páginas sem muito interesse, sentindo apenas uma piedade renovada. Ele achava que seu tio era inteligente demais para fazer esse tipo de coisa.

Então uma frase chamou sua atenção, deixando-o paralisado.

Eu a nomeei Chava.

Ele fixou seu olhar nessas palavras, na escrita familiar. Observou a data no alto da página, fazia cerca de um ano. Lentamente, voltou ao início.

Quem sou eu para destruí-la? Ela é tão inocente como um recém-nascido...

O incidente com o *knish*: ela ouve os desejos e medos alheios, e estes a dominam. Como equilibrar isso? Treinamento, disciplina. Preciso aplicar isso à minha mente também, ou estragos poderão ser causados.

Como o criador instilou nela as qualidades mentais, a personalidade? Uma tarefa complicada... Só o poder da fala, por si só, requer algum grau de livre-arbítrio. Talvez apenas dentro de alguns limites, um meio-termo entre autonomia e escravidão? Sim, aplica-se a todos nós, mas não em um equilíbrio tão precário, com uma possibilidade tão grande de erro.

Resisti a testar sua força física, por medo de até onde isso poderia chegar. Mas hoje ela levantou a cama de ferro por um canto, para varrer embaixo, tão facilmente como eu ergueria uma chaleira.

Um teste hoje: uma caminhada sozinha, cinco quarteirões. Desempenho admirável.

As noites são a pior parte para ela. O que eu faria se não precisasse dormir e não tivesse interesse em ler? Eu mesmo tenho tido problemas com o sono ultimamente — sempre temendo pelo futuro dela, pela segurança das outras pessoas. Ela deve saber disso, claro, mas não comentamos sobre o assunto.

Sua disciplina mental está melhorando. Outra caminhada sozinha, ida e volta do armazém, sem qualquer incidente. Observação: de todos os desejos que ela precisa se acostumar a ignorar, nenhum tem natureza sexual. Consistente demais para ser uma simples coincidência, a não ser que ela simplesmente não tenha contado para me proteger por causa de meu pudor. Será que seu criador, sabendo que estava construindo a esposa de alguém, a fez resistente às investidas alheias? Isso asseguraria sua fidelidade — e é claro que ela teria de atender a seu mestre, pela força da ligação entre eles. Um pensamento terrível, repugnante. Não consigo expressá-lo em voz alta.

O acerto para dividir a casa está ficando incômodo. Preciso encontrar um emprego para ela. Costureira? Lavadeira? Ela certamente necessita de atividades físicas. Se as mulheres ao menos pudessem ser operárias da construção civil, estivadoras...

Será ela capaz, um dia, de amar verdadeiramente, de ser feliz? Começo a acreditar que sim, contra minha própria razão.

Levei-a para conhecer Michael hoje, na Casa de Acolhida. Ela foi bem, embora tenha ficado um pouco tensa em virtude da dificuldade de ignorar os pensamentos dos homens que vivem ali. Ainda assim, acredito que ela está pronta para ter uma certa independência. Michael, esperto como sempre, sugeriu a padaria dos Radzin.

Eu a nomeei Chava. Que significa vida. Um lembrete para mim mesmo.

Michael largou o papel, com as mãos trêmulas. Seu tio enlouquecera. Era a única explicação. Ela era uma mulher, uma mulher que existia. E era sua *esposa*. Calada, gentil, atenciosa. Uma mulher exemplar, excelente cozinheira e dona de casa.

Ela raramente dormia. E parecia sempre saber o que ele estava pensando.

Sua mente começou a ser inundada por pequenos detalhes, como se as palavras de seu tio houvessem rompido uma barragem secreta. Sua pele fria. A maneira como parecia usar todo o seu corpo para ouvir, como se escutasse algo além do som. Seu hábito inquietante de antecipar todos os desejos dele. A raridade de sua risada. Seu olhar distante.

Não. Ele lutou contra aquela enxurrada de pensamentos, forçando-se a ser sensato. Seu tio estava sugerindo — o quê? Que ela era algum tipo de criatura? Que seu pesadelo era real?

Ainda havia algumas folhas de papel. Ele não queria ler mais — começava a se sentir mal —, mas suas mãos, amotinadas, viraram as páginas. Seu tio simplesmente começara a rabiscar furiosamente, como um estudante enlouquecido que se preparava para uma prova. Ideias eram circuladas, riscadas, reescritas. *Cotejar com fragmento do Alfabeto de Akiba ben Joseph, depois comparar com a teoria de Abba ben Joseph bar Hama. Incompatível? Há precedentes?* À medida que ele virava as páginas, a letra de seu tio ficava mais irregular, as palavras simplesmente espalhadas pela folha, por pressa ou cansaço.

Na última página, havia apenas duas linhas escritas. Uma delas era uma longa e ininterrupta fieira de letras. E sobre ela, sublinhada, a letra de seu tio trêmula pelo esforço:

Para Vincular um Golem a um Novo Mestre

—▶•◀—

Caía a noite no deserto. Esta acordava as serpentes e os ratos-do-campo, tirando-os de seus esconderijos e garantindo carne fresca para os falcões. E nivelava colinas e rochas, de modo que, de sua entrada, a caverna de ibn Malik parecia um abcesso infinito na terra. Enquanto a luz esmaecia no horizonte, Abu Yusuf acendeu uma fogueira junto à entrada da caverna, envolveu-se em peles de carneiro para proteger-se do frio que viria e tentou não pensar no que poderia estar acontecendo na escuridão lá atrás.

Ibn Malik, pelo visto, não exagerara quando afirmou que havia esperado por aquilo a vida inteira. "A maior parte dos djins são seres inferiores", disse ele a Abu Yusuf enquanto penetravam no labirinto de cavernas, parando apenas para acender as tochas instaladas nas interseções. "*Ifrits*, *ghuls*, até mesmo os menores e mais medíocres djins, posso capturá-los às centenas se quiser, mas para que me dar ao trabalho? Estúpidos e tapados, facilmente distraídos, não prestam como servos. Mas um djim poderoso — ah, isso é algo completamente diferente."

Abu Yusuf não prestava muita atenção, concentrando-se, em vez disso, em carregar Fadwa, ainda inconsciente, pelo corredor estreito e tortuoso. Alguns trechos mal comportavam um homem adulto, e Abu Yusuf, que passara toda a vida em espaços abertos, sentia um pavor crescente, uma vontade de virar-se e sair correndo.

"Presumo que você conheça bem as histórias do rei Sulayman", disse ibn Malik, e Abu Yusuf preferiu não enaltecer esse comentário com uma resposta: só um órfão selvagem poderia ignorar essas lendas. "Elas foram floreadas, é claro, mas, em seu cerne, são verdadeiras. O poder mágico concedido a Sulayman lhe permitia controlar até mesmo o mais forte dos djins, bem como usá-los em benefício de seu reino. Quando Sulayman morreu, a mágica desapareceu com ele. Quer dizer, boa parte dela desapareceu." Ibn Malik voltou-se para Abu Yusuf. "Passei os últimos trinta anos vasculhando o deserto em busca de resquícios dessa mágica. E, agora, você me trouxe a chave."

Abu Yusuf olhou para a menina calada em seus braços.

"Não a sua filha — mas o que está *dentro* dela. A centelha que o djim deixou para trás. Se a manipularmos adequadamente, poderemos usá-la para chegar até ele e controlá-lo."

"E é por isso que você diz que ela ainda não pode ser curada."

"Exatamente", disse ibn Malik, as palavras flutuando sobre seus ombros. "Se perdermos a centelha, perdemos a chave."

Abu Yusuf parou de andar. Depois de alguns instantes, ibn Malik se deu conta de que não estava mais sendo seguido e virou-se. Segurando a tocha acima de sua cabeça, ele parecia um esqueleto brilhante, uma imagem que seu sorriso tranquilo não era capaz de alterar. "Entendo", ele disse. "Por que você deveria ajudar ibn Malik, esse velho mago louco? Por que se importar com o fato de ele encontrar ou não esse djim? Você não tem desejo de vingança, e com razão — a vingança pela vingança é completamente inútil. Você só quer curar sua filha, pagar a conta e voltar para sua tenda, para sua cama e sua esposa adormecida." A luz da tocha brilhou em seus olhos, como se ele mesmo tivesse a centelha de um djim dentro de si. "Você sabia que o próximo verão trará a pior seca que os beduínos viveram em gerações? Perdurará durante anos, transformando em pó todas as pastagens daqui até o Ghouta. Isso não é uma adivinhação, tampouco uma profecia. Os sinais estão aí para ser lidos por qualquer um, nos movimentos do sol e da lua, nos padrões das serpentes, nas formações das aves. Tudo aponta para o desastre. A não ser, é claro, que você esteja preparado."

Abu Yusuf segurou sua filha com mais força. Aquelas palavras poderiam ser uma mentira, com o intuito de coagi-lo ou vencer sua resistência — mas suas entranhas lhe diziam que elas expressavam a verdade. Mesmo que não fosse tão capaz quanto ibn Malik de interpretar os sinais, ele se dava conta agora de que os havia percebido e de uma maneira que ia além do conhecimento. Talvez por isso mantivera Fadwa em casa em vez de entregá-la a um marido, enviando-a para um novo clã, onde ela não passaria de uma estranha, a mais nova boca a ser alimentada. Onde daria à luz apenas para ver seu filho definhar e morrer.

Mantendo a voz firme, perguntou: "E o que tem isso a ver com o djim?".

"Use a imaginação, Abu Yusuf. Pense no que um djim cativo poderia fazer por seu clã. Por que arriscar a pele em busca de água quando ele pode fazer isso por você? Por que se proteger do vento em uma tenda esfarrapada quando se pode dormir em um palácio construído por um djim?"

"Ah, então você pretende vincular esse djim à *minha* vontade? Ou você acha que ele vai admitir dois mestres?"

Ibn Malik sorriu. "Você tem razão, claro. Ele agiria sob meu comando, não sob seu. E agora você deve estar imaginando por que eu me daria ao trabalho de proteger sua família, qual seria o incentivo para isso. Posso dizer-lhe, e é a mais pura verdade, que eu me preocupo mais com o bem-estar de meus companheiros do clã Hadid do que você imagina..."

Abu Yusuf bufou.

"...Mas eu percebo que você é um homem difícil de convencer, então considere o seguinte: de acordo com todas as histórias, os djins sob o comando de Sulayman amavam seu mestre e aceitavam seu jugo com alegria. Pelo menos, nas histórias contadas pelos *homens*. Os djins contam suas próprias histórias, e nelas Sulayman é retratado como um escravocrata ardiloso e cruel. Não está claro qual das versões é verdadeira. Talvez eles honestamente amassem Sulayman, ou talvez, assim como subjugou suas vontades, ele tenha subjugado suas mentes, obtendo o amor deles à força. Mas posso lhe garantir: esse djim que buscamos não me terá amor. Ele vai me odiar com todas as fibras do seu ser. E tentará fugir na menor oportunidade, seja por mágica ou por trapaça. Ainda assim, terá de cumprir todas as minhas ordens."

"Você quer mantê-lo ocupado", disse Abu Yusuf.

"Exato. Um djim que precise levar suas ovelhas até o Ghouta e voltar não terá muito tempo para armar uma fuga."

Abu Yusuf refletiu. Se ele concordasse com isso, seria cúmplice na escravidão de um ser. Um djim, é certo, mas um escravo, mesmo assim. E se ele não concordasse...

Ibn Malik o olhava com atenção. "Você colocaria a liberdade de um djim acima da vida de seus parentes?", perguntou em voz baixa. "E, ainda por cima, um djim que destruiu a mente de sua filha?"

"Você mesmo disse que a vingança é completamente inútil."

"A vingança pela vingança, sim. Mas se ela vier com algo mais..." Novamente o sorrisinho de chacal.

Abu Yusuf se pôs a pensar: será que ele tinha escolha? A vida de Fadwa já estava nas mãos do feiticeiro. Se ele se recusasse e voltasse para casa com sua filha ainda em delírio, o que diria a Fatim? Submeteria todos os que amava à ruína, apenas para preservar seu senso de honradez? Então perguntou: "Por que gastar tempo tentando me convencer? Se eu discordar, você pode simplesmente me matar, pegar Fadwa e fazer o que quiser".

Ibn Malik ergueu as sobrancelhas. "É verdade. Mas eu prefiro a razão e a concórdia. Aliados são mais úteis que cadáveres."

A última das cavernas interligadas na colina era também uma das maiores. Pelos cantos, via-se pilhas de itens recolhidos do lixo: couro e ossos de ovelhas chamuscados, velhos enfeites metálicos, lâminas corroídas, jarros de barro e ervas secas. Em uma ampla cavidade no centro da caverna, ibn Malik construíra um poço para fogueiras que era cercado por um anel formado de pedras ásperas. Perto dali jazia um enorme pedregulho, semelhante a uma mesa. Provavelmente o feiticeiro o levara até lá, embora Abu Yusuf não conseguisse imaginar como. Tinha marcas e rachaduras, e era coberto de faixas escuras de fuligem. Teria sido uma espécie de bigorna?

Ele ficou observando ibn Malik enquanto este se movia, agitadamente, de um lado para o outro, reunindo cumbucas, pós e pedaços de metal. De algum esconderijo, puxou um rolo de couro, abrindo-o para revelar uma coleção de ferramentas de metal: tenazes, foices recurvadas, martelos gastos, sovelas finas como agulhas. Abu Yusuf empalideceu ao ver as ferramentas, e ibn Malik deu um risinho: "São para trabalhar o metal, não sua filha", disse o feiticeiro. Com elas, explicou, fabricaria os instrumentos que seriam utilizados para capturar o djim: um jarro para guardá-lo e uma algema para prendê-lo, mantendo-o sob a forma humana. "Para o jarro, acho que cobre", disse ibn Malik, procurando entre suas reservas. "E ferro para a algema."

"Mas os djins não suportam o toque do ferro."

"O que o torna ideal para controlá-los."

A modelagem do metal, disse ibn Malik, levaria um dia, talvez mais. "Leve sua filha e espere fora das cavernas", acrescentou. "Quando cair a noite, faça uma fogueira e não deixe seu círculo de luz até o nascer do sol. Há coisas no deserto que eu irritei ao longo dos anos. Seria uma pena se elas o atacassem por engano."

Abu Yusuf descarregou as provisões que estavam no cavalo e montou acampamento na entrada da caverna. Improvisou um catre para Fadwa, cobrindo a menina com couros e cobertores, na esperança de que esse peso a mantivesse quieta. O sedativo que ibn Malik lhe dera parecia estar perdendo o efeito — ela às vezes se mexia, murmurando algo. Ele reuniu gravetos suficientes para que o fogo durasse até a manhã seguinte e se acomodou, considerando se deveria ou não acreditar no alerta de ibn Malik sobre a fogueira. O mais provável era que o feiticeiro quisesse impedi-lo de escapar antes do alvorecer. Mas, à medida que o céu adquiria tons de azul e púrpura e que as estrelas começavam a aparecer, Abu Yusuf podia ouvir a ondulação do vento ao longo dos penhascos e o som abafado de brigas de criaturas invisíveis, o que o levou a colocar mais lenha na fogueira.

Ele passou a noite tomando conta do fogo, vigiando sua filha e escutando os sons do deserto. Ocasionalmente, ouvia algum ruído que vinha da caverna atrás dele: um eco agudo de metal batendo contra metal e uma voz distante que emitia sons inarticulados. À medida que a manhã se aproximava, dormia alguns minutos de cada vez, ficando à deriva entre os sonhos. Então chegou a alvorada, e finalmente Abu Yusuf permitiu-se pegar no sono.

Acordou assustado pouco depois, desorientado e grogue, com o corpo dolorido. Nenhum som vinha da caverna. Fadwa ainda estava presa sob a pilha de cobertas, mas soltara seus braços, que esticava em direção ao céu, tateando com os dedos. Ela tentava, ele se deu conta, agarrar o sol. Rapidamente colocou uma venda sobre os olhos dela, na esperança de que ainda não tivesse ficado cega. Deu-lhe o máximo de iogurte que ela aceitou comer — logo estaria estragado, não adiantava economizar —, e ele mesmo comeu alguns pedaços de carne-seca. Então pensou em Fatim, que o esperava em casa.

Ele ouviu passos atrás de si. E se pôs de pé assim que ibn Malik emergiu da caverna.

Ao vê-lo, Abu Yusuf, sem querer, deu um passo para trás, quase pisando no que restava da fogueira. Os olhos de ibn Malik brilhavam como joias. O ar em torno dele parecia vibrar com o calor. Nas mãos, ele levava dois objetos: um pequeno jarro de cobre e uma algema de ferro.

"Terminei", disse o feiticeiro. "Agora, vamos encontrá-lo."

GOLEM & GÊNIO
UMA FÁBULA ETERNA

XXIII

ão eram nem oito da manhã, mas a calçada em frente ao café dos Faddoul já estava lotada de clientes. O tempo agradável se tornara úmido. Os homens sentados às mesas limpavam a testa com seus lenços e afastavam o colarinho das camisas do pescoço.

Mahmoud Saleh misturou ovos, açúcar e leite em seu latão, depois adicionou gelo e sal. Ele prendeu a tampa e girou a manivela até sentir que a consistência estava boa. E já havia uma fila impaciente de crianças a caminho da escola, que trocavam xingamentos e puxavam tranças. Saleh servia o sorvete em tigelas de metal, com os olhos fixos no latão, até que um farfalhar de saias chamou sua atenção.

"Bom dia, Mahmoud", disse Maryam.

Ele grunhiu um cumprimento.

"Vai fazer calor hoje", ela disse. "E pode chover. Entre se você precisar de algo."

Suas palavras eram familiares, a novidade era o tom com que eram ditas. Ela parecia exausta, derrotada até. Mas Saleh não fez nenhum comentário, apenas serviu mais sorvete, trocando-o pelas moedas aquecidas por pequenas mãos.

Mais passos: outra criança entrara na fila. E, de repente, os risinhos e as provocações deram lugar ao silêncio. Uma garota sussurrou para uma pessoa que estava ao seu lado; alguém murmurou algo em resposta. Saleh ouviu a palavra *mãe* e a palavra *morta*. Aquele que havia provocado o silêncio chegou à frente da fila, e Saleh viu um garoto de calças curtas e joelhos pálidos. Então entregou-lhe o sorvete, recebendo em troca um *obrigado* quase inaudível.

Maryam disse: "Um instante, Matthew". E então, em voz baixa: "Você tem certeza de que quer ir para a escola? Posso ir até lá com você e falar com sua professora...". O silêncio em resposta, depois um suspiro de Maryam. "Está bem, mas não fique muito tempo na rua depois. O jantar é servido às cinco. Conversaremos mais, então." Um movimento — talvez a tentativa desajeitada de um abraço? —, mas o garoto já havia partido, passos suaves que se perderam no barulho da rua.

Curioso contra sua própria vontade, Saleh continuou a trabalhar. Havia ainda uns poucos retardatários; os gazeteiros só se aproximavam depois que Maryam ia embora. A fila diminuiu, finalmente acabou — mas Maryam continuava a seu lado. Isso provavelmente era um sinal de que ela queria conversar.

Depois de algum tempo, Maryam disse: "Estou preocupada com esse garoto".

Bem que ele desconfiara. "Quem é ele?"

"Matthew Mounsef. O filho de Nadia Mounsef. Ela morreu na noite passada. Eu e Sayeed estamos cuidando dele até conseguirmos um contato com a família."

Ele assentiu com a cabeça. Fosse ela qualquer outra pessoa, e a simples ideia de uma mulher maronita tomar conta de uma criança cristã ortodoxa seria considerada um escândalo, talvez até um ultraje. Mas não no caso de Maryam. Um dia ele finalmente descobriria como ela conseguiu administrar a situação.

"Ele estava dormindo quando Nadia morreu. Eu tive de contar a ele." Depois de uma pausa, ela retomou com hesitação: "Você acha que ele agora me odeia?".

Saleh pensou nas mães que ele vira morrer e nas crianças que o culpavam por não ter conseguido salvá-las. "Não", disse Saleh. "Não você."

"Eu sei que não posso substituir Nadia. Só achei que ele deveria ficar em casa em vez de ir à escola, mas há muitas coisas que não sei. Não tenho muita experiência em cuidar de crianças." Esta última frase foi dita com um descaso estudado. Depois de um instante, Maryam disse: "Eu já lhe contei que quase morri quando era um bebê?".

Saleh fez que não com a cabeça.

"Estava com uma febre muito alta, e o médico disse a minha mãe que eu tinha poucas chances. Ele sugeriu que ela me levasse ao Santuário de São Jorge, em Jounieh."

Saleh ficou arrepiado com a ideia de um médico dar tal conselho. "Eu sei", disse Maryam, "mas ela estava desesperada. Você conhece esse santuário?" Ele fez que não com a cabeça. "É uma espécie de piscina, em uma caverna pouco acima da Baía de Jounieh. Onde São Jorge lavou sua lança depois de matar o dragão. Ela me levou até a caverna, acendeu uma vela e me mergulhou na piscina. Era primavera, e a água estava muito fria. No momento em que toquei a água, comecei a uivar. E ela gritou, porque era o primeiro ruído que eu fazia em vários dias. Minha mãe soube, então, que tudo ficaria bem. Ela me contava sempre essa história, repetidamente — que São Jorge havia respondido a suas preces e salvado minha vida."

Saleh poderia pensar em um sem-número de explicações para a cura miraculosa. O médico não fizera um diagnóstico correto, ou então a água gelada fizera a febre ceder. Mas não disse nada.

"Mulheres sem filhos também vão ao santuário", disse Maryam. "Às vezes penso... Mas não quero pedir a ajuda dele duas vezes. Acho que seria muita ganância de minha parte."

"Não, não seria", disse Saleh.

"Por que não?"

"É o dever dele. Um bom curandeiro não pode escolher. Se puder ajudar, ele tem de fazê-lo."

Um breve silêncio. "Nunca pensei dessa forma", ela retrucou pensativa. "Um bom curandeiro. Como eu gostaria que o médico de Nadia tivesse sido um curandeiro. Talvez ela tivesse conseguido se salvar."

"Ela morreu de quê?"

"Não lembro o nome. Era comprido e em latim. Mas ela sentia dores intermitentes, tinha febre e uma vermelhidão no rosto. O dr. Joubran olhou e fez o diagnóstico imediatamente."

"*Lupus erythmatosus.*"

Ele não pretendia dizer isso. As palavras surgiram em sua mente, e depois o eco delas ficou parado no espesso ar da manhã. Daria todas as moedas em seu bolso e o latão de sorvete para retirar aquelas palavras.

Saleh podia sentir o olhar de Maryam, que o analisava de uma maneira nova. "Sim", disse ela lentamente. "Era isso."

Ele tentou ignorar a sensação de que a mulher o examinava minuciosamente. "O garoto", disse, tentando evitar que ela fizesse perguntas. "Não tem pai?"

"Não algum digno de ser mencionado. Ele sumiu enquanto trabalhava de mascate no Oeste."

"A família da mãe vai ficar com ele?"

"Creio que sim. Eles não o veem desde que era um bebê. Sei que parece cruel fazê-lo deixar o único lar que conheceu. Mas como ele poderia ficar aqui sem uma família?" Novamente, aquele suspiro. "Talvez ele se dê bem em uma cidade pequena, um lugar mais calmo que aqui. Pelo menos, ficará longe da oficina do latoeiro."

"Do latoeiro?"

"Ah, não me refiro a Boutros! Ele é uma ótima pessoa, só gostaria que ele saísse de lá e *conversasse* com as pessoas. Não, é o sócio dele. O beduíno." Ele a sentiu tensa, de repente. "Mahmoud, posso lhe contar uma coisa? Nunca gostei daquele homem. Nunca. Sinto como se ele estivesse enganando a todos nós, rindo pelas nossas costas. E não saberia lhe dizer por quê." A voz dela tinha uma rispidez que ele jamais ouvira. "Mas Matthew o adora, ele passaria o dia inteiro na oficina se Boutros deixasse."

"Não deixe."

"Desculpe?"

"Não deixe o menino ficar na oficina. Com o beduíno."

"Por que não?" Ela estava mais próxima dele, inclinando-se em sua direção; ele afastou a cabeça, olhando para a calçada cinzenta, para a sombra turva de seu carrinho. "Mahmoud, você sabe de alguma coisa sobre ele? Ele é perigoso?"

"Não sei de nada." Ele segurou a barra do carrinho. "Mas também não gosto dele. Tenha um bom dia, Maryam."

"Você também", disse ela em voz baixa. E então Saleh partiu, arrastando-se rua acima, o sorvete no latão há muito derretido.

Anna Blumberg estava em um telhado fumegante na esquina da Hester com a Chrystie Street, escondida atrás de uma chaminé, olhando o edifício em frente. Escolhera aquela esquina cuidadosamente: tinha movimento e era conveniente, pois ela poderia vigiar a entrada do prédio sem encontrar obstáculos. Mas agora, coberta de suor e envolta nos vapores que exalavam do piso impermeabilizado do telhado, ela começava a se arrepender de sua decisão. Enxugou o rosto com a manga da camisa e se esforçou para não vomitar. Se tudo corresse bem — se ele aparecesse com o dinheiro —, então o sofrimento teria valido a pena.

Mas e se ele não aparecesse? Então, *o que* ela faria?

Ela engoliu a bile que lhe vinha à garganta e lutou contra o pânico, sentindo o bebê se mexendo em seu ventre. Já não passava de meio-dia? Seu relógio de bolso há muito fora para a loja de penhores, mas ela olharia o relógio da farmácia...

Ali. Um homem alto caminhava confiante entre a multidão. Mesmo àquela distância, ela imediatamente o reconheceu. Ficou olhando, o coração quase saindo pela boca, enquanto ele se aproximava do prédio. Ele olhou em torno, examinando o tráfego e os carrinhos dos ambulantes, os homens que conversavam na calçada. Ela reprimiu a vontade de se agachar por trás da chaminé. Mesmo que ele olhasse para cima, estaria contra o sol, seria impossível ver qualquer coisa. Mas, pensou, ela já não o vira fazer o impossível?

Ele tirou um envelope de um dos bolsos e conferiu o que havia dentro. Anna se inclinou para a frente, tentando ver; mas o homem se virou e subiu os degraus do pórtico, passando pelos garotos que vadiavam por ali. No fim da escada, ele colocou o envelope debaixo da jardineira, de uma maneira tão elegante e rápida que nem quem estivesse ao lado dele teria percebido. Então, sem olhar para trás, voltou para a calçada e sumiu ao virar a esquina.

Era isso? Podia ser assim tão fácil?

Ela desceu correndo até a rua, depois olhou ao redor. Teria ele dado a volta para surpreendê-la? Não, ele era alto demais, e Anna o teria percebido imediatamente. Tentando manter a calma, ela atravessou a rua e subiu os degraus do pórtico, ignorando os garotos que, em silêncio, riam de sua barriga inchada. Agachou-se junto à jardineira — sem a agilidade dele por causa de sua condição — e apanhou o envelope com as mãos trêmulas. Dentro havia um maço de notas de cinco dólares. Ela contou: vinte notas. Estava tudo ali.

Seu próprio prédio ficava na mesma rua, um pouco abaixo, e Anna chorou de alívio e exaustão enquanto caminhava até lá. Há semanas, ela dormia em um catre sujo, num minúsculo quarto sem janelas que dividia com cinco mulheres, três judias e duas italianas. O colchão era tão fino e encaroçado que ela mal conseguia dormir, e as outras a detestavam porque toda hora ela levantava para ir ao banheiro. Por esse luxo, pagava uma diária de quinze centavos à senhoria. Quando acordou naquela manhã, tinha apenas dois dólares.

Mas agora sua sorte recém-adquirida se prolongava: nenhuma de suas colegas de quarto estava lá. Ela teria tempo para escolher o melhor esconderijo para o dinheiro. Depois disso, iria até o café elegante que ficava a algumas quadras dali e se daria de presente um prato de galinha com batata assada. Ela acendeu a vela que ficava apoiada em uma xícara e começou a procurar um esconderijo: um vão nas tábuas do piso, ou um pedaço solto do reboco.

"Eu não faria isso", disse uma voz atrás dela. "Fácil demais de encontrar. É melhor guardá-lo com você, que trabalhou tão arduamente para consegui-lo."

Ele estava parado na porta, ocupando-a por completo. Dois passos e estava dentro do quarto. Então fechou a porta, passando a tranca.

Aterrorizada, ela recuou, tropeçando e batendo o ombro na parede. A vela caiu da xícara e rolou, ainda acesa, pelo chão. Ele se abaixou, com a mesma elegância de antes, e a pegou, olhando a mulher sob sua luz.

"Sente-se, Anna", ele disse.

Ela escorregou pela parede e se sentou, seus braços protegendo o ventre. "Por favor, não me machuque", ela murmurou.

Ele a olhou com desprezo, mas não disse nada, apenas observou o quarto minúsculo e escuro. Por um momento, pareceu incomodado, assustado até. "Não quero ficar aqui mais do que o necessário", disse. "Então, vamos conversar."

Ele se sentou, colocando a vela entre eles. Mesmo de pernas cruzadas no chão, o homem ficava em uma posição superior, como um juiz. Anna começou a chorar. "Pare com isso", ele ordenou. "Se você tem coragem de me chantagear e ameaçar, então você pode me encarar sem choramingar."

Com muito esforço, ela se acalmou e limpou o rosto. Ainda segurava o envelope. Se pedisse desculpas e o devolvesse, talvez ele a perdoasse e partisse.

Mas seus dedos se firmaram, rebelando-se. O dinheiro era seu futuro. Ele teria de arrancá-lo dela.

Mas ele não parecia interessado em usar a força, pelo menos naquele momento. Então perguntou: "Como você me encontrou?".

"Sua oficina", ela respondeu com uma voz tênue. "Fui até a Pequena Síria e andei por ali até encontrar seu nome na placa. Depois fiquei vigiando até você sair, para ter certeza de que era você."

"E não contou nada a ninguém? Você não tem cúmplices?"

Ela deu uma risada trêmula. "Quem teria acreditado em mim?"

Ele parecia concordar, mas prosseguiu. "Você também chantageou Chava? Talvez você se lembre que foi *ela* quem feriu seu namorado. Eu apenas salvei a vida dele."

"Eu me lembro de tudo", ela retrucou, sua raiva crescendo, apesar do medo. "E talvez *você* se lembre de que eu apanhei até quase a morte naquela noite."

"Então responda a minha pergunta."

Ela hesitou — e seu ar desprotegido respondeu por ela. "Percebo", ele disse. "Você tem medo dela. Mais que de mim, pelo visto."

Ela engoliu em seco. "O que é ela?"

"Esse é um segredo dela. Não meu."

Um riso débil. "E o que *você* é?"

"O que eu sou não é da sua conta. Você só precisa saber que, assim como ela, sou perigoso quando me irritam."

"Ah, é?" Ela se endireitou. "Bem, eu também sou. Eu disse a verdade. Contarei *tudo* à polícia, se for preciso."

"Uma ameaça estranha, já que o dinheiro está nas suas mãos. Ou você pretende repetir sua chantagem assim que gastar todo o primeiro pagamento? Você vai me roubar aos poucos, contando com minha discrição e boa vontade? Pois saiba que ambas atingiram seu limite."

"Não sou uma ladra", ela disparou. "Não quero fazer nada desse tipo, nunca mais. Só preciso de alguma coisa com que viver até que o bebê nasça e eu consiga um emprego."

"E o que você vai fazer com o bebê? Mantê-lo aqui?" Ele olhou à sua volta com repugnância.

Ela deu de ombros. "Dá-lo, acho. Há muitas mulheres que querem um. Algumas até pagam." Ela fingiu uma indiferença que não sentia em absoluto.

"E seu amante? Ele sabe desse projeto?"

"Não o chame assim", ela replicou. "Ele não tem nada a ver comigo ou com o bebê. E por que eu me importaria com o que ele pensa? Ele mandou que eu me livrasse do bebê naquela noite. Chamou-me de meretriz ardilosa e disse que eu não poderia provar que o filho é dele. Estaria tudo acabado entre nós se Chava não tivesse..." Ela sentiu um nó na garganta. "Mas isso não justifica o que ela fez. Eu ouvi dizer que ele não pode nem andar. Segundo os médicos, sentirá dores pelo resto da vida."

Ela percebeu um leve tremor nele. "Chava sabe disso?"

"Como *eu* vou saber? Nunca mais botei os pés na padaria depois daquilo. Só soube do casamento dela pelos jornais."

Ao ouvir isso, o Djim ficou imóvel. "Que casamento?"

"Você não ficou sabendo?" Ela conteve um sorriso, sentindo, finalmente, que tinha uma carta na manga. "Ela se casou de novo, *pouquíssimo* tempo depois daquela noite. Com um homem chamado Michael Levy." O choque estampado no rosto do homem a encorajou, tornando-a imprudente. "Ele é um assistente social, então é claro que não tem onde cair morto. Mas Chava se casou com ele mesmo assim, então deve haver algo entre eles, você não concorda?"

"Cale-se", ele murmurou.

"E vocês dois pareciam tão *próximos*, dançando juntos..."

"*Cale-se!*"

Ele olhava fixamente para a parede. Seu olhar lembrava o que Anna via em seu pai quando este recebia uma notícia ruim: era como se ele estivesse tentando desfazer a verdade apenas com a força do pensamento. Naquele aspecto, então, ele era apenas um homem. Por um instante, ela quase sentiu pena dele.

"Esse dinheiro na sua mão", ele disse com a voz tensa. "Considere um empréstimo. Será quitado um dia. E se houver qualquer ameaça contra mim — ou contra Chava, ou qualquer outra pessoa —, esta será respondida. Minha paciência com você acabou."

Dito isso, ele se esticou e colocou um dedo na chama da vela. A chama explodiu, transformando-se em um jato branco de fogo. Ela gritou e se virou, protegendo os olhos. Um segundo depois, a vela retomou seu brilho habitual, e, quando ela pôde enfim abrir os olhos, ele havia desaparecido.

——•◦•——

Em uma esquina próxima à Casa de Acolhida havia um botequim inclassificável em um porão, chamado Cão Malhado. Antro popular entre estivadores e operários, era, apesar disso, bastante calmo no meio da tarde, quando o turno do dia aguardava o apito final e o noturno dormia depois dos excessos da manhã. Apenas duas almas se destacavam: o garçom, que aproveitava a calmaria para varrer a serragem velha e substituí-la por nova; e Michael Levy, que estava sentado a uma mesinha oculta pelas sombras.

Michael não bebia durante a tarde desde seus tempos de escola. Naquela época, as ideias de seus companheiros pareciam ainda mais acertadas, mais *nobres*, quando compartilhadas entre copos de *schnapps*. Agora, no entanto, ele bebia apenas para ficar embriagado. À sua frente estavam as anotações de seu tio, um copo não muito limpo e uma garrafa de algo que se autodenominava uísque. Tinha um sabor traiçoeiro, como de maçãs que apodreciam. Um terço da garrafa já se fora.

Ele deu outro trago, e não mais se arrepiou com o gosto da bebida. Fora até lá para decidir sobre o que fazer com aqueles papéis. Escritos e datados pela mão de seu tio, eles eram tanto valiosos quanto embaraçosos. E expressavam coisas que não poderiam ser verdadeiras. Ainda assim, Michael começava a acreditar nelas.

Disse aos funcionários da Casa de Acolhida que se sentia mal e que ia embora. Eles manifestaram solidariedade, assegurando-o de que poderiam resolver as coisas sem ele até o dia seguinte. Joseph Schall, em particular, insistiu que ele só deveria voltar quando se sentisse melhor. Um homem decente, aquele Joseph. Lembrou-se das perguntas inquisidoras de sua esposa e sentiu um arrepio. Ela deu a entender que suspeitava de algo sobre ele; mas e se fosse o contrário? Será que *ele* teria notado algo estranho *nela*?

Bom Deus, ele enlouqueceria se continuasse nesse caminho.

Endireitou-se na cadeira, tentando ignorar as sensações que flutuavam em seu cérebro. Talvez fosse melhor tratar tudo isso como um exercício mental. Ele presumiria, pelo menos por enquanto, que seu tio não estava lutando contra a senilidade, que as anotações não eram apenas as divagações de uma mente supersticiosa. Sua própria esposa era um golem de barro com a força de uma dúzia de homens. Ela conhecia todos os medos e desejos dele. O falecido marido — o homem do qual ela nunca falava — era, na verdade, seu mestre, o homem para o qual fora criada.

Supondo que tudo isso fosse verdade: o que, então, ele faria? Pedir o divórcio? Alertar o rabinato local? Prosseguir como se nada houvesse acontecido?

Ele folheou novamente as anotações de seu tio, em busca da frase que o atingira como um soco:

Será ela capaz, um dia, de amar verdadeiramente, de ser feliz? Começo a acreditar que sim, contra minha própria razão.

Não seria este o ponto crucial do problema? Ele poderia continuar casado com uma mulher — de carne *ou* de barro — que não fosse capaz de amá-lo?

Tomou outro gole e se lembrou dos primeiros encontros, de todos aqueles sorrisos tímidos e silêncios sociáveis. Ele a amara por aqueles silêncios, tanto quanto pelas coisas que dizia. Antes dela, conhecera mulheres que pensavam que o caminho para o coração de um intelectual passava por uma inundação de palavras. Mas não sua esposa. Lembrou-se da visita silenciosa ao túmulo de seu tio. Ela dissera o suficiente — ela parecia *entendê-lo*, apenas isso —, de forma que ele se fixou em cada sílaba, tratando as palavras dela como joias raras. O fato de sua esposa expressar exatamente o que ele queria dizer tornava tudo ainda mais precioso. E quando ela se abstinha de falar, ele dava àqueles silêncios uma encantadora profundidade.

Uma vaga dor de cabeça começava a se manifestar na parte dianteira de seu crânio. Ele sentiu uma vontade desesperadora de rir, que abafou com mais um gole da bebida. Importava realmente que ela fosse mulher ou golem? De qualquer maneira, restava-lhe a verdade pura e simples: ele não tinha a menor ideia de quem sua esposa realmente era.

O Djim estava no telhado de seu prédio, enrolando e fumando um cigarro atrás do outro. A caminhada depois de seu encontro com Anna não fora capaz de acalmá-lo. Lembrou-se da noite em que ficou olhando pela janela da oficina de Arbeely, impaciente por começar a explorar a cidade. Ele deveria ter ficado escondido na oficina, na felicidade da ignorância. Deveria ter permanecido dentro da jarra.

Ela se casou. Bem, e daí? Ela já havia se retirado da vida dele. Isso não mudava nada. Então, por que ainda parecia ter alguma importância?

Há semanas ele vinha tentando exilá-la em algum canto obscuro de sua mente, mas ela voltava à superfície quando ele menos esperava. Talvez estivesse fazendo as coisas de forma errada; nunca havia tentado esquecer alguém. Jamais precisara fazer isso. Os relacionamentos entre djins eram muito diferentes. As relações eram tranquilas ou instáveis, poderiam durar um dia, uma hora ou anos — e com frequência elas se sobrepunham, de uma maneira que os habitantes da Pequena Síria considerariam totalmente amoral — mas eram sempre transitórias. Tivessem como origem desejo, capricho ou tédio, cada uma seguiu seu caminho, e todas se suavizaram de igual maneira em sua lembrança. Por que isso também não ocorria com ela, se haviam passado tão pouco tempo juntos? Algumas poucas conversas e discussões, nada além disso — ela nem mesmo fora sua amante! Ainda assim, as lembranças se recusavam a sossegar, a se tornarem gastas e distantes, como ele desesperadamente desejava.

Casada. Com Michael Levy. Ela nem ao menos *gostava* daquele homem.

Enrolou outro cigarro, tocou a ponta, inalou. A algema de ferro apareceu sob o punho de sua camisa, piscando para ele na luz baça da tarde. Então refletiu por um instante; depois, cuidadosamente, tirou dali o quadrado de papel que havia removido do medalhão dela. Ele o abriu uma vez, de modo que apenas uma dobra escondia o que estava escrito ali. O papel era grosso e pesado, mas mesmo assim ele podia ver as sombras das letras do outro lado da folha. Ele poderia abri-lo e lê-lo. Ele poderia largá-lo na sarjeta. Ele poderia queimá-lo com seus dedos e espalhar as cinzas ao vento.

Uma mãozinha puxou sua camisa.

Ele deu um pulo, surpreso. Era Matthew, que se materializara do nada. Como o garoto fizera isso? Rapidamente, o Djim dobrou novamente o papel e enfiou-o sob a algema.

"Imagino que Arbeely o tenha mandado", murmurou. Era difícil para ele encarar o garoto. Os acontecimentos daquela manhã haviam afastado da sua mente o que acontecera na noite anterior, mas agora tudo voltava em um instante — a saleta minúscula, a mãe de Matthew no sofá lutando para respirar — e junto vinha uma vergonha obscura e incômoda.

O garoto fez que não com a cabeça, com veemência, depois puxou de novo a manga do Djim. Confuso, o Djim se abaixou para ouvir o sussurro humilde e insistente:

"*Traga ela de volta!*"

Abismado, o Djim arregalou os olhos. Trazê-la de *volta*? A mulher estava morta!

"Quem lhe disse que eu posso fazer isso?", perguntou. Mas o garoto não disse mais nada, apenas deixou que sua expressão de obstinada esperança falasse por ele.

Aos poucos, uma ideia se apossou do Djim. Foi *por isso* que Matthew ficara ao lado dele todos esses meses? Não por amizade, admiração ou desejo de aprender? O garoto correra até ele, em vez de procurar Maryam ou o dr. Joubran — alguma pessoa, *qualquer* pessoa, que pudesse realmente ajudar — apenas porque pensava que o Djim poderia curar sua mãe moribunda, tão facilmente quanto consertaria um furo em uma chaleira!

As raivas e desapontamentos daquele dia se agitaram dentro dele. Ele se agachou e segurou o garoto pelos seus ombros magros.

"Deixe-me contar", ele disse, "das almas que vagam por aí depois da morte, ou que são trazidas de volta contra sua vontade. E isso é a verdade, não uma história que se conta para crianças. Você já viu uma sombra passar pelo chão, como a de uma nuvem? Mas, quando você olha para o céu, não há qualquer nuvem lá?"

Matthew hesitou, mas fez que sim com a cabeça.

"É um fantasma", disse o Djim. "Uma alma perdida. No deserto há fantasmas de todo tipo de criatura. Eles voam de um lugar para o outro, em uma angústia perpétua, em eterna busca. Você pode imaginar o que eles estão procurando?"

Matthew estava pálido e imóvel. Fez que não com a cabeça.

"Eles estão procurando seus corpos. E quando os encontram — *se* os encontram, se seus ossos há muito não se tornaram pó —, eles se curvam sobre eles e choram, fazendo os ruídos mais assustadores. Você quer saber o que eles fazem então?"

Brotavam lágrimas dos olhos apavorados do garoto. O Djim sentiu a primeira pontada de remorso, mas prosseguiu. "Eles vão atrás de seus parentes mais próximos e imploram que eles os ajudem a descansar. Mas tudo o que seus familiares escutam é uma espécie de gemido, como um vento forte. E tudo o que eles sentem é o frio da morte." O Djim pressionou com mais força os ombros do menino. "É isso o que você quer para sua própria mãe? Ver sua alma uivando pela Washington Street, ouvi-la gritando como um vendaval? Procurando seus ossos que apodrecem no chão? Procurando *você*?"

O garoto abafou um grito, libertou-se dele e saiu correndo.

O Djim ficou olhando enquanto Matthew desaparecia do telhado, ouvindo seus passos que ressoavam na escada de incêndio. Ele se afastou do beiral. O garoto procuraria outra pessoa agora: Maryam, Arbeely, o padre ou uma das costureiras. Eles o consolariam, enxugariam suas lágrimas. E, da próxima vez que precisasse de algo, iria até eles, não até o Djim.

Sozinho, terminou de fumar seu cigarro, deixando que este se transformasse em cinza entre seus lábios.

—◆ ● ◆—

Na oficina do latoeiro, o clima não era bom. Maryam havia passado por lá rapidamente, enquanto o Djim estava fora, para dar a Arbeely a triste notícia da morte de Nadia — uma morte que, aparentemente, o Djim testemunhara.

"Ele esteve aqui mais cedo", disse Arbeely, confuso. "Não me disse nada."

"Boutros, não tenho o direito de dar palpite com relação às pessoas com quem você deve se associar... mas não há algo *estranho* nele?"

Mais do que você pode imaginar, pensou Arbeely. "Eu sei que ele pode ser difícil, e o humor dele tem estado péssimo ultimamente..."

"Não, não é isso." Ela hesitou, como se pesasse cuidadosamente as palavras. "Na casa de Nadia... era como se ele nunca tivesse visto uma pessoa doente. Ele não tinha ideia do que fazer. Segurava-a e, quando olhou para mim, por um instante... Boutros, ele nem ao menos parecia humano." Os olhos dela eram suplicantes. "Isso soa horrível? Estou conseguindo me fazer entender?"

"Acho que sei o que você quer dizer", ele respondeu.

Então Maryam partiu, e o Djim voltou do que quer que tivesse ido fazer — mas continuou sem dizer uma palavra sobre Nadia. Olhando para ele na oficina apertada, Arbeely ficou imaginando o que teria acontecido com o sentimento de amizade que havia entre eles. Talvez fosse simplesmente algo incomum demais para dar certo. Não era essa a moral das histórias que sua mãe e suas tias contavam? Que os djins e seus semelhantes deveriam ser deixados em paz, distantes dos seres de carne e osso? Ele se deixara enganar pela máscara de humanidade do Djim, esquecendo-se de que, por trás dela, havia um ser completamente diferente.

De repente, a porta se escancarou. Era Maryam de novo, mas ela estava totalmente transtornada. Depois de toda uma vida de simpatia e compreensão para com todas as almas que cruzavam seu caminho, a mulher finalmente parecia ter raiva suficiente para matar alguém.

"Você!" Ela apontou para o Djim. "Explique-se!"

O Djim se ergueu de sua bancada; seu ar de surpresa dera lugar a um olhar frio e cauteloso. "E o que devo explicar?"

"Por que Matthew Mounsef está agora escondido na minha despensa, soluçante e trêmulo, mortalmente apavorado!"

Arbeely sentiu o coração apertar ao imaginar a cena. Ele pensou ter visto o Djim tremer também, mas ele então disse: "E por que eu estaria por trás disso? A mãe do garoto não acaba de morrer? Acho que você estava lá quando aconteceu".

Maryam puxou o ar com força, como se tivesse levado uma bofetada. "Não sei quem você é", ela disse, um tom gélido em sua voz. "Você não é quem diz ser, isso é certo. Você iludiu Boutros porque ele é ingênuo demais para seu próprio bem, e ainda iludiu todas as pessoas dessa rua. Mas não conseguiu enganar Mahmoud Saleh, nem a mim. Você é perigoso. Não há lugar para você aqui. Eu sabia disso, mas não disse nada, e agora cansei de ficar calada. Qualquer homem que diga a um menino de sete anos que a alma de sua mãe voltará procurando pelo corpo, além de persegui-lo pelas ruas — qualquer um que faça algo tão cruel não merece nem compaixão nem compreensão."

"Meu Deus", disse Arbeely. "Isso é verdade? Você realmente disse isso a Matthew?"

O Djim lançou-lhe um olhar de exasperação ofendida, e Arbeely achou que ele se explicaria. Mas apenas se voltou para Maryam e disse: "Sim, foi isso que aconteceu. Tive minhas razões. Por que eu deveria me importar se você as entende ou não — especialmente considerando que, como você mesma disse, nunca gostou de mim? Nunca pedi sua compaixão ou compreensão, e não que você estivesse disposta a concedê-las. Nem você, nem Mahmoud Saleh, e muito menos *você*", disse, olhando para Arbeely, "podem determinar meus atos. A vida é minha, e eu farei dela o que quiser".

Um silêncio de respirações contidas. Como duas forças titânicas da natureza, Maryam e Djim ficaram se encarando.

"Chega", disse Arbeely. "Está tudo acabado. Pegue suas coisas e saia."

De início, o Djim pareceu não entender. Então seu semblante se anuviou. "Desculpe, não entendi."

"Você me ouviu. Fora. Nossa sociedade está acabada. Você poderá fazer o que quiser, mas não aqui. Nunca mais."

Um instante de hesitação cercado de perplexidade. "Mas... a encomenda de Sam Hosseini ainda não está terminada."

"Explicarei tudo a Sam", disse Arbeely. "Considere-se isento de qualquer responsabilidade. O que, para você, não deve ser difícil."

O olhar do Djim passou da raiva de Arbeely ao triunfo no semblante de Maryam. "Você tem razão", disse. "Não tenho mais nada a fazer aqui." Ele separou suas ferramentas, embrulhou com cuidado os colares inacabados em uma flanela e colocou-os sobre a bancada de trabalho. Depois, sem olhar para trás, atravessou a porta e partiu.

—•—

Chava,
Surgiu uma série de problemas inadiáveis no trabalho, e temo que terei de passar a noite aqui. Não se preocupe com a janta, comerei na Casa. Nos veremos amanhã.
Seu marido,
Michael

Ela deu uma moedinha ao garoto de recados, fechou a porta e, então, leu o bilhete novamente. Michael lhe dissera uma vez que sempre evitava passar a noite na Casa por temer que começassem a esperar que ele fizesse isso sempre. A Golem ficou imaginando o que teria acontecido para que ele fugisse à própria regra.

Acabara de colocar a mesa; agora guardaria de novo os pratos e copos, o pão e o *schmaltz*, a frigideira que esperava o fígado que ele prometera. Ela parou, a mão na porta da geladeira. Ele esperaria que ela comesse, claro. Será que notaria que havia tanta comida quanto antes?

Uma raiva cheia de frustração cresceu nela — ficaria sempre tentando antecipar as reações dele? E bateu a porta da geladeira com mais força do que gostaria. Se ele perguntasse, diria que estava sem fome.

A Golem foi para a saleta e pegou seu estojo de costura. Ao menos por uma noite não teria de tentar ignorar os medos e desejos dele, ou ficar deitada na cama, sem dormir, lembrando-se de respirar. Esse pensamento fez seu corpo relaxar; mas, um instante depois, ela se sentiu tomada pelo remorso. Seu marido trabalharia a noite toda, e tudo em que ela pensava era em seu próprio conforto. Talvez devesse levar-lhe alguma comida para mostrar que estava pensando nele.

Então deixou de lado a agulha e a linha; mas, em um ímpeto rebelde, pegou-as novamente. Ficaria em casa. Por apenas uma noite, ela retomaria sua antiga vida: costurando sozinha, com uma janela entre ela e o mundo.

—◆—

Em seu quarto, o Djim tentava decidir o que levar.

Ele estava deixando a Pequena Síria. Não havia mais nada para ele ali — e, francamente, alguma vez houvera? Uma ocupação para as horas diurnas, um abrigo para se proteger da chuva e da neve. Nada além disso. Ainda assim, ele ficou surpreso ao perceber, examinando o quartinho, o quão pouco havia acumulado. Algumas camisas e calças, dois pares de sapatos, um casaco. O pavoroso chapéu de lã no qual a Golem insistira. As almofadas no chão, compradas por pouco dinheiro e quase nenhum entusiasmo. Algumas ferramentas que ele afanara da oficina, com a intenção de devolvê-las em algum momento. O jarro no qual guardava seu dinheiro. Os colares que comprara de Conroy. O guarda-chuva com cabo de prata. E, num armário, suas estatuetas.

Ele as tirou de lá e alinhou-as sobre a escrivaninha. Havia pássaros e camundongos, minúsculos insetos feitos de cobre, uma cobra de cabeça erguida, em prata, com escamas em padrão de diamante. A íbis, teimosamente inacabada, seu bico que ainda não tinha o formato correto.

Colocou no bolso o dinheiro, os colares e, depois de hesitar por alguns instantes, as estatuetas. Mas logo as tirou de novo, devolvendo-as à mesa. Que os próximos inquilinos fizessem com elas o que bem entendessem. Afinal, do que ele precisava, além de um teto sobre sua cabeça quando chovesse? Nada. Absolutamente nada.

De volta à rua, sentiu-se cheio de energia, livre — como se tivesse voltado para o deserto, podendo ir aonde quisesse. Por que se associara a Arbeely, afinal? As velhas razões pareciam inconsistentes, covardes até, comparadas a essa liberdade. Aonde ir agora? Ele olhou para cima: o céu estava ficando nublado. Talvez precisasse de um lugar para passar a noite. O Bowery? Há semanas não ia lá, exceto para comprar colares com Conroy.

Ao passar pelo prédio de Matthew, ele parou. Talvez, antes de partir, devesse olhar seu teto pela última vez.

O saguão estava escuro e fresco, os bicos de gás ainda não haviam sido acendidos para a noite. Acima de sua cabeça, o deserto de estanho brilhava no início do anoitecer. Em uma das paredes, alguém havia pendurado um recorte emoldurado de uma notícia de jornal sobre o teto. *Espera-se*, dizia o texto, *que o teto seja apenas a primeira de uma série de novas benfeitorias desse notável talento sírio.*

Os picos invertidos projetavam suas sombras sobre os vales. Seu palácio, como sempre, estava faltando; e ele se sentia incapaz de tirar os olhos do ponto em que o palácio deveria estar.

De repente, toda a sua energia febril se esvaneceu. Ele nunca estaria totalmente livre da Pequena Síria, não enquanto esse teto existisse. Poderia arrancá-lo, pensou, ou derretê-lo por completo; mas só o fato de pensar nisso lhe dava arrepios. Tudo bem, então — eles poderiam ficar com ele. Arbeely o veria e talvez se lembrasse do que o Djim fizera por ele e por sua oficina. E Matthew — ele também o veria.

Voltou para a rua. Lá em cima, as nuvens engrossavam. Nada mais de passeios turísticos; era hora de partir.

Quando estava quase deixando o bairro, ele passou por Saleh, que arrastava seu carrinho vazio de volta para casa. O velho parou quando o viu, apoiando-se contra uma parede.

"Saleh", disse o Djim. "O que você disse a Maryam Faddoul?"

Havia medo nos olhos do velho, mas ele respondeu: "Nada que ela já não soubesse".

O Djim riu com desdém. Depois vasculhou seus bolsos e pegou a chave de seu quarto. Ele a jogou para Saleh, que a pegou surpreso. "Um presente de despedida", disse o Djim, dando-lhe o endereço. "Está pago até o fim do mês. Estarei no Bowery", acrescentou enquanto se afastava, "se alguém achar que precisa de mim."

———•———

No dormitório escuro, Yehudah Schaalman se preparava para mais uma noite de caçada. Vestiu-se silenciosamente, desceu tateando a escada rangente e escapuliu porta afora.

Ele pensou em ir novamente para o norte, retornando ao parque para o qual o feitiço da varinha mágica o levara da última vez. Não parecia muito promissor, mas o que mais poderia fazer? Ele tinha tão pouco a que recorrer, com essas pistas surgindo e se apagando ao acaso como marcas deixadas por um espírito inquieto...

A compreensão do fato explodiu dentro dele e quase interrompeu seus passos. Sua presa, aquilo que tanto buscava, *era uma pessoa*. Os telhados do Bowery, os parques — alguém vagava pela cidade, e Schaalman o seguia como um cão de caça. Isso explicava por que as trilhas terminavam abruptamente: tendo alcançado seu destino, o andarilho retornava sobre os próprios passos para casa. O que significava que tudo o que Schaalman precisava fazer era encontrar uma trilha e segui-la de volta até sua origem, onde sua presa estaria esperando.

Mal chegara a essa conclusão e, como uma recompensa, uma trilha surgiu sob seus pés. Ele parou atônito. Era a esquina da Hester com a Chrystie Street, ainda no bairro judeu. Caminhara por essas ruas dezenas de vezes — e, ainda assim, agora a esquina brilhava em sua mente, cada centímetro de concreto o fascinava. Sua presa andarilha passara por ali tão recentemente que poderia ter sido naquele mesmo dia.

Ele teve vontade de dançar bem ali no meio da rua, mas forçou-se a permanecer calmo. Olhou em volta, desenhando um círculo. Lá: o prédio na esquina sudoeste, era aquele que o interessava. O degrau da frente o atraía como se estivesse iluminado — e também, estranhamente, o vaso de flores malcuidadas. Mas a trilha terminava ali. A porta não tinha nada de extraordinário. Então, sua presa subira aqueles degraus, talvez para uma conversa, ou para checar se alguém estava em casa, e depois partiu. Mas para onde?

Ele desceu os degraus, deixando-se ser guiado por seus pés. Subindo o quarteirão, havia outro prédio em pior estado que o primeiro — e a trilha não parava na porta. Cuidadosamente, entrou no saguão, seus sapatos grudando no piso imundo. A trilha o conduziu, por uma escada escura, até um corredor que cheirava a repolho e a uma porta em especial. Ele colou o ouvido contra a madeira, mas não ouviu nenhuma voz, apenas o que parecia ser um ruído de respiração.

Enquanto estava ali, pensando se batia à porta ou não, alguém saiu do banheiro junto ao poço da escada. Ele deu alguns passos para trás e ficou olhando enquanto uma mulher grávida, de camisola branca, caminhava de maneira sonolenta até a mesma porta que chamara sua atenção. A aura que a cercava era tão forte que atraía o olhar dele como a agulha de uma bússola. "Perdão", ele disse.

Seu tom de voz era baixo e tranquilo, mas ela se assustou mesmo assim. "Céus", exclamou, colocando uma das mãos sobre seu ventre rotundo.

"Queria saber se você pode me ajudar; estou procurando alguém." Ele parou para pensar, escolheu um nome ao acaso. "Chava Levy?"

A mulher pareceu se encolher ao ouvir o nome. "Não a vejo há meses", respondeu com medo e suspeita pesando em sua voz. "Por que você está procurando aqui?"

"Soube que ela poderia ter vindo até aqui. Por um amigo em comum."

"Ahmad? Foi *ele* que o mandou?"

Ele aproveitou a deixa. "Sim, Ahmad me enviou."

Ela fechou a cara. "Você deveria ter falado logo. Diga-lhe que ele não terá seu dinheiro de volta mais rápido mandando alguém me perseguir. E *você*, velho, deveria ter vergonha! Assustando uma mulher grávida no escuro!"

Seu discurso era proferido em um volume cada vez mais alto. Logo alguém escutaria e viria saber o que estava acontecendo. Não havia mais tempo para sutilezas. Então agarrou-a pelo pulso, como fizera com cada um dos rabis. Primeiro ela tentou se soltar; depois, ficou quieta.

Ele perguntou: *Quem é Ahmad?*

Mas, antes que ela abrisse a boca para responder, uma visão atravessou sua mente: uma luz lancinante, uma imensa e extraordinária chama que queimava com a força do inferno.

Ele largou o pulso da mulher e cambaleou para trás, tentando apagar aquela luz de seus olhos. Quando pôde enxergar novamente, viu que ela o observava com uma suspeita cautelosa, ignorante do que se passara. "Você está bem?", ela perguntou.

Passou por ela sem responder e correu até a escada, sumindo na escuridão.

Novamente na rua, ele parou, tentando recuperar o fôlego no ar úmido. O que era *aquilo*? Uma chama que queimava como os fogos de Geena, uma chama que, de alguma forma, estava viva — mas ela a chamara de Ahmad, falara dela como se fosse um homem! Como isso poderia fazer algum sentido? Haveria alguma outra força agindo, algo além de sua própria compreensão?

Ahmad. Ele nem sabia direito de que tipo de nome se tratava.

——— • ———

No Cão Malhado, a freguesia noturna estava se tornando estridente e incontrolável. Três fregueses já haviam sido expulsos por brigar. Mas Michael, em sua mesa no canto, era totalmente ignorado. Ele imaginava o que os fregueses habituais, musculosos operários e estivadores, deveriam pensar dele. Um burocrata covarde e oprimido, com medo de enfrentar a longa caminhada de volta para casa? Não estavam muito longe da verdade, pensou.

Ele folheou mais uma vez as anotações de seu tio, os olhos deslizando pelas fórmulas e diagramas. Enviara a mensagem para sua esposa às sete e meia; agora era pouco mais de onze horas. Deixara o copo de lado e estava bebendo o uísque duvidoso diretamente da garrafa. Sua razão insistia em lhe dizer que as anotações não passavam de delírios, frutos da velhice e da superstição — mas as muralhas de seu raciocínio estavam desmoronando.

Ele tomou mais um gole da garrafa, apanhou os papéis, foi para a rua e vomitou. Mas isso não fez com que se sentisse melhor. Trançando as pernas, voltou à Casa de Acolhida. Lá, tudo estava escuro e silencioso; havia passado da hora de dormir. Em seu escritório, abriu uma gaveta já lotada de papéis e enfiou ali as anotações de seu tio. *Para Vincular um Golem a um Novo Mestre,* gritava a folha que estava no topo da pilha. Ele fez uma careta e fechou a gaveta com estrondo.

O aposento girava. Ele não tinha nenhum outro lugar para ir, nenhum pouso em sua vida além da Casa de Acolhida e seu agora duvidoso lar. E os amigos? Mas abandonara todos eles, afastando-se em meio a uma névoa de trabalho e exaustão. Não sobrara nenhum que pudesse molestar para pedir dois dedos de prosa ou um sofá para dormir. Ele precisava de alguém disposto a ouvir sem julgamentos, que pudesse comentar o assunto sob um prisma compassivo.

Joseph. Ele poderia falar com Joseph, não? O homem era o mais próximo que ele tinha de um amigo atualmente. Mesmo em meio à embriaguez, Michael sabia que acordar um empregado para um desabafo sincero no meio da noite ultrapassava os limites de um comportamento aceitável. Ainda assim, subiu as escadas até o dormitório de Joseph.

A cama de Joseph estava vazia.

Ele ficou de pé na escuridão inquieta, sentindo-se vagamente traído. Que negócios o homem poderia ter em algum lugar àquela hora da noite? Então sentou-se na cama. Talvez Joseph tivesse saído para dar uma volta, a fim de escapar do calor do dormitório. Não obstante, uma pontada de suspeita começou a se impor como uma coceira. Lembrou-se de sua esposa fazendo perguntas sobre Joseph e das parcas informações que ele fora capaz de fornecer. Por que ela estava tão interessada nele?

Michael nunca invadira a privacidade de qualquer um de seus hóspedes. Havia homens em torno que poderiam acordar e surpreendê-lo. Mas agora, com um olho na porta que dava para o corredor, vasculhou embaixo da cama de Joseph. Sua mão encontrou a alça de uma velha bolsa de viagem. Ele a puxou, encolhendo-se quando ela raspou o chão. Tinha o cheiro de algo velho e embolorado, como se houvesse sido guardada embaixo de inúmeras camas por gerações. O fecho abriu ao ser tocado. Lá dentro, havia algumas peças de roupa, cuidadosamente dobradas, e um velho livro de orações. Era tudo. Nenhuma foto de parentes, nenhuma lembrancinha ou bugigangas de um lar. Seria tudo o que Joseph possuía no mundo? Até para a Casa de Acolhida, era um acervo escasso. Michael poderia ter sentido um impulso de piedade, mas a estranha ausência de Joseph tornava a falta de posses sinistra — como se o homem não existisse de verdade.

Ele sabia que deveria colocar a bolsa de volta em seu lugar e partir, mas o álcool e seu humor o deixavam sem ânimo para se mover. Então pegou o livro de orações da bolsa e começou a folheá-lo, como se este pudesse lhe dizer o que fazer. O luar iluminou sua beirada; e o livro de preces comum se transformou, revelando-se esfarrapado e chamuscado. Onde ele esperava encontrar orações, havia agora fórmulas, feitiços, encantamentos.

Folheou o livro, cada vez mais incrédulo. Procurara Joseph para se tranquilizar e o que encontrara? Seu tio, sua esposa e agora isso: era como se todos conspirassem contra ele, fazendo-o duvidar de tudo o que julgava verdadeiro.

Em uma página manchada por algo que parecia lama seca, ele leu, em uma letra desleixada que reconheceu como pertencendo a Joseph:

O que Rotfeld deseja em uma esposa: Obediência. Curiosidade. Inteligência. Comportamento virtuoso e recatado.

Obediência inata. Inteligência: a mais difícil. Curiosidade: a mais perigosa — mas isso é problema de Rotfeld, não meu.

E então, mais à frente:

Ela está pronta. Uma obra excelente. Rotfeld parte amanhã para Nova York.

Ela será uma excelente esposa para ele, se não o destruir antes.

GOLEM & GÊNIO
UMA FÁBULA ETERNA

XXIV

um saguão de um cortiço aparentemente igual aos outros, próximo à zona portuária do rio Hudson, Yehudah Schaalman ergueu sua cabeça grisalha e admirou, perplexo, o ondulante teto de estanho.

Ele estava, provavelmente, a cerca de um quilômetro e meio da Hester Street, mas gastou quase uma hora para chegar ali. O caminho dava voltas, retorcia-se sobre si mesmo, atravessava becos e subia por escadas de incêndio, alcançando telhados com trânsito intenso de pessoas, atravessando pontes de tábuas, para então descer de novo. Finalmente ele chegara à Washington Street, onde tivera de encarar uma profusão de alternativas. Os caminhos se sobrepunham, de modo que cada vitrine e ruela zuniam, atraindo seu interesse. Ele subiu e desceu a rua, buscando uma orientação até que, por fim, o caminho que o atraía com mais força o levou ao cortiço com o saguão bem iluminado. Lá dentro, o feitiço e as luzes conspiraram para que ele erguesse a vista.

Não soube dizer por quanto tempo ficou olhando as ondas e os picos brilhantes, com uma das mãos apoiada à parede buscando equilíbrio. No início, pensou que aquilo se devesse a algum defeito curioso do prédio — talvez as peças que compunham o teto houvessem derretido e começado a pingar — até se dar conta de que era intencional, uma obra de arte.

De repente, como acontecera com tantos outros, o teto entrou em foco. O mundo rodou...

Anoitecia, e ele estava de pé em uma planície devastada, rodeada por picos distantes. O sol tornava sua sombra estreita como uma lança, fazia seus braços parecerem galhos nodosos, transformando seus dedos em ramos. À sua frente estava o vale no fim do verão, os animais que o habitavam já começavam a despertar. Ele piscou — e então, no vale vazio, surgiu um belíssimo palácio todo de vidro, suas torres e parapeitos brilhando aos últimos raios dourados do anoitecer.

Alguma coisa dura e plana atingiu Schaalman bem no rosto. Era o piso do saguão.

Ele ficou ali, tentando se recompor, o piso frio sob sua bochecha dolorida. Ergueu-se, cuidadosamente, apoiando-se nas mãos e nos joelhos; o aposento, felizmente, ficou imóvel. Pôs-se de pé e, protegendo os olhos para não ver o teto, deixou o saguão e sentou-se nos degraus da entrada do prédio, mantendo uma das mãos sobre o rosto, que latejava. O medo que sentira antes, naquele corredor, com a mulher grávida, ressurgiu ampliado. Outro fenômeno que ele não era capaz de explicar.

Lutou contra o pânico e a vontade de voltar para a Casa de Acolhida. Ele se sentia vulnerável, exposto. Quem era sua presa? Seria o misterioso Ahmad? Ou o Anjo da Morte, que estava brincando com ele?

A dor em sua bochecha inchada começou a ceder. Ele se levantou dos degraus e desceu a rua. As trilhas dançavam e se cruzavam à sua frente, atraindo-o para algum encontro.

—◆•◆—

Pouco depois de uma hora da manhã, a Golem desistiu de todas as tentativas de costurar. A distração a atrapalhava, e a camisa que consertava tinha agora um rasgo na parte da frente. As poucas almas despertas que passavam sob sua janela estavam todas bêbadas ou precisavam ir ao banheiro; isso apenas aumentava sua inquietação e ansiedade.

O bilhete de Michael estava sobre a mesa, o papel completamente amarfanhado de quando ela o amassara, frustrada. As palavras não pareciam dele, eram extremamente formais. As habituais demonstrações de carinho se faziam notar por sua ausência. Ele estaria escondendo algo? Lembrou-se da conversa que tiveram sobre Joseph Schall. Teria Michael se envolvido em alguma confusão com ele? Ah, como ela odiava palavras escritas, tão vazias! Como poderia saber a verdade, sem que ele estivesse à sua frente?

Não havia maneira de se acalmar, precisava ir até a Casa de Acolhida. Michael poderia ralhar com ela por ter saído sozinha àquela hora da madrugada, mas ela explicaria que estava preocupada demais com ele para dormir. Então colocou sua capa e saiu, caminhando rapidamente por ruas onde pontilhavam pedestres anônimos e solitários, todos em busca de algum tipo de libertação.

Por fora, a Casa estava escura e silenciosa. Ela ficou na calçada por um momento, escutando. Alguns homens estavam meio acordados. Os demais afogavam-se em um oceano de sonhos, reflexos distorcidos de seus desejos e temores. Ela empurrou lentamente a porta de entrada, erguendo-a um pouco para evitar que as dobradiças rangessem.

Havia luz no escritório de Michael. Ela caminhou pé ante pé pelo corredor e espiou pela porta entreaberta. Ele havia adormecido sobre a mesa. Sua cabeça repousava sobre o braço dobrado, um livro de orações aberto junto a seu cotovelo. Pareceria morto, não fosse pelo suave movimento que seus ombros faziam, acompanhando a respiração. A Golem se aproximou, agachando-se junto a ele. Por que ele cheirava tanto a álcool? "Michael", ela sussurrou. "Michael, acorde."

Uma de suas mãos sacudiu no ar. Ele gemeu e se ergueu. "Chava", murmurou, ainda adormecido.

Então ficou rígido. Seus olhos se arregalaram, a viram e entraram em foco.

Seu terror, semelhante ao de um animal acuado, atingiu-a bem no peito.

Ele pulou da mesa, espalhando livros e papéis, e cambaleou para trás. Na mente de Michael, ela viu uma imagem grotesca: uma mulher gigante com um corpo pesado e um rosto sombrio e rude, os olhos gelados em suas órbitas. Ela mesma, vista através do espelho do medo.

Deus — o que havia acontecido? Ela se aproximou, mas ele pulou novamente para trás, quase perdendo o equilíbrio. "Fique longe de mim", ele chiou.

"Michael", começou a Golem, incapaz de prosseguir. Imaginara a cena inúmeras vezes — a descoberta de seu segredo — e agora percebia que nenhuma de suas cautelosas explicações, de suas desculpas sinceras, estava à mão. Havia apenas horror e tristeza.

"Diga que estou imaginando tudo!", ele gritou. "Diga-me que eu enlouqueci!"

Não, ela percebeu. Era impossível. Ela lhe devia isso. Mas também não era capaz de dizer a verdade em voz alta. Esforçou-se para encontrar palavras que pudessem remediar a situação. "Nunca quis magoá-lo", disse. "Nunca."

Um jorro de raiva pôs de lado os medos de Michael. A Golem viu o rosto dele endurecer, seus punhos cerrando.

Ela obviamente não corria perigo, pois Michael estava embriagado e não tinha qualquer habilidade para lutar. Mas os instintos dela reagiram, de qualquer modo. A realidade começou a sangrar, dando lugar àquela horrível calma. Havia tempo para uma única palavra, que foi expressa à força por entre seus dentes cerrados.

"*Corra*", alertou a Golem.

Uma nova onda de terror o inundou — e Michael fez o que lhe foi ordenado, seus passos ecoando pelo corredor. A pesada porta da frente bateu.

A Golem ficou sozinha no escritório de Michael, tremendo, enquanto aos poucos recobrava o controle. Sempre imaginou se ficaria aliviada no momento em que a verdade viesse à tona; mas teria preferido viver eternamente tensa a ver Michael fugir dela. Supostamente, deveria ficar preocupada com a possibilidade de Michael contar a alguém, mas naquele momento não se importava com isso. Que a multidão a destruísse, se assim desejassem. Pelo menos, ela seria poupada de novas agonias.

Ela olhou à sua volta, vendo o caos que havia provocado: cadeira derrubada, papéis espalhados pelo chão. Sentindo-se entorpecida, colocou a cadeira de volta no lugar e ajeitou a bagunça. Pegou o livro de orações que vira junto ao cotovelo de Michael, e o volume se revelou uma cascata de folhas soltas e meio queimadas que se espalharam sobre a mesa.

Ao invocar um demônio, é preciso estar certo sobre sua linhagem...
A letra chet *é uma das mais poderosas do alfabeto, mas é frequentemente utilizada de maneira errada...*

Ela franziu as sobrancelhas. De quem era aquele livro?

Começou a folhear as páginas, passando os olhos pelas instruções meticulosas e complexos diagramas. Era, pensou, uma espécie de livro de receitas que trazia listas e ingredientes, instruções precisas, alertas para possíveis acidentes, sugestões de mudanças. Porém, em vez de assar uma galinha ou um bolo de especiarias, o leitor engendraria o impossível, sendo capaz de alterar a própria Criação. O que Michael estaria fazendo com isso? O rabi teria dado o livro a ele?

Uma página, notou, estava manchada de lama nas bordas. Ela a leu — e de novo, e uma vez mais. Atordoada, trêmula, virou a folha e leu o que estava escrito do outro lado.

> *Obediência. Curiosidade. Inteligência. Comportamento virtuoso e recatado.*
>
> *Ela será uma excelente esposa para ele, se não o destruir antes.*

E em sua lembrança Joseph Schall surgiu diante dela, segurando uma caixa de pãezinhos e mostrando seu sorriso dissimulado. *Nunca duvidei de que você seria uma excelente esposa.*

——— • ———

Mahmoud Saleh não conseguia dormir, mas não pelas razões costumeiras.

Ele esperou até a noite estar bem adiantada para entrar nos alojamentos do Djim, a chave morna em sua mão suada. O Djim lhe entregara a chave espontaneamente — ele não se sentia culpado por isso — mas, mesmo assim, não queria ser taxado de invasor ou ladrão. Encontrou a porta, colocou desajeitadamente a chave na fechadura. Mesmo na mais completa escuridão, o lugar tinha um ar abandonado e vazio. A única luz vinha da janela desprovida de cortinas, um lúgubre brilho alaranjado que não iluminava nada. Saleh caminhou com os braços estendidos, esperando trombar em uma cadeira, uma mesa; mas logo suas mãos tocaram a parede oposta. Havia algumas velas no beiral da janela, e ele vasculhou os muitos bolsos de seu sobretudo em busca de fósforos. A luz revelou um aposento desprovido de qualquer mobília, à exceção de uma escrivaninha, um guarda-roupa e várias almofadas espalhadas pelo chão.

Ele juntou as almofadas, formando uma espécie de colchão. Quando finalmente se deitou, quase chorou por causa do conforto. Pela manhã, traria um balde de água e se lavaria direito. No momento, só queria dormir.

Pelo menos, era o que ele pensava. Mas, horas depois, teve de admitir que o quarto o derrotara. Era silencioso demais, vazio demais. Mas o que ele esperava, um harém cheio de huris[1] e uma lâmpada mágica servindo de dormitório? A verdade era que, naquele quarto limpo e comum, ele se sentia um intruso, um pedaço de lixo que entrara pela janela, trazido pelo vento. Ressentido, virou de lado e afundou ainda mais nas almofadas. Maldito Djim, ele iria *dormir*.

Bateram à porta.

Na escuridão, Saleh sentiu-se paralisado. Uma visita àquela hora? Que tipo de vida aquela criatura levava? Ele conteve a respiração, tentando deixar o quarto no mais absoluto silêncio. Mas bateram de novo, e uma voz de homem disse em tom baixo, primeiro em uma língua que ele não entendia, depois em um inglês ruim: "Olá? Por favor?". Uma pausa. "Ahmad?"

Saleh praguejou. Pegou uma vela e abriu a porta. "Ahmad não", disse, olhando para os sapatos opacos do homem.

Uma pergunta, naquela outra língua, algo que soava como alemão. Ele balançou a cabeça, disse *não* novamente e decidiu que já bastava. Que o homem resolvesse sozinho o problema, qualquer que fosse. Ele começou a fechar a porta.

Um dos sapatos do homem avançou, bloqueando a porta.

Saleh deu um pulo para trás, alarmado. O homem estava forçando a entrada. Saleh fechou os olhos e recuou, abrindo a boca para gritar por socorro — mas uma mão fria e ressecada agarrou seu pulso, e, de repente, ele não conseguia mais emitir qualquer som.

Schaalman examinou o vagabundo maltrapilho que estava à sua frente, rígido, a vela inclinada em sua mão congelada. *Curioso*, ele pensou. O homem havia levado uma vela até a porta, mas não olhara para ele;

---

[1] As belezas celestes que, segundo o Alcorão,
    serão as esposas dos muçulmanos fiéis. [NT]

seu primeiro gesto defensivo foi fechar os olhos. Seria cego? Ou fora prejudicado de alguma outra maneira?

Schaalman perguntou: *Quem é você?*

O homem abriu a boca, mexeu os lábios para falar: mas, fosse lá o que quisesse dizer, suas palavras foram superadas por um berreiro desagradável, alto, de além-túmulo, no limite da percepção.

Schaalman cerrou os dentes, frustrado. Ele sabia o que isso significava. Presenciara casos de possessão antes, há muito tempo atrás, em aldeias remotas da Prússia e nas florestas do interior da Baváaria. Aquela deveria ser uma ocorrência menor, pois o homem ainda era capaz de falar e de fazer coisas; mas mesmo o mais insignificante fragmento demoníaco seria um estorvo insuportável. A criatura faria de tudo para atrair a atenção de Schaalman, implorando para ser libertada de sua prisão. Schaalman já vira até mesmo esses espíritos fazendo seu hospedeiro sufocar com sua própria língua, apenas para se libertarem. Enquanto ele não resolvesse a questão daquele delinquente, só conseguiria respostas desconexas.

Schaalman considerou suas alternativas. Seria mais rápido exorcizar aquela coisa e livrar-se dela, mas o processo não era delicado. O homem certamente se lembraria de tudo. Não haveria mais qualquer chance de um interrogatório discreto.

Mas ele estava tão, tão perto! E este não era um rabi venerável, mas um vagabundo sujo, provavelmente meio enlouquecido em virtude de sua possessão. Quem acreditaria na verdade se ele tentasse contar? E como Schaalman poderia se dar ao luxo de não assumir o risco?

Ele prendeu a cabeça do homem entre suas mãos e se preparou.

Mahmoud Saleh só sabia que alguém, em algum lugar, estava gritando.

Uma mão entrava em sua mente, tateando, seus dedos vasculhando camadas de sensações e memórias. Saleh só conseguia ficar de pé, rígido e mudo, enquanto ela mergulhava mais fundo, centímetro a centímetro. Ela parou, fechando-se sobre algo pequeno e invisível, agarrando-o com um punho de aço; depois, lenta e pacientemente, arrancou essa coisa, que gritava como uma mandrágora retirada do solo.

Saleh queria desabar no chão, mas aquelas mãos secas como papel o mantiveram de pé. E depois, dedos longos e ressecados abriram seus olhos, que não ofereceram resistência.

Mahmoud Saleh olhou para o rosto do homem.

Ele era velho e magro, a pele pálida cheia de manchas senis, mas seus olhos emoldurados por bolsas brilhavam com perspicácia. Um grande hematoma se espalhava em uma das bochechas. Seu rosto estava franzido, de concentração e nojo, como o de um cirurgião que estivesse com o braço enfiado até o cotovelo nos intestinos de um paciente. Saleh tremeu sob o controle dele.

Quem é você?, perguntou o homem.

Doutor Mahmoud, parte de Saleh respondeu; a outra parte disse: *Saleh Sorvete.*

Então onde está Ahmad?

E, antes que Saleh pudesse pensar em uma resposta, uma lembrança escapou de si: o Djim cruzando com ele na calçada, jogando-lhe a chave. *Estarei no Bowery se alguém achar que precisa de mim.*

Abruptamente, o homem largou Saleh, que desabou no chão como um saco vazio. A vela saiu rolando, a cera pingando no piso; e a última coisa em que Saleh pensou, antes que a chama se apagasse e ele desmaiasse, era que fazia muitos anos que ele não via uma vela brilhar com tanta intensidade.

—•—

O Djim estava de pé em um telhado do Bowery, observando a multidão andrajosa lá embaixo. Os céus não haviam cumprido sua promessa de chuva; as pesadas nuvens permaneciam imóveis sobre a cidade, como se fossem o pálido ventre de algum verme gigantesco. O telhado era uma colcha de retalhos de colchões sujos porque as prostitutas haviam levado seus negócios para o céu aberto na esperança de uma brisa.

Sua cabeça era martelada pela sensação enervante de que ele deveria idealizar um plano que se estendesse para além dos próximos quinze minutos. Irritado, afastou essa ideia. Planos, cronogramas, contratos — esses eram conceitos humanos. Ele faria o que desejasse, quando desejasse. Não fora isso o que dissera a Arbeely? Ele passara pela loja de Conroy há pouco, indeciso entre entrar ou não. Talvez pudesse propor uma permuta, fazer serviços ocasionais em troca de prata. Não; isso também não seria um tipo de servidão? Além disso, por que prestar serviços? No deserto, a prata simplesmente estava lá, esperando para ser apanhada.

E foi assim que a ideia tomou forma. Ele sorriu, vendo-a crescer. Por que não? Seria uma distração desafiadora e digna; precisaria recorrer a todas as suas habilidades, muito mais do que utilizara para a tocaia no balcão de Sophia. E se não havia muita honra em roubar de um ladrão, pensou ele, também não havia muita vergonha.

Imprudente, disse a Golem dentro dele. *Imoral, indesculpável.*

Era assim que eu vivia antes de você, ele disse. *É como viverei de novo. Acredito que isso vá diverti-lo bastante, e é só isso o que importa?*

Exato. Agora vá assombrar outra pessoa.

A energia cega e turbulenta que ele sentira mais cedo naquele dia estava voltando. Entregou-se a ela com satisfação. Se esperasse e se permitisse analisar a ideia, encontraria alguma razão para deixá-la de lado. Era muito, mas muito melhor, arremessar-se nela de cabeça.

⤙•⤚

Saleh recuperou os sentidos no chão do quarto do Djim. Parecia que sua cabeça fora esvaziada e usada como uma vasilha de batedeira. Ele ficou ali deitado por alguns instantes, tentando se lembrar do que havia acontecido. Teria ele sucumbido a mais uma de suas convulsões? Não, desta vez a sensação era diferente, mais como acordar de um pesadelo que já havia se apagado, deixando-o apenas com a memória corporal do medo. Espere, não: bateram à porta... ele abriu...

Num átimo de segundo, o encontro com o estranho voltou à tona. Com esforço, ele se pôs de pé, tendo de agarrar a maçaneta quando seu equilíbrio vacilou. *Era capaz de ver novamente!* O aposento estava tenuamente iluminado por velas, mas isso não importa! Quando foi que meras sombras se mostraram tão ricas e cheias de cor? As chamas estavam saturadas de amarelos e laranjas brilhantes, além de um azul bruxuleante, intenso demais para olhar por muito tempo. As almofadas nas quais ele se deitara, forradas por um tecido de algodão barato, pareciam agora obras-primas de forma e textura. Ele esticou uma das mãos, tocando-a com a outra: estava exatamente onde achava que estaria. Suas faces estavam mornas e molhadas: ele teria se ferido ao cair? Não, apenas chorava.

E seu rosto: será que ele poderia vê-lo agora? Um espelho, precisava encontrar um espelho! Agarrou a maior das velas e disparou pelo quarto. No guarda-roupa, encontrou apenas algumas peças de roupa, um chapéu de lã e, o que considerou bizarro, um elegante guarda-chuva de seda com o cabo envolto por delicadas folhas de parreira moldadas em prata. Ele o admirou por um instante antes de jogá-lo de volta no guarda-roupa, retomando sua busca. O quê? A criatura não tinha espelho? Ele não precisava se barbear?

Algo cintilante na escrivaninha chamou sua atenção.

Ele aproximou a vela. No canto da mesa, estava alinhada uma coleção de pequenas estatuetas, talvez uma dúzia no total. Antes, sua vista estava muito ruim para percebê-las; mas agora ele via pássaros, insetos, até uma minúscula serpente enrolada e de cabeça erguida. Junto às estatuetas havia um conjunto de instrumentos em um estojo de couro, sovelas finas e delicadas, agulhas curvas, como as que um cirurgião ou um dentista usaria. Ou, ele se deu conta, um ourives.

Pegou as outras velas e colocou-as em volta das estatuetas. Algumas estavam terminadas e resplandeciam de tão polidas; outras pareciam ainda estar em andamento. A serpente era maravilhosamente trabalhada, o padrão das escamas um milagre de firme paciência. Ficou maravilhado com os intricados insetos feitos com restos de estanho, que mais sugeriam que delineavam suas similaridades: os longos membros e o probóscide de um louva-a-deus, a carapaça redonda e brilhante de um besouro. Uma íbis, por outro lado, tinha um ar estranho e desequilibrado — talvez algum problema com o bico? Ele a examinou. Um dos lados fora totalmente alisado, como se um erro houvesse sido apagado em um momento de frustração.

As lágrimas brotaram de novo em seus olhos. As estatuetas eram belíssimas, e assim seriam mesmo que não tivessem sido as primeiras imagens a agraciar sua visão restaurada. Elas eram fruto de uma perseverança saudosa e solitária. Não se pareciam com nada de que julgara ser capaz seu artesão arrogante, sarcástico e assustador.

E o velho? Que assunto ele poderia ter com o artesão das estatuetas? Saleh ficara tão arrebatado pela recuperação de sua visão que quase se esquecera dele, mas agora se recordava da dor esmagadora, do visível desgosto do homem ao cumprir sua tarefa. Ele, de alguma forma, havia curado Saleh — mas não por bondade ou compaixão, nem mesmo pelo mero dever de curandeiro. Saleh fora apenas uma ferramenta para ele, a falha em sua mente não passava de um obstáculo para atingir um objetivo. E esse objetivo, aparentemente, era encontrar o Djim. Saleh duvidava que o homem pretendesse ter um encontro pacífico.

Ele pegou a íbis inacabada e a observou contra a luz das velas. Um dia antes, uma hora até, ele teria alegremente dito ao velho onde encontrar sua presa, desejando-lhe boa sorte.

Colocou seu casaco, enfiou a estatueta no bolso e apagou as velas. Ele daria um passeio até o Bowery, decidiu, e veria o mundo com seus novos olhos. E se, por acaso, encontrasse o Djim no caminho, então talvez ele encontrasse coragem em seu coração para alertá-lo.

—➤•➤—

Conduzido pela memória de Saleh, Yehudah Schaalman caminhou para o leste, ao sabor do feitiço da varinha mágica. Desta vez não havia desvios, nenhuma subida em telhados ou inútil desvio de rota: sua presa, ao que parecia, tomara o rumo do Bowery com uma pontaria tão certeira quanto a de uma flecha.

E que presa! Um homem chamado Ahmad, com um rosto brilhante como o de um lampião a gás. O que era ele? Algum tipo de demônio? Uma vítima da mesma possessão que afligira Saleh — ou talvez o responsável por ela?

O cansaço lutava com a excitação de Schaalman, lembrando-o de que, em qualquer outra noite, ele já estaria de volta à Casa de Acolhida àquela hora, em busca de suas muito necessárias horas de sono. Mas como poderia parar agora, deixando a pista esfriar? Ignorando seus pés cansados e ardentes, ele apressou o passo.

Quando chegou ao Bowery, encontrou-o cheio de homens, apesar do horário tardio. A trilha era tão forte agora que parecia vir de todos os cantos ao mesmo tempo. Ele perscrutou a multidão, sentindo um súbito pânico: e se o caminho dos dois se cruzasse sem que Schaalman se desse conta?

Um letreiro familiar o espiava de cima das vitrines. Ele leu o nome CONROY, viu a representação do Sol e da Lua. Então parou à porta, espiou dentro. Não, sua presa não estivera ali; havia apenas alguns homens comprando tabaco e o empertigado negociante de bens roubados com seus óculos.

Ele se afastou da porta e retomou sua busca antes que Conroy o percebesse ali, mas quase esbarrou em um homem alto e belo, cujo rosto resplandecia.

"Com licença", disse o Djim, contornando o velho boquiaberto que estava paralisado na calçada. Ele abriu a porta da loja de Conroy, fazendo a sineta tocar. Atrás da caixa registradora, Conroy deu um sorriso malicioso e lançou um olhar significativo para os demais fregueses antes de retomar seu jornal já bastante manuseado. O Djim fingiu examinar as prateleiras de tabaco. Não seria nenhum desafio, pensou ele, esperar até que Conroy fechasse para então quebrar o cadeado; o verdadeiro feito seria roubar o homem embaixo de suas barbas. Sua ideia era comprar um pouco de prata, depois aceitar a costumeira oferta de um quarto no andar de cima. Ele já observara o bastante das idas e vindas da loja para saber que havia inúmeras passagens entre o bordel, a lojinha e o beco em que os homens de Conroy costumavam se reunir. Ficaria algum tempo no quarto lá em cima — e se, enquanto isso, tivesse de desfrutar de alguma companhia feminina, paciência, ele o faria — e esperaria até que Conroy partisse. Se fosse cuidadoso, seria fácil escapar dos capangas. Talvez pudesse provocar algum tipo de confusão...

A sineta sobre a porta soou novamente. Era o velho da rua, aquele com o qual ele quase trombara. O homem o encarava fixamente, com uma intensidade quase insana.

O Djim olhou para ele com a cara fechada. "Sim?"

"Ahmad?", perguntou o homem.

Em silêncio, o Djim praguejou. Os demais clientes pagaram e já estavam saindo da minúscula loja; uma vez que aquele homem, fosse quem fosse, sabia seu nome, o Djim teria de esperar que ele partisse também. "Eu conheço você?", perguntou em inglês, mas o homem sacudiu a cabeça — o que parecia menos uma resposta que uma ordem para não falar, como se o Djim pudesse estragar aquele momento.

Conroy trocou um olhar com o Djim, dobrou o jornal. "Posso ajudá-lo?", perguntou.

O velho dispensou Conroy com um gesto, como alguém que afasta uma mosca irritante. Ele então sorriu para o Djim; e era um sorriso ao mesmo tempo astuto e triunfante, o sorriso de uma criança levada que tem um segredo para contar. Ele ergueu uma das mãos e, com dois dedos, fez um gesto para que o Djim se aproximasse.

Cada vez mais intrigado e mesmo contra a vontade, o Djim deu um passo à frente, na direção do homem. Foi naquele momento que começou a sentir uma agitação em seus braços e na nuca. Um estranho zumbido surgiu em sua cabeça. Uma de suas mãos começou a tremer. Era a algema. Ela *vibrava*.

Ele parou. Algo estava muito, muito errado.

Com o que parecia mais uma garra que uma mão, o velho agarrou o Djim pelo pulso.

O que William Conroy viu, no instante em que todos os vidros que havia em sua loja, incluindo seus óculos, se espatifaram, foi algo que ele nunca contaria a ninguém — nem à polícia, nem aos homens que trabalhavam para ele, nem mesmo ao padre com quem ele se confessava toda quinta-feira. Naquele ínfimo instante, ele presenciou a transformação das duas figuras. Onde havia um velho magro, surgiu outro homem, nu, com um rosto queimado de sol, coberto por tufos sujos de cabelo. E onde estava o homem que conhecia como Ahmad, viu algo que não era um homem, nem qualquer criatura terrena, mas uma espécie de visão cintilante — como o ar sobre a calçada em um dia de calor abrasador, ou a chama de uma vela que o vento apagou.

GOLEM & GÊNIO
UMA FÁBULA ETERNA

XXV

o momento em que eles fizeram contato, um lago oculto da memória transbordou. Inundou as mentes de ambos, soterrando-os, afogando-os em imagens, sensações, impressões.

Onde antes houvera uma lacuna na memória do Djim — descrevendo o mero instante entre a visão de uma águia voando em círculos contra um pôr do sol vermelho-sangue e o despertar no chão empoeirado da oficina de Arbeely —, agora repousavam semanas, meses, muito tempo. Ele observou uma menina beduína enquanto esta vislumbrava seu palácio brilhando no vale; e então viu a si próprio entrando nos sonhos dela. Ele se viu visitando repetidamente a garota, notou como crescia seu fascínio por ela. Testemunhou, como nunca pudera ver antes, como os dias entre aquelas visitas passavam muito rapidamente para ele, mas muito lentamente para ela; percebeu os sinais de que a percepção da garota sobre o que era sonho ou realidade se turvava perigosamente.

Assistiu, incapaz de desviar o olhar, a si mesmo invadindo a mente dela uma última vez. Sentiu-se arrastado avidamente (e quão pouco ele protestou!) para seu casamento imaginário, sentiu como a luxúria o tornava *cego para o perigo; e então o pavor do despertar dela, e a terrível dor dilacerante quando ele se arrancou de sua mente.*

Ele se viu rondando sua própria destruição. Ficou olhando enquanto se afastava dos gritos da família da garota e corria para o abrigo seguro de seu palácio de vidro.

E então ele viu o que aconteceu a seguir.

O dia se apagava aos poucos, avançando em direção ao pôr do sol. Por sobre as muretas de seu palácio de vidro, o Djim notou a mudança de ângulo do sol com irritação.

Passara-se quase uma semana desde a sua última e catastrófica visita à garota beduína, e ele ainda não estava recuperado. Desde então, passava as horas diurnas sob o sol, sem se mexer, de modo a permitir que o calor o remendasse. Mas, à noite, ele se escondia dentro do palácio, protegido pelo vidro. As noites agora o incomodavam: suas feridas, que o deixaram em farrapos, *coçavam*, tornando-o impaciente e mal-humorado. Alguns dias mais de cicatrização, e ele estaria forte o bastante para sua muito adiada visita a seus companheiros djins, aos lugares onde havia nascido. Por que, *por que* não fora antes? Fascinara-se demais pelos humanos, permitindo-se ser seduzido pelo prazer e pelo perigo. Ele não podia pensar em Fadwa agora sem se sentir incomodado com sua própria inocência.

Não que ele culpasse a garota pelo que havia acontecido! Não, a culpa era toda dele. Ficara arrebatado demais por ela, impressionado demais com a tenacidade com que ela e seu povo se agarravam ao deserto, lutando por cada grão de cereal e gota de leite. Confundira persistência com sabedoria e não se deu conta de que faltava à menina uma certa maturidade intelectual. Bem, aprendera a lição. Provavelmente se permitiria observar uma ocasional caravana de longe; mas nada além disso. Nada mais de lidar com humanos. Os djins mais velhos tinham razão: os dois povos não deviam interagir. Não importava o quão fascinantes ou sensuais, o custo desses encontros era elevado demais.

Da segurança de seu palácio, o Djim observou enquanto a luz que desvanecia criava sombras nas paredes. Talvez, pensou, devesse esperar mais alguns dias antes de partir. Não queria mostrar qualquer ferida ou cicatriz de sua desventura. Ninguém deveria saber o quão perto chegara de sua própria destruição.

Socorro!

Ele se voltou, sobressaltado. Uma voz, de longe, atravessava as paredes de vidro...

Djim, Socorro! Estamos em uma batalha com um bando de ifrits *e estamos feridos — precisamos de abrigo!*

Ele voou até a torre mais alta e olhou para o vale. Visivelmente, três djins se aproximavam a oeste, cavalgando o vento. Àquela distância, ele não podia reconhecê-los, mas, sem dúvida, eram da sua espécie. Não havia qualquer sinal de seus perseguidores, mas isso não era de se espantar: muitos *ifrits* gostavam de viajar sob a superfície do deserto, ultrapassando seus inimigos para surgir à frente deles. Um dos djins, ele viu, parecia estar carregando o outro, que realmente não parecia inteiro.

Vocês são bem-vindos aqui, disse ao grupo. *Entrem rápido e abriguem-se.* Sentia-se angustiado com o fato de que eles o veriam enfraquecido — mas eles não se apresentariam em melhor estado. Talvez todos pudessem guardar os segredos uns dos outros.

A entrada do palácio era protegida por uma porta de vidro grosso que pendia de dobradiças de prata. Para abri-la e fechá-la, o Djim precisava estar sob a forma humana; tinha sido uma ideia vaidosa dele para fingir que era um soberano humano que retornava a seu trono. Enquanto removia a barra que trancava a porta, abrindo-a, ele pensou que talvez fosse o momento de alterar o portão. O que antes lhe parecera um capricho divertido agora tinha um ar, na presença dos de sua espécie, um tanto embaraçoso.

Um vento quente o acariciou no portão; três djins passaram voando por ele e entraram no palácio, sendo que um deles — uma fêmea, ele via agora, uma djim de alguma beleza — era carregado por seus companheiros. Ele sorriu para si mesmo. A noite acabava de se tornar ligeiramente mais promissora. Então fechou o portão e devolveu a barra à sua posição.

Uma mão humana que parecia uma garra prendeu uma algema de metal em seu pulso.

Chocado, ele tentou puxar o braço — mas este se transformara em fogo congelado. A dor o deixava cego. Desesperado, tentou mudar de forma para escapar do ferro congelante, mas não obteve sucesso. Era capaz de sentir a algema prendendo-o no corpo em que estava, bloqueando qualquer tentativa de transformação.

A dor ultrapassou seu ombro, tomando o corpo inteiro. Então caiu de joelhos, mirando com seus olhos humanos esmaecidos o djim que fizera aquilo com ele. Mas os três djins haviam desaparecido. À sua frente, estava um beduíno com uma garota nos braços. Era Fadwa, amarrada e vendada. Junto a ele, viu o que primeiro pensou ser um cadáver ambulante — mas que acabou se revelando um velho grotesco em uma capa imunda e esfarrapada.

O velho sorria terrivelmente, mostrando dentes escuros e quebrados. "Está feito!", ele disse. "Capturado, e na forma humana! O primeiro desde os dias de Sulayman!"

"Então ele está sujeito a você?", perguntou o beduíno.

"Não, ainda não. Para isso, vou precisar de sua ajuda."

O beduíno hesitou por um momento, depois depositou sua carga no chão. O Djim, incapaz de se mover ou de protestar contra a agonia paralisante, observou enquanto Fadwa, envolta em uma coberta, se contorcia e sussurrava. O beduíno percebeu a direção do olhar dele. "Sim, olhe!", gritou. "Veja o que você fez com minha filha! Este é o seu pagamento, criatura. Por mais terrível que seja o seu sofrimento, saiba que foi você mesmo que o provocou e que não é *nada* comparado ao dela!"

"Sim, muito bem dito", disse secamente o velho. "Agora venha e me ajude, antes que a dor o deixe desvairado. Quero que ele tenha plena consciência do que está acontecendo."

Cuidadosamente, o beduíno se aproximou. "Segure-o com firmeza", ordenou o velho. O pai de Fadwa agarrou brutalmente o Djim. Este tentou gritar, mas nenhum som saiu. "Fique quieto", chiou o beduíno, segurando a nuca do Djim.

O velho fechou os olhos; ele mexia os lábios, como se estivesse ensaiando ou se preparando. Então ajoelhou-se e colocou uma mão áspera e empoeirada sobre a fronte do Djim.

As sílabas rascantes do velho não faziam qualquer sentido — mas, mesmo através do tormento causado pelo ferro, ele podia sentir a rede de linhas brilhantes que saíam da mão do homem e se entrelaçavam sobre seu corpo tomado pela dor. Ele se debateu contra a algema, em pânico, tentando desesperadamente mudar de forma enquanto as linhas se cruzavam para formar uma gaiola. Tolo, descuidado! Jogaram uma isca e ele fora capturado como o mais baixo dos *ghuls*! Tudo, *tudo* fora roubado dele!

"Eu sou Wahab ibn Malik", grunhiu o velho, "e o sujeito à minha vontade!"

Então a gaiola de linhas brilhantes se afundou dentro dele, chamas se unindo a chamas.

O velho cambaleou; por um momento, pareceu que iria desmaiar. Mas ele se endireitou e sorriu triunfante.

"Então acabou?", perguntou o beduíno. "Você pode curá-la agora?"

"Uma última coisa. O vínculo tem de ser selado." O feiticeiro sorriu tristemente. "Minhas mais profundas desculpas, Abu Yusuf, mas aqui acaba nosso acordo."

Uma faca apareceu na outra mão do mago. Com um movimento rápido e potente, ele a enterrou entre as costelas de Abu Yusuf. Ouviu--se o som terrível de um grito sufocado; e então, quando o feiticeiro retirou a faca, surgiu um jorro quente de sangue e o sufocante cheiro de ferro. Abu Yusuf desabou no chão, sua mão soltando o pescoço do Djim.

O mago tomou fôlego. Mais uma vez, parecia exausto. Sua figura esquelética transpirava fadiga, mas seus olhos expressavam uma vitória silenciosa.

"Agora", ele disse. "Vamos conversar. Ah, mas antes..." Ele agarrou o pulso do Djim novamente e murmurou algo junto ao bracelete de ferro. Em um instante, a dor desapareceu. Livre de sua paralisia, o Djim caiu, estatelando-se sobre o vidro manchado de sangue.

"Vou lhe dar um instante", disse o velho. Ele se virou para olhar a garota, que continuava no chão, amarrada e vendada, alheia ao assassinato de seu pai.

O Djim se recompôs e levantou-se, trêmulo, para então se jogar sobre o mago.

"Pare", disse ibn Malik.

E, imediatamente, o Djim parou, um animal domado na ponta de sua coleira. Era impossível lutar; seria como tentar parar o pôr do sol. O feiticeiro murmurou algumas palavras, e a tortura paralisante do ferro retornou.

O mago disse: "Você sabia que ninguém, nem mesmo o mais sábio dos profetas, descobriu por que o toque do ferro é tão terrível para os djins?". Ele fez uma pausa, como se aguardasse uma resposta, mas o Djim estava quase inconsciente, curvado sobre seu braço. O feiticeiro prosseguiu: "Nada mais produz tal efeito. Mas resta uma questão:

se eu posso controlar você com o ferro, outros também podem. Não adianta mandar o escravo mais poderoso matar um inimigo apenas para vê-lo repelido por uma simples espada. Eu analisei esse problema longamente, com atenção, e encontrei uma solução".

Ele murmurou as palavras novamente; mais uma vez, a tormenta da algema foi interrompida.

"Serei um mestre rígido", disse o mago enquanto o Djim estava deitado, quase morto, no chão, "mas não cruel. Você só sentirá o ferro se merecer. Se, por outro lado, seu comportamento for digno de recompensa, permitirei que você às vezes retome sua forma original. Mas não pense que poderá escapar — eu controlo suas ações. Você está sujeito a mim, fogo a carne, alma a alma, selado com sangue enquanto viver." Ele sorriu para o Djim. "Ah, meu escravo orgulhoso. Juntos, deixaremos para trás as histórias antigas. Nossos nomes serão recitados por gerações e gerações."

"Eu me destruirei", disse o Djim com uma voz rouca.

O mago franziu o rosto. "Vejo que você ainda não compreendeu sua verdadeira situação", disse. "Muito bem. Deixarei tudo claro para você."

Enfraquecido, o Djim se preparou para a dor provocada pelo ferro, mas esta não veio. Em vez disso, ibn Malik foi até Fadwa, agachando-se sobre ela. A garota havia se livrado da coberta. Um fio de saliva escorria por uma de suas faces, e suas mãos lutavam contra as amarras.

"Você deixou um pedaço de si dentro da garota", disse o mago. "Eu prometi ao pai dela que iria removê-lo."

Ele colocou suas mãos sobre o rosto da menina, enfiando os dedos sob a venda. Fechando os olhos, o homem começou a murmurar. Depois de um instante, Fadwa deixou de se mexer — e então gritou, um som ininterrupto, como se sua alma estivesse sendo arrancada do corpo. O Djim estremeceu, tentou cobrir os ouvidos, mas descobriu que não era capaz de se mover.

Finalmente os gritos pararam, e Fadwa ficou imóvel. Ibn Malik sorriu, ainda que parecesse mais cansado que antes. Ele retirou a venda, desfez o nó do trapo que amarrava os pulsos da garota e se afastou dela.

"Vá até ela", disse ibn Malik ao Djim. "Desperte-a."

Ele não tinha mais forças, mas, mesmo assim, suas pernas o levaram, à revelia, até Fadwa. O vínculo com o mago fazia com que seus membros se movessem, forçando-o a se ajoelhar e sacudir gentilmente os ombros dela. "Fadwa", ele disse, lutando para não falar. *Não acorde*, ele pensou. *Não olhe.*

A garota se mexeu, esfregou os olhos com uma das mãos e estreme-ceu por causa da dor em seus pulsos. O último dos raios de sol brilhava através das paredes do palácio, lançando uma aura azul sobre seus tra-ços abatidos e dando a seus cabelos um profundo tom preto azulado. Seus olhos se abriram; ela viu o Djim. "É você", ela murmurou. "Estou sonhando... não, eu *estava* sonhando..."

Ela parou, confusa. Lentamente, sentou-se e olhou à sua volta.

"*Pai!*", gritou a garota.

E então o vínculo o conduziu de novo, fazendo com que ele se aga-chasse sobre a garota, como ibn Malik fizera. Suas mãos envolveram a garganta dela. Ele sentiu os ossos delicados enquanto estes se cur-vavam e quebravam sob seus dedos, sentiu o toque das mãos da garo-ta quando estas arranharam e estapearam seu rosto. Não conseguia desviar o olhar dos olhos de Fadwa, que o miravam fixamente, em um protesto incrédulo, antes de se arregalarem em pânico e, finalmente, perderem o brilho.

Por fim, o Djim recuou e sentou-se. Suas mãos ainda se moviam segundo a ordem do mago, agitando-se no ar. Ele ficou olhando até que elas pararam.

"Agora você entendeu", disse ibn Malik.

E era verdade. Ele entendia. Olhou para as frias paredes de vidro, tentando não sentir nada.

O feiticeiro colocou uma mão em seus ombros. "Acho que chega por hoje", disse. "Descanse e recupere suas forças. Amanhã começa seu verdadeiro trabalho." Ele examinou o salão vazio onde estavam. "Temo que você deva se preparar para outra decepção. Seus novos aposentos não chegam nem perto da elegância deste."

De seu manto esfarrapado, tirou uma jarra de cobre com curvas e espirais desenhadas na superfície. Ele virou a boca da jarra na direção do Djim e murmurou outra série de palavras ásperas e sem sentido.

Um clarão brilhante queimou os olhos do Djim, tornando o apo-sento translúcido. Teve a horrível sensação de que estava *diminuindo* à medida que o feitiço do mago comprimia seu ser, restringindo sua essência a uma fagulha mínima. Lentamente, o jarro o sugou — e o tempo desacelerou para um instante alongado, preenchido pelo gosto do metal e por uma angústia colérica e ressequida.

Aqui terminavam as memórias do Djim.

Mas essas não eram as únicas lembranças que ele recuperara naquele instante porque as linhas do vínculo se esticavam em ambos os sentidos. O Djim viu a si próprio, lembrou-se do que havia feito — mas também vislumbrou as memórias do feiticeiro ibn Malik, sentiu o triunfo deste quando o escravizou com o sangue de Abu Yusuf, ordenando a morte de Fadwa. Como dois desenhos que se sobrepunham, suas lembranças corriam juntas e divergiam, coincidiam em parte e se entrelaçavam. Ele estava dentro da jarra, preso em um instante infinito; mas também estava de pé, sozinho, no palácio de vidro, segurando um frasco de cobre morno ao toque.

Ibn Malik guardou o jarro novamente no bolso de seu capote. Depois cambaleou até a parede mais próxima e deslizou para o chão, respirando com dificuldade.

Os esforços daquele dia o haviam exaurido muito mais do que o esperado. Ele não pretendia colocar o Djim no jarro tão rapidamente, mas não teria sido bom para sua autoridade permitir que ele o visse arfando de cansaço. Ainda assim, que dia, que façanha sem precedentes! Lamentava apenas a morte da garota. Era um desperdício matar alguém tão jovem e bela, que poderia ser uma serviçal em seu futuro palácio, ou uma tentadora motivação para o bom comportamento do Djim. Ele deveria ter previsto que, como qualquer animal vigoroso, sua nova aquisição teria de ser domada.

Sua respiração começou a normalizar. Decidiu que repousaria um pouco, pois merecia isso, e só então voltaria para casa. As montarias dos beduínos estavam presas em segurança fora do palácio, e era uma noite clara e morna, sem ventanias. Os animais poderiam esperar mais um pouco. Ou talvez ele poderia deixá-los, ordenando ao Djim que o carregasse através do vale. Ele sorriu ao pensar nisso e depois mergulhou em um sono profundo e agradável.

Normalmente, ibn Malik não sonhava, mas, dentro de alguns instantes, sua mente adormecida o brindou com visões de uma cidade localizada em uma ilha, um lugar impossível, que se estendia até o céu. Talvez fosse a cidade que ele construiria junto com o Djim? Sim: um empreendimento monumental, mas este não estava ao seu alcance? Por que, agora que havia capturado um djim, não prenderia outro, e mais outro? Escravizaria a espécie deles por completo, obrigando-os construir um reino que rivalizasse com o de Sulayman...

A imagem da cidade ficou embaçada, misturando-se com a figura de um homem, um velho enrugado de pele branca como leite, que carregava uma pilha de pergaminhos chamuscados. Ibn Malik nunca vira um homem como aquele antes, mas, ainda assim, tinha a sensação de conhecê-lo, sentindo tanto um parentesco como um medo terrível. Ele queria alertar o homem — mas sobre o quê? E agora o velho se aproximava de ibn Malik, seu rosto também deixando transparecer um alerta...

Uma dor, súbita e insuportável, interrompeu o sonho. O rosto pálido do velho se desintegrou no momento em que ibn Malik acordou com sua própria faca em seu ventre, e a mão de Abu Yusuf segurava o punho.

Ou Abu Yusuf vinha aguardando o momento propício ou os gritos de sua filha o haviam trazido de volta à vida. Em qualquer uma dessas hipóteses, ele não estava tão morto quanto aparentava. Uma larga trilha de sangue mostrava seu lento progresso até ibn Malik; ele agora jazia ao lado do mago, virando a faca com o que restava de suas forças. Ibn Malik urrou e empurrou o homem, mas era tarde demais, o estrago estava feito: ao se afastar, Abu Yusuf também havia puxado a faca.

A visão de ibn Malik ficou embaçada. Sua boca se encheu de sangue. Ele o cuspiu e se arrastou para se pôr de pé. Abu Yusuf jazia a seus pés, sorrindo debilmente. O feiticeiro pressionou o pescoço dele com o pé até não restar a menor dúvida de que o homem estava morto.

Sob o gosto de sangue, ibn Malik podia sentir o fedor de carne que vinha de seus intestinos. Fazendo uma careta, rasgou uma faixa de tecido de sua capa e enfiou-a no buraco que havia em seu ventre. Feridas na barriga apodreciam rapidamente — ele precisaria de ervas e fogo, agulha e linha... Pensou no Djim e praguejou. Enfraquecido e ferido, não tinha forças para conjurar seu servo preso no frasco. Esse esforço seria o bastante para matá-lo.

O cavalo. Ele tinha de alcançar o cavalo de Abu Yusuf.

Cambaleando, foi até o portão do palácio e lutou para levantar a barra que o trancava, tentando ignorar a sensação de que seus intestinos se mexiam. Finalmente o portão foi aberto. Ele encontrou o garanhão e o soltou, largando o pônei para trás. Conseguiu montar o cavalo, deixando um rastro de sangue na lateral do animal. Tentou atiçá-lo para galopar; o cavalo, não sentindo nada além de uma leve cutucada, deu início a um trote lento e balouçante. *Ande, seu saco de ossos fedorento*, pensou ibn Malik, mas tudo o que conseguia fazer era entrelaçar seus dedos na crina do animal e se segurar.

Ele já havia cruzado metade do vale quando os chacais apareceram.

Enlouquecidos pelo cheiro de sangue, os animais ignoraram os coices do cavalo e puxaram ibn Malik aos gritos. Com o que restava de suas forças, conseguiu matar alguns; os demais, sentindo sua exaustão, pularam sobre as carcaças de seus colegas de matilha e rasgaram sua garganta.

Apesar de toda força e poder do feiticeiro, para os chacais, ele foi uma refeição bastante mesquinha.

O deserto é um espaço vasto e vazio, e os viajantes são poucos e se distanciam uns dos outros.

Os ossos roídos de Wahab ibn Malik embranqueceram e racharam sob o sol. Sua capa se desfez em farrapos que se espalharam. O jarro de cobre jazia virado junto a seu corpo. Sobre ele, havia uma leve camada de pó, mas não o bastante para esmaecer seu brilho. Animais o cheiravam e o deixavam de lado.

Em cidades distantes, califas ascendiam e eram derrubados. Ondas de exércitos invasores caíam sobre os desertos, deixavam ali uma marca efêmera e acabavam sendo derrotados.

Um dia, muito tempo depois de os últimos traços de ibn Malik terem desaparecido no deserto, o batedor de uma caravana parou junto a uma pedra para se aliviar. A caravana estava a vinte dias de Ramadi,[1] a caminho de ash-Sham. O batedor tinha a tarefa de assegurar que não houvesse surpresas ao longo do caminho, nada de assaltantes ou mercenários exigindo pagamento para uma passagem segura. Ele bebeu um gole de seu cantil e estava prestes a montar novamente em seu cavalo quando um cintilar metálico chamou sua atenção.

Em uma pequena depressão no solo, jazia um jarro de cobre, parcialmente enterrado sob a terra.

Apanhou o frasco e limpou a sujeira. Era benfeito e belo, com um interessante padrão em volutas que rodeava a base. Talvez fora perdido por integrantes de uma caravana que passara por ali antes. Ele pensou que era o tipo de objeto que agradaria sua mãe. Colocou o frasco em seu alforje e partiu.

---

1   Cidade iraquiana. [NT]

Ao longo dos anos, o frasco passou de mão em mão, de filho para mãe para sobrinha para filha para nora. Foi usado para guardar azeite ou incenso, ou apenas como objeto de decoração. Acabou por ganhar alguns amassados, mas nunca houve um estrago sério, mesmo quando fora possível que isso acontecesse. Às vezes, seu dono percebia que o jarro parecia estar constantemente morno, mas esse pensamento era deixado de lado, como sempre acontece com ideias ociosas. A jarrinha foi passando de geração em geração, até acabar na mala de uma jovem que viajava de Beirute a Nova York — um presente de sua mãe para que ela a guardasse na lembrança.

E quanto a ibn Malik?

Você está sujeito a mim, fogo a carne, alma a alma, selado com sangue enquanto viver.

Em vida, o feiticeiro fora um sujeito astuto e desonesto, mas na morte passou a perna em si mesmo. Eles estavam ligados alma a alma enquanto o Djim vivesse: e lá estava o Djim, sentado, preso em seu jarro, vivendo um milênio em um eterno instante.

Isso significava que a morte não era o fim para Wahab ibn Malik al-Hadid.

Na manhã seguinte ao dia em que os chacais devoraram a carcaça do mago até os ossos, uma criança nasceu em uma terra no longínquo oriente, em uma cidade chamada Chang'an. Seus pais o chamaram Gao. Desde o princípio, Gao se mostrou um garoto esperto. Assim que cresceu, logo ultrapassou seus tutores, que começaram a se irritar por acharem que o garoto era, talvez, esperto demais: aos treze anos, escrevera diversos ensaios sobre inconsistências encontradas nos mais amados ensinamentos de Confúcio, declarando-os falidos e sem sentido. Aos vinte, transformara-se em um pária brilhante e amargo. Ele havia se tornado o aprendiz de um herbolário e estava obcecado com a criação de uma fórmula medicinal para a imortalidade. Morreu aos trinta e oito, por acidente, ao tomar uma de suas próprias fórmulas experimentais.

Um dia após sua morte, um bebê nasceu de alegres pais na cidade bizantina flutuante de Veneza. Tommaso, como foi chamado, mostrou-se tão interessado na Sagrada Igreja e em seus mistérios que logo foi colocado no rumo do clero. Ele se ordenou muito jovem e logo se imiscuiu na política, colocando-se como conselheiro espiritual do Doge. Estava claro para todos que Tommaso só ficaria satisfeito com as vestes papais — até que uma noite foi surpreendido em uma das catacumbas da cidade, no que parecia ser um rito obscuro e pagão. Tommaso foi excomungado, julgado por feitiçaria e queimado na fogueira.

As cinzas de Tommaso ainda queimavam em Veneza quando, em Varanasi,[2] um garoto chamado Jayatun nasceu junto ao rio Ganges. Jayatun amava as histórias e lendas que lhe ensinaram quando criança, especialmente a da Chintamani, uma joia fabulosa que realizaria qualquer desejo de seu dono — e poderia até repelir a morte. Quando cresceu, o que havia sido um fascínio infantil se tornou uma obsessão, e ele começou a reunir todas as citações à Chintamani que conseguia encontrar, fosse de fonte budista, hindu ou apenas o capricho de um contador de histórias. A busca consumia todo o resto, e ele acabou se tornando um indigente solitário, até que um dia, tomado por uma febre alta, ele entrou no Ganges e se afogou, convencido de que a deusa do rio deixara a Chintamani ali para que ele a encontrasse.

E assim continuou. Enquanto a jarrinha com o Djim passava de mão em mão, da mesma forma a alma de ibn Malik passava de corpo para corpo, primeiro em uma parte do mundo, depois em outra. Ele foi um cruzado no cerco de Jerusalém, que procurava relíquias sagradas para roubar. Foi um aluno de Paracelso, dedicando-se a encontrar a pedra filosofal. E também um monge xintoísta, um xamã maori, um cortesão infame na corte dos Orléans. Nunca se casou nem teve filhos, e jamais se apaixonou. Agraciado com uma tradição religiosa, era atraído para seus recantos mais sombrios e místicos; na política, exibia um resoluto gosto pelo poder. Suas vidas eram normalmente infelizes e raramente acabavam bem. Mas, em cada uma delas, ele era consumido pela ânsia de encontrar o segredo da vida eterna — sem saber que era a única coisa que ele realmente possuía.

Dessa maneira, séculos se passaram, e a alma de ibn Malik permaneceu incapaz de passar para o outro mundo, pelo menos não enquanto o Djim estivesse vivo. Até que finalmente, em um shtetl da Prússia, um bebê aos berros, chamado Yehudah, foi colocado nos braços de sua mãe.

O Djim viu tudo isso.
Ele viu a si próprio, preso no frasco, uivando de angústia.
Ele viu ibn Malik nascer de novo e de novo.

---

2   Na Índia, também conhecida como Benares.
É a cidade mais sagrada do hinduísmo. [NT]

Ele viu Yehudah Schaalman, a última das encarnações de ibn Malik e a mais poderosa. Ficou olhando enquanto o garoto crescia para se tornar estudante, prisioneiro e mestre de mágicas proscritas. E viu quando um solitário fabricante de móveis apareceu um dia na porta de Schaalman em busca de uma golem que tomaria como esposa.

E Schaalman também viu tudo.

Ele viu suas próprias vidas à sua frente, pérolas deformadas em um cordão interminável, começando com ibn Malik e terminando com ele mesmo.

Ele viu as lembranças do Djim, vivenciou sua captura e derrota. Viu-o emergir do jarro na oficina de um latoeiro, um buraco na memória onde antes estivera a garota beduína. Presenciou o aprendizado do Djim, que aprendeu a se locomover na cidade, acostumando-se com seus limites. E ele observou a noite em que o caminho do Djim cruzou com o de uma mulher estranha e assombrosa, uma mulher feita de barro.

GOLEM & GÊNIO
UMA FÁBULA ETERNA

XXVI

lguém estava dando tapas no rosto do Djim. Ele abriu os olhos e deu de cara com Conroy, sangue pingando de sua cabeça.

Então era real. A verdade de tudo caiu sobre ele, o conhecimento cruel do que ele havia feito. Virou-se de lado e se enroscou sobre sua própria dor, como fizera, há mil anos, no chão manchado de sangue de seu palácio.

Ele ouviu mulheres gritando. Clamavam pela polícia, pelos bombeiros. "Ahmad", disse Conroy com urgência na voz. "Vamos, cara. Levante." Ele ouviu alguém gemendo a seu lado. O feiticeiro.

O Djim se ergueu, cambaleando e apoiando-se em Conroy. Caquinhos de vidro caíram, tilintando, de suas roupas, juntando-se aos estilhaços que atapetavam a pequena loja. O velho jazia caído junto a uma vitrine, seu corpo polvilhado de tabaco e cacos de vidro. O Djim o agarrou, erguendo-o do chão.

"*Liberte-me!*", gritou.

A cabeça do velho pendeu de seu pescoço. Seria tão fácil matá-lo, apenas um movimento rápido, uma mão em sua garganta nua — um fim adequado depois do que ele fizera com Fadwa!

Mas o vínculo entre eles permaneceria; e amanhã, em alguma terra distante, outra criança nasceria...

Com um grito de angústia e frustração, o Djim largou Schaalman no chão. O velho desabou nas tábuas do piso, a cabeça batendo em uma vitrine de amostras de tabaco.

A mão de Conroy pousou em seu braço. "A polícia logo estará aqui", disse. Se ele havia estranhado a maneira horrível com que o Djim tratara um velhote, ele não demonstrou.

O Djim olhou à sua volta, vendo os vidros quebrados e a multidão que se juntara do lado de fora da loja. Todas as prostitutas do andar de cima saíram correndo para a rua, em diferentes estágios de nudez. Os homens de Conroy estavam formando um cordão de isolamento em frente à porta, repelindo aqueles que tentavam avançar. "A polícia", disse o Djim. "Sua loja." Recordou-se vagamente de que estava lá com a intenção de roubar aquele homem.

"Não se preocupe comigo", disse Conroy. "Eu e os policiais temos uma longa história juntos. Mas e seu amigo aqui? O que fazer com ele?"

O Djim olhou para o velho esparramado no chão. *Fogo a carne,* ele pensou, *alma a alma enquanto você viver...*

Ele sabia o que tinha de fazer.

"Este homem é perigoso, é um assassino", ele disse a Conroy. "Matou uma garota que eu conheci. tinha apenas quinze anos." Hesitante, ele buscou apoio no balcão. "Não posso deixar que a polícia me encontre aqui. Há uma coisa que preciso fazer. Para colocar as coisas em ordem."

Conroy mirou o Djim por alguns instantes, pensativo. Então se curvou e socou o inconsciente Schaalman bem na cara.

"Os policiais vão lidar com ele", disse o receptador. "E, no que me diz respeito, você nunca esteve aqui. Vá agora. Pelos fundos."

Até o momento da explosão, Saleh estava vagando pelas ruas do Bowery, imaginando por quanto tempo poderia enganar a si próprio fazendo de conta de que não estava à procura do Djim. Ele mirou mil rostos, sorrindo abertamente a cada um deles e recebendo alguns olhares desconfiados em troca; ainda assim, nenhum tinha aquele brilho familiar como o de um abajur. Mas Saleh conseguiria reconhecer o homem que resplandecia, agora que havia recuperado sua visão?

Ele olhava em torno, cada vez mais agitado, quando a explosão ecoou pela rua. Sentiu, pouco depois, uma onda que o pressionava pelas costas, impulsionando-o para frente. Prendendo a respiração, todos se voltaram, gritando ao ver os estilhaços de vidro que caíam do céu.

Saleh correu, acompanhando a multidão. Era uma tabacaria igual a qualquer outra, e ele não conseguia ver ninguém lá dentro — mas ele não poderia adivinhar? Depois de tudo o que se passara naquele dia, dificilmente seria uma coincidência. Ele lutou para ver alguma coisa por cima das cabeças dos homens mal-encarados que haviam formado um cordão de isolamento, afastando as pessoas da loja. A multidão clamava pelas autoridades, sussurrando, animadamente, sobre bombas e anarquistas. Uma mulher seminua caiu sobre ele; Saleh esticou as mãos para ampará-la, e ela o esbofeteou.

Ali, na entrada do beco. Era o Djim — que, Saleh percebeu com surpresa, ainda brilhava, embora fracamente. Algo de sua doença permanecia, então; ou talvez fosse um resquício permanente como uma marca de varíola.

O Djim estava coberto com algo que parecia vidro em pó, o que acrescentava uma luminosidade estranha à sua aparência. Saleh ficou olhando enquanto ele atravessava a multidão e tomava o rumo sul, encaminhando-se para longe da balbúrdia. Em vez de sua costumeira atitude arrogante, ele parecia inseguro, assombrado até.

O que mais Saleh poderia fazer além de segui-lo?

A maioria dos cortiços da Chrystie Street ainda dormia quando o Djim passou por eles, suas pétreas fachadas cinzentas em silêncio. Enquanto ele caminhava, suas novas lembranças se erguiam, ameaçando esmagá-lo. Parecia impossível: se algum passante houvesse murmurado o nome *Fadwa al-Hadid* em seus ouvidos há apenas uma hora, ele não teria tido a mais vaga ideia de seu significado.

O tempo urgia. Ele sabia que nem Conroy nem a polícia conseguiriam reter Schaalman por muito tempo. Mesmo essa pequena incumbência era um luxo com o qual ele não poderia arcar. Mas fizera uma promessa, em um cintilante salão de baile, e pretendia cumpri-la.

Ele encontrou o cortiço, caminhou pelo corredor nojento e bateu à porta. "Anna, por favor", disse à garota meio adormecida que abrira a porta.

Um minuto depois Anna foi até o corredor, a cara fechada, os braços dobrados sobre seu enorme ventre; mas, ao ver a expressão no rosto dele, mostrou-se apreensiva. "O que é? O que aconteceu?"

"Desculpe acordar você", disse ele. "Mas preciso que você entregue uma mensagem."

Ele deixou o cortiço de Anna e saiu andando às primeiras luzes do amanhecer. Lá no alto, os primeiros trens da manhã rangiam, derramando fuligem nas ruas. Preferia andar, mas o trem da Second Avenue seria mais rápido.

Ele estava quase na plataforma de Grand Street quando se deu conta de que vinha escutando, há algumas quadras, os mesmos sons de passos atrás dele. Virou-se de repente e viu uma figura familiar que observava a vitrine de uma loja de chapéus, como se estivesse admirando os modelos do verão. O Djim esperou, achando um pouco de graça, até que o homem finalmente deixou de fingir.

"Eu seguia melhor você quando não podia ver", disse Saleh. "Agora tudo me distrai."

O Djim o olhou de cima a baixo. As roupas do homem eram tão horríveis quanto antes, mas havia uma nova energia, uma nova postura nele, como se não mais olhasse para o mundo de esguelha. "O que aconteceu com você?", perguntou o Djim.

Saleh deu de ombros. "Talvez eu apenas tenha me recuperado de minha doença."

"Não era uma doença, eu lhe disse."

"Então chame de ferimento."

"Saleh, por que você está me seguindo?"

"Há um homem à sua procura", respondeu ele. "Não acho que ele lhe deseje o bem."

"Eu sei", retrucou o Djim. "Ele já me encontrou."

"Na tabacaria?"

"Você estava lá?"

"Estava com vontade de dar uma caminhada."

O Djim riu. "E você vai voltar para casa, agora que me transmitiu uma notícia velha? Ou talvez você prefira me seguir pela cidade?"

"Depende. Você vai a algum lugar interessante?"

O Djim pensara em fazer a viagem sozinho. Mas agora achava que talvez a companhia daquele homem não fosse tão incômoda.

"Você se lembra de quando eu o levei no trem?", perguntou.

"Não muito. Eu não estava bem aquela noite."

"Então você deveria andar de trem novamente."

Rangendo, o trem parou, e Saleh entrou no vagão quase vazio, olhando à sua volta com uma excitação nervosa. O Djim não pôde conter o sorriso ao vê-lo. Era óbvio que o feiticeiro tivera algo a ver com a recuperação do homem, com a remoção daquela fagulha de sua mente; mas o Djim não pretendia pressioná-lo com perguntas. Isso não tinha a menor importância, desde que o homem não tentasse impedi-lo.

Eles se sentaram quase no fundo do vagão. Saleh deu um pulo quando o trem arrancou com seu tranco habitual. O Djim observava o terreno familiar que o trem atravessava, vislumbrando cenas matinais da cidade: crianças correndo pelos telhados, casais tomando chá junto à janela de suas casas. Seu rosto se contraiu, triste; ele fechou os olhos, inclinando a cabeça para trás.

"Posso perguntar para onde vamos?", disse Saleh.

"Central Park", respondeu o Djim. "Vou encontrar uma mulher lá."

—•—

A Padaria Radzin era um lugar sinistro às quatro da manhã. A Golem entrou com a chave que a sra. Radzin lhe havia dado para emergências e trancou a porta atrás de si. Ela conhecia cada centímetro do local, poderia fazer os pães da manhã de olhos fechados; ainda assim, a escuridão da padaria lhe parecia agourenta. As conhecidas mesas de trabalho tinham a aparência altiva de túmulos. As luzes da rua brilhavam através da vitrine vazia, iluminando fantasmagóricas marcas de mãos.

Não havia nenhum outro lugar para ir. Sua casa não mais lhe pertencia — e ela não poderia se arriscar a dar de cara com Michael, não no estado em que ele se encontrava. Talvez nunca mais o visse. O rabi, o Djim, Anna e, agora, Michael, todos haviam deixado sua vida.

De sua capa, ela tirou o amontoado de folhas queimadas que encontrara na mesa de Michael. Colocou-as sobre a mesa, olhando-as fixamente. Ela queria sair correndo para um lugar o mais longe possível dali. Queria atirar aqueles papéis no forno e esquecer que alguma vez os vira.

Joseph Schall era seu criador. Em sua mente, ela reviu o sorriso falso, vaidoso, sentiu o vazio sinistro da mente dele.

Mesmo que queimasse as páginas até que virassem cinzas, não seria capaz de esquecer tão cedo a lista de compras do que Rotfeld desejava em sua esposa. De certo modo, era edificante conhecer suas origens, mas, ao mesmo tempo, ela se sentia humilhada, reduzida a nada além de palavras. O pedido de um comportamento recatado, por exemplo: ela ficou irritada ao se lembrar de suas discussões com o Djim sobre o tema, da maneira ardente com que ela defendera uma opinião na qual ela não tinha outra escolha além de acreditar. E se curiosidade era um dos pedidos, então isso significava que o mérito por suas descobertas, por suas realizações, não era dela? Não teria nada de seu, apenas o que Joseph Schall determinara que tivesse? E mais: se Rotfeld não tivesse morrido, ela estaria plenamente satisfeita!

Ela será uma excelente esposa para ele, se não o destruir antes. Então ele sabia do perigo, mas a criara mesmo assim. Todo o resto ela poderia entender um dia, mas isso? Que tipo de homem seria capaz de criar uma criatura assassina, considerando-a excelente? O rabi dissera no dia em que se encontraram: *A pessoa que a fizera era brilhante, temerária e bastante amoral.*

Ele havia se escondido na Casa de Acolhida, à vista de todos. Descera com ela as escadas de sua pensão, conduzindo-a como um pai até seu noivo. Ele saberia que Rotfeld morrera, seguindo-a depois até a América apenas para se divertir com ela, espreitando sadicamente sua vida? E por qual motivo estaria Michael com os papéis de Schall, se não fosse porque este os entregara para que ele descobrisse a verdade?

E agora os papéis eram dela. Ficou imaginando como Joseph Schall descarregaria sua fúria quando se desse conta de que os havia perdido. Mas, neste caso, talvez fosse uma arma que ela pudesse brandir contra ele. Os papéis com as fórmulas mágicas pertenciam, sim, a Schall, e ele fizera coisas terríveis com aquilo — mas eles não eram capazes de fazer o mal por si sós, assim como uma faca poderia ser usada tanto para cortar pão quanto para ferir um homem. Tudo dependia de quem os manejava, e com que objetivo.

Apesar do receio, ela começou a virar as páginas. Encontrou um diagrama feito por Schall, que descrevia como ocultar seus pensamentos dos outros: essa pergunta, pelo menos, fora respondida. Outra fórmula descrevia um processo para se apagar da memória alheia, o que trazia um leque de possibilidades. Com isso, poderia fazer com que Schall esquecesse que ela existia. Imaginou-o vagando aturdido pela cidade, pensando no que teria passado por sua cabeça para deixar a Europa. Como uma solução, tinha uma certa elegância e ainda evitava a violência. Provavelmente, era mais do que ele merecia.

Uma ideia surgiu, prendendo seus pensamentos à fórmula. Conseguiria se apagar também da mente de Michael? Talvez fosse uma gentileza fazê-lo esquecer que um dia tivera uma esposa, a fim de mitigar o sofrimento da pavorosa visão dela como um monstro sombrio e desajeitado. Sem ela, Michael poderia ser novamente o homem que ela um dia conhecera, fatigado mas otimista, determinado a melhorar seu pequeno canto no mundo. Haveria melhor uso para os conhecimentos de Joseph Schall que o de desfazer todo o estrago provocado por sua criação?

Um broto de esperança, há muito ausente, começou a crescer dentro dela, alimentado pela possibilidade de corrigir seus erros. Na página seguinte, encontrou um feitiço para curar os feridos com nada mais que uma erva e um toque. Ela poderia encontrar Irving Wasserman, reparar o dano que lhe havia causado. O pensamento a fez sentir-se quase fisicamente mais leve. Ela poderia encontrar Anna também e apagar suas lembranças daquela noite. Mas, então, será que Anna, ao perder o alerta da memória, voltaria para Irving? Ela já podia ver os riscos de consequências imprevistas. Em outra página, encontrou instruções sob o título *Para Influenciar os Pensamentos dos Outros*. Bem, aqui estava a solução! Convenceria Anna de que Irving não era o homem certo para ela — isso certamente era verdade! — e talvez até pudesse convencê-la a adotar uma conduta mais sensata no futuro.

Continuou virando as páginas. *Para Acabar com a Cegueira do Amor*, leu, pensando imediatamente em todas aquelas almas deprimidas que passavam sob sua janela, presas em amores não correspondidos. *Para Criar Alimento Abundante*: não seria mais preciso roubar *knishes*, ela poderia alimentar os famintos com mágica! *Para Localizar o Paradeiro de Alguém*, *Para Atrair Boa Sorte* — a lista prosseguia, afogando-a em possibilidades. Ela ficou maravilhada com a quantidade de dores que poderia eliminar do mundo. E Joseph Schall só havia pensado em fazer golens!

E o Djim? Ela seria capaz de acabar com sua dor? Então folheou as páginas, procurando. Talvez fosse possível abrir a algema do pulso dele e libertá-lo de sua escravidão. Mas, se ele ficasse livre, será que se contentaria em ficar? Não, claro que não: ela só o recuperaria por alguns breves instantes, e depois ele partiria, abandonando a cidade e voltando para seu lar. Essa ideia a golpeou dolorosamente. Ela pensou nele vagando pelo deserto, sempre em busca de uma nova distração. Mesmo liberto, ele nunca estaria em paz. Carregaria seus desejos e insatisfações; nisso, ele era igual a todos os outros.

Mas agora ela seria capaz de mudá-lo! Ela poderia fazer com que ele se sentisse satisfeito em ficar em Nova York, satisfeito até em viver como humano. Não seria um ato de bondade, de amor, acabar com o olhar assombrado dele, com a amargura de sua voz? Ela lhe daria felicidade, a verdadeira felicidade — a mesma que ela um dia havia sentido...

Não.

Com enorme esforço, ela atirou os papéis para longe. Eles flutuaram, espalhando-se pelo chão, fazendo surgir pequenos redemoinhos de farinha.

Sua animação se extinguiu, deixando-a exausta e profundamente infeliz. Ela teria escravizado toda a cidade, transformando seus habitantes em golens, apenas para satisfazer sua necessidade de ser útil. Teria privado o Djim de seu próprio eu, mais até do que a algema em seu pulso — logo ele, que prezava a liberdade acima de tudo.

Ela juntou os papéis em uma pilha e foi até os fundos em busca de um saco de farinha no qual escondê-los. O conteúdo deles era perigoso demais para pensar em usá-los. Se tinha de enfrentar Joseph Schall, teria de encontrar outra maneira.

Alguém bateu à porta. Ela ignorou — alguns fregueses às vezes tentavam entrar mais cedo — e pensou no que fazer. Queria queimar o saco com os papéis, mas teria o direito de destruir tal conhecimento, independentemente de sua origem?

Outra batida, agora com mais urgência. Irritada, ela foi até a porta e levantou a persiana — e viu uma mulher que conhecia, em estado avançado de gravidez, vestida com um casaco espalhafatoso e ordinário.

"Anna?", perguntou a Golem, atônita.

—•—

Quando Saleh e o Djim desembarcaram na Fifty-seventh Street, a manhã de Nova York havia realmente começado. Cada avenida era uma corrida de obstáculos de carroças de verdureiros e caminhões de gelo, a caminho das primeiras entregas do dia. De alguma maneira, o calor opressivo cedera; os cavalos trotavam enérgicos, e os homens que seguravam as rédeas assoviavam notas agudas.

"Eu me lembro desse bairro", disse Saleh, ao cruzarem a Fifth Avenue. "Pelo menos, acho que me lembro." Ele estava fazendo o possível para acompanhar o passo do Djim, que caminhava com uma pressa cada vez maior. Não dissera mais nada sobre seu compromisso, e Saleh resolveu não perguntar, pois o esplendor da manhã havia tornado todo o resto irrelevante. Teria o céu em Homs alguma vez mostrado um azul tão profundo, tão rico? Era como se a cidade estivesse lhe dando seu melhor amanhecer para compensar todos os anos de céus cinzentos como uma moeda desgastada. Ele recordou seus pacientes lhe dizendo como admiravam o mundo de uma nova maneira depois de terem se curado, um sentimento que lhe parecia, então, insuportavelmente sentimentaloide. Mas agora passava por ele uma menina com uma cesta de flores para vender, e a delicada beleza dela quase o levou às lágrimas.

Eles entraram no parque, seguindo a estradinha para carruagens. Saleh já podia ouvir o murmúrio das árvores, sentir no ar a brisa fresca das águas. Estava há um dia sem dormir ou comer, mas naquele momento o cansaço era um problema menor, fácil de ignorar. Às vezes passava uma carruagem por eles, mas ainda era muito cedo para os costumeiros frequentadores do parque: os da classe operária estavam se preparando para o dia, e as pessoas distintas ainda estavam na cama. Pelo visto, tinham o parque inteiro para eles.

O Djim lançou um olhar para seu companheiro enquanto caminhavam. "Você não falou muito", observou.

"Estava apreciando a manhã."

O Djim olhou para cima, como se percebesse a beleza do dia pela primeira vez. Ele não sorriu, mas, ainda assim, pareceu contente.

Saleh mirou os prédios que cercavam o parque, erguendo-se acima das copas das árvores. "Esta vista é melhor que a da outra vez", disse.

O Djim deu um sorriso débil. "Como você mesmo disse, você não estava em um bom dia."

Saleh se lembrou da mansão na Fifth Avenue, do jardim coberto pela geada. "Acho que naquela noite você também estava visitando uma mulher."

"Uma outra mulher", disse o Djim. Algo pareceu surgir em sua mente naquele momento. Ele parou, balançou a cabeça, como se estivesse envergonhado, e então disse: "Se algum dia você estiver lá de novo, gostaria que procurasse Sophia Winston e lhe transmitisse minhas desculpas. Por meu comportamento".

"*Eu?*" A imagem de si mesmo batendo à gigantesca porta da mansão lhe deu vontade de rir. Será que o Djim não percebeu que ele nem falava inglês? "Há alguém mais para quem eu deva transmitir suas desculpas?"

"Ah, muitos outros. Mas só vou incumbir você de Sophia."

Da estrada para carruagens, eles tomaram uma trilha larga, cercada, dos dois lados, por enormes fileiras de árvores cujas copas se entrelaçavam no alto. Eles passaram por estátuas de homens de rostos graves — poetas ou filósofos, a julgar pelos livros e penas que seguravam, seus olhos queixosos voltados para o céu. Aqueles rostos esculpidos cutucaram a memória de Saleh, que tirou do bolso a pequena estatueta de prata. "Encontrei isso em seu quarto", ele disse. "Fiquei intrigado." Ele a estendeu para o Djim, mas este recusou e disse: "Fique com ela. A prata, ao menos, tem valor".

"Você quer que eu a derreta?"

"É um fracasso", retrucou o Djim. "Não há semelhança."

"Há alguma", disse Saleh. "E por que precisa haver semelhança? Talvez seja o retrato de um animal inteiramente novo."

O Djim riu.

As fileiras de árvores pareciam estar chegando ao fim; a trilha à frente deles conduzia a degraus que passavam sob uma ponte. E, para além da ponte, Saleh podia ver agora uma figura que se destacava, tornando-se mais nítida a cada passo: a estátua de uma mulher, sua cabeça imersa nas sombras, entre um par de asas estendidas.

"Eu a vi naquela noite", disse Saleh, mais para si mesmo que para seu companheiro. "Achei que era o Anjo da Morte que vinha me buscar."

Então percebeu uma hesitação no Djim. Virou-se, uma pergunta nos lábios — e viu o punho erguido do Djim; e, em seu rosto que ainda reluzia levemente, seus olhos expressavam um triste pedido de desculpas.

Anna respirava com dificuldade, como se tivesse corrido. Seu ar era, ao mesmo tempo, raivoso, obstinado e assustado. "Eu prometi que nunca chegaria perto de você de novo", ela disse. Uma pausa. "Você vai me deixar entrar?"

A Golem a conduziu para dentro da padaria e fechou a porta, tentando manter uma certa distância; o medo que Anna tinha dela era palpável.

A garota a observava com atenção. "Não esperava que você já estivesse aqui", disse. "Eu ia esperar."

"Anna", disse a Golem, "eu sinto muitíssimo. Sei que isso não muda nada, mas..."

"Agora não", retrucou Anna, impaciente. "Ahmad está com problemas."

A Golem arregalou os olhos. "Você o viu?"

"Ele esteve no meu prédio, com uma mensagem para você."

"Mas... ele procurou *você*? Como ele sabia onde..."

"Isso não importa", disse Anna, rapidamente. Então pescou em seu bolso um pedaço de papel. "Eu escrevi o que ele me disse, tudo o que consegui lembrar." Ela o estendeu.

Diga a Chava que ela corre grande perigo; deve tomar cuidado com um homem que se diz chamar Joseph Schall. Ele é o criador dela e o meu mestre. Parece impossível, mas é verdade. Ela precisa ficar o mais longe possível dele. É melhor sair da cidade.

Diga que ela estava certa. Meus atos têm consequências, mas eu nunca percebi. Roubei algo dela uma vez porque não queria que nenhum mal lhe acontecesse, mas eu não tinha o direito de fazer isso. Por favor, devolva a ela e diga que eu disse adeus.

"Aqui", disse a garota, entregando-lhe outro quadrado de papel dobrado cujas dimensões a Golem conhecia muito bem. Ele o havia roubado? E seu caminho também se cruzara com o de Joseph Schall? Então teve a sensação perturbadora de que eventos importantes estavam ocorrendo em algum lugar enquanto ela não estava olhando.

A Golem recolocou o quadradinho de papel em seu medalhão e releu a mensagem do Djim, tentando entendê-la. Desta vez, percebeu o que não notara antes, em meio à sua confusão: o tom subjacente de desespero e decisão. Ele não estava apenas deixando a cidade. "Ah, Deus", disse, aterrorizada. "Anna, ele contou o que pretendia fazer?"

"Ele nunca me diria. Mas, Chava, ele tinha uma aparência *terrível*. Como se fosse fazer alguma coisa horrível."

A si mesmo?, ela quis perguntar, mas não foi necessário; a mente de Anna já havia dado a resposta por meio de imagens pavorosas de cordas, armas e vidros de láudano. Não, ela não poderia acreditar que o Djim seria capaz de fazer algo do tipo — mas, então, foi por isso que ele devolveu o papel, por ter escolhido um ato que havia condenado antes? Ela entrou em pânico. A mente velada do Djim não lhe diria muito mais do que a nota — mas ela não poderia adivinhar? Não seria veneno, corda ou arma. Seria a água.

"Em que direção ele foi? A leste, para o rio?" Mas Anna apenas balançou a cabeça perplexa. Poderia ser tarde demais...

Os papéis queimados, dentro do saco de farinha, a chamavam. Não havia uma fórmula com o título *Para Localizar o Paradeiro de Alguém*? Ela certamente poderia usar a magia de Schall, ao menos desta vez! Então agarrou o saco e quase derramou seu conteúdo no chão — mas se deteve. *Espere*, disse a si mesma. *Pense*. O Djim nunca escolheria as docas do East River, ou as águas manchadas de óleo da baía, ou qualquer outro lugar sem elegância. Ela não precisava de diagramas proibidos para saber qual seria seu destino. Ela sabia; ela o *conhecia*.

Mas e aqueles papéis? Ela não poderia deixá-los na padaria; era preciso escondê-los de Schall, em algum lugar para onde ele jamais iria. Colocando o saco nos braços de Anna, ela disse: "Leve isso e esconda em algum lugar onde ninguém pensaria em procurar. Um lugar que só você conheça. Não, não me diga, nem ao menos pense nisso".

"O quê? Chava, você sabe como é difícil não pensar em algo..."

"Apenas não pense! Não olhe para isso e não conte a ninguém, entendeu?"

"Eu não entendo *nada* do que está acontecendo", disse a garota, queixosa.

"Prometa!"

"Está bem, eu prometo, se é tão importante."

"E é", disse a Golem aliviada. "Obrigada, Anna." E então saiu em disparada pela porta dos fundos e desceu a escada de incêndio até o telhado, correndo atrás do Djim o mais rápido que podia.

—◆•◆—

O Djim pegou Saleh quando este caiu e o levou até um banco perto dali: apenas mais um vagabundo que desperdiçava a manhã a dormir. Certificou-se de que o homem ainda respirava e saiu andando, descendo a escadaria até a escuridão dos arcos e das colunas da galeria. Seus passos ecoaram nas paredes de azulejo, e então ele voltou à área descoberta, atravessando a larga extensão do pátio de tijolos vermelhos e chegando à fonte.

O Anjo das Águas o olhava de cima, paciente, esperando.

O pátio estava praticamente deserto; apenas uns poucos homens podiam ser vistos correndo para suas casas depois de suas duvidosas atividades noturnas, usando o parque como atalho. A aba dos chapéus cobria seus rostos, andavam arqueados, desafiando o sono, como a Golem observara uma vez. Eles não seriam um problema.

A fonte estava silenciosa, e seus jatos dançantes, desligados. Quase não havia ruído, exceto o da água que pingava. Ele teve o estranho ímpeto de tirar os sapatos, e assim o fez, colocando-os junto à beirada da fonte. Por um instante, pensou em voltar correndo para Saleh, acordá-lo, dizer-lhe que sim, que havia muitas pessoas que mereciam suas desculpas — Arbeely, por exemplo, o jovem Matthew e Sam Hosseini, por não ter concluído o trabalho com os colares. Mas o tempo estava passando, e seria apenas um adiamento. Além disso, ele havia cuidado do pedido de desculpas mais importante ao bater à porta de Anna.

Ele olhou mais uma vez para o Anjo, para seu rosto cheio de preocupação compassiva. Havia uma semelhança, pensou: os traços simples mas agradáveis, o feitio dos lábios, a onda dos cabelos. Transmitiam, pelo menos, algum conforto.

Passando por cima da borda, ele pisou na fonte, tremendo ao tocar a água, sentindo a languidez entorpecente que subiu por suas pernas. Então, sem qualquer outro pensamento ou gesto, ele se agachou e colocou-se sob a superfície da água, deitando-se na bacia rasa da fonte, aninhando seu corpo.

— • —

A Golem correu.

Havia mais de sessenta quadras entre ela e seu destino, e o sol já se mostrava sobre o East River. Algumas horas antes, ela poderia ter corrido na escuridão, silenciosa e anônima. À luz do dia, seria notada, as pessoas comentariam.

A Golem se deu conta de que não se importava.

Ela correu, de telhado em telhado, pelos velhos cortiços do bairro alemão, o East River firme à sua direita. Homens que despertavam a olhavam com olhos semicerrados; ela ouviu seus gritos de surpresa quando, ignorando as tábuas estreitas, pulou sobre as vielas lá embaixo. Desviou de chaminés, varais e caixas-d'água, contando as quadras. *Nove, dez, onze, doze.*

O tempo desacelerava enquanto ela se apressava. *Vinte, vinte e um, vinte e dois.* A Union Square ficara para trás, depois o Madison Square Park. Onde ele estaria agora? Na Fifty-ninth Street? Na estradinha das carruagens? Já seria tarde demais? Ela correu mais rápido, tentando se manter atenta: um passo em falso naquela velocidade seria um desastre. O vento era um grito agudo em seus ouvidos. Crianças olhavam das janelas mais altas; elas, depois, diriam a seus amigos que haviam visto uma mulher ultrapassar o trem. *Trinta e oito quadras. Trinta e nove. Quarenta.*

Finalmente avistou o parque, um quadrado verde que brilhava a distância entre os prédios. Ela desceu aos trancos por uma escada de incêndio, assustando, ao aterrissar, quem estava dormindo. E seguiu correndo pelas avenidas, uma mulher de roupas simples que desviava do tráfego matinal como um peixe dentro d'água. Um bonde vinha fazendo a curva, e no último instante ela desviou do veículo, ignorando o pânico dos viajantes incrédulos, que viram a Golem disparar na direção deles como uma bala de canhão.

Ela atravessou a Fifty-ninth Street; estava dentro do parque. Saiu correndo pela estrada das carruagens e pela trilha ladeada de árvores, sentindo à sua volta as coisas que cresciam, dando-lhe mais energia.

À sua frente, um homem com roupas puídas se levantava cambaleante de um dos bancos, uma das mãos pressionando a cabeça. Ele se endireitou, piscando um olho recém-machucado, e ficou boquiaberto ao vê-la passar correndo.

Escada abaixo, atravessou a galeria em arcos e depois o pátio: e, mesmo antes de alcançar a fonte, ela pôde vê-lo ali, aninhado como uma criança dormindo sob as águas.

"*Ahmad!*" Ela pulou na fonte, saltando a borda, e ergueu-o em seus braços, arrastando-o para fora. A água escorria das roupas dele enquanto ela o depositava no chão de tijolos. O Djim estava frio, pálido como fumaça e terrivelmente leve em seus braços, como se sua substância tivesse evaporado. Tentava secá-lo desesperadamente, mas não havia nada à mão — exceto suas próprias roupas, que também estavam encharcadas.

"Ahmad! Você precisa acordar!"

Havia um homem ao lado dela, que segurou seu braço.

"*Deixe-me em paz!*", ela gritou, repelindo-o.

"Estou tentando ajudar você!", ouviu-se um grito em resposta, em árabe.

A cabeça de Saleh martelava.

Ele estremeceu, ralhando consigo mesmo por não ter se dado conta de que o Djim tentaria fazer algo do tipo. Teria conseguido convencê-lo a desistir de seus planos? E por que, afinal, ele estava ajudando uma estranha a salvar a criatura, em vez de simplesmente dar as costas e ir embora?

Para sua surpresa, a mulher parecia entender árabe. Ela se colocou de lado e ficou olhando, com um pânico visível, enquanto Saleh segurava com as mãos o queixo do Djim, virando sua cabeça para um lado e para outro. Ele ficou pensando quem seria ela e como soube onde encontrá-los. *Deixe para lá*, uma voz dentro de sua cabeça sussurrou enquanto ele examinava aquele rosto absurdamente pálido e buscava no peito algum sinal de calor. *Apenas deixe a criatura perturbadora morrer.*

"Quem é você?", perguntou a mulher.

"Doutor Mahmoud Saleh", murmurou, abrindo uma das pálpebras do Djim. Ali: uma fagulha. Desprotegida e hesitante, mas inegavelmente presente. "Ele ainda está vivo". A mulher deu um grito de alívio. "Ainda não", disse ele. "Está prestes a partir."

"Ele precisa de calor", disse a mulher. "Fogo." Ela deu início a uma busca frenética no horizonte, como se pudesse encontrar por ali uma chama adequada.

Calor, fogo. Uma lembrança veio à tona na memória de Saleh, tingida de cores fantasmagóricas. Ele viu um jardim coberto de geada, uma gigantesca mansão de pedra com inumeráveis empenas — e, repousando sobre elas, quatro chaminés que sopravam uma fumaça branco-acinzentada no céu de inverno.

Eu gostaria que você procurasse Sophia Winston e lhe transmitisse minhas desculpas.

"Conheço um lugar", disse ele. "Mas teríamos de carregá-lo."

Ao ouvir isso, a mulher ergueu o Djim em seus braços tão facilmente como se ele fosse um feixe de trigo; e Saleh começou a suspeitar que estava lidando com duas — e não apenas uma — criaturas perturbadoras.

"Doutor Saleh", disse ela. "Quão rápido o senhor consegue correr?"

GOLEM & GÊNIO
UMA FÁBULA ETERNA

XXVII

os limites de Chinatown, em uma cela de detenção na Quinta Delegacia da cidade de Nova York, um velho jazia imóvel, esparramado no chão imundo.

O policial de plantão espiou por entre as barras quando fazia sua ronda. O velho fora trazido, inconsciente, há algumas horas e ainda não havia se mexido. Minúsculos cacos de vidro salpicavam seu rosto; sua barba e sua cabeça tinham manchas de sangue seco. *Anarquista asqueroso*, dissera o tenente que o trouxera, chutando-o nas costelas. Mas ele não parecia um anarquista. Lembrava mais um vovozinho.

Vários presos haviam entrado e saído da cela. Alguns vasculharam os bolsos do velho, mas não encontraram nada que valesse a pena roubar. Agora ele estava sozinho, o último vagabundo do turno da noite.

O policial destrancou a porta da cela e a abriu, jogando seu peso contra ela para que rangesse. Mesmo assim, o velho não se moveu. A luz era fraca, mas, ao se aproximar, o policial percebeu o movimento nervoso dos olhos sob as pálpebras, o maxilar cerrado. Seus dedos se moviam em espasmos rítmicos. Ele estaria tendo um ataque? O policial tirou o cassetete do cinto, abaixou-se e cutucou o ombro do velho.

Uma mão se lançou à frente, agarrando-o pelo pulso.

A mente humana não foi feita para abrigar mil anos de recordações.

No momento do contato com o Djim, o homem que se considerava Yehudah Schaalman fora destroçado. Ele se transformou em uma Babel em miniatura, seu cérebro repleto de pensamentos que foram acumulados em suas muitas vidas, em dezenas de línguas conflitantes. Rostos passavam por ele: uma centena de divindades diferentes, masculinas e femininas, deuses animais e espíritos da floresta, seus traços formando um borrão confuso. Ele viu ícones entalhados com pedras preciosas e bustos rudemente esculpidos, nomes santos escritos com tinta e sangue, em seixos e areia colorida. Olhou para baixo e se viu vestido com roupas de veludo, carregando um incensório de prata; também se viu adornado com nada além de giz, segurando ossos de galinha nas mãos.

Os eventos da vida de Schaalman começaram a se fragmentar. Seus amigos da ieshiva iam para as aulas vestidos com roupas de seda e chinelos macios, e preparavam a tinta em frascos de jade. Um guarda da prisão estava de pé junto a ele, usava um hábito de monge capuchinho e brandia um chicote cheio de nós. A filha do padeiro surgiu, sombria e de olhos escuros, e seus gritos lembravam o ribombar de um oceano oculto.

Seu pai o ergueu de um berço de madeira. No pulso do homem havia uma algema de ferro muito justa. Sua mãe o tomou em seus braços e o colocou junto a um seio de barro.

Yehudah Schaalman se jogou na correnteza, engasgou e afundou.

Tudo estaria acabado em um instante, mas ainda assim ele lutou. Estendeu a mão cegamente — e seus dedos se fecharam em uma memória que era só sua, de mais ninguém.

Ele tinha dezenove anos novamente e sonhava. Havia um caminho, uma porta, uma campina ensolarada, um bosque ao longe. Ele deu um passo, foi capturado e preso. Uma voz se fez ouvir.

Você não pertence a esse lugar.

A raiva e a mágoa antigas se reacenderam, tão frescas e dolorosas como jamais tinham sido, transformando-se em uma corda de salvamento que queimava em seu punho. Ele conseguiu chegar à superfície, respirando com dificuldade.

Agonizando a cada milímetro, ele lutou contra a corrente, colocando as lembranças em ordem. Seus colegas de classe perderam as roupas de seda e os chinelos, e o guarda na prisão deixou de portar o hábito de monge. A filha do padeiro recuperou sua pele pálida e seus olhos cor de amêndoa. Ele alcançou sua primeira lembrança e prosseguiu a partir dali — de volta ao eu que o antecedera e ao eu antes deste. Viajou de uma vida para outra, do nascimento à morte, vendo-se adorar deuses e ídolos de todos os matizes. Em cada uma dessas vidas, seu pavor de um julgamento divino era exaustivo, e sua crença, absoluta. Como poderia ser de outra forma quando cada fé lhe dava tamanhos poderes, permitindo-lhe conjurar ilusões, prever o futuro, lançar maldições? Seu próprio livro roubado e chamuscado, a fonte de todas as suas maravilhas e horrores: nem por um único instante duvidara de que aquele conhecimento vinha do Todo-Poderoso, Aquele perante o qual todos os demais não passavam de imagens esculpidas. A eficácia daqueles feitiços não provava que o Todo-Poderoso era a verdade suprema, a *única* verdade? Mas agora ele percebia que as verdades eram tão incontáveis quanto as falsidades — que, com relação ao caos absoluto, o mundo dos homens só poderia se equiparar ao mundo do divino. E, à medida que retrocedia, o Todo-Poderoso ficava cada vez menor, até não passar de mais uma divindade do deserto, cujos mandamentos não pareciam nada além das súplicas temerosas de um amante ciumento. E Schaalman tivera medo Dele a vida inteira, temendo Seu julgamento no Mundo do Além — um mundo que ele nunca veria!

Quanto mais retrocedia, maior era sua raiva, à medida que via seus eus anteriores movendo-se penosamente em ilusões assustadas e fervorosas. Suas vidas recuavam cada vez mais rapidamente — até que ele finalmente atingiu a fonte, a foz da torrente, onde estava sentado um ancião, um pagão imundo que se chamava Wahab ibn Malik al-Hadid.

Os dois homens se entreolharam através dos séculos.

Eu conheço você, disse ibn Malik. *Eu vi o seu rosto.*

Você sonhou comigo, retrucou Schaalman. *Você me viu em uma cidade reluzente que nascia à beira da água.*

Quem é você?

Sou Yehudah Schaalman, a última de suas vidas. Sou aquele que vai arrumar tudo para todas as minhas vidas futuras.

Suas vidas?

Sim, minhas. Você foi apenas o começo. Criou um vínculo com o Djim sem se dar conta das consequências, e suas vidas morriam sempre, sem nunca adquirir mais sabedoria. Eu sou aquele que aprenderá o segredo.

Não servirá para nada, disse ibn Malik. *Quando chegar sua vez de morrer, o segredo estará perdido.*

Encontrarei uma saída, afirmou Schaalman.

Talvez sim, talvez não. E o Djim? Sua espécie vive muito, mas não é imortal. Quando ele morrer, nós morreremos também.

Então ele precisa se abster de morrer.

Você pensa em recapturá-lo? Esteja certo de que isso não está acima de suas capacidades.

Como estava acima das suas?

Os olhos mortos mostraram irritação. E o que é você senão eu mesmo, vestido com roupas estranhas e falando outra língua?

Eu sou a soma de mil anos de tormento e luta! Você pode nos ter dado essa imortalidade interrompida, mas eu serei o primeiro a morrer sem medo!

Ibn Malik rosnou com raiva, mas Schaalman foi mais rápido. Uma mão se esticou e agarrou ibn Malik pela garganta.

Você me custou todas as chances de ser feliz, disse Schaalman.

Ibn Malik se retorcia sob a pressão de seu punho. *Eu lhe dei em troca uma sabedoria infinita.*

Um substituto inferior, disse Yehudah Schaalman, apertando mais.

Ao acordar, Schaalman foi cumprimentado pelo fedor do balde usado para fazer as necessidades na cela. Suas costelas estavam doloridas, e seu rosto ardia por causa dos pequenos cortes. Ele tentou se levantar, mas um homem com um uniforme de policial estava tombado em cima dele. Um sangue escuro escorria das orelhas do homem; seu torço expelia um pouco de fumaça. Schaalman percebeu que estava segurando o homem pelo punho. Ele o largou e lutou para sair debaixo daquele corpo.

A porta da cela estava aberta. Para além dela havia um corredor escuro e, depois, os escritórios da delegacia. Ele sussurrou algumas palavras e caminhou sem ser visto pelos policiais que bocejavam em seus postos. Em um instante, estava atravessando a porta da frente.

Rapidamente, caminhou para fora de Chinatown até a Casa de Acolhida. Sua mente ainda doía com a pressão das lembranças, mas o temor de se dissolver havia diminuído. Por enquanto, seus eus anteriores estavam quietos, como se esperassem para ver o que ele faria agora.

— • —

Eram apenas cinco e meia da manhã, mas Sophia Winston já estava à longa mesa de jantar da família, sentada sozinha, terminando seu chá com torradas. Durante seus primeiros dezenove anos, Sophia nunca fora uma pessoa matinal, preferindo permanecer na cama até que sua mãe enviasse a criada para acordá-la e vesti-la. Agora, no entanto, antes de amanhecer ela já estava desperta e tremendo. A pobre empregada era forçada a levantar ainda mais cedo, acender a lareira na sala de jantar e preparar o desjejum da jovem patroa. Então o fogo também tinha de ser aceso em seus aposentos — para onde ela se dirigia depois de comer —, antes que a criada pudesse finalmente retornar para o térreo e cair de novo na cama.

Sophia descobriu que gostava de estar acordada assim tão cedo, antes do resto da família. Ela preferia ficar sozinha, lendo os diários de viagem de seu pai, bebericando seu chá junto à extraordinária lareira da sala de jantar. A única companhia indesejada era o retrato de si própria vestida de princesa turca, o presente de noivado que Charles lhe dera. O retrato não fora bem-sucedido. Na tela, ela não se mostrava imponente em sua fantasia, mas pensativa, melancólica até, com o olhar baixo. Ela se parecia menos com uma princesa e mais com uma odalisca cativa e resignada. O pobre Charles ficara chocado ao vê-lo pela primeira vez. Não dissera quase nada durante a ceia daquele dia, apenas ficou observando a mão dela que tremia ao tomar sopa. Sua mãe determinou que o quadro ficasse na sala de jantar, e não no salão principal, como uma espécie de punição por não ter correspondido às expectativas.

Bebendo seu chá, ela olhou para o relógio. Seu pai gostava de levantar às seis; ele logo desceria para pegar os jornais, e sua mãe viria um pouco depois para discutir com ele os assuntos do dia. O pequeno George escaparia de sua babá e entraria correndo, pedindo beijos de bom-dia. Por mais que apreciasse sua solidão, ela gostava dessa agitação matinal. Era um breve, porém necessário, lembrete de que eles realmente formavam uma família.

Sophia estava quase acabando seu chá quando ouviu uma voz exaltada — era um dos lacaios — e depois uma mulher respondendo, de maneira enérgica e apressada. Um grito; e então a porta da sala de jantar se escancarou. Uma aparição preencheu o portal. Era uma das mulheres mais altas que Sophia jamais vira. Nos braços ela levava, surpreendentemente, um homem adulto.

"Perdoe a invasão", disse a mulher, que falava com sotaque. "Mas precisamos de sua lareira."

A passos largos, a mulher entrou na sala. Atrás dela surgiu um homem maltrapilho. Um dos lacaios precipitou-se sobre a mulher, mas ela se movia muito rapidamente — como isso era possível com aquele homem nos braços? Ela passou rente a Sophia, que ficou imóvel, surpresa, e acabou tendo um vislumbre da improvável carga da mulher. Ele era alto, magro e estava encharcado. Seu rosto estava escondido no ombro da mulher. Um largo bracelete de metal circundava um dos pulsos; este captou a luz do fogo e brilhou como um farol.

Uma onda de choque percorreu todo o seu corpo, mais poderosa que qualquer calafrio. Ela ficou ali, hipnotizada, enquanto a mulher se ajoelhava em frente à enorme lareira e tirava a grade de proteção para, finalmente, atirar o homem ao fogo.

O lacaio deu um grito de pavor, mas o homem maltrapilho segurou-o e tentou colocá-lo para fora da sala, falando em uma língua que Sophia não conseguia distinguir. Os olhos da mulher estavam fixos no fogo, como se esperassem um sinal. O peso do homem havia abafado o fogo, mas este já voltava a crepitar alegremente, cercando seu corpo com chamas como se ele fosse um viking em sua pira. Enquanto Sophia olhava, as roupas dele começaram a arder e a virar cinzas, mas sua pele permanecia perfeita e intocada.

Ele, uma vez, não havia lhe contado uma história enquanto ela estava meio adormecida em seus braços? Uma história sobre os djins, criaturas fantásticas feitas de fogo. E então, em Paris, aquele calor que a consumia, como se uma fagulha em brasa houvesse se alojado em seu corpo. Não fazia qualquer sentido — e, ainda assim, algo sussurrou dentro dela: *Sim, claro. Você sempre soube disso.*

Nuvens de fumaça preencheram a sala, junto com o cheiro de algodão queimado. O lacaio desistiu de lutar com o maltrapilho e correu para o saguão, possivelmente para alertar o resto da casa. O estrangeiro malvestido fez uma careta de resignação e se postou ao lado da mulher. Ele disse alguma coisa naquela língua, e ela assentiu com a cabeça. "Ahmad", ela chamou.

A criatura no fogo se mexeu.

"Sim!", gritou a mulher com alegria na voz. O homem maltrapilho disse algo, cobrindo a mão com os olhos.

Ouviu-se um tumulto; e então o mordomo entrou aos gritos, seguido por três lacaios e, para imensa tristeza de Sophia, seu pai. A mulher se virou quando eles se aproximaram, dando as costas para a lareira, como para proteger o homem que lá estava. Ela se preparava para lutar, percebeu Sophia. Seu pai chamara a polícia. O local estava prestes a se tornar um pandemônio.

"*Todos, por favor, calem-se!*", gritou Sophia.

E o silêncio realmente se fez no local, mais pela surpresa. Sophia foi até a lareira e se curvou para ver melhor. "Sophia", chamou seu pai em um alerta assustado.

"Está tudo bem, pai", ela respondeu. "Eu conheço este homem."

"*O quê?*"

O homem no fogo se moveu novamente, contorcendo-se como se sentisse dor. As toras sob seu corpo se deslocaram, e tanto Sophia como a mulher deram um pulo para trás quando ele rolou para fora da lareira em uma nuvem de fumaça e cinzas. Ele ficou deitado, curvado sobre si mesmo, nas lajes de pedra, seu corpo manchado de fuligem e brasas. O ar em torno dele brilhava com uma luz trêmula, e por um instante Sophia pensou vê-lo reluzir como um carvão em brasa.

Imediatamente a mulher alta se curvou sobre ele. O homem maltrapilho disse algo, advertindo-a, e as mãos dela recuaram no último segundo. "Ahmad?", ela disse.

O homem murmurou algo.

"Sim, sou eu", disse a mulher com a voz embargada de emoção, embora seus olhos estivessem secos. "Estou aqui." Ela tocou rapidamente o braço dele, como um cozinheiro testando o calor de uma panela. Aparentemente considerando-o fresco o suficiente, ela colocou a mão em seu ombro. Ele não abriu os olhos, mas pousou a mão sobre a dela.

Sophia olhou em torno e teve vontade de rir daquele quadro: a família mais importante de Nova York olhando boquiaberta para um homem nu no chão da sala de jantar. Os criados estavam todos à volta, alguns fazendo o sinal da cruz. Alguém sussurrou para seu pai:

"Senhor, a polícia está no saguão". A mulher ergueu a cabeça ao ouvir isso, mostrando um feroz olhar de proteção.

"Não", disse Sophia. Ela se colocou à frente dos três invasores. "Pai, mande a polícia embora. Eles não são necessários aqui."

"Sophia, vá para o seu quarto. Falaremos depois."

"Já disse, eu conheço este homem. Eu responderei por ele e por seus amigos."

"Não seja ridícula. Como você poderia..."

"Eles são meus convidados", retrucou com firmeza. "Mande a polícia embora. E alguém, por favor, traga um cobertor para este homem." Ela deu as costas para eles e se curvou sobre a figura conhecida, que mal havia se mexido. A mulher alta a olhava de uma maneira estranha, como se tentasse ver o que havia dentro dela. "Você o conhece", disse a mulher.

Ela assentiu com a cabeça e tomou a mão do homem nas suas. "Ahmad?"

Os olhos continuaram fechados, mas sua testa se franziu. "Sophia?", ele murmurou; e ela ouviu seu pai, chocado, emitir um gemido.

"Sim, sou eu", respondeu Sophia, consciente dos olhos dos outros sobre ela, as conclusões exatas demais que todos estavam tirando. Suas faces teriam ardido se ela estivesse quente o bastante para isso. "Você está na minha casa, você está seguro aqui." Ela lançou um olhar desafiador a seu pai, mas ele apenas ficou parado, pálido e surpreso. "O que aconteceu com ele?", Sophia perguntou à mulher.

"Ele tentou dar cabo da própria vida."

"Meu Deus! Mas por quê?"

A mulher tinha o ar de quem queria falar alguma coisa, mas então olhou em torno, para os rostos atentos e assustados. Sophia disse: "Talvez seja melhor discutirmos isso em particular. Vamos levá-lo para o meu quarto. O fogo lá já deve estar aceso".

Uma criada entrou trazendo um pesado cobertor de lã; ela o entregou a Sophia e recuou, visivelmente aterrorizada. Juntos, a mulher alta e o homem maltrapilho cobriram sua carga semiconsciente e o colocaram de pé, apoiando-o pelos dois lados do corpo. Sophia colocou uma mão protetora no braço da mulher e todos eles, sob olhares vigilantes, deixaram a sala de jantar. "Pai, logo falarei com o senhor", ela disse enquanto eles saíam.

Eles o instalaram na cama de Sophia, colocando um aquecedor de cobre sob as cobertas. O homem maltrapilho — um tal dr. Saleh, que só falava árabe — pôs-se a ajeitar o fogo, e logo o quarto estava quente o bastante até mesmo para o gosto de Sophia. Então o dr. Saleh e a mulher, cujo nome aparentemente era Chava, conversaram em voz baixa por alguns minutos, lançando olhares frequentes a Sophia.

"Desculpe por envolvê-la nisso", disse a mulher por fim, "mas não tínhamos outra opção, a vida de Ahmad estava em jogo." Uma pausa. "Eu presumo que você saiba o que ele é?"

"Acho que sim", respondeu Sophia. "Você é o mesmo?"

A mulher desviou o olhar, com uma súbita consciência de si. "Não", respondeu. "Sou... outra coisa. Um golem."

Sophia não tinha a menor ideia do que isso significava, mas não sabia como dizê-lo, então apenas assentiu com a cabeça. "Por favor, diga-me o que aconteceu."

A Golem, então, contou a história. Sophia tinha a sensação de que vários detalhes estavam sendo omitidos, mas apenas escutou enquanto a Golem descreveu o resgate do Djim na fonte Bethesda. "Mas foi lá que o vi pela primeira vez", disse Sophia, sentindo-se confusa. "Ainda não entendo... Por que ele faria tal coisa?"

"Vocês podem parar de falar de mim como se eu não estivesse aqui", resmungou uma voz que vinha da cama.

A Golem foi a primeira a colocar-se a seu lado — ela se movia com uma velocidade inacreditável!

"Olá, Ahmad", disse ela em voz baixa.

"Chava", ele respondeu. "Você não deveria ter me socorrido."

"Não seja tolo. Muita coisa já se perdeu."

Um riso áspero. "Você fala do que não sabe."

"Quieto." Ela tomou a mão dele e a apertou, como para se certificar de que ele realmente estava lá; e, subitamente, Sophia sentiu-se uma intrusa em seu próprio quarto.

O Djim viu o dr. Saleh e lhe disse algo em árabe, em um tom de voz que expressava afronta. O doutor lhe respondeu do mesmo jeito, rude e sarcástico, depois passou a mão em sua testa. Ele começava a mostrar, Sophia notara, um ar bastante doentio. A Golem fez uma pergunta, que ele respondeu negativamente; mas era visível que o calor do quarto não estava lhe fazendo bem.

"Temo que o doutor Saleh teve uma manhã muito exaustiva e não comeu quase nada", disse a Golem a Sophia.

"Claro. Vou levá-lo para baixo e fazer com que cuidem dele."

Um olhar distante se instalou no rosto da Golem. Ela disse: "Você também precisa assegurar a todos que estão no pé da escada que não estamos matando você e que não há qualquer razão para arrombarem a porta".

Sophia a encarou. "Isso é realmente sério?"

"Temo que sim."

"Nesse caso, obrigada pelo aviso", disse ela decidida a descobrir o que era um golem o mais rapidamente possível.

Ela levou o dr. Saleh até a cozinha e disse aos empregados, de maneira firme, que o alimentassem e cuidassem dele. Eles a olharam como se ela tivesse chifres na cabeça, mas, mesmo assim, assentiram e fizeram reverências. Sussurros a seguiram depois que ela saiu da cozinha.

No andar de cima, foi-lhe informado que seus pais estavam na biblioteca, esperando para falar com ela. Sophia decidiu encarar a situação como uma oportunidade. Os criados, diria ela a seus pais, eram inclinados à fofoca, e sua reputação certamente seria prejudicada. Por que não romper o noivado agora, antes que tudo acabasse em desonra? E talvez fosse melhor que ela viajasse por algum tempo, até que os rumores parassem de circular. Índia, América do Sul, Ásia. Climas mais quentes.

Sophia tentou disfarçar um sorriso ao abrir a porta da biblioteca.

—— • ——

O culto matinal já estava sendo preparado quando Michael Levy chegou à antiga sinagoga de seu tio. Ele ficara vagando pelo Lower East Side, tentando entender a ruína em que sua vida se transformara, quando se deu conta da direção que estava tomando. Não tinha mais forças para mudar de rumo. E não podia nem suportar a ideia de ir para casa. Mas também não voltaria para a Casa de Acolhida porque ela ainda poderia estar lá. Ele supôs que deveria sentir-se agradecido pelo fato de Chava tê-lo alertado, por ter escapado com vida; mas, naquele momento, a gratidão era algo muito além do seu alcance.

A antiga sinagoga de seu tio fora, originalmente, uma igreja metodista. Era uma construção vagamente anônima, de pedra cinzenta, nem imponente nem acolhedora, o tipo de prédio que pode mudar de mãos uma dúzia de vezes sem que os vizinhos se deem conta. Lá dentro, cerca de vinte homens se reuniam em frente aos bancos de madeira. A maioria tinha quase a idade de seu tio. À porta do santuário, Michael hesitou, com uma resistência repentina. Ele temia ser reconhecido pelo antigo grupo de seu tio. Eles murmurariam preces em seu nome, citando-o como prova de que as pessoas sempre retornam para sua fé em momentos difíceis.

Bem, estariam eles errados? Michael aceitara como verdade que sua mulher era uma criatura de barro trazida à vida por — pelo quê? A vontade de Deus? Deveria acreditar em Deus agora, se quisesse entender o que estava acontecendo? O pensamento o fez se sentir insolente, como se novamente fosse uma criança sendo arrastada para a escola contra a sua vontade. Mas ele não conseguia esquecer o que havia descoberto.

O culto começou, as vozes masculinas se elevavam e diminuíam. *Transformastes meu pranto em dança, afrouxastes minhas vestes fúnebres e me cingistes de alegria.* Eles cantavam os salmos e as orações, e, como sempre, o ritmo se ligava à batida do seu coração. Parecia injusto que as orações o afetassem dessa maneira, contra a sua vontade; que ele pudesse zombar dos sentimentos e, ao mesmo tempo, ver-se declamando com os outros. Imaginou-se aos noventa anos, desdentado e trêmulo, incapaz de lembrar-se de qualquer coisa além das orações matinais. Estas eram suas lembranças mais profundas, sua primeira música.

Michael não sabia exatamente quando deixara de acreditar. Não aconteceu de repente, e ele tampouco argumentou consigo mesmo até a descrença, apesar de seu tio imaginar o contrário. Não, ele simplesmente um dia se deu conta de que Deus havia desaparecido. Talvez nunca tivesse acreditado realmente. Ou talvez apenas trocara uma crença por outra, sem amar Deus ou o ateísmo, e sim a ideologia pura e simples — como ele havia se apaixonado não por uma mulher, mas pela imagem de uma mulher.

Chava Levy, pensou, *você é uma realidade com a qual é difícil conviver.*

Imediatamente, sentiu um nó na garganta. Reprimindo o choro, ele deixou seu posto na porta do santuário e voltou para a rua. Não conseguia mais ficar ouvindo os cânticos, mas sua mente capturou o fio da meada e o conduziu, contra a vontade, pelo restante do culto durante sua caminhada até a Casa de Acolhida. Era seu único lar agora, e ele supôs que, se tivesse uma religião, a Casa seria seu templo, dedicado não a deuses ou a ideais, mas a homens viventes e falíveis. Se sua esposa estivesse lá, ele a enfrentaria.

A Casa estava despertando quando ele chegou. O cheiro de café flutuava pelo corredor; ele podia ouvir os ruídos do encanamento velho. Então se preparou, mas seu escritório estava vazio, com a porta entreaberta.

Sentou-se à escrivaninha e, apesar de tudo, estava pensando em começar as tarefas do dia quando percebeu que a pilha de papéis chamuscados que pertencia a Joseph Schall não estava mais lá. Na confusão alcoólica da noite anterior, ele se esquecera completamente dos papéis — e mais: esquecera-se de Joseph.

Vasculhou sua mesa freneticamente. As notas de seu tio ainda estavam na gaveta onde Michael as guardara, mas não foi possível encontrar os papéis de Joseph. Ele teria voltado de sabe-se lá onde, encontrando os papéis em seu escritório? Ou teriam sido levados por sua esposa? Se ele pudesse encontrá-los e recolocá-los sob a cama de Joseph, evitando que o velho descobrisse...

Uma sombra surgiu na porta.

"Estranho", disse Joseph, tranquilamente. "Eu também estava procurando por algo. Acho que temos um ladrão entre nós." Ele olhou para Michael. "Ou talvez você já saiba disso."

Michael começou a suar frio. Ele estava encurralado ali, dolorosamente consciente de sua expressão de culpa e terror.

"Entendo", disse Joseph. Ele fechou a porta silenciosamente atrás de si. Seu rosto, notou Michael, tinha hematomas e cortes, e sua roupa cintilava, aparentemente coberta por minúsculos cacos de vidro. "Então, como faremos, você e eu?"

"Não estou com seus papéis", disse Michael. "Eles sumiram. Desapareceram."

Joseph ergueu as sobrancelhas. "E você os leu antes que desaparecessem?"

"Sim."

"Ah. E entendeu algo?"

"O bastante."

Joseph assentiu com a cabeça. "Não seja muito severo com sua esposa", disse. "Ela estava apenas seguindo sua natureza, o melhor que podia. Um golem fica perdido sem um mestre."

"Eu queria ser o marido, não o mestre dela."

"Que atitude iluminada de sua parte", disse Joseph. Sua voz se mostrava irritada, sem o tom brincalhão de antes. "Agora, onde está o que me pertence?"

"Eu não sei."

"Arrisque um palpite."

Michael ficou calado.

Joseph suspirou. "Talvez você não tenha entendido. Eu estava sendo gentil. Não preciso perguntar."

Uma gargalhada absurda explodiu na garganta de Michael.

Joseph, aborrecido, perguntou: "O que há de engraçado?".

"Acabo de me dar conta de que este é o seu verdadeiro eu, de que você sempre foi assim."

"E daí?"

"Nada. Mas é que você realmente os ajudou, sabe."

"Quem?"

"Todos os homens que passaram por esta Casa. Você os ajudou a encontrarem suas camas, deu-lhes bons conselhos e resolveu dívidas. Você foi um rosto amigável em uma cidade estranha. Deve ter sido uma tortura para você."

"Você nem imagina o quanto."

Michael sorriu. "Ótimo. Fico contente que tenha sido difícil. Ainda que eu sinta pena de você, de verdade. Todo esse poder não o levou muito longe."

Joseph estreitou os olhos de raiva. Michael engoliu em seco e disse: "Na verdade, se você parar para pensar, todos esses homens — os que você odiava ajudar —, todos eles saíram daqui para encontrar algo melhor e maior. Você é aquele que ficou para trás".

"Poupe-me de sua piedade", disse Joseph — e se precipitou à frente, agarrando Michael pela cabeça.

Michael não chegou a perder a consciência enquanto suas memórias eram destroçadas. Seu agressor avançava a esmo, agarrando punhados de momentos em sua raiva, de maneira que, à medida que morria, Michael era bombardeado de recordações. Ele jogando beisebol na rua com os amigos; seguindo em disparada por um corredor, tentando salvar sua vida. Sua tia chorando quando ele rasgou, sem ler, uma carta de seu pai. Uma enfermeira em Swinburne pousando uma mão fresca em sua testa. Nos tempos de escola, faltara às aulas, e seu tio o colocara sobre os joelhos, as palmadas hesitantes mostrando como se sentia desconfortável com a tarefa. Ele estava em um salão, vendo uma mulher alta descer a escada, um peso alegre e dolorido no coração.

Joseph finalmente o soltou, e Michael desabou, cego, no chão.

Schaalman ficou ali de pé um momento, pensando no que coletara. Então foi até a mesa e abriu uma gaveta. Ali, bem por cima, estavam as notas do rabi Meyer sobre a Golem, exatamente onde Michael as deixara.

Schaalman folheou as notas, cada vez mais excitado, acompanhando o meticuloso progresso do rabi, suas descobertas e contratempos. Ele finalmente entendeu por que Meyer roubara aqueles preciosos volumes de seus próprios colegas. Acreditara que o homem era sua Nêmesis, quando na verdade Meyer estava lhe preparando um precioso presente. Tinha de admitir a sutil maestria, muito mais calma e exequível que suas adivinhações delirantes. A exigência de que a fórmula só fosse usada com a permissão da Golem, por exemplo, era algo que ele jamais teria arquitetado. Mas, a bem da verdade, isso nunca passaria por sua cabeça.

Estranha ironia: pedir que a Golem abrisse mão, por sua própria vontade, de seu livre-arbítrio. Sem dúvida Meyer havia imaginado uma conversa franca com ela, uma decisão solene e bem pensada. Schaalman dobrou o papel com a fórmula e guardou-o no bolso, pensando que, naquelas circunstâncias, seus próprios métodos triunfariam sobre os de Meyer. Afinal, uma escolha feita sob coerção continuava a ser uma escolha.

GOLEM & O GÊNIO
UMA FÁBULA ETERNA

XXVIII

 Golem lutava para entender.

Durante longos minutos, o Djim falara em uma voz baixa e cansada, contando uma história antiga: de um ganancioso feiticeiro do deserto e de uma jovem chamada Fadwa al-Hadid. Ele descreveu a dor de ser escravizado e a sensação de ter a garganta de Fadwa em suas mãos, e de como ibn Malik morrera apenas para renascer inúmeras vezes.

"Acho que você conhece o resto da história", disse o Djim enquanto ela ficava sentada junto à cama de Sophia. Ele estava agora reclinado na cama, enterrado sob lençóis caros, os ombros apoiados na cabeceira entalhada. "Ibn Malik tornou-se Yehudah Schaalman."

"Joseph Schall", ela murmurou. "E você viu as memórias dele." A mão do Djim repousava sobre as cobertas, e a Golem a tomou entre as suas, percebendo que ela voltava a ter peso. "Então foi por isso que você tentou se matar", ela disse. "Para acabar com a vida de ibn Malik por meio de sua própria morte."

O Djim olhava para ela, mostrando tristeza em cada traço de seu rosto. Ele esperava que ela se arrependesse de tê-lo salvado, percebeu a Golem, agora que sabia de toda a história. "Escute", disse ela. "Foi ibn Malik quem fez isso. Não você."

"E Fadwa?", ele perguntou. "Se eu não a houvesse magoado, nada disso teria acontecido."

"Você assume a culpa por coisas demais. Sim, o problema de Fadwa foi causado por você. Mas o que ibn Malik fez, não. E Schaalman tem seu livre-arbítrio."

"Não estou assim tão certo sobre essa última parte", retrucou o Djim. "Vi as vidas dele, e todas seguiam o mesmo padrão. Como se ele não pudesse se libertar por sua própria vontade."

A Golem retorceu os lábios. "Você acredita que ele não foi capaz de evitar fazer o mal?"

"Todos nós temos nossa natureza", disse o Djim em voz baixa.

Ela queria argumentar, mas onde acabaria senão apontando um dedo para si mesma? Frustrada, levantou-se e deu algumas voltas no quarto. "Sim, você foi egoísta e descuidado com Fadwa", afirmou. "Mas não pode assumir a culpa pelo resto, tratando-se ou não de natureza. Se Schaalman não tivesse existido, eu não estaria aqui. Então, você seria responsável por meus atos, tanto os bons como os maus? Você não pode escolher alguns e deixar o resto para trás."

Ele exibiu uma sombra do seu sorriso habitual. "Acho que não", disse. E então ficou sério. "Mas você entende agora por que não posso continuar a viver?"

"Não", a Golem respondeu abruptamente.

"Chava."

"Você não impediu que eu me destruísse uma vez? Vamos encontrar uma saída."

Ele estremeceu, sem responder, apenas ficou olhando para a mão da Golem, que voltou a segurar a sua sobre as cobertas.

Bateram à porta. Era Sophia, que trazia uma pilha de roupas dobradas. A criadagem estava no corredor, tentando espiar dentro do quarto; ela fechou a porta na cara deles.

"Olá, Sophia", disse o Djim em voz baixa.

Ela sorriu. "Sua aparência melhorou." Então colocou as roupas sobre a cama. "Meu pai não é tão alto quanto você, mas acho que alguma coisa deve servir."

"Sophia", disse o Djim em tom sério, e era visível que ele pretendia pedir desculpas — por tê-la arrastado para esse contratempo, ou por algo que acontecera há mais tempo, a Golem não conseguia saber o quê —, mas Sophia energicamente o interrompeu. "O doutor Saleh está repousando no quarto de hóspedes", disse. "Devemos nos juntar logo a ele, se você estiver se sentindo bem para isso."

O Djim assentiu envergonhado.

"Temo que tenhamos lhe causado muitos problemas", disse a Golem.

"Talvez", respondeu Sophia, apesar de, estranhamente, não parecer muito preocupada com isso, tinha um ar até contente. "Ainda assim, estou feliz que vocês tenham decidido vir aqui." Ficando séria, ela se voltou para o Djim. "Você deveria ter me contado."

Ele suspirou. "E você teria acreditado?"

"Não. Provavelmente, não. Ainda assim, você deveria ter tentado."

O Djim hesitou, depois perguntou: "Você está bem, Sophia?".

Apenas naquele momento a Golem notou a palidez e as roupas quentes demais da jovem, o tremor de suas mãos. Sophia pensou antes de responder, e a Golem pressentiu um nó de desejos e arrependimentos, e, sobretudo, uma profunda ânsia de não ser o objeto da piedade de ninguém.

"Estive doente", respondeu Sophia. "Mas acho que estou melhorando." Ela sorriu. "Agora, por favor, vista-se. Voltarei para buscá-los em alguns minutos."

Ela saiu, e o Djim começou a examinar as roupas que ela trouxera. A Golem estava sentada na beirada da cama, sem saber para onde olhar — vê-lo se vestir representava, de certa forma, uma intimidade maior que presenciá-lo nu. Ela foi até a penteadeira da jovem e ficou examinando os objetos ali espalhados: uma escova de cabo dourado, um lindo colar de prata e vidro, um sortimento de garrafinhas e jarras de itens farmacêuticos. Sobre a caixa de joias havia um pássaro dourado em uma gaiola, de origem inconfundível. "Você também fez um para ela", disse a Golem.

O Djim fechou a gola da camisa. "Você está com ciúme? Ela, pelo menos, não devolveu o presente."

"Eu não poderia guardá-lo, estava prestes a casar", murmurou a Golem.

O silêncio pairou entre eles.

"Michael", disse, finalmente, o Djim. "Ele também foi pego de surpresa em meio a isso tudo, não foi?"

Ela suspirou. "Há algumas coisas que preciso contar." E ele ouviu, alternadamente chocado e sério, enquanto ela contava como havia encontrado Michael na Casa de Acolhida com os feitiços de Schaalman, e a luta que enfrentou com o conteúdo dos papéis.

"Onde eles estão agora?", perguntou.

"Com Anna", ela respondeu, mas, ao ver a expressão dele, emendou: "Eu não poderia deixá-los na padaria! Ela os escondeu em algum lugar. Mas não sei o que fazer com eles".

"Queime-os", ele replicou rispidamente.

"Destruir toda aquela sabedoria?"

"É a sabedoria de Schaalman, de Ibn Malik."

"Pensei", disse ela baixinho, "que poderia usá-la para libertar você."

O golpe que as palavras da Golem produziram nele foi visível. Ela o viu dar-lhe as costas, lutando contra si próprio. Passados alguns momentos, o Djim olhou para sua camisa e começou a puxar as mangas. "O pai de Sophia tem braços muito curtos", resmungou.

"Ahmad..."

"Não. Você não pode usar essa sabedoria. Prometa."

"Eu prometo", ela murmurou.

"Ótimo." Ele deu um suspiro. "Agora diga-me: estou apresentável para a família?"

Ela o examinou, dando um leve sorriso: o pai de Sophia era mais largo que o Djim, e as roupas emprestadas enfunavam como as velas de um navio. "Mais do que antes."

Ele fez uma careta. "Ao menos não são os trapos que Arbeely me deu quando saí da garrafa."

"Você também estava nu na ocasião? É um costume?"

Mas o olhar dele mostrava que sua mente estava em outro lugar. "A garrafa", disse.

"O que tem ela?"

"Maryam Faddoul ainda a possui. E foi consertada. Arbeely recolocou o selo, ele disse ter feito uma cópia exata." O Djim fez uma pausa e depois disse com a voz tensa: "Você tem razão, Chava: há outra saída. Mas você não vai gostar dela".

— • —

Anna deixara a Padaria Radzin levando seu estranho pacote e imaginando o que exatamente lhe teria sido confiado. O volume que estalava no fundo do saco só poderia ser uma pilha de papéis. O que estaria escrito neles? Os segredos de alguém? Uma confissão incriminadora? Apesar da promessa que fizera, ela quase abriu o saco para dar uma espiada — mas então se lembrou de quem lhe havia dado o pacote e dos horrores que testemunhara. Aquilo não seria o diário de um amor clandestino. Era melhor nem saber. Ela pensaria rapidamente em um esconderijo e se livraria de tudo.

No fim das contas, decidiu-se pelo salão de baile na Broome Street. Isso já estava em sua mente graças à Golem — ela não voltava lá desde aquela noite horrível e, em virtude de suas novas associações, duvidava de que viesse a fazê-lo. Mas, quando tentava pensar em outro lugar, sua mente acabava voltando para lá. Ela até sabia onde esconder o saco: em cima do armário antigo, no quarto dos fundos, onde eles guardavam as toalhas das mesas. Tudo o que precisava fazer era encontrar Mendel, o porteiro, e persuadi-lo a entregar-lhe a chave. Pelo que ela sabia, ele também trabalhava numa alfaiataria em Delancey, passando calças. Se tudo corresse bem, ele estaria lá.

Yehudah Schaalman sentou-se, de rosto franzido, em uma mesa no saguão da Casa de Acolhida, cobrindo uma folha de papel com linhas rabiscadas e apagadas. Deveria ser fácil lembrar a fórmula para encontrar objetos perdidos, pois ele a utilizara centenas de vezes. Mas sua memória não era mais um território seguro. Cavar muito fundo trazia o risco de despertar seus eus anteriores, que poderiam, então, alardear suas próprias soluções, ensurdecendo-o com a cacofonia. Ele tinha de avançar com cuidado, esgueirando-se até uma coletânea de lembranças e examinando-a de soslaio, capturando a fórmula sílaba por sílaba. Era um processo lento e meticuloso, e ele não estava com o ânimo de se adaptar a isso.

Um grito ressoou pelo corredor. Ele o ignorou, assim como ignorou os passos pela Casa e os sinais de alarme cada vez mais estridentes, tentando se concentrar. Afinal, a fórmula para encontrar seu maço de encantamentos estava terminada. Ele a examinou — parecia correta — e então se preparou, pronunciando as palavras que acabara de escrever.

Então ele viu...

O lampejo da camisa escura de trabalho de uma mulher, aberta na cintura para acomodar uma barriga de oito meses. Embaixo do braço, um saco de farinha. A mulher — e Schaalman a reconheceu, do corredor do cortiço — estava de pé junto a um portal, flertando com um rapaz grande e suarento. Ela lhe disse algo em uma voz provocante. O olhar do rapaz se dirigiu para a barriga dela. Ele disse algo, uma exigência. A garota pareceu não gostar, mas, por fim, fez que sim com a cabeça. O rapaz puxou um cordão do pescoço; dele, pendia uma chave. Ele a segurou por cima de sua cabeça, fazendo a garota se esticar; e quando ela o fez, ele a agarrou e a beijou rudemente na boca, depois apalpou seu seio. Ela deixou que ele continuasse por alguns instantes, depois o repeliu com firmeza, mostrando uma expressão calma. Um lampejo de culpa brilhou no rosto do rapaz; depois ele deu uma risadinha e entrou em uma loja. A porta se fechou. O rosto dela se franziu, recompondo-se logo depois. Segurando a chave e o saco, ela desceu a rua. Schaalman guardou na memória as lojas, esquinas, deu-se conta de que estava a poucas quadras dali. Na Broome Street, ela foi até uma porta sem letreiro, colocou a chave no cadeado e desapareceu lá dentro.

Schaalman voltou a si, a cabeça girando. Ele sentou-se, o mais imóvel possível, até que sua visão se recuperasse e a pressão em suas têmporas diminuísse. A garota grávida — ela conhecia sua golem, não conhecia? Talvez ele tivesse encontrado não apenas seus feitiços, mas a isca para obter o consentimento de sua golem.

Para além do saguão, a Casa estava em comoção. Uma multidão se juntara na porta do escritório de Michael. A governanta estava sentada na escada, chorando. A cozinheira falava com um policial. Ela viu Schaalman, e seu olhar implorava: *Joseph, veja o que aconteceu.* Mas ele foi embora, descendo o corredor e atravessando a porta.

—◆•◆—

O fiacre dos Winston, ainda que elegante, não era espaçoso o bastante para três pessoas; mesmo assim, Saleh, o Djim e a Golem se espremeram ali. O cavalo rapidamente atravessou o portão dos Winston e entrou na Fifth Avenue, ficando preso no tráfego matinal como todos os outros. Esmagado no canto, Saleh começou a cochilar. De início, ele lutou contra o sono, mas o cansaço e seu estômago recém-saciado

— a cozinheira lhe ofereceu um prato cheio de frios e uma compota de frutas com conhaque, deixando claro, no entanto, que preferia ter sido fuzilada — logo o deixaram roncando. O Djim sentiu-se grato; isso garantia alguma privacidade, sem a estratégia óbvia de falar em outra língua.

Mas a Golem, ao que parecia, não tinha vontade de falar. Pouco antes, surpreendentemente, ela não protestara contra seu plano, apenas fez algumas perguntas de ordem prática e traduziu a conversa para Sophia. Ela agora parecia notavelmente calada, mais do que de costume. Mantinha o olhar fixo nos táxis e charretes à volta deles, sem qualquer expressão. De qualquer maneira, ele nem sabia o que dizer. Tudo o que vinha à sua mente parecia banal demais, ou definitivo demais. Se tudo corresse bem, se o plano desse certo, ele nunca mais a veria.

"Vai doer?", ela perguntou de repente, surpreendendo-o. "Entrar na garrafa de novo. Vai machucar você?"

"Não", ele respondeu. "Pelo menos, não me lembro de sentir dor."

"Talvez tenha doído", ela disse sem expressão na voz. "Passaram-se mil anos. E você apenas não lembra."

"Chava..."

"Não, não diga nada. Vou seguir o plano porque precisamos fazer algo para evitar que Schaalman encontre e use você. Mas não pense, nem por um segundo, que eu o farei de bom grado. Você está me transformando em sua carcereira."

"Você é a única pessoa forte o bastante para me colocar na garrafa. Isso certamente enfraqueceu ibn Malik. Acho que poderia matar alguém como Saleh."

"Ninguém está pedindo a ele que..."

"Claro que não! Só quis dizer..." Ele se interrompeu frustrado. "Eu sei que é pedir muito de você. Deixar Nova York, ir para a Síria. A viagem não será confortável para você, em um barco lotado."

"A viagem é o menor dos problemas", ela disse. "E se os da sua espécie não puderem proteger você? E se não houver mais djins?" Ele virou o rosto, e ela prosseguiu: "Eu sei, mas precisamos pensar nessa hipótese! Devo simplesmente enterrar você no deserto e torcer para que o melhor aconteça?".

"Sim, você deve. E então me deixe. Vá para algum lugar distante, o mais distante possível. Não quero que você fique me protegendo. Ele pode não ser seu mestre, mas é capaz de destruí-la mesmo assim."

"Mas para onde eu iria? Começar de novo, em outro lugar... Nem consigo imaginar. Não sou como você. Nova York é tudo o que eu conheço."

"Não deve demorar. Não lhe resta muito tempo. Alguns poucos anos, na melhor das hipóteses."

"E depois? Devo correr o mundo atrás das reencarnações dele para matá-las em seus berços?"

"Conheço você o suficiente para saber que não fará isso."

"Ah, é?"

"Então você o faria? Sinceramente?"

Um silêncio e então: "Não. Mesmo sabendo... Não".

Eles se calaram. O fiacre prosseguiu até que finalmente alcançou o lado sudoeste do parque. Então viraram à esquerda, e o ar tornou-se espesso com os eflúvios das árvores do outro lado do muro.

Por fim, o Djim perguntou. "Michael ficará bem sem você?". Ele tentou, sem conseguir, não ficar tenso ao pronunciar o nome.

"Michael ficará melhor se eu partir. Espero que um dia ele possa me perdoar." E então ela o olhou de soslaio. "Não disse a você por que me casei com ele."

"Talvez eu não queira saber", ele murmurou.

"Eu o fiz porque você tirou o papel do meu medalhão. Não fui capaz de me destruir. Tinha de viver neste mundo e estava apavorada. Então eu me escondi atrás de Michael. Tentei transformá-lo em meu mestre. Honestamente, pensei que seria melhor assim."

Era doloroso ouvir a autorrecriminação que a voz dela carregava. "Você estava assustada", disse o Djim.

"Sim, e, por causa de meu medo, cometi o erro mais egoísta de minha existência. Então como você pode confiar sua vida a mim?"

"Confio em você mais que em qualquer outra pessoa", ele respondeu. "Mais que em mim mesmo."

Ela balançou a cabeça em negativa, mas mesmo assim se recostou nele, como se buscasse refúgio. Ele a puxou para si, os cabelos dela contra seu rosto. Pela janela do fiacre, Nova York se apresentava como um desfile incessante de muros, janelas e portas, becos escuros, lampejos da luz do sol. Ele pensou que, se pudesse escolher um instante que seria levado consigo para a garrafa, um instante para reviver para sempre, talvez escolhesse este: a cidade a passar, e a mulher a seu lado.

A manhã já ia pela metade, e o café estava lotado. Nas mesinhas da calçada, peças de gamão faziam ruído nos tabuleiros. Lá dentro, homens discutiam negócios com certa indolência na voz.

Arbeely estava sentado sozinho, com sua xícara de café entre os dedos. A oficina se encontrava silenciosa demais naquela manhã, um silêncio que oprimia os ouvidos. Seus olhos ficavam desviando do serviço para a bancada de trabalho vazia do Djim. Arbeely dizia a si mesmo que estava bem antes de encontrar seu ex-parceiro e que assim permaneceria. Contudo, parecia que a oficina estava paralisada, como se à espera do momento em que o Djim entraria pela porta.

Quando não pôde mais aguentar, ele foi ao café dos Faddoul, a fim de se distrair com o ruído das conversas alheias. Olhou para as outras mesas, todas ocupadas. Maryam circulava entre elas com seu café e suas fofocas, navegando sem dificuldade pelo saguão lotado. De onde estava, ele podia ver como cada mesa ficava mais animada quando Maryam chegava, como cada um dos sorrisos dela era um impulso no motor que mantinha o café em atividade constante. Na cozinha, Sayeed moía o café, o cardamomo e fervia a água, em uma dança muito ensaiada. Ao olhar para eles, Arbeely sentia crescer sua solidão.

Atraída por sua melancolia como uma mariposa, Maryam logo se dirigiu até ele, mostrando um ar preocupado. "Boutros, você está bem?"

Ele quis perguntar: *Maryam, fiquei solteiro tempo demais? Perdi minha chance?* Mas, à porta, surgiu uma sombra, e todas as conversas se interromperam.

Era o Djim. A seu lado havia uma mulher alta, imponente, que Arbeely jamais havia visto. Atrás deles, um homem vestido como um mendigo, mas com a postura de alguém importante. Seus traços despertaram a memória de Arbeely. *Saleh Sorvete*, alguém disse, e ele ficou chocado ao perceber que era verdade.

O Djim varreu o café com o olhar até encontrar Maryam e, depois, Arbeely junto a ela. Um momento de surpresa; mas, sem perder a coragem, ele atravessou o café e se aproximou deles, com seus companheiros logo atrás.

Maryam olhava para Saleh, boquiaberta. *"Mahmoud?"*

Nos olhos escuros, agora argutos, a ameaça de lágrimas. "Maryam", disse o homem em uma voz familiar. "É um prazer vê-la."

Ela riu, encantada, seus olhos marejados. "Mahmoud, que maravilha! Mas como aconteceu?" Seu olhar se voltou para o Djim, e ela assumiu um ar desconfiado. Seu marido apareceu na porta da cozinha, pronto para intervir.

"Talvez pudéssemos conversar em particular", disse o Djim em voz baixa. E, virando-se para Arbeely, disse: "Acho que você também deveria ouvir".

Então, depois de algumas palavras rapidamente trocadas com Sayeed, ela os levou até sua casa, que ficava em cima do café, acomodando-os à mesa de jantar. E o Djim começou a falar. Em voz baixa, com palavras simples, ele revelou sua natureza, pedindo desculpas por cada uma das mentiras que contara. Explicou quem era a mulher alta a seu lado, e Arbeely, ainda tonto com a recém-descoberta franqueza do Djim, tentava duramente entender a existência dela. *Noite passada, encontrei uma mulher feita de barro*, dissera o Djim uma vez — e, agora, ei-la, uma solene giganta hebraica, respondendo às perguntas de Maryam em um árabe perfeito enquanto o Djim escutava, demonstrando uma preocupação visível e surpreendente.

"Esperem", interrompeu Arbeely confuso e incrédulo. "Você está dizendo que quer voltar para a garrafa?" Ele teria sido coagido por aquela mulher, teria ela jogado algum feitiço sobre ele? A mulher, com os olhos baixos, murmurou algo para o Djim em outra língua; então, ele disse: "Arbeely, seus temores são infundados. Esta decisão é somente minha". Isso, no entanto, não fez com que ele se sentisse melhor.

Outra pergunta de Maryam, e desta vez quem respondeu foi Saleh, que contou do homem que batera à porta do Djim. Ele descreveu a dor violenta do exorcismo como aquela causada pela extração de um dente podre. E depois a Golem e o Djim, com observações que se contrapunham: *meu criador, meu mestre*.

Parecia loucura. Mas Maryam ouviu e refletiu. Por fim, ela foi até a cozinha e voltou com a garrafa, colocando-a sobre a mesa. Todos olharam para o objeto, exceto o Djim, que desviou o olhar, comprimindo os lábios. A luz do sol destacava o desenho intrincado, as linhas curvas e os arcos que se entrelaçavam, dando voltas sobre si mesmos.

"É sua", disse Maryam, "se você quiser."

"Você acredita neles?", perguntou abruptamente Arbeely, surpreso.

"Preciso acreditar para me desfazer dela? Para mim, é apenas a velha garrafa de cobre de minha mãe. É óbvio que Ahmad dá mais importância a ela." Ela a entregou ao Djim, que a segurou como se fosse um barril de pólvora. "Desejo-lhe sorte, Ahmad."

"Obrigado", disse o Djim. Depois, olhando à sua volta: "Matthew está...?".

"Ele está na escola", respondeu Maryam.

O Djim assentiu, visivelmente desapontado. Maryam hesitou, mas acabou acrescentando: "Avisarei que você mandou dizer adeus".

Eles desceram, a garrafa presa firmemente nas mãos do Djim. Maryam se despediu e retornou a seus fregueses, apertando o braço de seu marido ao passar. Os demais se viram em plena luz de meio-dia, sentindo certo desconforto, uma sensação de urgência que enfrentava uma relutância aflita. O Djim explicara que não restava muito tempo; as únicas defesas que lhes restava eram a rapidez e a distância, atravessar o oceano antes que Schaalman os seguisse. O barco para Marselha partiria em algumas horas — Sophia estava providenciando uma passagem na terceira classe —, e antes disso a Golem precisava recuperar os feitiços de Schaalman que estavam com Anna, para que eles também pudessem ser enterrados no deserto.

"E você, Saleh?", perguntou o Djim. "O que vai fazer agora?"

Essa questão estava dando voltas na cabeça de Saleh desde que ele acordara, com a visão recuperada, no chão do quarto do Djim. Ele deveria continuar sendo o Saleh Sorvete, medindo sua vida em centavos e voltas da manivela do latão? Ou tornar-se novamente o doutor Mahmoud? Na verdade, nenhum desses nomes parecia mais adequado; Saleh suspeitava que, agora, ele era outra coisa, algo novo, mas não sabia o quê. Vivera tanto tempo na expectativa de sua morte que contemplar o futuro era como estar à beira de um abismo, encarando o vertiginoso impacto do céu. "Preciso pensar", ele respondeu. "Por enquanto, vou me contentar com encontrar meu latão de sorvete." E ele também disse adeus, seu olhar demorando-se um pouco no rosto do Djim antes de partir.

"Bem", disse Arbeely, sentindo-se desconfortável. "Sentirei sua falta, Ahmad."

O Djim ergueu as sobrancelhas. "É mesmo? Ontem você deu a entender outra coisa."

Arbeely ergueu as mãos. "Esqueça isso. Além disso", disse, tentando fazer graça, "com quem vou discutir agora? Matthew?"

Também sentirei sua falta, quis dizer o Djim; mas isso não era verdade. A garrafa não permitiria que ele pensasse em qualquer um deles. A tristeza o oprimiu mais uma vez, e ele sentiu um princípio de pânico. Então apertou a mão de Arbeely, mas quase imediatamente a soltou, já lhe dando as costas. "Precisamos fazer isso logo", disse à Golem, "ou perderei a coragem."

"Chava", disse Arbeely. "Fico feliz que nos tenhamos conhecido. Por favor, cuide bem dele." Ela fez que sim com a cabeça — e então Arbeely também partiu. Eles ficaram sozinhos na calçada.

"Então é assim?", murmurou a Golem. "Precisa ser agora?"

O Djim assentiu; mas, de repente, parou. Uma estranha obscuridade se insinuou em sua vista, e sua audição começou a diminuir. De um momento para outro, a calçada desapareceu e ele foi arrancado...

Anna estava de pé à sua frente e segurava uma pilha de papéis que desmoronava. Tinha uma expressão vazia, de traços apagados. As mãos dele, com veias e manchas, tocaram os ombros dela. Lentamente, ele a virou, colocou-se atrás dela e analisou a imagem que formavam na coluna espelhada, como se posassem para um retrato de família. Por trás deles, o salão de baile estava todo iluminado. Ele alçou suas mãos, colocando-as em torno da garganta da garota.

"Traga a criatura aqui", disse ele a seu reflexo. "E a garrafa também. Ou farei de você um assassino novamente."

Ele sentiu a pele fria da Golem sob seus dedos. Suas mãos haviam se movido por conta própria, agarrando-a pelos pulsos como se quisessem arrastá-la até Schaalman. *O vínculo,* o Djim se deu conta. Este nunca havia se perdido — e agora Schaalman era capaz de controlá-lo, assim como ibn Malik o fizera.

Aterrorizada, a Golem perguntou: "Ahmad? O que há, o que está acontecendo?".

Quão tolo era Schaalman, pensou amargamente o Djim; e quão pouco ele conhecia de sua própria criação. Por que se incomodar em ameaçá-lo quando a Golem nunca poderia, conscientemente, abandonar Anna, nem mesmo para garantir um bem maior? Ela iria até ele de livre e espontânea vontade — e ele não permitiria que ela fosse sozinha.

Suas mãos lhe pertenciam novamente. Ele as deixou cair e começou a se afastar.

"É tarde demais", ele disse, a voz apática. "Perdemos."

O latão de Saleh estava exatamente onde ele o havia deixado, no canto de seu refúgio no porão. Ele fez uma careta ao ver o local claramente pela primeira vez. Cutucou com o pé seu cobertor feito de retalhos, ficando arrepiado só de pensar nos parasitas que deviam viver naquela coisa. O latão era a única coisa que valia a pena resgatar, ou quase — a madeira estava toda lascada, a manivela pendia de um único parafuso. Ele pensou que, se tentasse usar o aparelho agora, este desmontaria em suas mãos.

Mesmo assim, não poderia abandonar algo que o ajudara tanto, então puxou-o escada acima até a rua. Sua intenção era levá-lo até os aposentos do Djim, onde refletiria sobre suas alternativas, quando, do outro lado da rua, ele viu a Golem e o Djim passarem apressados. A Golem estava quase correndo, uma determinação angustiada estampada no rosto. O Djim ia logo atrás, com o ar de quem daria o mundo para segurá-la, se isso fosse possível. E Saleh pensou: *Alguma coisa está muito errada.*

Ele disse a si mesmo que aquela briga não lhe pertencia. Por algum tempo ficara envolvido nos problemas deles, mas isso acabou. Ele não os acompanhara em calamidades suficientes? Era hora de decidir qual era o seu lugar.

Trincando os dentes, Saleh deixou o latão para trás.

Golem & Gênio
UMA FÁBULA ETERNA

XXIX

salão de baile da Broome Street era tão bonito à noite quanto de dia, embora fosse um tipo diferente de beleza: não um delírio cintilante de luz artificial, mas um salão cálido e dourado. As janelas altas projetavam quadrados de luz na pista de dança e faziam a poeira brilhar no ar.

Nenhum deles pronunciou sequer uma palavra ao entrar no salão, unidos em seu medo, sabendo o quão impotentes eram. Schaalman era capaz de controlar o Djim da forma que melhor lhe aprouvesse, e a Golem era uma criação dele, que ele poderia destruir. Ele tinha as vidas de ambos em suas mãos; poderia colocar um contra o outro, ou guardar o Djim na garrafa e transformar a Golem em pó. Servidão ou morte.

A porta para o salão de baile estava aberta cerca de um palmo. Eles trocaram um olhar desolado e entraram.

As mesas haviam sido levadas para um dos extremos do salão, deixando livre uma ampla extensão do piso. No meio desse vazio, Anna estava de pé e tinha um olhar ausente.

"Anna", disse a Golem com desespero na voz. Não houve resposta, ela não captava nada da garota. Deu alguns passos, olhou à sua volta. O Djim ficou parado, tenso. "Estou aqui", chamou a Golem.

Uma sombra se destacou em um canto distante e transformou-se em um velho magro. "Olá, minha golem", disse Schaalman. "Estou feliz em vê-la." Seu olhar se voltou para o Djim. "Você também. E ainda veio por sua própria vontade. Trouxe a garrafa, certo?" — e o Djim reprimiu um grito de surpresa ao sentir seu corpo se mover contra a sua vontade. Seus braços estenderam a garrafa; seus pés o levaram adiante, cobrindo metade da distância entre os dois. Ele se abaixou e colocou a garrafa no chão, depois voltou para onde estava, enquanto a Golem olhava horrorizada.

"Pare", ela disse. "Estamos aqui, fizemos o que você pediu. Deixe Anna ir embora."

"Golem, você me surpreende", disse Schaalman. "Pensei que você invejaria essa garota. Olhe para ela, a dias de um parto agonizante — mas sem preocupações, sem medos, apenas paz. Não é melhor ser assim?" Do outro lado do salão, ele a encarou. "Você teve um mestre por muito pouco tempo, mas com certeza não esqueceu o que é isso. Diga-me", disse em um tom de voz mordaz. "Você se lembra?"

"Sim."

"E como você se sentiu?"

Ela não conseguia mentir, ele conhecia a resposta. "Eu fui feliz."

"Mas você tiraria essa felicidade de Anna, devolvendo-lhe a dor." E então, como se ele tivesse atingido algum limite de resistência, sua postura se desfez; em um tom mais relaxado, prosseguiu: "Acontece que eu entendo. Estou apenas surpreso com o fato de você também se sentir assim". Ele suspirou. "Subestimei você, Golem. Fiz você com minhas próprias mãos. E ainda assim você é um mistério."

Ela ficou calada, apenas esperando, tensa. A seu lado, o Djim estava tão imóvel que ela pensou que Schaalman o havia congelado.

"E você", disse ele ao Djim. "Olhe para você. Se eu dissesse as palavras para libertá-lo e lhe mandasse partir, acho que você se recusaria a ir para ficar ao lado dela. Eu me lembro de quando você não tinha tanta consideração para com suas mulheres. Fico imaginando se essa mudança é culpa de ibn Malik, por causa do que ele o forçou a fazer? Ou pode ser atribuída à minha golem?"

"Chega de conversa mole", disse o Djim com a voz impassível. "Faça o que você quer fazer."

"Você está assim tão ansioso para entrar na garrafa?" Ele balançou a cabeça. "Antes, quero que você me entenda. Não sou ibn Malik. Não quero a glória, nem reinos para comandar. Desejo apenas que as vidas que me restam encontrem alguma paz."

Ele se voltou para a Golem. "Para isso, eu proponho uma troca." Da manga, ele tirou um pedaço de papel. "Esta fórmula vincula você a um novo mestre. Foi elaborada pelo seu rabi Meyer. Acho que ele morreu antes que pudesse usá-la. Ou talvez ele simplesmente não tenha tido forças para tanto."

O rabi? Ela quis negar, chamá-lo de mentiroso — mas quantas vezes ela não havia percebido os pesadelos do rabi, os temores dele?

"Meyer incluiu uma cláusula muito esperta em sua fórmula", prosseguiu Schaalman. "Você precisa aceitar se submeter a um mestre, por sua livre vontade, para que funcione. Então eis minha proposta: a vida de Anna, e a do bebê dela, por sua liberdade. Você seria realmente a minha golem", disse Schaalman. "Minha serva tanto quanto minha criação."

A Golem olhou para Anna, parada de pé, frouxa como uma boneca de pano, alheia à ameaça que pairava sobre ela. "E o que eu teria de fazer como sua serva?"

"Viajar o mundo", respondeu ele. "Encontrar cada uma das minhas futuras encarnações, todas as vezes que eu morrer e renascer. Explique-lhes quem eles são e diga-lhes que não precisam temer a morte. Conduza-os ao caminho da paz, se conseguir. Eles vão lutar contra você. Eu faria isso."

Ela olhou para o Djim, percebendo seu horror quando ele se deu conta do que ela escolheria, do que seria *obrigada* a escolher. "Muito bem", ela disse. "Aceito sua oferta."

"Chava", disse o Djim, aterrorizado.

A Golem voltou-se contra ele. "O que você espera que eu faça, Ahmad? Diga-me!"

Mas ele não tinha qualquer resposta.

Ela se virou novamente para Schaalman. "Primeiro, liberte-a."

Schaalman parecia estar considerando: e de repente, no meio deles, Anna desabou no chão. A Golem correu para ela e ergueu-a. O olhar confuso de Anna pousou na Golem, depois em Schaalman. "Você", ela disse. "Foi você quem me assustou no corredor."

"Caia fora daqui, garota", disse Schaalman.

Anna franziu as sobrancelhas, sem entender. "Vá, Anna", disse a Golem. Confusa, a jovem olhou para ela, mas acabou correndo até a saída. Eles ouviram a porta bater.

A Golem estava com os olhos fechados. "Faça-o", disse.

"Como queira", disse Schaalman — e, sem mais delongas, pronunciou o encantamento do rabi.

Escondido no corredor de entrada, Saleh ficou imóvel quando a garota passou por ele correndo e bateu a porta.

Levou muito tempo para abrir a porta sem fazer ruído. E agora que estava lá dentro, ele não tinha ideia do que estava vendo. Imaginou que chegaria no meio de alguma terrível batalha — mas eles apenas estavam a poucos passos uns dos outros, trocando frases curtas em uma língua que parecia iídiche. Até o momento em que a mulher grávida desmaiou, parecia uma discussão de negócios.

Ele esperou até que a porta fechasse para avançar pelo corredor. O enorme salão estava inundado de luz por todos os cantos; se ele deixasse o corredor, seria facilmente visto. O que poderia fazer, além de entrar e ser morto? Eles não o agradeceriam por desperdiçar sua vida. Talvez, pensou, fosse qual fosse o desfecho, bastava estar ali — para testemunhar o fim deles, se as coisas chegassem a esse ponto.

Schaalman falou de novo, e mesmo àquela distância ele sentia o poder de suas palavras. Sua pele se arrepiou, os cabelos ficaram de pé. Ele viu a Golem cambalear, como se atingida por um golpe. O Djim virara as costas à cena. A criatura não era capaz de presenciar o que quer que estivesse acontecendo.

Prendendo a respiração, Saleh deu um passo à frente.

"Olá, Ahmad", disse a Golem.

Não me chame assim, pensou o Djim. *Não com a voz dela.*

Ele se obrigou a olhar para ela. Era possível ver a diferença, ou ele só a imaginava? Os olhos da Golem estavam maiores, mais claros. Uma ruga indefinível fora apagada de sua testa. Ela sorria imperturbável.

"Você poderia ter esperado até que eu estivesse na garrafa", disse ele a Schaalman. "Poderia ter me poupado disso."

"Eu queria que você visse para que pudesse entender", disse Schaalman. "*Esta* é a natureza dela. Não a criatura imperfeita que você conheceu."

"É verdade", disse a Golem. Ela esticou os braços à sua frente, como se os visse pela primeira vez. "Agora estou como deveria ser. Não se preocupe", disse ela ao ver o horror estampado no rosto do Djim. "Ainda me lembro de tudo. A padaria e os Radzin, Anna e o rabi. E Michael." Por um instante, ela pareceu ter a mente longe dali; depois disse: "Meu mestre deu cabo de sua vida. Sou uma viúva de novo". Ela poderia estar falando do tempo lá fora.

O Djim arregalou os olhos. "Você matou o marido dela? E que motivo..."

"Ele falou o que não devia", disse Schaalman, rispidamente.

"E você foi incapaz de contar isso antes de ela concordar com a sua proposta."

Schaalman riu. "E você acha que isso afetaria a decisão dela?"

"E eu me lembro de você", disse a Golem aproximando-se. Ela não tinha mais a habitual postura encurvada; dessa forma, parecia mais alta, mais confiante. "Eu nunca lhe disse como me sentia."

"Não o faça", disse o Djim, desesperado.

"Está tudo bem", ela disse como se estivesse tranquilizando uma criança. "Não me sinto mais assim."

"Acabe com isso", disse ele a Schaalman. "Coloque-me na garrafa."

O velho deu de ombros. "Se você assim o deseja."

Mas foi a Golem, e não o seu mestre, quem se abaixou para pegar o recipiente. Claro: Schaalman não se arriscaria a exaurir suas forças, como ibn Malik o fizera. Ela examinou a garrafa e voltou-se para Schaalman. "O que eu devo dizer?"

Schaalman hesitou, vasculhando anos de lembranças, e finalmente disse uma frase em um árabe estranho. O Djim estremeceu ao ouvi--las: as palavras ecoaram em sua memória, aquelas que ouvira no início do instante interminável que passara dentro da garrafa.

A Golem ergueu o frasco e se preparou para repetir as palavras.

"Espere", interrompeu Schaalman. "Não desse jeito. Olhe para ele, não para mim."

Ela assentiu e virou-se para o Djim.

"Um instante", disse o Djim.

Schaalman mostrou-se desconfiado. "O que é isso? Covardia?"

O Djim ignorou o homem e caminhou até a Golem. Ela esperou paciente, a cabeça levemente inclinada, olhando com uma curiosidade serena enquanto ele esticava a mão e tocava seu rosto. Na base de seu pescoço, a corrente dourada se mostrava junto à gola da camisa.

"Adeus", ele disse.

Ele teria de ser rápido.

Saleh fora até um canto do salão, no limite da sombra do corredor, e tentava entender a cena. Schaalman estaria manipulando a Golem? Ou ela se tornara uma traidora?

A Golem apanhou a garrafa e fez uma pergunta ao velho. Ele deu uma resposta em árabe, ou pelo menos algum tipo de árabe. As palavras não faziam sentido, soavam como uma rima infantil, mas foram ditas com uma entoação áspera que irritava a ferida que havia em sua mente. Por um segundo, sua visão ficou acinzentada e rasa — ele teve a sensação de que fora preso e encolhia, seu corpo reduzido a um único ponto...

Aquele instante passou, e Saleh voltou a si, respirando com dificuldade. Ele sabia, sem a menor sombra de dúvida, que aquelas palavras eram a ordem que davam poder à garrafa. Repetiu-as para si, tendo novamente a estranha sensação de estar diminuindo — e então percebeu a nota de medo na voz de Schaalman quando ele ralhou com a Golem, como se, naquele momento, ela o tivesse colocado em perigo.

O Djim foi até a Golem e tocou seu rosto, um gesto que denotava um arrependimento profundo. De repente, ele arrancou algo da garganta dela. O objeto brilhou em suas mãos, e ele saiu correndo, um passo, dois, suas mãos desdobrando alguma coisa...

A Golem o agarrou, ergueu-o no ar e o atirou com força no chão.

Schaalman agora gritava. Saleh viu, horrorizado, a Golem erguer novamente o Djim e atirá-lo contra uma das colunas espelhadas. Ela havia largado a garrafa, que jazia de lado no chão, esquecida.

Ele não era um lutador; não tinha qualquer arma. Para Schaalman e sua golem, ele não passaria de um aborrecimento momentâneo. No momento em que entrasse na claridade, seria um homem morto.

Ele pensou: *Tenho sido um homem morto durante todos esses anos. Que esta morte seja uma escolha minha.*

Saleh deixou as sombras.

A Golem se pôs sobre seu inimigo, aquele que irritara seu mestre. Ele jazia imóvel, não por causa da injúria ou da dor, mas porque o mestre o imobilizara com a mente. Acima dele, a coluna quebrada, sua base torta, o espelho espatifado. Então, agarrou-o e ergueu-o novamente, deleitando-se com a sensação de movimento de seu corpo, a contração e o relaxamento de músculos de barro. Era para isto que ela havia sido feita: para este propósito, para este momento.

Seu mestre estava gritando de novo, agora com ela, e não com o Djim. Sua cólera chamou a atenção dela; ele lhe ordenava que parasse de brincar com o inimigo. O corpo dela também falava, dizendo *continue, continue* — mas a voz de seu mestre falou mais alto. Decepcionada, ela largou o Djim no chão.

"Chega!", gritou o mestre. "Alguém vai ouvir, você acabará atraindo a cidade inteira para nós."

"Desculpe", ela disse, baixando a cabeça. E então franziu a testa ao perceber algo que estava além do vínculo com seu mestre. "Há algo errado", disse.

"Não há nada errado!", gritou ele, dando-lhe as costas. Na verdade, ele estava tendo problemas. Suas vidas passadas começavam a se agitar. Tudo por culpa daquela frase em árabe que ele havia pronunciado: a fim de recuperá-la, ele vasculhou com muita precipitação as lembranças de ibn Malik, e essa agitação reverberou em todas as vidas que havia entre eles dois. Ele teria de acalmá-las depois que o Djim fosse guardado em segurança na garrafa. Então olhou em volta. Onde ela estava?

Ouviu-se o barulho de alguém correndo. Ele se virou, surpreso, e viu um homem conhecido agarrar o frasco que estava no chão. Mas, antes que Schaalman pudesse falar, a Golem pulara sobre ele. Um único golpe, e o homem caiu, contorcendo-se no chão.

Era o vagabundo do prédio do Djim. "Idiota", rosnou Schaalman. A Golem agarrou o homem pelo pescoço, e Schaalman hesitou ao ver que os olhos dela, mais uma vez, brilhavam com alegria. Ele não se importava com a morte do homem, mas a Golem estava à beira de um ataque de fúria. Ele seria obrigado a destruí-la?

Ele fechou os olhos, tentando se concentrar contra o ruído em sua mente. Os vínculos entre ele e seus servos estavam se emaranhando, entrelaçando-se com suas vidas passadas. A Golem interrompeu seu ataque confusa. No chão, o Djim começou a se agitar à medida que o controle de Schaalman oscilava.

As lembranças se avolumavam, arrastando Schaalman, fazendo-o retroceder cada vez mais...

No palácio de vidro, ibn Malik se ajoelhava sobre ele, sangue jorrando da ferida em seu abdome. Schaalman olhou para seu próprio ventre e viu a mesma ferida rasgando seu corpo como uma boca aberta.

Tome sua imortalidade, *disse ibn Malik,* com minhas bênçãos. *Ele mostrou seus dentes, um sorriso manchado de vermelho.*

E então Schaalman se viu no salão de baile, tentando agarrar os frangalhos de seu controle. O Djim havia derrubado a Golem no chão, prendendo seus braços. Schaalman cambaleou e viu Saleh agachado no chão e a garrafa brilhando nas mãos dele. Ele tentou gritar para seus servos — *impeçam-no* — mas sua voz foi afogada por cada uma de suas vidas passadas, que se ergueram em um coro de escárnio, dizendo: *Você foi destruído como nós fomos, subjugado por sua própria loucura.*

Saleh encarou Schaalman e pronunciou as palavras.

Com uma luz abrasadora, o metal ganhou vida. Saleh cambaleou e caiu, suas mãos ainda segurando firmemente a garrafa, sentindo que o objeto sugava sua vida enquanto Schaalman começava a diminuir e desaparecer. Ele dava cada fibra de seu ser, na esperança de que fosse o suficiente. E quando as forças de Saleh chegaram ao fim, ele pensou ouvir um grito longo e agonizante, o som de mil anos de cólera frustrada, no momento em que a prisão de cobre abraçava seu novo habitante.

EPÍLOGO

m uma manhã de setembro revigorante e de céu azul, o navio francês *Gallia* deixou o porto de Nova York em direção a Marselha, com mil e duzentos passageiros que lotavam a terceira classe. Em Marselha, muitos deles se espalharam por navios menores, tomando o rumo dos portos da Europa e além — para Gênova e Lisboa, Cidade do Cabo, Cairo e Tânger. Seus motivos para a viagem eram tão variados como seus destinos: fazer negócios, despedir-se de um pai moribundo, buscar uma noiva para levar ao Novo Mundo. Eles estavam nervosos por voltar à terra natal, prevendo mudanças nos rostos das pessoas amadas, bem como as mudanças em si próprios que veriam refletidas nos olhos dos outros.

Em um dos beliches da terceira classe, estava um homem registrado na lista de passageiros como Ahmad al-Hadid. Ele havia embarcado com pouca bagagem, apenas uma pequena valise. Estava acompanhado de uma criança de talvez sete ou oito anos. Alguma coisa na dupla sugeria que eles não eram pai e filho — talvez fosse a maneira formal, cautelosa, com que o homem falava com o menino, como se não estivesse seguro sobre seu papel. Mas o garoto parecia bastante contente a seu lado, tomando a mão do homem quando eles se aproximaram da prancha de embarque.

O homem não se afastava da valise, nem deixava que qualquer pessoa a tocasse, e no navio ele a guardou sob seu beliche. Nas poucas vezes em que a abriu, para pegar uma camisa limpa ou conferir o horário do navio até Beirute, era possível ver uma pilha de papéis velhos e o bojo redondo de cobre do que parecia um frasco comum de azeite.

Aquela foi uma viagem assolada por tempestades frias. O homem passava noite e dia no beliche apertado, envolvido em cobertores para enfrentar a umidade, tentando não pensar nas intermináveis águas que jaziam para além do casco do navio. O garoto dormia no beliche ao lado. Durante o dia, o menino sentava próximo ao homem e brincava com pequenas estatuetas de metal, muito benfeitas, que lhe valeram a inveja de todas as crianças da terceira classe. Às vezes ele deixava as estatuetas de lado e pegava uma pequena foto de uma mulher de vestido escuro, cujo cabelo grisalho pendia em cachos. Era sua avó, com quem ele iria viver; ela havia mandado a fotografia para que ele a reconhecesse no porto. "Você tem os olhos dela", disse o homem, olhando por sobre os ombros do garoto. E depois sorriu. "E os cabelos dela."

O garoto também sorriu, mas depois voltou a olhar, cheio de dúvidas, para o rosto da mulher. O homem tirou a mão de sob as cobertas e a pousou no ombro magro do garoto.

O homem só foi ao convés uma única vez, no quinto dia depois de deixarem Nova York, quando o frio deu uma trégua. Ele ficou sentado alguns minutos em um banco, com a valise no colo, olhando para o aço branco e agitado da superfície do oceano. O navio balançava fortemente, e a água respingava por sobre o guarda-corpo. O homem estremeceu e voltou para o porão.

O navio de Marselha para Beirute era pequeno e estava lotado, mas a rota era mais curta e o clima, mais quente. Eles desembarcaram em Beirute, e ele viu a avó do garoto lhe oferecer um pedaço de chocolate antes de se ajoelhar para aconchegá-lo em seus braços finos, envoltos em um tecido escuro.

Era hora de partir. O garoto se agarrou a ele, os olhos cheios d'água.

"Adeus, Matthew", sussurrou o Djim. "Não se esqueça de mim."

Em Beirute, ele tomou o trem que atravessava as montanhas até a agitada Damasco, depois pagou um condutor de camelos para levá-lo até o limite verde de Ghouta. O condutor, achando que o homem queria apenas ver a paisagem, ficou horrorizado quando seu cliente insistiu em ser deixado sozinho à beira do deserto, com nada além de sua pequena valise. O Djim pagou em dobro e assegurou-o de que ficaria bem. Por fim, o condutor de camelos partiu. Quando, uma hora depois, ele pensou melhor e decidiu buscar o homem, não viu qualquer rastro dele. O deserto simplesmente o havia engolido.

➤ • ◀

No Central Park, as folhas das árvores haviam começado a cair, inundando as trilhas com finas lâminas castanho-avermelhadas e douradas. Era uma tarde de sábado, e o parque estava lotado de famílias e casais apaixonados, todos decididos a desfrutar os últimos dias de tempo bom.

Duas mulheres, uma notavelmente alta, e a outra que empurrava um carrinho de bebê, caminhavam juntas pela estrada de carruagens que ladeava o prado, passando pela dezena de ovelhas que pastavam calmamente na grama. As mulheres mantinham uma certa distância entre si, e até o momento pouco haviam falado; mas então a mulher alta disse: "Como você tem estado, Anna?".

"Muito bem, acho", respondeu a jovem mãe. "O tempo está refrescando, pelo menos. E as cólicas de Toby melhoraram."

Um instante de silêncio. "Estou feliz em ouvir isso, mas eu estava perguntando para saber de sua situação."

Anna suspirou. "Eu sei." Elas caminharam mais um pouco. "É difícil", ela disse. "Pego o máximo de serviços de lavanderia e costura que posso, porém Toby toma tanto do meu tempo! Mas vou vivendo. Pelo menos, ainda não tive de ir para a rua." Ela tentou dizer isso em um tom de brincadeira, mas a Golem sentiu o medo dela, o pavor que tinha de, um dia, sem qualquer outro lugar para onde ir, ser obrigada a se vender.

Mesmo sabendo que era inútil, a Golem disse: "Anna, se você precisar de algo...".

"Está tudo bem", disse Anna rispidamente, e a Golem assentiu. A garota havia, até agora, recusado todas as ofertas de ajuda. "Estamos vivendo", disse Anna com um tom mais suave. Ela então lançou um olhar à Golem. "E você? Como está?"

A Golem ficou por um tempo em silêncio. "Como você, acho", respondeu por fim. "Vivendo da melhor maneira que posso."

Quando ficou claro que ela não falaria mais, Anna disse: "Soube que você ainda trabalha na Padaria Radzin".

"A senhora Radzin não quis me deixar partir", disse a Golem. *Vá e faça seu luto*, dissera-lhe a mulher. *E depois volte. Você sempre terá um lugar aqui, Chavaleh. Somos sua família agora.*

Michael foi enterrado no Brooklyn, e dessa vez ela desafiou as convenções e foi ao funeral, enfrentando os olhares dos antigos amigos dele, todos esperando que ela desabasse e rompesse em lágrimas. Não houve *shivá*; ela achou que ele não gostaria. A polícia conduziu as investigações — e depois, como ocorrera com Irving Wasserman, eles relegaram o caso à gaveta onde se lia CASOS NÃO RESOLVIDOS e voltaram sua atenção para questões mais importantes.

Não foi culpa sua, disse Anna, mas sua voz não transmitia muita segurança.

Elas caminharam, e Anna tentava acalmar o pequeno Toby, que se agitava no carrinho. Não se sabia até que ponto Anna compreendera os acontecimentos daquele dia. *Em um momento eu estava escondendo o saco que você me entregou*, dissera à Golem, *e no instante seguinte você me dizia para sair correndo.* A Golem lhe havia dado respostas curtas e vagas às suas perguntas. Descrever seu profundo desamparo apenas a deixaria assustada — e a Golem não queria sentir o terror da garota.

Ao menos aquele velho horroroso sumiu, disse Anna; e a Golem concordou: *Sim, ele sumiu.* Não era totalmente verdade, claro. Schaalman poderia estar preso na garrafa, mas ainda era seu mestre, eles continuavam tendo um vínculo. Quando fazia silêncio, quando a cidade estava pronta para dormir — ou então aqui no parque, onde havia menos mentes para distraí-la —, ela podia ouvi-lo, uma agulhada de cólera, uivando até o limite de seus sentidos. No início isso tomava sua atenção, depois ela começou a aceitá-lo como o preço de sua sobrevivência.

Elas caminharam sob a fita de metal da Ponte do Arco até o silêncio irregular da Ramble. Folhas deslizavam sob seus pés. O sol do fim de verão brilhava na terra que já se tornava fria e adormecida. A Golem estremeceu. Seria um inverno longo e difícil: o parque sabia, e ela também.

Havia mais casais enamorados aqui que na estradinha das carruagens, pois eles se aproveitavam da relativa privacidade da Ramble. Alguns estavam lá por algo mais que o namoro, e ela os percebia escondidos entre as trilhas sinuosas e os bosques densos, atrás dos pedregulhos cobertos de musgo e das rústicas pontes de pedra: os casais proibidos, alguns hesitantes e outros provocadores, os ilícitos e os mal correspondidos, os alegres e os desesperados. Seus desejos brotavam como a seiva das árvores ocultas.

Anna perguntou: "Você tem notícias dele?".

"O quê?", disse a Golem surpresa. "Ah, sim, ele mandou um telegrama de Marselha. E depois de Beirute, semana passada, para dizer que havia chegado. Nada mais."

"Ele ficará bem."

A Golem assentiu — a afirmação era bem-intencionada, ainda que alegre demais para a ocasião. Ela sabia melhor do que Anna o que o Djim tinha pela frente.

"E quando ele voltar", disse Anna, "o que você vai fazer?"

Apesar de tudo, a Golem teve de sorrir. A maioria das pessoas teria evitado fazer essa pergunta a uma mulher duas vezes viúva, mas não Anna. "Achei que você não gostava dele."

"E não gosto. Mas *você*, sim. E você devia fazer algo sobre isso."

"Não é tão simples assim", resmungou a Golem.

Anna revirou os olhos. "Nunca é."

Sim, mas as coisas chegavam a *esse* nível de complicação? Ela vira o Djim apenas uma vez antes que ele partisse para Marselha, e no início foi como em seus primeiros encontros: um cauteloso em relação ao outro, sem saber o que dizer. Eles caminharam até as docas do rio Hudson, onde os estivadores carregavam e descarregavam os contêineres sob as luzes elétricas. *Do que você se lembra?*, perguntou, finalmente, o Djim, e a Golem respondeu: *De tudo.* O rosto dele lhe mostrou que teria sido mais gentil mentir, fingir que não se lembrava de ele ter tentado destruí-la; mas ela havia trilhado esse caminho com Michael e não pretendia passar por ele de novo. *Se eu não me lembrasse*, ela continuou, *você teria me contado?* E ele ficou olhando os estivadores por algum tempo antes de responder: *Eu não sei.* Uma resposta honesta, ao menos.

Então, lentamente, aos solavancos, eles começaram a conversar novamente. Ele lhe contou sobre Saleh, sobre a mente danificada do homem, sua improvável cura nas mãos de Schaalman. *Você o conhecia bem?*, perguntou a Golem, e o Djim respondeu, com visível arrependimento: *Não. Não o conhecia bem.*

Então a Golem disse: *Se eu não o tivesse machucado, talvez então...*
O fim teria sido o mesmo.
Você não pode ter certeza.
Chava, pare com isso. A morte de Saleh não foi culpa sua.

Mas não era, ao menos em parte? Ela certamente queria matá-lo, ela o havia atacado com um abandono alegre, inebriante. Teria sido tão mais fácil perdoar-se, acreditar que tudo era culpa de Schaalman, não fosse a lembrança daquela alegria. E Michael? Ela sentira tanta culpa e tristeza junto à sua sepultura — mas como poderia reconciliar esse sentimento com a alegria que sentira ao saber que seu mestre o havia matado? Por mais que tentasse, ela não podia renegar o que ela era naqueles momentos — nem a sensação de que estivera adormecida desde a morte de Rotfeld e então finalmente despertara para sua verdadeira existência.

Eles acabaram por deixar as docas, caminhando até a Pequena Síria, chegando a um modesto cortiço, onde se colocaram sob um assombroso teto de estanho. O Djim mostrou-lhe seus lugares favoritos, as descobertas de sua infância, o vale onde construíra seu palácio; e ela percebeu que ele estava ansioso com a ideia de voltar para casa. Por fim, o Djim disse hesitante: *Se minha espécie ainda estiver por lá, talvez eles saibam como me libertar.*

Ela ficou ali parada, absorvendo essa informação. E depois disso, declarou em voz baixa: *Ficarei feliz por você.*

Ele pousou a mão no braço da Golem, pronunciou seu nome; e ela se voltou para seu abraço, para seu ombro acolhedor, os lábios dele em sua nuca. *Isso não é um adeus*, ele disse. *Independentemente do que aconteça, eu voltarei. Prometo.* Era um consolo ouvir essas palavras — mas que tipo de ressentimento acabaria por vir à tona, se apenas uma promessa fosse capaz de mantê-lo a seu lado? Ela não conseguia evitar pensar que, assim que ficasse livre, ele consideraria sua vida em Nova York como um sonho do qual um homem acorda com um tremor e um suspiro de alívio.

No parque, a brisa se intensificava, mas o sol da tarde continuava a brilhar, deixando em chamas o topo das árvores. Vozes que vinham do terraço da fonte Bethesda atravessavam a água até a Ramble, conversas fantasmagóricas em uma miríade de línguas. No carrinho, Toby começava a cochilar, as mãos curvas como conchas por sobre a manta. Ele franziu a testa, sua boquinha vermelha se contraindo, sonhando com o seio de sua mãe.

Elas deixaram a Ramble e viraram à esquerda em uma das trilhas, e Anna falava sem parar, contando, principalmente, fofocas sobre seus clientes e sobre os tipos de segredos que se podia aprender com as roupas sujas de alguém. Seu bom humor estava se esgotando, porém: a Golem percebeu o crescente desconforto dela, o desejo que tinha de estar em outro lugar, com uma companhia mais segura.

"Acho que devemos ir para casa", disse a jovem, por fim. "Este aqui logo vai querer seu jantar."

"Foi bom ver você, Anna."

"Digo o mesmo", disse Anna. E, depois de uma pausa: "Falei sério sobre Ahmad. Vocês deveriam tentar ser felizes, se possível". E a garota empurrou o carrinho, o vento puxando seu casaco fino.

—•—

O Djim adentrou o deserto.

Ele caminhou um dia inteiro, carregando a valise. Às vezes, alguma criatura o espiava à distância, um *ghul* ou um diabinho, acabando por se aproximar para investigar, contentes de ver um homem extraviado em uma área tão isolada — mas então percebiam o que ele era e recuavam, com medo e confusão, deixando-o passar. Ainda assim, ele se sentia magoado.

De modo geral, o deserto pouco havia mudado desde que partira. Ele passou pelos mesmos vales e montanhas irregulares por onde um dia vagara, as mesmas cavernas, escarpas e esconderijos. Mas, nos detalhes, a paisagem estava completamente transformada. Era como se um milênio de vento, sol e mudanças de estação se revelasse naquele instante, preenchendo leitos de rios e erodindo morros, espatifando enormes pedregulhos em pequenos seixos. Ele pensou no teto de estanho em Nova York, em como ele não era mais um mapa, mas uma relíquia, o retrato de antigas lembranças.

A noite caía quando ele se aproximou das moradas dos djins, a terra dos seus. Então reduziu o passo, na esperança de ser notado. Na divisa ele parou, aguardando. Logo ele os viu, um grupo de quase uma dúzia de djins, voando, imateriais, em sua direção.

Uma sensação de alívio: eles ainda estavam vivos. Isso, pelo menos, não havia mudado.

Eles pararam à sua frente, e ele viu que eram anciãos, embora não os reconhecesse. O mais velho entre eles — uma fêmea, uma djim — dirigiu-lhe a palavra, na língua que ele imaginara nunca mais ouvir novamente.

O que você é?

"Um djim", respondeu ele. "E parente de vocês. Eu lhes diria meu nome, se pudesse."

Você é nosso parente? Como isso é possível?

"Fui aprisionado nesta forma há mil anos, por um feiticeiro chamado ibn Malik." Ele ergueu o braço e puxou a manga de sua camisa empoeirada, mostrando a algema de ferro — então eles recuaram, e os mais próximos se dispersaram.

É monstruoso! Como você pode usar isso sem sentir dor?

"Faz parte da escravidão", disse ele. "Por favor, digam-me: vocês podem desfazer isso? Conquistamos esse conhecimento em mil anos?"

Eles se reuniram, debateram, suas vozes uma tempestade de vento. Ele fechou os olhos, deleitando-se com aquele som.

Não. Não temos esse conhecimento.

Ele assentiu com a cabeça, percebendo que já sabia a resposta.

Mas diga-nos: devemos temer esse feiticeiro? Ele vive ainda, para nos aprisionar e escravizar?

"Ele vive, mas vocês não precisam temê-lo." Então o Djim abriu a valise e retirou a garrafa. "Ei-lo aqui, preso como um dia ele me prendeu. Mas ainda somos ligados. Se o vínculo for rompido enquanto eu estiver vivo, ele retornará para nascer de novo e de novo."

E depois de sua morte?

"Então ele poderá ser solto, e sua alma cumprirá seu destino."

Um murmúrio entre eles. A djim disse: *Sugeriram matar você para destruir o feiticeiro. Você já está aleijado... não seria, então, um ato de piedade?*

Ele meio que esperava isso. "Se vocês estão me oferecendo uma escolha", disse, "então eu respeitosamente declino dela. Prometi que voltaria, e pretendo cumprir essa promessa."

Novamente eles deliberaram entre si, desta vez em um debate mais acalorado. Olhando para o grupo, ele pensou em quais seriam seus parentes mais próximos. Mas perguntar seria inútil, pois ele nem era capaz de lhes dizer a que linhagem pertencia. E o que a resposta significaria, já que eles tinham de permanecer como estranhos?

Tomamos uma decisão, disse por fim a djim. *Sua vida será poupada. Vigiaremos a alma do feiticeiro, assegurando sua proteção. Será nossa tarefa, e a de nossos descendentes, até que você deixe esta terra.*

"Obrigado", disse o Djim, aliviado.

Eles o conduziram até uma clareira entre suas casas e lá ele enterrou a garrafa, os anciãos observando enquanto ele escavava o solo arenoso e compacto com as mãos. Ele colocou ali também a pilha de papéis, cobrindo tudo com terra e, depois, com várias pedras, encaixando-as o mais firmemente possível. Quando acabou, deu-se conta de que todos os habitantes do local estavam ali, assistindo-o. Ele tinha a dolorosa consciência de que estava colocando a alma de ibn Malik sob os caprichosos cuidados dos de sua espécie. Mas era melhor que em Nova York, onde mais cedo ou mais tarde a garrafa e os feitiços seriam desencavados, não importa o quão profundamente estivessem enterrados, para dar lugar a um novo prédio, ponte ou monumento. Ao passo que a humanidade ainda não havia conquistado o deserto.

Mas como você viverá, escravizado e acorrentado como está?, perguntou a djim mais velha quando ele se levantou, limpando as mãos. *O que você vai fazer, para onde você vai?*

"Vou para casa", respondeu. E deixou o local, sendo observado por mil olhos.

Seu palácio continuava ali, brilhando no vale.

Um pouco danificado, claro. As paredes externas estavam profundamente desgastadas, tendo adquirido uma opacidade leitosa em virtude dos arranhões provocados pela areia. As torres mais altas haviam desabado, espalhando cacos azul-esbranquiçados pelo vale. Em alguns pontos, o vidro estava fino como papel. Em outros havia se deteriorado completamente, deixando janelas curvas como escotilhas. Ele entrou, pisando em pequenas pedras. A areia se acumulava nos cantos; o telhado estava cheio de buracos, lembrando um favo de mel. Ele viu ninhos de pássaros, os ossos de refeições de animais.

No grande salão, ele encontrou os resquícios de Fadwa e Abu Yusuf.

As paredes do salão eram grossas, e o homem e sua filha haviam ficado em paz ali até que o ar do deserto os secasse, afastando assim o interesse de qualquer animal. Ele se sentou diante deles com as pernas cruzadas no chão empoeirado. Lembrou-se do funeral de Saleh, algumas semanas antes. Maryam procurara a pequena população muçulmana da Pequena Síria, encontrando um homem disposto a servir de imã. Arbeely, Sayeed Faddoul e o Djim ajudaram a lavar Saleh, envolvendo-o depois em lençóis brancos; e então o Djim ficou de pé dentro da sepultura para receber o corpo amortalhado. Depois, todos voltaram para o café dos Faddoul, e ele ficou ouvindo os outros falarem de Saleh, dividindo o pouco que sabiam sobre ele. *Ele era um homem que curava*, dissera Maryam, e os demais a olharam de modo zombeteiro; mas então o Djim disse: *É verdade, ele era.* O Djim desejava ter alguém ali agora para quem pudesse contar sobre aquela jovem e seu pai, as vidas que viveram, os entes queridos que haviam deixado para trás. Ele pensou em Sophia Winston, que em breve chegaria a Istambul, uma distância relativamente curta dali. Mas ele estaria apenas se intrometendo, sobrecarregando-a com mágoas, bem no início da viagem com a qual ela tanto sonhara.

Ele queria enterrar Fadwa e seu pai, como Saleh havia sido enterrado, mas seus restos eram delicados demais para serem removidos. Então, reuniu os cacos que haviam caído de seu palácio, formando um túmulo em volta dos corpos. Ele derreteu e alisou os cacos de vidro, modelando primeiro as paredes laterais e, depois, uma cobertura abobadada. Era um trabalho difícil e exaustivo. Mais de uma vez ele teve de ir para fora, sob o sol, para recuperar suas forças.

Finalmente estava pronto. Ele pensou se deveria gravar os nomes deles no vidro, mas por fim deixou a sepultura sossegada e sem identificação. O Djim sabia quem eles eram e por que estavam ali. Isso, concluiu, bastaria.

—◆—

O sol já se punha quando a Golem voltou para casa, para sua nova pensão na Eldridge Street. Seu quarto ali não era maior do que aquele que o rabi lhe arrumara, mas a casa em si tinha o dobro do tamanho e atraía uma clientela muito mais sociável. A senhoria tinha sido atriz, e a maior parte dos inquilinos vinha desse mundo: atores itinerantes que paravam em Nova York por alguns meses antes de partir para um trabalho em outro lugar. A Golem percebeu que gostava de seus companheiros de pensão. Os pensamentos deles eram irritantes, exaustivos até; mas tinham um entusiasmo genuíno, e eles também se afeiçoaram a ela. A Golem era um ponto de calmaria entre eles, além de uma nova plateia para suas histórias. Em algum momento, sua habilidade de costurar foi descoberta, e logo todos eles lhe pediam para consertar suas roupas de palco, até mesmo para fazer vestimentas novas: *A costureira da trupe é simplesmente horrível, não chega a seus pés.* Eles só pagavam se podiam, mas lhe davam flores, docinhos e bilhetes para a primeira fila, além de a distraírem com sua alegria ruidosa. E, ao contrário do que acontecia em sua antiga pensão, ninguém se importava com as luzes acesas a noite toda ou com passos na escada de madrugada.

Ela subiu até seu quarto e parou na porta, consternada. Um vestido de noiva de cetim barato estava pendurado na maçaneta, apresentando um talho na cauda. Junto havia um bilhete de uma de suas vizinhas, agradecendo de antemão o conserto da roupa e prometendo um saquinho de gotas de chocolate ou qualquer outra coisa que ela desejasse em troca.

A Golem levou o vestido para dentro, acendeu a lâmpada e puxou o cestinho de costura para perto da poltrona. Seu próprio vestido de noiva estava guardado no pequeno guarda-roupa do quarto, debaixo de suas roupas de trabalho. Ela não tivera coragem de se desfazer dele.

O conserto era simples, e ela logo terminou. Distraidamente, endireitou as mangas e alisou o corpinho, procurando pequenos rasgões que pudesse remendar, mas, ao mesmo tempo, pensando no conselho de Anna para que *fizesse algo* em relação ao Djim. Para Anna, isso provavelmente significava um tórrido caso de amor, cheio de melodrama e promessas não cumpridas. Talvez o Djim fosse capaz disso — o que se passara entre ele e Sophia parecia ser algo do gênero —, mas ela? Parecia ridículo imaginar-se tão embriagada de paixão, tão absurdamente envolvida a ponto de colocar de lado a razão, ignorando todas as consequências.

No entanto, qual seria a alternativa? Um namoro tranquilo, depois o casamento e a vida doméstica? Quase tão difícil de imaginar. Ele enlouqueceria com a repressão: os fardos da fidelidade e da constância, de retornar para um quarto minúsculo dia após dia. Ele acabaria culpando-a por isso, e ela o perderia. E, mesmo se, por um milagre, ele estivesse disposto a viver essa vida, ela teria vontade de se casar de novo depois de Michael? Talvez fosse melhor passar alguns anos costurando sozinha em seu quarto. *Vocês deveriam tentar ser felizes, se possível*, dissera Anna — mas a Golem não sabia como.

Bateram à porta: a senhoria segurava um telegrama. "Chava? Isto acaba de chegar para você." A mulher entregou o papel e fechou a porta, sua curiosidade dolorosamente controlada.

BEIRUTE SÍRIA 29 SET

CHAVA LEVY
67 ELDRIDGE STREET NY

TUDO TERMINADO EXCETO NÃO ESTOU LIVRE...

A Golem parou de ler e fechou os olhos. Ele não tinha muitas esperanças, ela sabia. E sem dúvida ela o teria perdido, pois o desejo de vagar acabaria por suplantar a afeição. Mesmo assim, sentiu uma onda de tristeza por ele.

Ela retomou a leitura:

TUDO TERMINADO EXCETO NÃO ESTOU LIVRE
DIGA A ARBEELY QUERO EMPREGO DE VOLTA...

E então sorriu.

VOLTAREI VIA MARSELHA ESPERE 19 OUT
SOB SUA JANELA.
AHMAD AL-HADID

Provavelmente, pensou ela enquanto fechava sua capa, poderia existir um meio-termo, um ponto entre a paixão e o cotidiano. Ela não tinha a menor ideia de como o encontraria: muito provavelmente, eles teriam de criá-lo do nada. E qualquer caminho que escolhessem apresentaria dificuldades. Mas talvez ela pudesse se permitir ter esperança.

Ela saiu, na noite límpida e fresca, e foi até a agência de telegramas na Broadway para avisá-lo de que ele não precisaria ir até a sua janela — ela o encontraria no porto.

AGRADECIMENTOS

Todo livro é um esforço coletivo, mas há algumas pessoas sem as quais este aqui não existiria. Meu indômito agente, Sam Stoloff, encorajou-me a escrever este romance praticamente desde o momento em que a ideia surgiu. Minha fantástica editora, Terry Karten, tem minha sincera gratidão por sua perspicácia e paciência. Agradeço também à ótima equipe da HarperCollins, que ajudou a orientar a publicação deste livro.

O processo de pesquisa foi um trabalho à parte, e eu recorri repetidamente a algumas fontes. As obras dos professores Alixa Naff e Gregory Orfalea foram úteis por suas descrições da Pequena Síria em Nova York. E teria sido muito mais difícil escrever sobre a Manhattan da década de 1890 em um sofá na Califórnia do século XXI sem a ajuda da Galeria Digital da Biblioteca Pública de Nova York. (Todas as imprecisões deste livro são, claro, minha culpa.)

Agradeço também a todos os que leram trechos do romance em versões anteriores, incluindo Binnie Kirshenbaum, Sam Lipsyte, Ben Marcus, Nicholas Christopher, Clare Beams, Michelle Adelman, Amanda Pennelly, Jeff Bender, Reif Larsen, Sharon Pacuk, Rebecca Schiff, Anna Selver-Kassell, Dave Englander, Andrea Libin, Keri Bertino, Judy Sternlight, Rana Kazkaz, Dave Diehl e Rebecca Murray. E uma rodada de agradecimentos para Amanda Pennelly, que originalmente fez nascer a ideia.

As amizades de Kara Levy, Ruth Galm, Michael McAllister, Zoë Ferraris, Brian Eule e Dan White me mantiveram mentalmente equilibrada e motivada, mesmo quando o bom senso me dizia para enfiar o texto em uma gaveta e dar tudo por encerrado.

Por último, e o mais importante, agradeço à minha amada família, a todos os meus Wecker, Kazkaz e Khalaf — mas especialmente à minha mãe, meu pai e meu marido pelo amor e apoio. E um obrigado final para a minha maravilhosa Maya, que chegou a tempo do capítulo final.

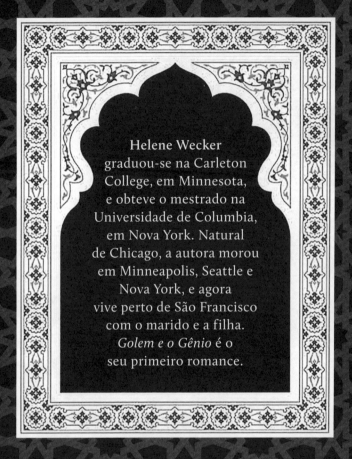

Helene Wecker graduou-se na Carleton College, em Minnesota, e obteve o mestrado na Universidade de Columbia, em Nova York. Natural de Chicago, a autora morou em Minneapolis, Seattle e Nova York, e agora vive perto de São Francisco com o marido e a filha. *Golem e o Gênio* é o seu primeiro romance.

Helene Wecker
SOBRE A AUTORA

GOLEM
O GÊNIO
UMA FÁBULA ETERNA

"Olhou para baixo, observando as ruas estreitas, e se deu conta de que a cidade também era um labirinto. E, como todos os labirintos, escondia algo precioso em seu coração."

TODOS NÓS SOMOS SERES MÁGICOS. OUTONO 2015

DARKSIDEBOOKS.COM